編集復刻版 戦後改革期文部省実験学校資料集成
第3回配本（第7巻〜第9巻）

2016年5月15日 第1刷発行
揃定価（本体75、000円＋税）

編・解題者 水原克敏
発行者 細田哲史
発行所 不二出版
東京都文京区向丘1-2-12
TEL 03（3812）4433
印刷所 富士リプロ
製本所 青木製本
乱丁・落丁はお取り替えいたします。

第8巻 ISBN978-4-8350-7813-7
第3回配本（全3冊 分売不可 セットISBN978-4-8350-7811-3）

編集復刻版

水原克敏 編・解題

戦後改革期文部省実験学校資料集成 第8巻

不二出版

〈復刻にあたって〉

一、原本自体の破損・不良によって、印字が不鮮明あるいは判読不能な箇所があります。
一、資料は、原本を適宜拡大し、二面付け方式で収録しました。
一、資料の中には人権の視点から見て不適切な語句・表現・論もありますが、歴史的資料の復刻という性質上、そのまま収録しました。
一、解題（水原克敏）は第1巻巻頭に収録しました。

（不二出版）

〈第8巻　目次〉

資料番号─資料名◆作成・編・発行◆出版社◆発行年月日……復刻版頁

〈Ⅱ　文部省実験学校の報告・教育実践（一九四七～一九五一年）〉

⑹長野師範学校女子部附属小学校・男子部附属小中学校

31─学習指導の手引　昭和二十五年度◆長野師範学校男子部附属小・中学校◆一九五〇・七・二五……-1-

⑺奈良女子高等師範学校附属小学校・附属中学校高等学校

32─たしかな教育の方法◆奈良女高師附属小学校学習研究会◆秀英出版◆一九四九・五・一〇……-167-

◎収録一覧

巻		資料名	出版社	発行年月日
〈Ⅰ〉文部省の動向				
第1巻	1	生活カリキュラム構成の方法	六三書院	1949(昭和24)年8月15日
	2	新教育用語辞典	国民図書刊行会	1949(昭和24)年6月20日
	3	昭和二十四年度実験学校における研究事項		1949(昭和24)年
	4	学習指導要領編修会議・教育課程審議会・初等中等分科審議会記録等		1949(昭和24)～1950(昭和25)年
	5	昭和二四年七月調査報告二　学習指導要領に対する小学校教師の意見(一般編)		1949(昭和24)年7月
	6	昭和二四年八月調査報告五　学習指導要領に対する中学校教師の意見の調査(一般編)		1949(昭和24)年8月
〈Ⅱ〉文部省実験学校の報告・教育実践(1947~1951年)				
第2巻		(1)東京高等師範学校附属小学校(東京教育大学附属小学校)		
	7	コーア・カリキュラムの研究　研究紀要(一)	柏書院	1949(昭和24)年2月25日
	8	教科カリキュラムの研究(上巻)　研究紀要(二)	教育科学社	1949(昭和24)年11月20日
	9	教科カリキュラムの研究(下巻)　研究紀要(二)	教育科学社	1949(昭和24)年11月20日
	10	広域カリキュラムの研究(上巻)　研究紀要(三)	教育科学社	1949(昭和24)年11月20日
第3巻	11	広域カリキュラムの研究(下巻)　研究紀要(三)	教育科学社	1949(昭和24)年11月20日
	12	コーア・カリキュラムの研究　研究紀要(四)	教育科学社	1949(昭和24)年11月20日
	13	学習目標分析表――カリキュラム構成の基底・能力評価の基準　研究紀要(五)	教育科学社	1949(昭和24)年11月20日
	14	学習指導目標分析表・生活能力分析表(試案)　研究紀要第六集	不昧堂書店	1951(昭和26)年11月7日
第4巻		(2)東京学芸大学第一師範学校附属小学校		
	15	カリキュラムの構成と実際　カリキュラムの実験シリーズⅠ	学芸図書	1949(昭和24)年12月1日
	16	学習環境の構成と実際　カリキュラムの実験シリーズⅡ	学芸図書	1949(昭和24)年12月1日
	17	低学年カリキュラムの実際　カリキュラムの実験シリーズⅢ	学芸図書	1949(昭和24)年12月1日
	18	中学年カリキュラムの実際　カリキュラムの実験シリーズⅣ	学芸図書	1949(昭和24)年12月1日
第5巻	19	高学年カリキュラムの実際　カリキュラムの実験シリーズⅤ	学芸図書	1949(昭和24)年12月1日
	20	評価と新学籍簿	宮島書店	1949(昭和24)年5月20日
		(3)東京学芸大学第二師範学校附属小学校		
	21	小学校のガイダンス	明治図書	1950(昭和25)年2月15日
	22	小学校社会科における地理及び歴史的学習　文部省実験学校研究報告	東洋館出版社	1951(昭和26)年6月20日
第6巻		(4)東京学芸大学第三師範学校附属小学校・附属中学校		
	23	小学校カリキュラムの構成	同学社	1949(昭和24)年7月25日
	24	中学校カリキュラムの構成	同学社	1949(昭和24)年6月10日
第7巻		(5)千葉師範学校男子部附属小学校		
	25	単元学習各科指導計画　小学一・二学年(文部省実験学校研究報告　第一集)	小学館	1947(昭和22)年6月20日
	26	単元学習各科指導計画　小学三・四学年(文部省実験学校研究報告　第二集)	小学館	1947(昭和22)年6月20日
	27	単元学習各科指導計画　小学五・六学年(文部省実験学校研究報告　第三集)	小学館	1947(昭和22)年6月20日
	28	単元学習各科指導計画　中学一学年(文部省実験学校研究報告　第四集)	小学館	1947(昭和22)年6月20日
		(6)長野師範学校女子部附属小学校・男子部附属小中学校		
	29	コア・カリキュラムによる指導の実践記録　小学一年	蓼科書房	1949(昭和24)年7月5日
	30	理科カリキュラム		1949(昭和24)年9月10日
第8巻	31	学習指導の手引　昭和二十五年度		1950(昭和25)年7月25日
		(7)奈良女子高等師範学校附属小学校・附属中学校高等学校		
	32	たしかな教育の方法	秀英出版	1949(昭和24)年5月10日
第9巻	33	奈良プラン　ホームルーム	東洋図書	1949(昭和24)年10月10日
	34	正しいしつけ	秀英出版	1950(昭和25)年10月20日
	35	中学標準教育課程	東洋図書	1950(昭和25)年11月15日

※資料3～6は翻刻で収録

昭和二十五年度

學習指導の手引

長野師範學校男子部附屬中小學校

目次

何たのむとて寄りくる子らぞ

—序に代えて敎生諸君におくる—

M、ミイドは、敎育的オプティミズムということを言つている。曰く、敎育者は兒童の心性の開發であるとか、敎育による社會革新であるとか、そうしたことを可能なこととして考え、また口にする。人間の性は、然しながら、インネートリイグッド卽ち生來善であるというようなものではなくて、實はエンヴァイロメントコンデイショニングで、環境によつて種々に條件ずけられる複雜なものである。こういう事實を考える時、單にオプティミズムの立場に安んずることはできないではないかと。この考えは、いわゆるプログレッシブスクールから、コンミユニティスクールへと前進した今日の敎育段階において、何人もが口にするところであつて、その限りにおいては誤ではあるまい。然しながら、敎育はあくまでも一つの到達目標を胸に描きそれに向かつての實踐活動であるところにその良心があるのであり、敎育の可能を信ずるところにその出發があるのである。信ずる兒童たちにそむかれてノイホーフを去り行くペスタロッチの孤影は蕭然たるものであつても、彼の心中には子どもへの愛情がなお否ますます燃えたぎつていたことを思うべきである。敎育の可能を過信し、自己の獨善に安住するオプティミストであることは許されないが、さればとて、兒童の心性開發や生活指導、あるいは社會革新を重要課題として、一生これを負つて行くわれわれにとつて、妨げとなるものはオプティミズムではなく、むしろスケプティシズムあるいはプシミズムであることを思わなければならない。兒童生徒の精神の內部構造を深く洞祭するとともに、彼等の社會的行動を見守りこれに全身全靈の情熱を注いで行くところに、おのずからひらかれてくる道のあることを信じつつ、まず敎育の現場に赴くことこそ敎生諸君の第一の心構えでなければならないと信ずる。

さて、そのようにして、敎育實習を志す諸君にとつて、それは、諸君自身の敎育者としての人間形成の一生において、いかなる場と機であるのか。それは、第一には、語らざる形骸(文字、書籍)との接觸から、躍動する生命との直接交渉の開始ということ、第二には、言説あるいは學理のみによつては救いがたい、問題にみちた現實の世界との對決ということである。第一の場と機とにおいては、諸君は自らの敎育愛について何ほどかの試錬に立たされるであろうし、第二のそこにおいてはしばしば、自らの學問についての反省に立たされるであろう。かくて、第三には、敎育愛と學問とを通路として、不斷に自らにかえり來らざるを得ない苦行

—それこそが、教育者の人間形成をきびしく促すものなのであるが—を績けなければならないことを体得する機と場とをそこに見いだすであろう。

さわあれ、兒童生徒は瞳をかがやかし、喜んで諸君の指導を受けようとしている。その瞳の光に、諸君は限りない叡智と、一點いつわりのない純情とを見いだすにちがいない。諸君がいかに不用意に現場に立つとしても、兒童生徒は、師を慕い、師をとりかこみ、手にすがり、足にまつわり、心の窓の開かれんことを求めてやつてくるのである。この信頼に對して果してどのように答えんとするか、ここに示されたものは、わずかに諸君の學習指導の手びきにすぎない。これを一つの手がかりともして、工夫獨創を重ね、大いなる教育的課題の解決に勇氣と忍耐とを以て進まれるよう心から祈らざるを得ない。

おうけなくも教の場に立つわれに何たのむとて寄りくる子らぞ

昭和二十五年五月

信州大學長野附屬小・中學校

一、本校の教育方針

本校(附屬小・中學校)は、いかなる教育目標にむかつて進もうとしているのか、ということについて、次の二つの點を明らかにしておきたい。

㈠　新教育實踐の歴史的課題にむかつてのたゆみなき前進

第一には、おしなべてわれわれ今日の教育者に負わされている新教育の實踐的推進という歴史的な課題にむかつて、不斷に前進するということである。これはかなりの情熱と勇氣また忍耐を要することであるけれども、それが日本の過去の教育史において、かつて見なかつた歴史的な問題として提出されている以上、ここにわれわれの主力を注ぐべきことは當然の要請である。法的には、憲法や教育基本法、學校教育法などに示されて明らかなことであるけれども、それらの線にそいつつ、特にわれわれの强力に進めたいと意圖していることは、

1、一生を貫く生活態度の育成

2、美しい個性の開花

3、民主的社會の形成者としての自主的人間の教育

の三である。

生活態度ということは、人々の一生を貫く根本的なものであつて、片々たる知識の記憶暗誦という類のこととは質を異にする大切な教育目標でなくてはならない。いわゆる學力とは、學びとる力であり、課題を發見し、これを解決する力でなくてはならない。かくてこそ複雜多岐な人生行路に立ちつゝも、困難にうちかつて勇氣と希望を失わない人間が形成されるであろう。人はまた具体的には、それぞれの個性の軌道に乘つて最大限に自己を生かすこと以外に自ら生きる道もなければ、また他を生かし全体を生かすこともできない。兒童生徒の個性の發見伸張ということがまた一つの目標となるわけである。かくして、新しい民主的社會の形成者たるにふさわしい、自主的にしてたくましい、またゆたかな人間の育成が期待されなければならないと信ずる。

㈡　新教育即ち眞教育でなければならないとする不斷の反省

然しながら第二に、同時に反省せられなければならないことは、いわゆる新教育ということが、單に形式化された模倣的なものとなり終らないことである。個性といい自由といい、そのことばは人間の自覺とともに年久しい。決して今日の流行ではない。然しながらこの一時流行の面のみを皮相に追うということでは、新教育は決して期待されまい。新教育は、われわれにとつては、正しく新しい世界の地盤をかためて行く基礎作業である。形而下的にも、また文化的にも殆ど焦土化したこの國を物心両面から緑地化して行くための最も骨の折れる、忍耐を要する作業なのである。ほんとうの教育、眞實の教育とは正にかくあるべしと信じての上での新教育にあらずして、どうしてわれわれが新教育への情熱をもち得よう。

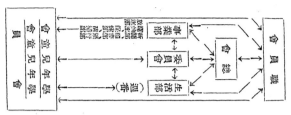

二、本校經營の實際

本校經營の實際面—學校の全体計畫、學習環境の設定、對地域社會關係というような點—について ふれてみたい。

(一) 附屬學校の使命

教員養成學校には、わが國では原則的に附屬學校がおかれており、その點アメリカにみられない充實を示していると言われる。然らば、その使命とするところは何か。

1、敎育の原理的研究と實踐研究
2、その實証
3、「觀察」「參加」「實習」の指導
4、現職教員への奉仕
5、師範學校、大學及び地域の教育機關との協力

以上がその主要な點であるが、特に、「觀察」「加參」「實習」の指導に重點があるのであつて、師範學校または大學において、原理あるいは概論を學びとつた學生に對して、その基本的な應用實習の場たらしめることがそれである。學生は、ここで兒童生徒の實態にふれ、原理の活用についての工夫をこらすことになるのである。本校はその指導に十分の計畫を立てて、地域社會に有能な教師を送る努力をつゞけている。

(二) 職員組織

以上の使命を果すためにはいろいろな觀點から有能な教師が集められ、効果的に組織されて、その力量が存分に發揮せしめられねばならない。即ち、

1、地域（公立學校、教育委員會事務局等）との交流による公平、淸新なる人事
2、學問性、指導性、人間性の同時的な尊重による廣い地盤に立つ教育者社會の結成
3、教務、教科、ホームルーム、特別教育活動、兒童會（學友會）、學校圖書館、視聽覺教育、修養會（讀書會）等に對する公平、適切なる人的配置
4、相互信頼と敬愛による强くあたたかい協力体制

等の事が考えられ、美事なチームワークのとれた平和的な人間の結合がなされその上に研究や實踐が推進されていつている。

ここで特に强調されねばならない事は、教師の自己研修という一事である。教師が自分自身の學問の、あるいは人間の愛の源泉を涸らしてしまつては教育は決して實績を示すものではない。この點を互にもつともいましめつつ、永遠の求道の徒として勵ましあつている。

(三) 教科の經營

各教科間の相關關係をつきつめ、これを重視しつつ、教科別の單元學習を行う。これは、「形式的な知識の斷片ではなくて、經驗の分節を重んずる。」(Gwynn : The Curriculum Principle & Social Trends) という立場であり、ホプキンスのいわゆる統合的人間の育成を期待する立場である。たゞいわゆる經驗も過去的なそれをのみ消極的に受容するという立場ではなくて

未來的なものへの積極的意圖的な構成が考えられていることは忘れられてはならない。

たゞし、小學校一、二年においては、多年教科間のわくをはずして、綜合學習を行い、兒童の多角的な意識的無意識的な生活の實態に即しつつ、そこからの自然的な學習の展開をねらつている。

(四) 兒童生徒に對するガイダンスプログラム

小學校の兒童會、中學校の學友會ともに、彼らの自主的精神の內部活動をうながすように組織せられ、教師の指導のもとに運營せられている。兒童、生徒それぞれに責任ある行動がとれるばかりでなく、進んで、學級に學年に、また學校全体に、何ほどか寄與し得る面を見いださせ、喜びと勇氣とを以てその事が實踐できるようにあることが、その指導の重點である。

小學校の兒童會の組織

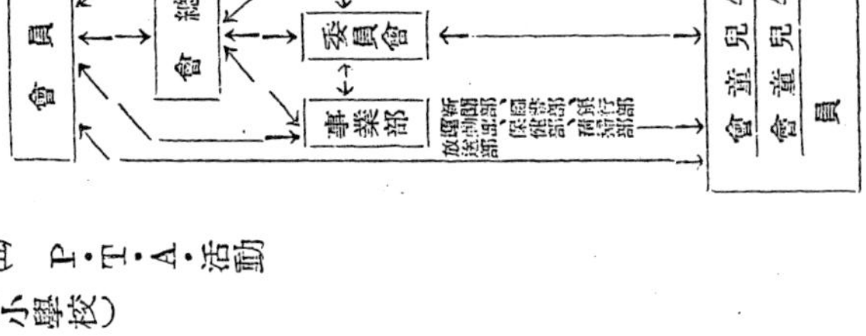

(五) P・T・A・活動

（小學校）

庶務部、施設部、教養部、校外指導部、經理部 — 部長、副部長、委員（各學級より選出）各部毎に部會をもつ。

學級代表委員、各學級代表より代表委員を選出

（中學校）

このほかに職業指導の部會をおく

敎生勤務について

(一) 教師としての問題

教育基本法第六條（學校敎育）の中には、「法律に定める學校の教員は全体の奉仕者であつて、自己の使命を自覺し、その職責の遂行につとめなければならない。」と定められている。奉仕者としての自覺、自己の使命の自覺、職責の遂行という三點が眼目になつているが、之等は相互に關連し合つて教師としての性格を形作るものである。次に教師として特に留意しなければならない點をあげる。

1、教員は全体のの奉仕者である。

教育は教員の獨占物ではない。全社會が靑少年を教育する責任をもつている。教員は特に社會の要求によつて定められた學校教育に於て、「兒童の教育をを掌る」ものである。したがつ

て、社會の各面の要求にこたえていくとともに、あらゆの指導者と連絡して、兒童生徒の資質の啓培を圖らなければならない。

2、教員は青少年を理解し愛する人でなければならない。

教員として、教養が深く、心身ともに健康であることは基本的な條件であり、また、教育的情熱にもえる人であることも欠くべからざることであるが、これにもまして大切なことは、青少年をよく理解し愛する人であることである。特に教育愛は教育の根底をなすものであることを銘記すべきである。

3、教員は青少年に對しては、指導者、案内者である。

教育は基本法に示されている教育の目的に沿つて兒童生徒の資質を啓培していく、働きである。そのためには、教員は青少年に對し、よき指導者であり、案内者であり、助言者であるべきである。特に教員は、學校教育においての指導者である點にかんがみて、學習指導の充實と徹底に、その全力を注いでいかなければならない。

4、教員は學校組織の一要素であると共に、校長の監督のもとにある。

教員は學校組織の中にあつて、教育計畫を構成する一要素である。この要素は學校教育計畫によつて規定されてくるとともに、學校教育計畫そのものを規定していく存在である。しかしながら、學校教育の運營においての最後の責任は校長にあることを知らなければならない。

㈡ 教生としての心得

教育實習はあくまでも學生としての實習であつて、責任ある教師としての立場と同樣ではないが、青少年の成長發展のために學校教員に參加し實習するのであるのであるから、工場に於ける實習とは本質的に異るものがある。

前項にのべた「教師としての問題」は、いずれもそのまゝ教生としての心得と一致するものであるが、この他特に二三の問題を心得としてこゝにとりあげたい。

1、實習は教官指導のもとに行なわれる。

教生は、つねに教官の指導下にある。兒童生徒指導の一切の責任は教官にあることを銘記すべきである。したがつて、學習指導中に於てさえも、教官の指導と批正を受ける場合が起り得るのである。その他、下宿や寄宿へ兒童生徒を立寄らせるとか、日曜日に兒童生徒をつれ出すとか、家庭を訪れるとかいうことについても、當然、主任教官の許可があつた場合に限られるのである。

2、實習は兒童生徒に大きな影響をあたえる。

教生は兒童生徒に對しては先生である。兒童生徒指導の責任者ではないがその言動は兒童生徒に大きくひびいていく。この點教生としての責任を考えなければならない。

3、實習には、時間的な規律を厳守することが必要である。

教官は、午前八時半から午後五時半までを勤務することが原則になつている。これは兒童生徒のための時間であつて、他に使用せらるべき時間ではない。教生指導の時間はこの一部をもさいて行なわれるものであるから、特に時間を厳守して無駄を省かなければならない。また、忙しい時間生活の中にあつても、休み時間中はつとめて兒童生徒と遊ぶとか、晝食を共にするとかして、兒童生徒を理解するように工夫がべきである。

學習指導について

㈠ 教育の方向と教育基本法

教育についての定義はいろいろあるが、それが次代の人間を形成していくという點ではかわらない。次代の人間を形成するというかぎり、そこには、つねにその時代の傾向性、その時代の課題を背負つている。教育史上、教育の考え方や方法に、さまざまの移り變りのあるのは、主としてこれによる。

現在新教育といわれていることも、何も教育が従來と比較して全く變つてしまつたということではなく、敗戰の結果、新しい憲法が制定され、民主的で文化的な國家を建設して世界の平和と人類の福祉に貢献しようとする決意を示したことが、基本的な課題となつている。

この課題は、更に教育基本法として十一條からなる各條項に示されている。特に基本法第一條は、教育の目的を示したものとして、最も注意すべきものである。まず、教育全体のめざすところは、「人格の完成」である。これは注意すべき言葉であつて、いわゆる、人柄とか、總体的な意味での人間が教育のねらいであつて、單に知識があるとか、特殊な技術を持つているとかということではない。つまり、「平和的な國家及び社會の形成者として」の役割を担つていけるものが、基本法でいう「人格」である。したがつて、その人格の內容は、「眞理と正義を愛し」個人の價値を尊び、勤勞と責任を重んじ、自主的精神に充ちた心身ともに健康な」具体的、實践的な人間である。

教育の目的がこのように明らかにされると同時に、どうすればこの目的を達成していくことができるかという方法の問題が考えられなくてはならない。同法第二條には、教育の方針として學問の自由の尊重、實際生活に即すること、自發的精神を養うこと、自他の敬愛と協力によること等をかかげているが、要するにこれらは教育の畫一性を破つていこうとするものであるといえる。個性的なものオリヂナルなもの生かすこと、自發性を重んずること、さまざまな個人差に着目することは畫一化を破る原理であるといわれるが、基本法第一條の目的は、このような方法によつてこそ、實現の方向をたどることができるのである。鑄型にはめることだけではどうにもならない。

㈡ 教育の實踐と學習指導

新しい人間形成の方向は、前述した教育基本法や、その他學校教育法、教育委員會法など、いわゆる、法や制度としてあらわれてきたことに注意すべきである。これは、敗戰の結果當然のことのように考えられるが、法や制度が先にあらわれてくるところに、實踐面の貧困があることを考えなくてはならない。もちろん、これらの法や制度は、今後の教育を方向づけるものとして、重要な意義をもっている。しかし、これらの法や制度がいかに改められても、その内容となる日常の教育實踐が充實しないかぎり、法や制度の改革のもたらす意義を生かすことはできない。教育實踐といつとき、それは廣範な意味をもつている。教育理念の上での諸問題の探究ということも、重要な仕事の一つである。けれどもこれらの探究も日々の仕事とガッチリ結びついた時に於てこそ、はじめてその意義を發揮できることを考えるならば、日々の仕事を忠實に丹念に行つてその結果を反省していくことが、實は最も具体的な理念の探究であるということができる。このような意味で、教育實踐者としてのわれわれの立場からいうならば、日々の學校の仕事、とくに、學習指導の問題を重視し、之を充實していくことに、根本的な使命を見出すことができる。

人間形成の重要な一面を担う學習指導の問題は、きわめて廣範な領域にわたつて、さまざまな契機を含んでいる。しかし、その根抵になるものは、教師自身の人間の問題である。その人間性であり、基礎的な力である。日常の實踐と眞にとりくみ、それを通じて不斷の自己反省と自己批判とが行なわれないかぎり、教育の進展は期することができない。

㈢　學習指導の基盤

學習指導が具体的に行なわれるためには、いかなるものがその基盤として考えられなければならないか。

それには、まず、基本法に示されている平和的な社會や國家の形成者としての資質を育成していくという課題を解決していく方向に於てあらわれてくる社會の要求である。しかしながら社會の要求は、そのまゝが直ちに教育の目標や内容となるものではない。そこに當然考えられなくてはならないものは、兒童生徒の立場である。兒童生徒の生活に即し、その發達に即し、興味や經驗に即するということがない限り、社會の要求は具体的に實現していくことはできない。さて、社會の要求、兒童の立場といつても、具体的な姿はつねに地域に於て見出される。すなわち、具体的な地域社會の實状に即して、社會的要求は具現されるように指導されなければならないし、さらに、地域社會に於ける兒童生徒の具体的な生活に、指導の手がかりを求めていかなければならない。

以上社會の要求、兒童生徒の立場、地域性の三條件は、いついかなる場合に於ても、學習指導上考慮されなければならないものであるが、要するに、それは、民主的な社會の形成者の育成という意味に於て、單なる知識のつめこみや、偏つた人間をつくることでなく、全体として圓滿な人格を具えた實踐的な人間の育成をねらつているために他ならない。

㈣　學習指導法の問題

指導法の問題は、單に教育の目的を達していく手段であるという意味をもつばかりでなく、逆に方法如何によつてその目的とする人間形成の方向が左右されるものであるということ、また、兒童生徒の立場を考えるという點からすれば、方法の問題はその中核となるべき性格のものであるということによつて、重要な意味を有するものとなる。

そこで・學習指導の方法を考えるにあたつて、まず考慮されなければならないことは、兒童生徒は如何に學ぶかという學習の過程である。

學習は、兒童生徒が、その環境に對して直ちによく反應することのできない状態、つまり反應しようとするができない状態におかれた時、この何か不明なものを明らかにしようとする目的意識とそれを明らかにしようとする意欲があるところにはじまる。したがつて不明なものがあつても、それを意識しないときや、また、それを明らかにしようとする意欲のないときには、學習は行なわれない。次に目的が意識され、それに向かう意欲が發生すると、過去の經驗や既有の知識によつて知能を働らかし、「こうしたらどうだろうか。」という自分なりきの解決の企てがなされるわけである。さて、この企てが正しものであるかどうかは、それを試みることによつて確かめられる。そして、それが適さないものであれば、更に必要な知識を得たり必要な觀察をしたりして、その企てを訂正して、また、試みるのである。このような過程を經て、はじめて、いわゆる「わかつた」という客觀的な解決に達するのである。さらに、學習は終りに於て練習を必要とする。さまざまな機會にすすんで之を應用してみることによつて、確實にしていくことになる。

以上のように學習の過程をみるとき、そこに指導の方法の上から注意しなければならないいくつかの事項を見出すことができる。

1、學習には兒童生徒自身の目的の意識が必要である。しかも、この目的をはつきり自分のものとして意識することができるようにするためには、兒童生徒自身にとつて、興味のある、切實な生活の問題から出發することが必要である。
2、學習には、終始、意欲の存在がなくてはならない。そのためには、兒童生徒の興味關心がどこにあるを捉えることや、また、その能力の實態に即して之を超えることのないようにすることが必要である。
3、學習には、兒童生徒の過去の知識や經驗が有力に作用する。したがつて、その經驗や知識をあらかじめ知つておくことが、よき指導への手がかりとして必要である。
4、學習は試みと訂正とによつて發展する。その試みと訂正の仕方は學年に應じて、それぞれ特徴がある。したがつて、兒童生徒の物の見方、考え方、感じ方を學年的な發展において捉えておくことが必要である。
5、學習は練習によつて完成する。したがつて、どのような練習方法をとることが効果的であるかを考えてみる必要がある。

㈤　學習指導と評價の問題

學習指導の反面には、つねに評價の問題がある。評價には二つの意味がある。一つは學習効果の判定であり、他は計畫の修正である。また、評價の機會は、觀察による場合、面接による場合、質問紙による場合があり、内容的には、理解面、技能面、態度面等に分けて考えることができる。

さらに、評價の問題は、効果の判定、計畫の修正につきるものではなく、根本的には、自己反省、自己批判の問題を含んでいる。自分を考えていく、自分で自分を正していくことのないかぎり、民主的な社會の形成ということは不可能である。評價の問題がここまで掘り下げられていく時は、學習に對する評價ということでなく、評價それ自身が學習であるということができる。

評價には、子どものする評價と敎師のする評價がある。そのいずれの場合にも、評價はどのようにするかということをはっきりさせておかなければならない。まづ、評價は、目標との關係においてなされるものであるから、目標を兒童生徒の行爲に即して具体的にはっきりさせること、次には方法をはっきりきめておくこと（觀察、面接、テスト）、第三に、得られた資料を整理すること、第四に、整理した結果を解釋すること、第五に今後の處置を考えることである。

要するに、學習指導に於ては、目標と評價とは、きわめて重要な意味を持つものであり、また、相互に密接な關連をもっている。何を如何に評價するかということがはっきりしない限り、學習指導のねらいはぼけてしまうおそれがある。そういう意味で評價は、學習指導の根抵的な問題として、重要な意味をもっている。

單元學習について

(一) 單元學習の意義

學習指導に於ては、社會の要求や兒童の立場を考えていかなければならないことは既にのべたとうりである。これらのことについては、從來の學習においても、相當に考慮されていたわけである。ただ、從來の學習は、敎材を中心にしてこれを兒童生徒に授けていく立場が色濃く貫ぬかれていた。そして、この敎材は、社會的要求に立ち、兒童の立場を考えて構成されていたともいうことができる。けれど、たとえ、兒童の立場を吟味して構成された敎材であっても、それは學ばれ易く整えられているということであって、ほんとうに學ばれていたということとは別の問題である。從來の學習に於ては、知識は豊富に記憶されたかも知れないが、それを自分のものとして使いこなすことができたかどうか、また、形式的な論理の方式は學んだかも知れないが、自分から考えていく力が養われたかどうか、これらについては謙虚に反省してみる必要がある。兒童生徒がほんとうに學んだということができるためには、前述した學習の過程が、是非とも指導方法の上に考慮されなければならない。すなわち、兒童生徒自身の發測によって、自發的な試みを重ね、經驗により思考することによって學ばれていかなければならない。つまり、敎材の系列は、兒童生徒自身の經驗の系列として展開されてこそ、ほんとうに具体的に學んだということができる。單元學習とは、このような要請によって生れてきた學習の方法である。したがって、單元學習に於ては、敎材は、生活の問題を解決しようとする働きとしての學習活動の中において、自然に、必然的に學ばれていくことがのぞましい。また、生活の問題を解決しようとするたて前からいって、多面的な活動に發展し、それが全体として生活の問題を解決するようになることがのぞましい。そして、その問題を解決していく中に、敎材が自然に學ばれ、敎科なり敎育の目的が達成されるものでなければならない。

このように、兒童生徒の生活經驗と密接に關連し、課題の解決というかたちで兒童生徒自身の目的活動として意義ある學習活動が自發的に展開され、しかも全体として統一のある學習經驗を、最近、單元という言葉でいいあらわすようになってきている。

以上述べたところによってもわかるように、單元學習は從來の學習方法に比較して、いくつかの長所を持っている。いま、これを列擧すると、

1、生活に於ける課題を中心としてそれを解決する學習であるから、興味をもって能動的な學習活動が行なわれること
2、生活の實態に即して行なわれる學習であるから生活自体が淨化され、向上され、兒童生徒の人間性が形成されること
3、生活に直結して有機的關連的全一性に於て行なわれる學習であるから、きわめて具体的な學習であること
4、生活の實態に即しての學習であるから、社會的課題の解決と深く結びついていること
5、生活に即した具体的な學習であるから、知識や技能態度が具体的に的確に身につけられていくこと
6、兒童に對して意議あり價値ある學習經驗を得させることができること

等をあげることができる。

しかし、これは單元學習が十分な準備とすぐれた敎師によって行なわれた場合に於てこそ生まれてくる効果であって、單に形だけをまねた單元學習を行うならば、きわめて不徹底な結果を招き易いものである。單元學習への道は、われわれの努力によって、一歩一歩進められていかなければならないが、その歩みは、つねにその學校や兒童の實態に即しての歩みであることが必要である。

(二) 單元の構成

單元はどのようにして作られるか、單元の構成を行うためには、まず、どんな單元がよい單元であるかという、のぞましい單元條件を明らかにしておく必要がある。

1、のぞましい單元條件

(1)活動性　兒童にとつて意味があり、しかも自分のものとして納得している目的をめぐつて、積極的な活動が行なわれることが必要であり、學習活動は自己活動として展開され、目的計畫・作業・評價が創造的に行なわれるような活動單元であること。

(2)統合性　單元は一つのまとまりのある完結した學習經驗の系列であり、人間の有機的な全機能を働かして、動的に變化する状況に適應していくことができるように、多面的な發展の中に全体としての統一を持つ統合單元であること。

(3)現實性　生活現實に直面し、之に適應し、之を切り開いていくことができるように、學習のコースが生活のコースと等しくなり、學習体系が生活体系に近づくように考慮された現實性のある單元であること。

(4)課題性　學習が課題解決の過程において具体的必然的に行なわれるように、課題解決の構造をもつた單元であること。

以上はのぞましい單元條件の概要をのべたものであるが、之を各教科におろしていつた場合には、そこにさまざまな具体的條件が附加されてくるわけである。特にその教科の特質から當然强調されてくる條件が加わるし、その他參考資料施設、個人差、反復練習の機會、他教科との關係、評價等の点から具体的にされる必要がある。

さて、このようにして、單元構成の際の基準が示されると、次に問題になるのは構成の手順である。

2、構成の手順

單元を構成する際に、まず、明らかにされていなければならないものは、學年の學習目標と學年の學習内容である。しかしこれが一方に偏したり學年の發達段階に即應しないことがあつてはならないので、範圍と排列基準の枠から考えるのが普通である。

(1)學年目標の設定

學年目標を設定する場合、考慮されなければならない條件は五つある。一つには、敎育の目的から、二つには、敎科の特質から、三つには、地域社會の特性から、四つには、兒童の特質から、五つには、敎師の經驗と洞察からである。

學年目標は、單元目標の基準となるものである。そのためには次の條件が考慮されていることがのぞましい。一つには、どんな生活をとりあげて學習させようとするか、また、どんな資質に培うことを期しているか、つまり、學習の方向、ねらいを明らかに示していること。二つには、學習のねらいがどんな興味や問題に應じて果されるか、どんな材料をとりあげたら學習が適切に行なわれるか、つまり、取材すべきものの範圍が大まかに示されていること。三つには、適當な材料によつてねらいを果していこうとするとき、その内容をどの程度に扱うか、つまり、扱いの程度が示されていること。

(2)學習事項の設定

學習事項の設定の基準となるものは學年の學習目標である。この基準によつて取捨選擇すればよいことになるが、單元學習が課題解決の學習であるためには、何が兒童生徒の課題になつているかを、まず、明らかにして學習事項を決定していく必要がある。

兒童生徒の課題が何であるかということは、主として興味と必要の面から明らかにしていくことができる。そのためには日常の兒童生徒の生活をくわしく觀察していくことが何よりも重要である。また、これを調査の上から客觀的にしていくことも必要であり、そのためには少くも年間四回の調査が四季の移行に即して行なわれることがのぞましい。當校で行つた課題調査は、「したい」「しなければならない」という積極面と、「したくない」「してはならない」という消極面との枠組によつて行なわれている。このような觀察や調査の結果を手がかりとして、何が問題になるかを見きわめていくのである。なお、その問題が敎育目標からみて意義あるものであるかどうかを檢討しなければならない。次に、その問題を展開することによつて、如何なる學習素材をとりあげていくことができるかどうかを檢討してみる必要がある。以上のような經過を辿つて學習事項は設定される。

(3)範圍と排列基準

前述のとおり、學年目標や學習事項をきめてくる際に、それが偏りのないものにするためと兒童生徒の發達段階に即應できるよう、範圍と排列基準の両面からこれをおさえるのが普通である。

範圍というのは、各敎科によつて異るが、その敎科固有の生活經驗領域を機能の上から分析し、さらに、社會の要求や兒童の實態や敎師の經驗や洞察とによつて、必要な分類項目を立てたものである。

排列基準というのは、兒童生徒の學年による發達段階が示されたものであり、主として、生活經驗領域、興味關心（對象・内容）能力（問題意識・考え方・理解力・態度・技能）にわたつて學年別にその特徴を示したものである。

(4)單元の設定

先にのべた學習事項を、季節行事との關係、他敎科との關連、學習の施設資料を考慮しながら、月別に配當してみる。そして、いくつかの學習事項のまとまりをもとにして單元を假定する。次にこの假定單元がその敎科としてののぞましい單元條件にかなうものであるかどうかを檢討して、必要な修正を行なうのである。

右のようにして設定された假定單元について、細部にわたつて檢討し定位することが次の仕事である。

イ、設定の理由を明らかにする。

(イ)社會的要求から（敎育の目的・指導要領・地域社會・職域・家庭等）

(ロ)兒童生徒の實態から（兒童生徒の生活主題・經驗・興味

關心・能力等）
(ハ)季節行事他教科との關連から（校内行事・社會行事・季節の變移・他教科との關連等）
(ニ)單元の價値効用から（課題解決にともなう學習經驗の教育的意義）
ロ、學習事項（學習問題）の排列を定める。
ハ、豫想される學習活動をしるす（學年目標・學習事項・取上げることのできる學習素材兒童生徒の學習の過程を考慮して）
ニ、單元目標をしるす（學年目標を手がかりに、學習事項・學習活動を考慮して）
ホ、評價の事項、觀點、方法を明らかにする（特に單元目標と照應して）
ヘ、資料、施設を明示する
ト、他教科、行事との關係を具体的に示す
チ、必要な豫備調査を明らかにする
リ、取扱いの時期、時間を示す

以上は單元構成についての概略をのべたものであるが、どの教科もこのような方式をとり、このような順序をとるということではない。ただ、およその傾向としてこのような筋道を辿ることを示したに過ぎない。

さて、一つ一つの單元についてこのような吟味を重ね、年間の單元計畫（年次計畫）をつくることになる。この勞作は非常に大きいものであつて、現場にあるもののすべてがこの勞作を背負うということは、負擔の過重となる。むしろ、すでに出來ている基準的な單元計畫をもとにして、之をその學校に適するように修正していくことの方が近道であるともいえる。

(三)　單元の展開

各學級の學習指導は、單元計畫にもとづいて行なわれるわけであるが、單元計畫がいかに細密にしかもその學校の實情に即して立てられていても、之を直ちにそのまま學級におろすことはできない。もし、これをそのまま學級におろすならば、單元學習の本質的なものが失なわれるおそれがある。つまり、その學級の兒童生徒自身の自己活動として、自發的に學習活動が展開されるようにするためには、單元計畫はその學級の兒童の實態に即するように構成し直されなければならない。したがつて、單元計畫を學級に即するようにするためには、少くとも次のことを行う必要がある。

まず、設定の理由、目標、學習事項、學習活動評價の項に亘つて、學級兒童の經驗、興味關心、能力の面から再檢討する。この檢討は、豫備調査による場合、累加記錄を參考とする場合、教師のその學級の指導經驗による場合等さまざまなかたちがあつてよいわけである。

次には、右の仕事の結果にもとずいて必要な修正を行い、その單元の具体的な展開計畫を立てる。これには、目標、學習過程、學習事項、學習活動、評價、時間、準備、連絡等の項目を

はつきりおさえていく必要がある。できれば、一覽できるように、表に整理できれば都合がよい。なお、ここにいう學習過程とは、動機づけ、問題把握、計畫樹立、研究作業、解決發展等の一連の過程をいうのであるが、これらのことばは、教科によつても異るし、また必ずしもこの順序にすゝむわけでもない。いずれにしても、このような過程を考慮して展開計畫を立てる必要がある。また、特に低學年では動機づけのために、學習環境を整えてやることがきわめて大切である。

以上によつて、實際の展開への準備が一應なされるわけであるが、その展開計畫がいかに學級に即應したものであつても、計畫どおりにいくということは、極めて少い。むしろ計畫どおりにいかないのが、單元學習の特徴であるということさえできる。したがつて教師は、兒童生徒の實情に即しながら、兒童生徒のよき協力者、助言者として、學習の目的や學習活動が兒童生徒の自己活動として展開し、しかもその學習が兒童生徒にとつて意義あるものとなるように、つとめなければならない。そのためには、一時間一時間の學習狀況や學習結果を大切に育てていく必要がある。これらは次の時間への展開のために、きわめて貴重な經驗と資料とになるものであるから、毎時間の記錄と反省とを丹念に行つて、兒童生徒の理解と教師自身の自己批判とに具えなければならない。指導案において、「本時の學習」として、特に項を改めているのは、このような事情によるのである。

以上は、展開について留意すべき点の概要をのべたにすぎない。

なお、終りに一言したいことは、當校において行つているのは教科別の單元學習である。（小學校一、二年の綜合學習をのぞいて）世上、カリキュラム論はさかんであるが、當校としては、この教科別單元學習の線をほんとうに徹底しておしすすめていくことが、今後のよき發展への基礎を築くものであると考えている。

國語科

一、國語學習指導の方向

(一) 國語教育の歴史的展望

國語教育の變遷は、第一表のように展望することができる。

(第一表) 國語教育の歴史的展望

期	第一期(明初—大正)		第二期(大初—昭20)			第三期(昭22—)
性格	語言教育		文藝教育			言語教育
思潮	形式主義	内容主義	鑑賞主義	解釋主義	言語活動主義前期(新領域)	言語活動主義後期(言語生活)
目的 法規	○言語・文字・文章ヲ知ラシメ……知德ヲ啓發スル				○日常ノ國語ノ理解ト發表トノ力……國民精神ヲ涵養ス	○日常生活に必要な國語を正しく理解し使用する能力 ○文藝の基礎的理解と技能
目的 力點	文の文字語句・語法	文の思想知識	文の生命	文の意味・形象	文の精神 國民的思考感動	ことばの生活と文藝の基礎
目的 使命	實用陶冶	知德の啓發	人格陶冶		國民錬成	人間形成(社會的)
目的 生活	個人生活				國家生活	社會生活
方法 性格	教授		學習		指導←錬成	學習指導
方法 中心	文の形式の註釋	文の素材内容の解説	文の生命の直觀	文の客觀的理解	ことばの鍛錬・文の朗讀	問題の解決
方法 立場	註釋主義	解説主義	直觀主義	解釋主義	朗讀主義	批判主義
方法 中心(活動の)	教師		兒童・生徒 教師		教師	兒童・生徒
教科 中心	教科書					言語生活
教科 性格	語學的	庶物的		文藝的		生活的
教科 入門教科書	單語篇(明五)	國語讀本(大六)(白)	小學國語讀本(昭七)(茶)		ヨミカタ コトバノオケイコ(昭一六)(茶)	こくご(昭二二) まことさん はなこさん(昭二四)
教科 入門	單語・カタカナ		文・カタカナ		文・カタカナ	生活・繪・ひらがな
教科 教科書	檢定	國定教科書				檢定教科書 國定

(二) これからの國語教育の方向

イ、立場　言語生活の領域は第二表のように表わされるのであるが、第一期(語學教育)は主として發展段階の讀書生活に重點がおかれ、第二期(文藝教育)は主として完成段階の創作・鑑賞に力が注がれたのである。即ち最も地盤となる談話生活が輕視せられていたのであるがわれわれの社會生活の大部分が談話生活であるという社會的要請から言語活動を國語教育の大きな對象と見るに至ったのである。

ロ、目的　①兒童の言語生活(讀書生活・讀・書生活)そのものを改善向上させて民主社會の形成に役立たせる。②そしてその地盤の上に兒童の文藝的萌芽を伸長し、文化の香高い人間性に培ってゆくのである。

ハ、方法　指導の基本的な考えかたとして、①兒童に價値ある言語活動の機會と經驗とを與えて、その自發學習を助長し學習目標に達せしめる。②問題(兒童にとって興味ある話題、解決を欲しまた必要とする問題)解決が中心に行われる。③解決したものが自己の人間形成に價値ある發展をする。④兒童が自己の言語生活を省察し、他人の言語生活を觀察し批判して自己の言語生活を高めることなどが考えられる。

つぎに方法を項目的に考えると左のように考えられる。

(イ)學習過程　學習の原則にしたがって動機づけ……發

(第二表) 言語生活の領域

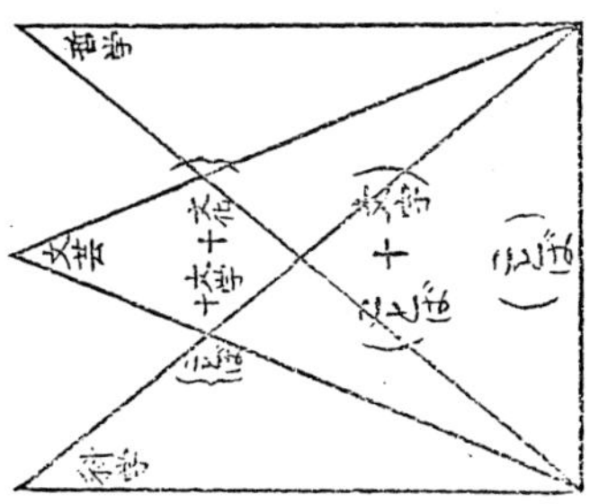

表現⇄形成	發展	受容		
讀書生活(文化生活をかくする豊明↓な基礎的理解と技能)	創作	鑑賞	完成段階	文化語
	書く	讀む	發展段階	生活語(書きことば・話しことば)
談話生活(日常生活に必要な國語↓正しく使用する理解能力)	話す	聞く	地盤	

展の展開が考えられる。（單元の展開參照）

(ロ)學習形態　自主的な個人學習と相互の協力學習とが中心となり、個人學習、グループ學習、全体學習との有機的な展開がのぞましい。

(ハ)學習活動　兒童の課題解決を中心に話す・聞く・讀む・書くの二對四種の活動が必然的な關連を保つて綜合的に展開されなくてはならない。

・話す・聞く……生きた機會に指導され、また自覺的・方法的に學習されなければならない。

・讀む……目的によつて讀みの完結段階が多様に考えられなければならない。

・書く……單に文學的な作文のみでなく、各種の形態や目的に應じた方法が多様にとられなくてはならない。

(ニ)評價　國語學習の目標は兒童の言語活動が望ましい方向へ變化することであるから、學習指導においては常に評價がなされなくてはならない。（後述）

二、材料

(イ)兒童の日においての言語生活がよき材料である。

(ロ)兒童の課題を中心に社會的に價値ある學習材料が選擇組織されなくてはならない。

(ハ)教料書も他の參考書と同じく學習材料の一部分である。

三、國語學習指導の範圍と目標

(一)範圍と一般目標

イ、範　圍

當校では、①日常の言語生活の省察、②國語教育に對する社會的要求、③兒童の言語生活の實態、④學習指導の經驗による洞察などに基いて範圍を第三表のように考えたのである。

（第三表）　國語學習指導の範圍

範圍	學習目標分類項目	學習内容分類項目	
話す	對話	對話	あいさつ
			紹介
			對話
			問答
			電話
	會話	會話	話合
			討議
			司令
		獨話	發表
			報告
			説明
			演説
			放送
			映畫
	演劇	演劇	
聞く	態度	話すに同じ	
	内容の理解		
	批判		
讀む	音讀	詩歌	
	默讀	思索記錄	日記
	朗讀		手紙
	文字		起案
	語い		記錄
	内容の理解		報告文
	批評		隨筆
	辭書の利用	物語	
	圖書・新聞・雜誌の利用	演劇臺本	
	文學（娯樂）（鑑賞）	新聞・雜誌	
		圖書	
		辭書	

範圍	學習目標分類項目	學習内容分類項目	
書く	取材	作文	記案
	構想		記錄
	記述		報告文
	批正		日記
			手紙
			詩歌
			感想文
			物語
			脚本
	編集	編集	
	書寫	書寫	運筆筆順
			文字
			字型
			字体
			速さ
			批正
			用具
			視寫聽寫
	表記	表記	句讀
			改行
			誤字脱字かなづかい
			書式
文法	文法	言語の有用性	
		共通語と方言	
		發音、アクセン抑揚	
		話しことばと文字ことばの關係	
		敬譲語	
		語いの擴充	
		品詞別	
		かなづかいの準則	
		句讀點についてのきまり	
		文の構造	
		文体	

ロ、一般目標

◉教育目的　①日常生活に必要な國語を正しく理解し、使用する能力を養う。（學校教育法十八條の四）　②生活を明るくする文藝の基礎的な理解と技能を養う。（學校教育法十八條の八）

◉一般目標　「學習指導要領國語科編」第一章（中學校）では五類二十一項目にわたり、第四章（中學校）では十七項目にわたり、一般目標が示されているが、くりかえしのべられていることをまとめると、①考える力を養う、②生き生きしたことばでわかり易く話すことができる　③他人の話がよく聞きとれる、④娯樂と研究調査のために廣く讀む、⑤よくわかるように書きあらわす　という五目標にすることができる。

(二)學年の學習目標と學習内容

◉學年の學習目標は國語科の一般目標を達成するために、兒童の言語能力の發達に即して學年に具体化したものである。第四表に示される當校の學年の學習目標はつぎのような手續きによつて作られたものである。①教師自らの言語生活の反省　②社會的要求の考察　③兒童の經驗・興味・能力の學年發達段階の檢討

この學年の學習目標はつぎのような點に利用されるのである。

イ、カリキユラム構成や選定の基準に

ロ、教料書、素材の選擇に

ハ、學習評價の基準に

（第四表）　學年の學習目標

範圍／分類／學年		1	2	3	4	5	6
話す	會話・對話	隱しないで話せる	〃				
		自由な態度で一人一人が活潑に話せる	〃	自然な態度で一人一人が進んで話せる	〃	〃	〃
		相手に体をむけ相手を見ながら話せる	〃	相手に体をむけ相手を見ながら姿勢に氣をつけて話せる	相手に体をむけ相手を見ながら姿勢をくずさないで話せる	相手に体をむけ相手を見ながら姿勢をくずさないで禮儀正しく話せる	〃
				自分だけで話さないでかわるがわる話すように氣をつける	自分だけで話さないでかわるがわる話せる	短く要點をつまんで話し發言を人にゆずるようにする	人の發言をひき出すように考えて話す

・學年の學習內容は、學年の學習目標を達成するために必要な內容、國語において學習すべき必要事項である。言語生活において解決すべき見童の課題であり、具體的問題の全貌である。これも學年の學習目標と同樣な手續によつてつくられたものであり、これが利用もそれと同樣である。

（第五表）　學年の學習內容

範圍／分類／學年		機會（場）					
		1	2	3	4	5	6
作文	記案		土日の生活豫定	土・日・休の生活豫定 學級中心の會のプログラム	〃 〃 學習計畫	生活設計 〃 〃 見童會各部の仕事	〃 學校中心の會のプログラム 〃 學校見童會校外子ども會
	記錄	遊びの生活ノート	學校生活・家庭生活 〃	鄉土生活 見學調査	社會生活 〃	〃 〃	〃 〃

三、單元の展開

㈠展開過程

單元の展開過程は、學習の原則から分析すれば、つぎのように考えられる。しかしこの過程は學年や單元の特性によつて必ずしも、この順序に從つて行う必要はない。低學年では問題把握・計畫・評價などは、理知的・自覺的には行われ得ない。この過程の中に欠けるものが出たり、複合されて出たり、一部分または大部分が繰返して出たりする場合（低學年、長い單元の場合）がある。すなわちこれはあくまで見童の學習原則であり、なるべくこのような過程を通ることが望ましい。

イ、動機づけ　言語生活、言語技術について全体的直觀的に何かの問題を感じさせ、學習意欲を誘發し、學習動機を喚起する。國語科ではつぎのような類型が考えられる。①生活經驗の想起發展（見學・觀察・言語生活の反省）②前單元、他教科單元の發展　③簡單な調査とその發表　④文章通讀後の感想發表

ロ、問題把握　學習の興味と必要を感じて學習問題をつかませ、解決への意欲を誘發する。學習問題はつぎのような觀點で捉えられる。①言語學習として價値があること　②解決可能であること　③共通な問題であること　問題把握の段階はつぎのように考えられる。①研究問題を發表する。（低學年……したいと思うことの發言）②研究問題を吟味する。（低學年……したいと思うことのわけをただす）③研究問題中から學習問題をきめる。中學校においてはこゝで學習目標をきめる。

ハ、計畫　把握した學習問題について研究解決の計畫をたてる。①學習問題の研究順序をきめる。②學習問題を分擔する國語科として高學年では特に左のような內容の起案文を書かせる。①學習方法（參考資料、見學訪問場所、學習材料用具などについて）②時間の豫定（調査、整理などについて）③結果のまとめかた（報告文、圖表、製作、劇化）

ニ、研究　見童が自主的に調査・研究・製作して、問題を解決し、發表する。（中間發展も含む）つぎのような類型が考えられる。①讀書し資料を集める。（新聞・雜誌・辭書圖書・事典）②見學・聽取・觀察する。（書く……ノートに書く、作文を書く、報告文を書く、編集する、印刷する。話す聞く……說明・問答・話合をする、劇化工夫をし演出する。作業……採集する、參考品を集める。）③發表する。これは必ずしも研究の終りにあるとは限らず、常に行われなければならない。（朗讀する……作文、紙芝居、說明する……圖表、實物、印刷物について、身振表現をする……演劇）④鑑賞・批正する。（研究發表の結果について鑑賞したり、その不備を訂正する）

ホ、發展　問題の解決から發展した類型はつぎのように考

えられる。①解決した事を日常の言語生活に實踐する。②他敎科へ發展してさらに研究する。③自己の人間形成に資する。

へ、評價　評價の目的はつぎの四項にまとめられる。①具体的な指導目標が達せられたかどうか　②見童の言語生活が高められたかどうか　③學習指導の方法・技術が的確であつたかどうか等を吟味したり、④カリキュラムの修正に資するためである。したがつて評價の機會は學習途上、學習結果に常時行われ、方法はテスト法、觀察法、作品評價のいずれかで、敎師または見童が主体になつて自己評價・相互評價するのである。

㈢展開の準備―學習指導案について

第六表のような當校の單元計畫から自分の學級への特殊化を考えて、以下述べるところの指導案を作成するのである。

（講話資料）

國語科「〇〇〇」學習指導案

〇年〇組　指導者氏名

㈠目標①社會的要求の洞察（この單元で社會人の言語生活の上の欠點が矯正できるか、社會的見地から見て價値ある言語生活上の經驗を與えまた能力をつけうるか。）

②見童の言語生活の實態の考察（見童が學習の必要を感

ずる問題か。言語生活上の經驗や興味からはどうか。學習指導の實踐記錄や評價の記錄からみて見童に學習していく能力があるか。）

③その他（季節行事。他敎科との關連はよいか。資料はあるか。）

以上の三點から「單元計畫」の「設定の理由」をたしかめ、自分の學級への特殊化を考え、この單元を學習させるねらいを簡明に書き、次に學習目標を「話す」「聞く」「讀む」「書く」「文法」の範圍別に列擧する。

㈡展開

過程	學習活動	評價	時間	資料	連絡
動機づけ 問題把握 計畫 研究 發展					

○必要に應じて前時までの學習計畫を要點的に明らかにし反省を附記する。

……………………………………………………

過程は學習の原則を考慮し豫想される展開順序に下欄を照應して記入し、學習活動は展開の順に見やすく番號をつけてあげ、一連の學習活動毎に豫定時間を記入し、評價はその觀點をなるべく具体的にしかも必要の最小限度をあげ、その方法をテスト、觀察、作品（ノート）の三種類に分けて

括弧内に記入し、資料は學習に必要な參考資料・學習材料・施設などを具体的に記し、連絡では主として他敎科・行事との連絡のしかたを明らかにする。

㈢本時の學習

1、主　眼

2、學習過程

學習事項	樣式	學習活動	指導	評價	時間	備考

3、反　省

……………………………………………………

○主眼では本時の學習指導のねらいを重點的に明らかにする。

○學習事項では本時の學習過程が達せられるように學習事項を排列して書く。樣式では自由讀・指名讀（グループ、全体の別）問答・話合（グループ、全体の別）發表・說明・書寫・記述・調査・製作の別を明らかにする。學習活動では適切な學習活動と學習目標とのつながりを考えてあげる。指導では學習活動に即して敎師が示唆し、注意し、敎える事を明らかにする。評價では學習活動の展開に即して

評價する機會と方法（①觀察の方法と記述尺度　②再生法・選擇法・完成法・眞僞法・組合せ法・記錄法・圖解法・訂正法・排列法・判定法・作文法の何れのテストを用いるか、またその問題、③作品による綜合的方法の記述尺度）を研究して評價が實際にできるように用意しておく。時間では所要時間を分單位で書く。備考では學習事項に即しての準備、前後の時間との連絡、他敎科との連絡などを明らかにする。なお學習指導上の反省、省察事項を摘記する。

○反省では見童相互の評價や敎師の評價の結果を記錄し、學習指導の經過を記錄し見童の作品の整理などをして、指導方法の適否、見童の進歩狀況、學習活動の適否素材の適否につき反省する。單元展開の終末段階においては、ことに單元の價値・効用・適否について全体的に考察し反省する。

㈣資　料

1、資料の研究

①學習目標を直接はたすために使われる文章・言語・研究。

文章の場合は
(1)注意すべき發音・文字・語句・語法
(2)概括・要目・作成・抜粋・（要語）
(3)考察
または
(1)註解（發音・文字・語句・語法）
(2)解釋（イ、主題　ロ、構想　ハ、敍述）
(3)批評
の研究とする

②必要に應じて學習指導の基底になる文章・言語の研究。

2、見童の實態

①経　驗
②興　味
③能　力

……………………………………………………

○兒童の實態は豫備調査であり、單元計畫と學級へ特殊化（單元の再構成）する資料ともなるものである。

經驗では單元の題目・展開・素材と關連ある生活經驗と必要な範圍で重點的に明らかにする。

興味では學習の動機づけ・展開・素材選擇に必要な言語生活における興味（關心・欲求・問題）を重點的に明らかにする。

能力では目標に到達するために兒童の學習にはいる前の言語能力を、平素の評價の結果からなるべく個人的に明らかにしておく。

兒童の研究の結果は、それぞれ學習指導に活用できるように、學習問題・學習活動のとりあげかた、學習指導の程度と關連づけて必ず考察しておく。

㈢反省記錄　精魂を傾注した實踐指導がその聲の消失と共に滅してはならない。必ず指導記錄をとり、その累積によつて明日への敎育を活かさなくてはならない。

當中學校では指導記錄の樣式が定まつて必ず記入するのであるが小學校では「本時の學習」指導等の備考欄に重點的に摘記しこれをもとにして指導後必ず反省欄への記入をなすべきである。

國語敎育の諸問題

㈠コミュニケーションとしての言語敎育

コミュニケーションとは言語を使用して意志を相手に通達する謂である。これには對話・會話のようなシングル・コミュニケーションと獨話領域をいうマス・コミュニケーションとがある。そのいずれも ①自分の考えが相手によくわかる ②深く理解して呑みこませる ③自分の考えるように相手を行動させる という目的を持つているのである。近來國語敎育で言語活動を重視するに至つてから特にこのことに留意されるのは當然のことである。社會的に歷史的に洗練發展してきた歐米の言語敎育に對してわれわれは虛心になつてその長を採るべきである。そして眞のコミュニケーションとしての言語活動は單なる皮相的な言語技術の奧に身体的要因の深く根ざしていることに眼を向けるべきである。低學年の兒童達が直立して相手に体を向けこれを正視して話すことがいかにできがたいか知るものにはこのことがよくわかるであろう。なお言語敎育にあたつて、最も根底となるものは指導者の言語活動である。感受性・感應性の鋭い兒童生徒に日夜接する者として、自己の言語生活に對する厳しい反省が大いに必要であり、國語敎師として重大な條件である。よく已を正し得る者が始めて人を化すことができるのである。

◇文字表記についての新しい要請

文化の後進性を克服して世界水準に達せしめ、輝かしい民主國家を建設するには、ぜひともわが國の文字表記の抵抗を輕減する必要がある。國家があらゆる反對を排除して、これを採用した今日、それに對するさまざまな希望意見は別として、積極的にこれに協力することは國語敎育に當る者の責務である。

イ、當用漢字（一八五〇字）

社會生活をするに當つて使用度數多く、あまり複雜でないこれだけの文字を規定して、普通の使用漢字は特殊な場合を除き、この基準に據ることにした。新聞・雜誌・官報などはおおむねこれに據つて表記されている。

ロ、敎育漢字（八八一字）

當用漢字の中から日常の社會生活に直接の關係をもち、一般國民に親しみの深い八八一字だけを選んだもので、これだけを身につけておけば、普通にはこと足りるであろうということに目安がおかれた。この漢字は義務敎育九年間に必ず「讀み」「書き」ができるように敎えられるし、ぜひとも習得せねばならない。漢字制限前は小學校六年までに一三五〇字、音訓を合せると四〇〇〇字の漢字をつめこまれ、兒童達はもてあましていたのである。

ハ、略字体

なるべく略字体を使用して劃數の輕減を企て一轉機が劃された。

ニ、現代かなづかい

複雜な歷史的舊かなづかいを排して、ほとんど發音かなづかいに近いものに統一した。これについても準則の研究などをして、まず敎育者が協力すべきである。しかし文語文、中等國語などは必要によつて舊かなづかいを採用しているから、これにも留意する必要がある。

以上文字表記についての新要請を述べたのであるが、國語敎師として自ら實踐して先達となり、種種な表記について誤字・脫字・かなづかいの誤をなくすよう大いに自己研鑽しなければならない。

㈢ローマ字敎育

イ、目　標

(イ)國語の特質構造に關する正確な知識、國語を自由に使う能力を得させるに役立つ。

(ロ)書寫印刷に能率の高い文字組織であるから社會生活の能率化、文化水準をあげることに役立つ。

(ハ)世界共通の文字であるから、國際社會をつくるために役立つ。

ロ、方　針

(イ)國語の音韻についての自覺、國語の構造、機能の特質

二三

の理解を深める。

(ロ)英語指導の前提でなく國語教育の徹底充實のために課す。

ハ、指導法

(イ)國語の純化に役立つように兒童の國語意識に即して、

(ロ)國語の音韻の有機的な構造を明確にする。

(ハ)耳で聞いただけでよくわかる文体の成立を考える。

(ニ)語形法の指導が最も理想的である。

(ホ)かなを仲介とする方法は避ける。

(ヘ)印刷体の讀み書きを一通りすませてから筆記体に入るがよい。

(ト)音に頼らないで語を文字にうつせるまでに書けるようにする。

(四)國語教育における小・中學校の特色

イ、小學校

(イ)四年からローマ字を課すこと。

(ロ)素材には兒童文化物が多いから、指導者はこれを理解し、これを愛し、自らその創作にあたるくらいの意欲が必要である。

(ハ)文法はふつうの國語時中に一体として行い、事實に即した指導が望ましい。

ロ、中學校

(イ)當中學校では文法は今のところ獨立して指導している。一週一時間である。二年三年に口語文法を課している。

(ロ)漢文は二年三年に國語教科書第四分冊に織込んで指導されるようになつている。この學習目的は ①わが國の古代文化の理解に欠くことができないこと ②東洋文化の理解は中國文化が中心であること ③中國の國民性を知つて現代中國を理解し友邦としての交誼を續ける上に必要であること等である。素材は原文を文語文に書き下したものであり。取扱は他の教科書と共に年次計畫の單元中に資料として利用され大きな國語教育の目的を生かす方法がとられる。

○生徒の自發的なクラブ活動が旺盛であり、課外指導が重要な一面を持つている。

五、單元表および指導案例

單元	設定の理由
十六 げきの會（十五時間）十二月上旬	1、演劇は、演技を核心とする綜合藝術として、社會的な國民藝術として、その文化的、社會的な價値は大きい。子供の時代から劇によつて豊かな情操を養い劇に對して正しい理解と關心を深め正しい批判の目を養つていくことは、これからの國民の教養として必要であると共に、新しい演劇文化を形成していくために必要である。 2、兒童劇は、話しことばを訓練し、ことばの感覺を高めることができ、また、文章の理解を深め、朗讀を身につけさせるのによい機會であり、兒童劇のことばの學習上、話すことばの文化の育成上の價値は大きい。 3、兒童は日常生活において、ごつこ遊びなど劇的な遊びに興味をもち、また、喜んで劇的な文を書いたり演じたりしている。劇に對する興味は、四名を除く全員である。しかし實態は、なを、幼稚であり極めて素朴である。 4、兒童は、前單元「どうわ」において、劇的な童話を學習し演出への關心が高まつており、また、正月休みの子ども會などの劇を樂しみにしており、劇の學習によい時期である。 5、本單元は、前單元「どうわ」の發展として、演出のために脚本をよく讀解し朗讀させ、演出の初歩的な學習をさせることになり、話しことばを訓練し、ことばへの感覺を高め、想像。情操や社會性を養いながら劇に對する正しい理解と興味を深め、素朴で明るい劇を生活の中にもたせていきたいのである。

目標	學習活動	評價	資料	他教科行事との關連
一、話す 1、相手に体をむけ相手の顔を見ながら姿勢に氣をつけて話せる 2、語尾まではつきりと話せる 3、だんだんことばづかいに氣をつけて話せる 4、一つの話題を中心に話し合える 5、自分だけで話さないでかわるがわる話すように氣をつける 6、台本の大意や場面を理解して劇ができる 7、だんだんことばの調子やことばのやりとりに氣をつけてせりふが話せる	一、劇の經驗について話しあう。 1、前單元「どうわ」で「ありときりぎりす」を學習してやりたくなつたことを發表しあう。 2、今までにやつたおもしろかつた劇について話しあう。 3、やりたいと思うことを發表し話し合つてきめる 二、脚本を選ぶ 1、おもしろかつた劇の文やおもしろそうな劇の文をさがす（家庭學習を含む） 2、げきの會にやる脚本を選ぶ 3、自由に選んだ脚本を家で讀めるようにする 三、脚本「つりばりのゆくえ」を讀む　本讀み 1、發音・文字・語句・語法をしらべながらよく讀む ○難語句文字は字書でひく 2、よく讀み、文の大意をしらえる 3よく讀み文の場面の動きや主要語句をとらえる 4、聞いている人によくわかるように朗讀する	話合（觀察）、 話合（觀察） 圖書の利用（觀察ノート） 音讀（觀察） 字書使用（觀察ノート） 大意の理解（觀察） 場面の理解（觀察） 朗讀（觀察）	國三下「イソップものがたり」の「ありときりぎりす」 教科書（一年―三年） ・學級補充文集 ・既習作文 ・ざつし（日刊國語、作文、三年の學習、ぎんのすず） 國三下「ありときりぎりす」 國三下「つりばりのゆくえ」 三年の國語中「子ども會」の「けしごむ」 字書使用 ・教育漢和字典 ・教育漢字便覽	國十五「どうわ」 學藝會 誕生會の劇 校內放送の劇

8、だんだん表情や身振や動作に氣をつけてせりふが話せる 9、簡單な小道具や面の工夫ができる	四、演出の稽古をする（つりばりのゆくえ） 1、演出の計畫をたてる 2、役割をきめ、台本を讀みあわせる（素讀み） 3、身振りや表情を考えながら台本を讀み合せる（讀合せ） 4、動きをつけてせりふを話す（立稽古） 5、効果をだんだん考えてせりふを話す ○音樂 ○出入り、動き ○幕 ○面 ○小道具 6、舞台で一通り練習する　舞台稽古	演出 話合（觀察）		音樂圖工
二、聞く 1、相手を見ながら正しい姿勢で聞ける 2、何を話しているか考えながら聞ける 3、だんだん友だちの話すせりふについて話ができる 4、だんだん人の話しぶりに氣をつけて聞ける	五、自由に選んだ脚本を讀んで演出の稽古をする 1、よく讀み大意や場面の動きをとらえる（グループ） 2、聞いている人によくわかるように朗讀する（全体） 3、演出の稽古をする	內容理解（觀察） 朗讀（觀察）	・學藝室	
三、讀む 1、必要により本（おもしろい劇の文）を自分で見つけて讀む 2、發音・アクセント・調子に氣をつけて話すように讀める 3、だんだん簡易な字書がはやくひける 4、ことばを身振や動作にあらわせる	六、げきの會を開く 1、話しあいながら共同してプログラムを作る 2、招待狀の書きかたについて話しあいながら、父母、主事、教務あてに、簡單な招待狀を書く 3、げきの會を開いて互に賞演しあい互に見あう 4、父母、先生がたの感想・批評を聞く	プログラム（觀察） 招待狀（觀察）（作品） 演出（觀察） 聞く（觀察）	・運動會・お話會の時のプログラム ・三年國語中「子ども會」の「手紙」	
5、長い脚本の大意が讀みとれる 6、長い脚本の場面の動きが讀みとれる 7、長い脚本の主要語句が讀みとれる	七、げきの會の反省をする 1、げきの會のとき氣のついたことを文にまとめて書いてき話しあう 2、「げきの會」全体の學習の反省を文に書いて（テスト）話しあう	覺え書（觀察、小手帳） 短文（作品） 話合（觀察） 綜合評價（再生法 完成法 觀察）	・テスト用紙	
8、聞いている人によくわかるように工夫して讀める 9、相像や情操が豊かになってくる 四、書く 1、簡單な招待狀が書ける 2、簡單なプログラムの作りかたがわかってくる 3、劇の會のときよく見よく聞きながら氣づいたことの簡單な覺え書がとれる 4、氣づいたことをまとめて文が書ける 5、會話文が書ける 五、文法 1、ことばへの感覺が高まる 2、だんだんことばのはたらきに氣がつき、ことばのつかいかたがわかってくる（特に敬讓語）	八、會話文を作る 1、會話文の作りかたについて話しあう 2、生活を題材とする會話文を書く 3、おもしろい童話を劇的な文になおす（冬休自由學習） 4、年末年始の休みのこども會などの劇のやりかたについて話しあう	會話文（作品）		社「冬のしたく」 次單元「お正月」

國語科第三學年「げきの會」學習指導案

年　組　指導者　名

一、目標

○演劇は、綜合藝術、社會的な藝術、社會的な娯樂として、その文化的、社會的な價値は大きいのであるが、また演劇は一面病的な作用を含みその弊害も大きい。子供の時代から、演劇に對して正しい理解と關心を深め正しい批判の目を養つていくことは、これからの國民の敎養として必要であるとともに、新しい演劇文化を形成していくために必要である。

○生きたことばは、發生的にも實態においても、音聲的表現と身体的表現とが不可分離に結合した行爲である。演劇の核心である演技は、脚本の理解を基礎とした表現としての讀みの發展したものであり、また演出することにより脚本の理解は更に深化するものである。兒童劇は文章の理解を深め朗讀を身につけさせるのによい機會であり、また正しい聲を訓練し美しい語感を養い適切なことばの表現のしかたを工夫させ。話すことの基礎的な訓練をするのによい機會であり、兒童劇のことばの學習上の價値は極めて大きい。

○兒童は、日常生活において、ごつこ遊びなど劇的な遊びに興味を持ち、また、劇の文に興味をもつて喜んで會話文を書いたり演じたりしている。劇の演出に對する興味は四名を除く全員であるが、實態はなお幼稚である。

○兒童は前單元「どうわ」において、劇的な童話を學習し演出への關心が高まつており、また、正月休みの子ども會などの劇を樂しみにしており、劇の學習によい時期である。

○本單元は、前單元「どうわ」と連絡し、演出のために、脚本をよく讀解させよく朗讀させ、演出の初歩的な學習をさせることにより、話すことの基礎的な訓練をし、劇に對する正しい興味と理解を深め、素朴で明るい劇を生活の中にもたせたいのである。

二、展開

一、話す

1、相手に体をむけ顏を見ながら姿勢に氣をつけて話せる
2、語尾まではつきりと話せる
3、だんだんことばづかいに氣をつけて話せる
4、だんだんその場にあつた聲で話せる
5、一つの話題を中心にして話し合える
6、自分だけで話さないでかわるがわる話すように氣をつけられる
7、脚本の大意や場面の動きを理解して劇ができる
8、だんだんことばの調子やことばのやりとりに氣をつけてせりふを話せる
9、だんだん身振や表情や動作に氣をつけてせりふを話せる

二、聞く

10、話手を見ながら正しい姿勢で聞ける
11、何を話しているか考えながら聞ける
12、言うべきときと聞くべきときの區別をわきまえる
13、だんだん友だちの話しぶり（せりふを含む）に氣をつけて聞ける

三、讀む

14、必要により本（おもしろい劇の文）を自分で見つけて讀む
15、發音アクセント調子に氣をつけて話すように讀める
16、簡易な字書がだんだんはやくひける
17、ことばを身ぶりや動作にあらわせる
18、長い脚本の場面の動きが讀みとれる
19、長い脚本の主要の大意が讀みとれる
20、長い脚本の主要語句が讀みとれる
21、聞いている人によくわかるように工夫して讀める
22、想像力が高まり情操が豊かになつてくる

四、書く

23、簡單な招待狀が書ける
24、劇の會のとき氣づいたことの簡單な覺書がとれる
25、氣づいたことをまとめて文に書ける
26、簡單な會話文が書ける

五、文法

27、ことばへの感覺がだんだん高まつてくる
28、だんだんことばのはたらきに氣がつきていねいなことばのつかいかたがわかつてくる

過程	學習活動	評價	時間	準備	連絡
問題把握動機づけ	一、劇の經驗について話合う 1、前單元「どうわ」で「ありときりぎりす」を學習してやりたくなつたことを發表しあう 2、今までにやつたおもしろかつた劇について話しあう 3、やりたいと思うことを發表し話しあつてきめる	話す態度語尾①②（觀察） ことばづかい③（〃） 話合⑤⑥（〃）	20	○國三下「イソップものがたり」の「ありときりぎりす」 ↓十五單元	○國十五「どうわ」（動機づけ） ○學藝會誕生會の劇、校內放送の劇（話題）
究	二、脚本を選ぶ 1、おもしろかつた劇の文やおもしろそうな劇の文をさがす（家庭學習を含む） 2、發表しあいおもしろそうで、できそうな劇的な文を先生にまとめて板書してもらう（劇的な文の一覽表を作る） 3、げきの會にやる脚本を選ぶ ○つりばりのゆくえ、○ありときりぎりす	圖書利用⑭（ノート、觀察）	20	○教科書（一年—三年下） ○學級補充文集 ○ざつし「作文」「月刊國語」（三年の學習・ぎんのすず） ○既作會話文	
	三、脚本を讀む ㈠グループで選んだ脚本を家で讀めるようにする（グループ）……本讀み ㈡「つりばりのゆくえ」を讀む 1、發音。文字。語句。語法などをしらべながらよく讀む ○難讀文字は字書でひく（グループ） 2、よく讀み文の大意について話合う 3、よく讀み文の場面の動きや主要語句について話合う 4、聞いている人によくわかるように朗讀する 四、演出のけいこをする（グループ・全体）	音讀⑮語い⑰（觀察） 字書利用⑯（觀察、ノート） 大意の理解⑱（觀察） 場面の理解⑲⑳㉑（觀察） 朗讀㉑㉒（〃）	220	○國三下「つりばりのゆくえ」 ○教育漢字便覽 ○教育漢和字典	

段階	學習活動	評價	時間	資料	備考
研	(一)「つりばりのゆくえ」のけいこ 1、演出の計畫をたてる 2、役割をきめ台本を讀み合い氣づいたことを話し合う ……讀合せ（素讀み） ○聲やことば調子やことばのやりとりに氣をつける 3、身ぶりや表情を考えながらせりふを話し氣づいたことを話し合う ○立ってことば調子やことばのやりとりに身ぶりや表情を工夫する ……立げいこ 4、動きをつけてせりふを話し氣づいたことを話し合う ○台本をもたないで	演出⑦⑧ （觀察） 話合④⑤⑥ （〃） 聞きかた⑬㉗ （〃） 演出⑦⑧⑨㉕ （觀察） 話合④⑤⑥ （〃） 聞きかた⑬㉗ （〃）	200	○國三下「つりばりのゆくえ」	
	(二)「ありときりぎりす」やグループで自由に選んだ脚本のけいこ 1、よく讀み大意や場面の動きをとらえる（グループ） 2、聞いている人によくわかるように朗讀する 3、役割をきめて演出のけいこをする	內容の理解⑱⑲⑳ （觀察） 朗讀㉑㉒ （〃）	150	○國三下「ありときりぎりす」 ↓十五單元	
	(三)全体のけいこをする 1、出入りや動きや効果をだんだん考えて練習する 2、舞台で一通り練習する ……舞台げいこ	演出⑦⑧⑨ （觀察） 聞きかた⑫⑮ （〃） 話合④⑤⑥ （〃）	50	○小道具・面・舞台裝置・幕（音樂効果） ○學藝室	○圖工（製作） ○音樂（効果）
評價	五、げきの會を開く 1、げきの會の計畫をたてる（プログラムを作る） 2、父母や先生がたに簡單な招待狀を書く 3、げきの會を開いて互に實演しあいよく見よく聞きあう ……實演 4、父母や先生がたの感想や批評を聞く	招待狀㉓ ことばづかい23 （作品） 演出⑦⑧⑨ （觀察） 聞きかた⑩⑪⑫ （〃 ） 聞き書㉔㉗ （小〃手帳）	20 90	○三年生の國語中「子ども会」の「手紙」 ○學藝室	○國八「お話會」（會しかた）
發表	5、げきの會の時氣づいたことを文にまとめて話し合う 6、「げきの會」全体の學習の反省を文に書いて發表し合う	短文㉔㉗ （作品） 話合③⑤⑥ （觀察） 綜合評價（觀察テスト）	80		
發展	六、會話文を作る 1、會話文の作りかたについて話しあう 2、生活を題材に劇の文のように簡單な會話（對話）文を書く 3、正月休みの子ども會などの劇の脚本やりかたについて話し合う	會話文㉖ （作品）	50	○劇的な文の一覽表	○社（冬のくらし） ○日常生活（題材） ○次單元「お正月」（生活指導）

三、本時の學習

1、主眼　「つりばりのゆくえ」の五・六場面のグループの讀み合せを中心に、せりふの話しかたについて話し合い、演出の基礎的なけいこをし、ことばへの感覺を高める

註、本時の學習の段階　「二展開」の「研究」過程——「四、演出のけいこをする」——「(一)『つりばりのゆくえ』のけいこ」の「2」

前時の學習　①グループで讀み合せながらせりふのいいかたを研究する
②全体で一・二・三・四の場面のせりふのいいかたを話し合う

2、學習過程

學習事項	機式	學習活動	指導	評價	時間	備考
一、一・二・三・四の場面を想起する	問答（全）	1 一・二・三・四の場面のすじを話す 2 本時の學習について話す	○前時の學習を想起させる ○自分からあまり發言しない兒童に指名する		5分	註「評價」の番號は「評價の觀點」の一覽表の番號
二、五の場面のせりふの話し合いについて	問答（全） 讀合せ（全） 話合（全）	1 五の場面のすじを話す 2 一グループが讀み合せる 3 讀み合せたせりふについて氣づいたことを話合う	○態度やせりふのことば調子やことばのやりとりに氣をつけて聞くようにする ○主要なせりふや特に工夫のいるせりふについては、問答・指	○話し合いの相互觀察 ○せりふ評價⑦⑧ ○せりふ聞きかた⑬㉗（觀察）	8分	「指導」の大文字は男兒、小文字は女兒

三〇

三一

三、六の場面のせりふについて話し合う	問答（全） 讀合せ（全） 話合（全）	1 六の場面のすじを話す 2 一グループが讀み合せる 3 讀み合せたせりふについて氣づいたことを話し合う	○發言の多いACLMuw兒童などには發言を人にゆずるように氣をつけさせる ○發言できない兒童（HJLSe）に發言の機會をあたえる ○友だちの話のしかたをほめあったり氣をつけあつたりする（だんだん話しかたのくせに氣づかせる）	○話合いのしかた⑮⑥（觀察・相互評價）	25分	
四、本時の學習のまとめ	讀合せ（全） 發表（個） 記錄（個） 發表（全）	1 五・六場面を通して讀み合せる 2 讀み合せを聞いていて感じたこと思つたことを話す 3 本時の學習を思い出してカードに書く 4 カードの一・二の項について發表し合う	○情景や心持を考えながら聞くようにする ○簡單に發表させる ○「やつたこと」(一)どうであつたかわかつたか(二)どのせりふのいいかたがよく(三)ほめられたこと(四)自分の氣をつけること」等を項目的にかんたんに書くようにする	○せりふの話しかた⑦⑧（觀察） ○自己評價	12分	明後日の學習豫定「全体を通して讀合せる（グループ・全体）」

3、反省　略

四、資料

(1)素材の研究

一、資料の研究　A「つりばりのゆくえ」について　①註解　(イ)注意すべき發音アクセント　(ロ)新字・讀替・難讀・難寫漢字（文字・讀み・筆順・畫・字書の部首・既習單元名等）　(ハ)注意すべき語句、語法（ことばとその指導要領または觀點）　②解釋　(1)主題　ほでりのみことからおかりした、だいじなつりばりをなくしてしまつたほおりのみことが、ひとりの年よりのことばによつて、海の神さまからさがしてもらつた話　(2)構想　(一)ほおりのみことがほでりのみことのだいじなつりばりをようやくおかりできたところ　(二)ほおりのみことが、ほでりのみことのだいじなつりばりを魚にとられてしまつたところ　(三)ほおりのみことが、ほでりのみことにおわびしたがどうしてもゆるしてもらえないところ　(四)ほおりのみことが、海べでひとりの年よりからいいことをおしえてもらつているところ　(五)ほおりのみことが、つりばりをさがしにいつて、海のごてんの前で水くみ女からおいしい水をいただいているところ　(六)ほおりのみことが、海のごてんの中で海の神さまからだいじなつりばりをさがしてもらつたところ　(3)敍述（記載省略）　③批評　○本文の出典は古事記の「山幸海幸」の神話であり、古代民族の風習が象徴されている。しかし、性格はむしろ童話的である。○本文は童話的な神話劇でテーマもおもしろく、表現も兒童に適切であり、三年生の兒童劇の脚本としてよい資料である。

B「ありときりぎりす」について（前單元）

二、演出の計畫　A「つりばりのゆくえ」について　①方針　②具体的研究　○人物　○場の構成　○舞台裝置　○小道具　○面　○音樂効果

B「ありときりぎりす」について

(2)兒童の實態　〔兒童數四十四名（男二十一　女二十三）大文字男、小文字は女〕　①經驗　②興味sceoの四名は演出に興味がない。嫌な理由は、なんだか恥しい(三)聲がむずかしい(三)聲を出すがいやだ(三)ほんとうのようにできない(三)ちがうところがある(二)等で内向的な兒童である。

③能力　A言語障害　(イ)身体的條件――呼吸法・姿勢・口・形・運動・歯・のど・鼻等（BJNRltw）耳（Hfo）目（cfo）　(ロ)性格的條件　――内向性（Sclio）注意さんまん（csklot）はにかみ（hn）情緒性不安定（h）おくびょう（S）怠だ（HS）だらしない（JKS）　(ハ)環境的條件――家庭言語環境（HRSTKt）教室環境（両側から強い光線がありすぎ視力の疲勞をきたし、また注意さんまんになりやすい）

B話す力（以下略）

單元	設定の理由
中學生活の出發 取扱時間（十四時間） 取扱月（四月）	1、新しい中學校に入學して生徒は喜びにみち新しい覺語をもつている。これを中心として言語活動をさせ中學における國語學習の出發とする。 2、社會生活を營むには計畫的に物事を進めなければならない。中學生活の出發に際して今までの國語學習を反省し、一年間の學習計畫を立て環境を整えて行くことが大切である。 3、學校生活が組織的に行われるよう學友會の役員として參加したり、その他學級生活全般に亘つて自主的にいろいろの仕事の分担を考え又その記錄を取る必要がある。 4、本單元において生徒は、生活文、日記文、記錄文、創作文など各種の文を作つているからその發表の機會を與える必要がある。從つて次の單元「學級新聞の編集」への連絡は極めて自然である。

目標	學習活動	評價	資料	他教科行事との關連
一、話す 1、日常の簡單な挨拶ができる	一、入學を迎えた喜びと覺悟について話合 1、クラス全体の前で自己紹介をし、入學の喜びや	話合（觀察）		入學式

2、はっきり挨拶ができる 3、相手と場に適した挨拶をする 4、禮儀正しく自己紹介する 5、要點をまとめて話す 二、聞く 1、相手の氣持に合せてきく 2、相手に應じた作法をもつてきく 3、要點を正しくききとる 4、相手の氣持をそこなわないようにきく 5、相手と場にふさわしいきゝ方をする 6、話が終るまできく 三、讀む 1、自由詩の内在律を生かしてよむ 2、はっきりした氣持よい聲でよめる 3、音讀の藝術形態としての朗讀ができる 4、誤讀なくよめる 5、默讀でなるべく速くよめる 6、文章の主題がつかめる 7、よびかけの表現の面白さがわかる	覺悟について話合う。 2、挨拶や紹介の上手なしかたについて研究し話合う。 3、入學式當日の校長先生や、ホームルーム主任の講話の要點を記錄する。 4、國語學習に必要な語句帳、學習帳、作文帳、日記帳、ホームルーム記錄などについて使用方法を話合う。 5、今までの國語學習を反省し今年一年間の目標をはっきりさせる。 6、一年間の學習計畫を立てる。 二、クラス會運營の話合 1、クラス會で各種の委員を選擧したり仕事係をきめる。 2、學級日記の記錄形式を工夫し當番をきめて記錄し全体に發表し合う。 3、學級文庫の經營について話合う。 4、學級新聞の編集發行の計畫を立てる。 三、中學生活の希望と覺悟の作文 1、中學生になつた喜び、希望、覺悟などについて散文や自由詩、よびかけに作る。 2、今までの日記の書き方を反省し日記をかくようにする。 四、中學生活の出發にふさわしい文を讀む。 1、○第一歩を讀み自分達の希望や覺悟を話合う。 ○第一歩はなんの第一歩か、この道はどんな道か考えてみる。 ○第一歩を踏み出そうとする作者の心持について話し合う。 ○よびかけを演出してみる。何人でやつたらよいか、どう演出したらよいか共同研究する。できばえについて話合う。 2、おはようを讀み中學における國語學習について話し合う。 ○「生きたことば」の作者のいう、力のある生きたことばはどこから出るどんなことばか。 ○詩の方で「おはよう」ということばが生きているというのはなぜか。	自己紹介(觀察) 挨拶(觀察) 記錄の仕方(ノート觀察) 生活文、創作文(作品) 日記文(作品) 話合(觀察) 朗讀(觀察)	中等國語一 (1)第一歩 (1)二世界をつなぐもの	始業式 桃の節句 クラスマッチ

8、作者の思想がとらえられる 四、書く 1、日常生活を題材としてかける 2、自由詩がつくれる 3、よびかけや日記がかける 五、文法 1、正しい語感を養う 2、文字、語いを擴充する 3、國語改良への意識をもつ	3、雨にも負けずを讀み自分達の理想を話し合う。 ○作者はどんな工夫を理想としているか、まとめて自分のことばで言つてみる。 ○朗讀について工夫する。 ○自分はどんなものになりたいか「めい／＼の「理想」」についてみんなで話し合う。 4、○宮澤賢治の作品にどんなものがあるか調べる。 ○世界をつなぐまのを讀み自分達の進む方向や態度を一層はつきりさせる。○次の問について答える。 ○少年赤十字團員のつとめ。少年赤十字團の仕事のことをなぜ考えたか。 ○ザメンホフはいつ、どこで生まれたか。國際語 ○國際語はなぜ必要か。 ○ノーベルはどんな人か。 ○ノーベル賞とは何か。くわしくしらべてみる。 五、學習の整理 1、作文、詩、よびかけのよいものは學級新聞へのせる。 2、學習帳、語句帳の整理をする。	綜合テスト 諸記錄の仕方(作品)	(1)三雨にもまけず (1)四おはよう	遠足

國語科單元「シナリオの研究」學習指導案　全十四時間

○年○組　○　○　○　○

一、目標

映畫は現在の社會に於いて最も多くの人に親しまれている綜合的文化藝術の發表機關であり、又娯樂機關である。我々がこれを正しく見、正しく育てることは、日本の文化國家建設の上からみて大切なことである。この爲に映畫の内容を良くし、見る人の目を高くすることは、今後益々注意して育てなくてはならぬことである。ここに映畫の深い教育的意味があるのであつて、今日映畫教育として取上げられ研究されるに到つている理由もここにあるのである。この映畫のふるさとであり、中核であるシナリオの研究をすることは、ただに映畫の見方を本質的に正し、見る目を高くするばかりでなく、映畫そのものの内容を改良してゆくことになるのである。更にシナリオは映畫の脚本であり、それが場面々々に區切られ明瞭に目に見えるように描寫されたものである。それ故シナリオの學習そのものが讀む力を深め、表現する力を明確ならしめるものである。

終戰後内容的にも形式的にも良くないきわものや、大衆の輕薄な感能にげい合した映畫が多かつたのであるが、ようやく見る人の批評眼も高まり、時の移るに從つて映畫内容が文化的教育的になり安定して來たのであるが、未だ問題の多い今日、シナリオの研究を通して正しい映畫への關心と鑑賞眼をつくることは大切なことである。

長野地方に於ける映畫への關心と要求は深い、殊に青年層に於て著しい。又青年前期に入り、身体的心理的に發達してきているこの期の生徒に映畫への關心と要求の著しいのは當然である。この關心と要求にそつて本格的な見方指導をなすことは大切なことである。

當校の生徒の映畫への關心と要求は殆んど百パーセントに近いものである。それ故にこの要求を充し健全な指導を與えなくてはならぬのである。ここにシナリオ研究が國語教室の問題として取上げられた理由があるのである。――シナリオ自身のもつ特質が、映畫の脚本であり、そのよみ方作り方を學ぶことが直ちに映畫鑑賞に通ることによりも明らかである。

一年の時、劇の演出に於て脚本のよみ方、作り方、演出の仕方を習つた生徒はその發展として、このシナリオの研究をし、前單元夏休の研究發表や今後の映畫見學と關係し、又次の傳説の單元へストーリーとしては一脈の連絡をもつて位置づけられているのである。更に社會科理科圖工等と内容的に關聯をもちつつ設定されたものである。

1、映畫の見方についての話合やシナリオの研究を通して、互に意見を交換し相手の氣持を理解してきき、場にふさわしい話のできるようにする。
2、話合や發表會、批評會を通して、正しい獨話の仕方、組織的な會議の仕方を身につける。
3、シナリオの場面々々を演出して一層シナリオ表現を理解し、セリフの言い方の工夫や演劇批評の目をやしなう。
4、劇映畫・文化映畫のシナリオの特色をつかみ、表現の仕方ことばの適切さを正しくよみとる力をつける。
5、カバチェッポ、砂丘・地藏の話を讀み通し、辭書を引き、參考書をつかう能力をつける。
6、シナリオの或る場面や對話文などを、明瞭な發音イントネーションで、内容を正しく音聲にあらわして朗讀できる力をつける。
7、カバチェッポ・地藏の話をよみぬいて、作者の思想をよみとり、藝術や人生に對して新しい感覺をもつ。
8、砂丘の成因・形態・移動をよみとり、自然と人生との關係を理解し、自然に對して、新鮮な感覺をもつ。
9、日常生活や身近なことに取材し、シナリオを作つたり、物語をシナリオにかいたりして、文をかくことのよろこびと自らきびしく自己を正して添削批正してゆく力をやしなう。
10、シナリオの研究を通して、いろいろな作品を整理し印刷編集する力をつける。
11、シナリオの研究を通して、映畫の健全な鑑賞、批評の力と態度をやしなう。

二、展開

過程	學習活動	評價	時間	資料	連絡
問題把握	1、今迄の映畫見學について話合う（題目、ストーリー、概要、畫面の美、感銘の深さ、映畫の種類等）	發表内容の批判力（直）		映畫見學記錄 映畫の感想文	前單元「夏休の研究發表」 一年單元「劇の演出」「どのように演出したらよいか」
	2、その映畫と劇とのちがいを既習教材により研究し發表會をなす	話合の技能態度（直）		「野口英世」「ピノチオ」	
	3、映畫製作の手順と方法の研究をする、教師の話、各自の研究	話の要點をききとる（直、ノート）		「映畫鑑賞讀本」	
	4、「シナリオはどのように表現されているか」研究しよう 題目を決定する				
	5、學習事項を話合により決める ○シナリオをあつめる ○文化映畫のシナリオ研究 ○劇映畫のシナリオ研究 ○映畫の正しい見方の研究 ○シナリオの作り方の研究 ○研究物のまとめと編集	話合において協力的に意見をまとめてゆく力（直）			
	6、必要資料の決定をする ○カバチェッポ ○砂丘 ○地藏の話其の他	資料のせんたく能力（直）			
目標決定	7、學習の目標を話合つてきめる ①映畫の見方についての話合やシナリオ研究の話合を通して、相手の氣持を理解してきき、場にふさわしい話のできるようにする ②發表會批評會を通して正しい發表のし方、會議のし方を身につける ③カバチェッポ砂丘、地藏の話を理解するために辭書を引き參考書をつかう能力をつける	話合において協力的に意見をまとめる目標自覺の程度（直）	一	カバチェッポ、砂丘、地藏の話	

④場面や對話文を區別してよみ、人物の性格や場面をよみとる
⑤劇映畫・文化映畫のシナリオの特色をつかみ表現のし方ことばの適切さをよみとる力をつける
⑥カパチェッポ地藏の話をよみぬいて作者の思想や背景になつている思想を理解する
⑦シナリオの場面々々を描寫して、生き生きとした會話や、新鮮な場面の樣子を出すように工夫する
⑧日常生活や身近なことに取材しシナリオをつくたり、物語をシナリオにかいたりして文をかくことのよろこびを味う
⑨シナリオの研究を通していろいろな作品を整理し印刷編集する力をつける
⑩シナリオの研究を通して、映畫の健全な鑑賞批評の目をやしなう

研究計畫

8、研究事項、目標、資料より學習活動の計畫を話合つてきめる
順序、方法、分擔、時間、項目により
— 起案まとめる力（直、ノート）

1、シナリオの蒐集研究

1、新聞雜誌、教科書をしらべシナリオをあつめる
分擔してグループ毎にしらべてまとめる
— 必要資料を見出し參考書をつかう力（ノート、直）

2、いろいろの觀點を決め、集めたシナリオを研究發表、批評する
— 發來診力態度、讀解力、批判力（直、ノート、直）

2、劇映畫シナリオの研究

3、劇映畫シナリオの表現のし方を研究する
○場面、人物の性格、重要なことば、場面と場面との關係をよみぬく
○話の內容場面の構成のしらべ
○よみとつたことを箇條書にする
○劇映畫シナリオの特色をつかみ話合う
— シナリオのよみぶり、解釋力、批評力、意見の發表、きく技能態度（直、ノート、直）

一	三
小學國語作文（雜誌）新聞雜誌	カパチェッポ

三八

3、文化映畫シナリオの研究

4、文化映畫シナリオの表現のし方を研究する
○いくつかの場面に區切つてよむ
○場面と場面との關係をしらべて話合う
○アナウンスの部分は大きく、說明の文は小さくよむ
○場面に番號をふり紙芝居にかいたりスケッチしてみる
○砂丘のできるわけを短文にかく
○砂丘にいどむ人間の力をよみとつて話合う
○文化映畫の特色をつかみ話合う
— シナリオのよみぶり、解釋力、批評力、意見の發表、きく技能態度（直、ノート、）

4、シナリオの創作

5、二つのシナリオ研究よりシナリオのかき方を工夫、研究する
○文化映畫シナリオと劇映畫シナリオの表現の特色を比較研究する
○シナリオのかき方の研究をなし話合う
○日常生活や自然現象行事などに取材してシナリオをかく
○各自の作品の發表批評會をする
— シナリオ創作の力、シナリオ批評鑑賞の技能、態度（作品、ノート、直）
— 文を正しく美しくかく能力（作品）

5、地藏の話の讀解
6、シナリオの創作

6、地藏の話を讀みシナリオにかく
○いろいろの點より地藏のたどつた運命をよみとる（話のすじ、主な人物、場面、地藏の在り方）
○表現について研究してみる
。義道という人をかいているところ
。世の變遷と地藏の心理をかいたところ
。青年の地藏發見のよろこびとおどろき
○地藏の話をいくつかの場面に區切つてシナリオにかく
○各自の作品の發表、批評會をする
— 文のよみぶり、解釋力（口、直）
— 作者の思想をよみとる力（筆答、直、口）
— シナリオ創作の力、シナリオ批評の技術、態度（作品、口、直）

發展

1、學習の整理（分擔してなす）

1、今迄の學習を整理し、まとめて、印刷する
○シナリオを集めたものをまとめて印刷する
○劇映畫シナリオの特色、表現方法を研究しまとめる
○文化映畫シナリオの特色表現方法を研究しまとめる
○「シナリオは如何にして作るか」という題で作り方をまとめ、實作をつけ印刷する
— 話合の技能、態度（直）

三	二	一
砂丘	地藏の話	カパチェッポ 砂丘
	シナリオ蒐集の作品を生かす	前のシナリオ創作を生かす

三九

2、映畫見學	〇各自のシナリオのよいものを一點ずつあつめてシナリオ集をつくる 〇映畫やシナリオ批評を新聞雑誌などより切りぬき研究しまとめる 2、映畫の正しい見方について研究し話合う 3、映畫見學をなし感想文をかき話合う 4、學級新聞にシナリオをのせたり、今迄のものをまとめて小冊子に作り批評反省をする 5、ことばというものの重要性より次の單元「ことばの研究」に連絡させる	文集を編集する力（作品、直） 活潑な話合の技能、態度（直） 綜合テスト全体の効果判定	一	今迄のシナリオの創作 映畫見學 次單元へ連絡

三、本時の學習

一、主眼　身近なものに取材して作つたシナリオの發表批評會をなし、シナリオの表現方法を理解し一層深くシナリオ創作の力をつける。

1、人の意見を正しくききとる
2、問題がまとまつていくよう協力的に話をしていく
3、シナリオをよんでいろいろの觀點より批評する
4、シナリオをよんだり批評したりしてその表現方法を理解する
5、要點をまとめてかく力をつける

二、學習過程（研　究）

學習問題	樣式	學習活動	指導	評價	時間
本時の計畫	問答(全)	1、本時學習の計畫を話合によつて立てる	〇順序方法をきめる		二
本時の目標	問答(全)	2、本時學習の目標を話合つて明らかにする	〇適宜助言		五
觀點たしかめ	話合(全)	3、シナリオ批評の觀點を話合つてたしかめる	〇プリントによる		一五

學習問題	樣式	學習活動	指導	評價	時間
シナリオ批評	話合(全)	4、シナリオを發表し批評會をなす 〇作者がよむ　〇觀點により全体で批評會をする	〇プリントによる 〇觀點に集中して話合をさせる	〇シナリオ批評の態度、能力（直）	
描寫研究	話合(全)	5、場面を區切つて描寫のしかたを批評し合う 〇作者がよんで說明する　〇觀點により全体で批評會をする	〇人物の動き背景からまく表現できているか示唆する	〇話合をしていく技能、態度（直）	一五
批評整理	話合(全)	6、今迄の批評會の問題を話合つてまとめる 〇要點を筆記する	〇シナリオをかく上で大切なこと 1場面の順序 2場面の連絡 3場面の變化 4描寫 5會話	〇シナリオ表現の理解力（直）	一〇
本時のまとめ	話合(全)	7、本時の反省と感想を言う	〇自由に自分の意見をのべるようにさせる	〇要點筆記の力（ノート）	
次時の豫定	問答(全)	8、次の學習豫定を話合つておく			三

三、反　省

四、資　料

1、資料の研究

①文章、言語の研究

(イ)「カバチエツポ」これは劇映畫のシナリオである。和井内貞行が二十四五年にわたつて十和田湖のカバチエツポ養殖のためにいくたびか試みいくたびか失敗してこの事業を貫徹した。そのかげには、一家擧げての美しい協力精神がこの文全体にあらわれている。シナリオの形であらわされているために、場面と會話とが生き生きと目の前に浮き立つように表現できている。

(ロ)「砂丘」は文化映畫のシナリオである。鳥取砂丘の美しくたくましい場面によつて、砂丘の成因、形態、移動が分り砂丘の猛威のあとが描かれ、古代からの砂丘における自然と人間との歴史關係が分り、長い自然とのたたかいの結果、人の力、科學の力がかちえて人生に役立つようになつた希望ある状態をはつきりよみとることができる。このシナリオを通して視覺聽覺との關係や映畫的表現技巧を學びとり、更にこれを發展して映畫的表現のしかたを學び、動植物の生

態とか生産活動とか風土習慣行事とかをシナリオに表現する手がかりが得られる。

(ハ)「地藏の話」長與善郎の文である。義道というすぐれた藝術家によつて一体の地藏像が作られ、食寺をふり出しに、いくたびかの災難に會い、時を經て逆境に在つたのであるが、見る目の高い一青年の畫師にその眞價を發見され、國寶として、博物館に納められ多くの人々に鑑賞されるようになつた地藏一代の物語である。作者はこの文を通して藝術とは何か、藝術の永遠性社會性を物語ろうとしている。又作者の藝術への考え方がかなりよくあらわれている。それ故よく味わつてよむに價する文である。ここで地藏一代の歩いた道がいくつかの場面に區切つて示されているので、シナリオにかくには大變良い素材であり、今迄のシナリオ學習の仕上にもなる文である。

(ニ)參考書參考文

○緣上俊夫著「姫路」 ○飯島正著「映畫鑑賞讀本」 ○清水宏、佐々木文雄共著「映畫のできるまで」○岡田眞吉著「映畫と國家」

○シナリオ文藝(雜誌) ○作文(雜誌)——生徒の作品があるから、○中等作文二年 ○中谷宇吉郎作「映畫を作るまでの話」(文) ○石森延男作「シナリオについて」(文) ○山本映許作、山本嘉次郎脚色「風の子」(文)

(ホ)映畫について

○映畫の歴史的展開 ○映畫の文化的意味 ○映畫の種類 ○各國の映畫 ○シナリオのよみ方 ○シナリオの作り方 ○シナリオと臺詞 ○シナリオの文學的意味 ○シナリオの教育的意味 ○シナリオと映畫との關係

2 生徒の實態

①經驗・映畫見學は中學一年から今日まで男女共に、家の人と見に行つた回數は平均五回、學校で見に行つた回數も平均五回である年平均すれば毎月一回位見ていることになる。其の種類は劇映畫・文化映畫・ニュース映畫・漫畫・記錄映畫にわたり、學校では「鐘の鳴る丘」「美の祭典」「ガリバー旅行記」「風の子」「教育映畫」等で、その都度感想を話合つてきた。家庭の人と見たものでは、「せむしの小馬」「ターザン沙漠へ行く」「シベリヤ物語」「セントメリーの鐘」其の他で相當教育的のものをえらんで見せようとつとめている風が見られる。然しこが本格的の見方の指導は、やはり學校の映畫教育と相俟つて達成されるものと思う。シナリオに於ては書いたことのあるものは男一人、女一人で殆んど書いた經驗はな

いといつてよい。又シナリオをよんだものも僅かで「風の子」「鐘の鳴る丘」等である。それ故シナリオについてその指導は初歩より充分考えて行わなくてはならないと思う。

②關心、映畫の好きなものは四八%中位のものは五〇%きらいなものは二%である。之により大半は映畫を見ることは好きであることが分る。ここに好きな者の好きな理由をあげると「本當にやつているようだから。いろいろのことが實際分るのでためになる。俳優の動作や物の言い方が面白いから。日本で見られないものが見られるから。感動させられるから。」であり、中位のものの理由は「映畫によつてよく分つたり分らなかつたりするから。映畫館の空氣がいやだから」等である。きらいな者の理由は「目がちらちらするから。頭がいたくなるから。大人ぽいものがいやだから。」等である。これよりして、中位のものも映畫館という雰圍氣がいやなのであつて、映畫そのものが本質的にきらいでないことが分る。次にシナリオをかいてみたい者もよんでみたい者も大部分で、その理由は映畫が一層深く分るから、國語學習や其の他の學習がよくできるから、又今迄シナリオについては餘り深く學習しなかつたから是非やつて見たいというのである。

③能力「話す、聞く力」話合の傾向は全体的に羅列的で一人の意見を育てることができない。それは相手の意見をききとる能力がまだ不充分なことと、批判してきき入れていないためである。又形式的で司會者は「どうですか」ということを連發して内容を深く突いて話す域に至つていない。發表力はまだ不活潑で少數者が獨占している傾がある。又相手を考えずに話して事足れりとしている向もある。「よむ力」では組の半數は内容を突込んでよみとり、まとめることができるが、殘りはよむ速度もおそく理解力も乏しい。殊に文の構造や、微妙な敍述の抽出になつては分らぬものが多い。シナリオのよみは今迄に扱つていないので相當抵抗があると思う。「かく力」では色々の文は一通りかけるが、シナリオをかいたものは殆んどなく、全く全体が初歩の段階である。しかし要點をきいてかきとる力はかなりできる。又文章を構想して主体化してかくことのできるものは十名位ある。脚本はしばしば行つてきた學藝會の劇の演出のために相當多くの者がかける。

國語科習字

一、習字教育の歴史的展望

新しい習字教育の方向を考えるにあたつて、今までの習字教育がどのような變遷を經て來たか概觀して見る必要がある。習字教育の變遷は大きく分けて、次の三つに考えることが出來る。

1、實用主義の習字教育

實用主義の習字教育は主として、明治から大正に亘つて行われた教育である。明治の直前まで寺小屋教育の中心學科として極めて、重要な位置を占めていた習字は、明治の學校教育に取入れられると制度の上では、書方と呼ばれ、國語科の一小科目として行われた。

文字は思想傳達の用具と考えられ、習字は文字を正しく速く書く技能を習得することにのみ主眼が置かれた。從つて藝術性や倫理的意義は全く考慮されず實用性のみ强調された。その結果は、技能の習得をねらい作らも事實はこれに反し、書寫技能は低下した。

2、精神主義の習字教育

精神主義の習字教育は、主として昭和の初から昭和二十年に至る間に行われた教育である。昭和になつて實際的な要求から習字教育への關心が高まると同時に、社會全般に亘つて日本的なものが强調され、從來の習字教育のねらつた唯單に文字を正しく速く書く技能を習得するという點に强い反省が行われ、道として考えられるような精神的なものが重視された。國民學校となつては、國語科の一小科目として考えられていた書方が習字と改まり、藝能科の一科として獨立した存在となり、精神的なものと共に藝術性が强調された。法規に示された藝能科習字の目的にも「藝能科習字は文字書寫の技能を修練せしめ、鑑賞する能力を養ひ國民的情操を醇化するものとす。」とある。

3、新しい習字教育の方向

昭和二十年以降現在の新しい教育段階である。文字を書くことの學習は何れの時代においても、重要視されて來ているが、今日においてもこの重要性は少しも變つていない。唯今日は教育の範圍が廣くなり、これだけやつていてよいというわけにはいかない。學習指導においても文字の機械的練習というだけでなく、實際に書くことの必要ある場合をとらえ、機會を生かして指導するとか、生徒の實態に卽して指導するとかいろいろな條件を考慮していかなければならない。文字を書く場合には、用具に硬筆毛筆があり、書體に片假名、平假名、漢字、ローマ字があり、漢字には楷行草の三體があるというように極めて復雜である。習字教育に對する考え方にも混亂がある。その立場に次の二つがある。

① 國語科としての習字（書かれた文字の內容を主とする。）

これは國語教育の一環として行うという立場で文字を社會生活における意志交換の用具であり、言語を表わす視覺的な符

號であるとする。

② 藝能科としての習字（書かれた文字の形態を主とする。）

日本の傳統である書の美を表現し、鑑賞するという立場である。この立場は嚴密な意味において、意志交換の用具の範圍を超え、文字を素材として美を表現鑑賞する藝術の世界と考えられる。現在は制度の上で、國語科の習字として行うようになつているが實際指導に當つてはこの二つの立場の一方に固定することなく進むべきであろう。

二、習字教育の目標

新しい習字教育にあたつて何よりも先ず大切なことは、書道觀の確立である。特に書道のような傳統的なものが新しい教育に參加するに當つては、殊更にその必要がある。一体書には、いかなる面が考えられるのであろうか。書には次の三つの面があると思う。

1、實用性　2藝術性　3、倫理性

この三點を明らかにすることによつて、書道觀を確立し、新しい習字教育の目標を考えて見ることにする。

1、實用性

先ず書は實用性を離れてはあり得ない。中學校における習字は獨立した教科でなく、國語教育の一環として行うことになつている。

言語生活における、話す、聞く、讀む書くの「書く」は、文をつづる面と文字を書く面と、二つの仕事を含んでいる。効果的、能率的な言語生活をするには文字を書くという仕事が、いかに重要であるか多言を要しない。卽ち習字は社會生活を全うする基礎技術として學習されなければならない。ねらいは、正しく、速く自由に書けることであり、書かれた文字が誰にでもらくに讀めるようにすべきであろう。書寫に當つては、實用面からいうと硬筆が有利であり、藝術面からいうと毛筆が有利である故に、生活の基礎技術としては、硬筆による習字を徹底しなければならない。從つて書体なども、行書と平がなを中心にし現代文を自由に能率的に書けるようにすべきである。

2、藝術性

書を藝術として尊重するのは東洋民族の宿命である。書の美はいかなるものであろうか。書は形態の美と線條の美を筆墨を以て表現し、その中に筆者の無限の生活感情を盛り得るものである。書は文字を素材とする。漢字、片かな、平がな、ローマ字等いかなる文字でもよい。唯文字には宿命的に優劣はある。漢字、平がなは見事なものであるが、片かなは單調である。ローマ字は素材として上であるが、運綿がな、漢字から見れば運筆の點で單調である。しかし作らゲーテとかトルストイの原稿などはいうべからざる美がある。畫仙紙等へ毛筆で書いたなら立派な作品となろう。書は他の藝術と、どう違うか。書はもつとも奧深い感興を表現し得る。文字は抽象形態である。具象形態は繪畫のように卽物的である。しかし畫のなかにも卽物から離れようとする一派が近代畫のなかにある。超現實派などとい

われるものがそれである。即物では主観が表現出來ない。自然の形象をすてゝ唯色と、意味のない直線、曲線をもつて來る。之は西洋畫が東洋の書の世界、抽象形態に近ずこうとしていると考えられる。文字は抽象形態である故に、人間の奥深い感興を盛ることが出來る、即物的な束ばくがないから抽象世界は、文化活動のもつとも高い世界である。音樂においても描寫音樂は低く、抽象音樂は高い。書は純粹音樂に近い、目を通して來る音樂ともいえる。具象は子供の段階である。書は、はじめから抽象の世界を對象にしているから文字形象の中に天地、自然、人事百般あらゆる面を暗示することが出來る。書はこのような抽象世界を更に「墨」という一色をもつて表現する。墨は光りの全吸收である。墨はすべての色である。全吸收の墨と全反射の白、両極端の色をもつて表現するから色彩のあらゆる面が暗示として含まれる。淡墨の所は光りのあたつているように見え、明るい感じがする。濃墨の所は暗い、重い感じがする。その度合によつて、重く輕く、明るく暗く、悲しくたのしく、いろいろな感じに見える。繪具の色にはこの含みはない。紅は燃える歎喜はあるが淋しがるものはない。青は、ひやゝかな靜けさはあるが、青を見て心ときめくものはない。色は感情の一部を代表するが墨の様に感情の全部を表現することは出來ない。色は子供にも理解出來るが墨の深さは幼稚なものにわかりにくい。西洋畫はたくさんの色を造ることに苦心し、物から物へ移る傾向がある。書は一切の色を含んでいるから物に迫って色をふやす必要はない。一色の中に無限の變化を見、あらゆる色に表現すべき様々な感情をとに角、墨にあらはす、暗示的である。從つて深い。この特殊な世界を味わう感覺を失つたら東洋藝術はわからなくなる。吾々の民族のもつ書を中心（水墨畫も含む）とした文化遺産から隔離されてしまう。教育の中で墨書をすてた今日、習字の方でこの感覺をやしなうより仕方がない。この水墨に對する感覺は鑑賞と修練によつてつくりあげるべきであろう。實用性の强調されている今日といえども、實用性の中にこの藝術性を見出して行くことが大切である。

3、倫理性

書の倫理性は從來よく說かれて來た。殊に國民學校時代は藝術面と、ともに精神面が强調された。習字は沈着の態度を養い、精神集中の習慣を作り、靜肅、清潔、整頓の美風を養うことが出來るとか觀察力が緻密になるとか忍耐心の養成になるとか說かれた。勿論このことも大切であるが、これが習字獨自なものではない。茶の湯や活花をやつても、精神統一は出來る。觀察力が緻密になるのも事實であるが、之も習字の獨自なものではない。顯微鏡實驗をしてもよい。畫をかいても、作文をかいてもやれる。書の倫理性は書、をかくこと、書を見ること、書を思うことの中にある。

抽象藝術は人間の内的生活を直寫する。書は人そのものである。書を通して人そのものを直視する眼力を養わなければならない。さびしい人の書はさびしく、亂暴な人の書は亂暴である。伸々した書、ちゞんだ書、小心な書、豪放な書等々、「書は心畫なり」といわれる所以もこゝにある。書ほど卑的に人を示すものはない。從つて他人の書を見てよく他を知り、自己の書を見て自己を知ることが出來る。自己の書を見て自己の欠點を知り完全なものに近づけようと努力する。こゝに人間完成への道がある。新しい習字教育においてはこの倫理面が大切である。且ての教育において、子供の人間性を高く尊重した時代があつたが、この時代に習字は全く子供の人間性を考えないですぎた。文字の形は知性を示す。知性の低い子供は形の構成が拙い。子供の作品を見るに當つては知的に偏することなく情意性を高く見ることが大切である。亦優美な作品には剛毅な面を要求し、剛毅な作品にはやさしみを要求してやり、伸々したものには緻密なものを心がけさせるような指導が必要である。之を要するに「書は實用から出發して、藝術へ通りぬけ、更に宗教へまで達する人間完成への道である。」ということが出來る。

4、小學校の書方（詳細は指導案集錄參照）

〇一、二、三年の目標

①技能……鉛筆の正しい使用を習得する。讀みやすく正しく書けるようにする。書体は、平がな、片かな、漢字（楷書）を使用する。

②理解……字形、筆順、正しい姿勢、執筆を理解する。

③態度……意志を强くする。文字をかくことをたのしむ。

〇四、五六年の目標

①技能……鉛筆と併せてペンの使用を習得する。正しく、速く、美しく書けるようにする。書体は、はや書に適した平がな、漢字（行書）を使用する。

②理解……書式（手紙、葉書、日記、届書等の書き方）を理解する。文字の美しさを味わう。

③態度……自分の進歩のよろこびを味わい、興味をおこさせる。

5、中學校の習字

①技能……毛筆の使用を習得させる。併せてペン、鉛筆の書寫力を伸ばす。正しく、速く、美しく書けるようにする。平がな、片かな、漢字（楷書、行書、一般化した草書）の字形、筆順、用筆法を研究する。

②理解……日常生活に必要な文書、通信の書式を理解させる。古今の名蹟、偉人の筆蹟等を鑑賞する。

③態度……書くことをたのしみ文字を愛する。忍耐、努力、清潔、整頓などの態度を養う。

三、習字教育の計畫

1、單元の性格

從來の習字教育は同一手本で示範、練習、批正と云う型の教育に終始した。個性の尊重もなく自發活動も極めて稀れで興味の少いものであつた。所謂東洋的な個性否定の學習形態であつた。この學習形態は全面的に否定されるものではないと思うが、新しい教育においては、生活を中心とし生徒の必要とするもの、生徒の興味あるものにつき、自ら進んで計畫し學習していくという單元學習の形態をとらなければならない。しかし乍ら書寫力の修練は生活を中心とする學習のみでなく、書學的系統を重んじて、技能修練の正しい階梯を踏ませることが必要である。

2、單元構成の基準

①單元構成の觀點

(イ)必要(生徒の要求、社會的要求)　(ロ)興味　(ハ)能力　(ニ)均衡

(ホ)連關

②單元構成の基準

(イ)學習目標や學習內容が明確であること。

(ロ)児童、生徒の學習の原則に即したものであること。

(ハ)資料や施設、環境が考えられていること。

(ニ)反復練習の機會を多くすること。

(ホ)生徒の個人差に應ずる幅があること。

(ヘ)國語の單元との關連が綿密に考えられていること。

(ト)單元相互に重複がなく關連が考えられていること。

3、單元構成の手順(國語科の單元構成の手順參照)

4、年次計畫

昭和二十五年度國語科習字年次計畫一例(中學校一年)プリン

單元	設定の理由
楷書を習う 取扱時間(八時間) 取扱月(四月—五月)	1、楷書は基本的な書体であつて法が一番厳格であるからこれによつて腕を練り書法を會得しておけば行書、草書は比較的容易に習うことができる。 2、習字學習のはじめにあたつて毛筆習字の必要性を理解させ姿勢、執筆、用筆、用具の使用法等文字書寫の基礎的學習をさせることが必要である。 3、習字においては大字から小字へのコースが最も自然な系統であつてはじめて筆をもつて字を習おうとする生徒には大字練習が適切である。 4、中學生活の出發にあたり生活態度の理想を示す溫順、素直、快活、憲法記念日にちなんだ永久、民主、文化、自由、平等、責任等の資料は極めて適切である。 5、文字書寫の今迄の反省をし今年の計畫をたて、自主的な學習を確立し文字書寫の技術を充分身につけるよう自覺してすゝませたい。

目標	學習活動	評價	資料	他教科行事との連絡
技能 1、用筆法の根本がわかる。 2、楷書の大字がかける。 3、楷書の中字がかける。 4、楷書の運筆がわかる。 5、古典の臨書ができる。 6、既習文字の背臨ができる。 7、硬筆で楷書がかける。 理解 1、正しい姿勢でかける 2、執筆の要領がわかる。 3、楷書の結体法がわかる。 4、正しい筆順でかける。 5、布置、章法がよくできる 6、毛筆習字の必要性がわかる。 7、正しい腕法ができる。 8、文字美を鑑賞することができる。 態度 1、用具の使用法が身につく。 2、氣がるに文字をかく習慣が身につく。 3、靜かにおちついて文字がかける。	一、文字書寫の基本的學習をする。 1、毛筆で文字を書いた經驗について話合う。 2、毛筆を使用する場合を調査しまとめてみる。 3、習字學習の意義を理解する。 4、書くことについて今までの反省をし今年の計畫をたてる。 5、姿勢、執筆(双鈎法、單鈎法)腕法(懸腕、提腕、枕腕)について研究する。 6、筆、墨、硯、等各種用具の使用法がわかり實際に役立つようにする。 二、楷書大字の練習をする。 1、毛筆と硬筆の性能を理解し毛筆の彈力性をよく生かすことができるように研究する。 2、基本點畫によつて用筆法の根本である送筆、止筆について研究する。 3、永久、民主、文化、自由、平等、責任、溫順、素直、快活の大字練習をする。 ○用筆法について調べる。 藏鋒、露鋒、遲速緩急、抑揚、氣脈等 ○布置章法について理解する。 ○基本點畫の名稱を知り練習する。 ○結体法について研究する。 背勢、直勢、照應、向勢等 4、古典のよいものを鑑賞したりする。 ○臨書したり背臨したりする。 孔子廟堂碑、皇甫府君碑、孟法師碑 5、楷書中字の練習をする。 ○季節のことば二十四字 三、學習の整理 1、淸書して敎室や廊下へ展示し鑑賞しあう。 2、ノートや文集の表紙など毛筆でかいてみる。 3、今までの學習について反省し自分の欠點を明らかにする。 4、今後の學習について話合う。	硬筆の書寫力(ノート) 姿勢、執筆腕法、(觀察) 用具の取扱(觀察) 楷書大字(作品) 書寫態度(觀察) 古典の臨書(作品) 楷書中字(作品) 綜合テスト	範書用大筆、朱墨 ○正面腰掛姿勢圖 ○側面腰掛姿勢圖 ○懸腕提腕枕腕の圖 ○其他の姿勢圖(執筆) 敎師の範書 中等習字巻一 永久民主,文化 自由平等責任 溫順素直快活 基本點畫一覽表 古法帖 孔子廟堂碑 皇甫府君碑 孟法師碑等 敎科書,季節のことば	國語の單元と一体となつてよむ 憲法記念日

四九

五〇

四、習字教育の實際

1、學習指導案の体系

國語科習字單元「〇〇〇」學習指導案(全〇〇時間)

〇年〇組　指導者名

一、目標

1、社會的要求の洞察(社會的見地から見て價値ある書寫生活の經驗を與え、能力をつけ得るか)

2、生徒の書寫生活の實態の考察(生徒の必要、經驗、關心はどうか。能力の點でむりはないか)

3、その他(季節行事、他教科との關連はよいか)

右の三點から單元計畫の設定の理由をたしかめ、學級への特殊化を考え學習のねらいを簡潔に書く。(技能、理解、態度にわたり列擧する)

二、展開

過程	學習活動	評價	時間	資料	連絡
問題把握 目標決定 計畫 研究(實習) 發展(鑑賞)	生徒の學習の原則を考慮し豫想される展開順序に主要な學習活動を番號をつけてあげる。	觀點をなるべく具体的に必要の最小限度あげる。 方法 テスト 觀察 作品	學習活動毎に豫定時間を記入する。	學習に必要な資料を具体的に記入する。	他教科の行事との連絡を記入する。

三、本時の學習指導案

1、主眼　本時の學習指導のねらいを重點的に明らかにする。

次に學習目標を技能、理解、態度にわたり列擧する。

2、學習過程(　　　)

學習問題	樣式	學習活動	指導	評價	時間
〇本時の計畫 〇本時の目標 〇本時の學習過程が達せられるように學習問題を排列する 〇本時のまとめ 〇次時の豫定	話合 說明 實習 清書 臨書 背臨 創作等	適切な學習活動を學習目標とのつながりを考えてあげる。	示唆し注意し教えることを記入する。	觀點 方法 テスト 觀察 作品	所要時間を分單位でかく

3、反省　評價の結果の整理、指導記錄、作品整理などをして指導方法の適否、學習活動の適否、資料の適否につき反省する。終末段階においては單元の價値効用適否につき全体的に反省する。

四、資料

1、資料の研究　學習の目標を果すためにつかわれる資料について教師自身が充分研究する。

1、實習、楷、行、草、かな、調和体、各種の書式、古典の鑑賞

2、理論、書法、書論、中國書道史、日本書道史、國文學、

五一

漢文學

2、生徒の實態　調査により生徒の書寫生活の實態を明らかにし單元計畫を學級へ特殊化する資料とする。

(1)經驗　單元の題目、展開、資料と關連ある書寫生活の經驗を必要な範圍で明らかにする。

(2)關心　問題把握、展開、資料選擇に必要な書寫生活における關心を重點的に明らかにする。

(3)能力　目標に到達するために學習に入る前の生徒の書寫能力を技能、理解、態度の面より明らかにする。

2、指導記錄と學習記錄

學習指導の實際を有力にし客觀性をもたせ、單元構成への貴重な資料とするために教師に指導記錄をのこし、生徒に學習記錄をとらせる。

3、學習指導案例

五二

國語科習字單元「平假名を習う」學習指導案(全八時間)

一年〇組　指導者名

一、目標　社會的要求、生徒の實態——略す。

1、技能——毛筆、を使用して平がな單体四十八字を正しく、速く、美しく書けるようにする。特に平がなの用筆法について研究する。

2、理解——正しい姿勢、執筆、腕法、筆法等について理解させる。草がな、漢字(草書)の名筆を鑑賞させる。

3、態度——靜かに落着いて書けるようにする。書くことをたのしむ態度をつくる。清潔、整頓などの態度を養う。

二、展開

過程	學習活動	評價	時間	資料	連絡
問題把握	一、日常生活に最も多く使用される「平がな」の練習をするよう決定する。				
目標決定	1、今までの習字について反省し今後の希望を話合う。 2、毛筆で立派な文字が書けるには漢字や假名の基礎練習が大切であることを考える。 3、平假名練習の目標を話合って決定する。 〇正しく、速く、美しくかけるようにする。 〇「かな」の用筆法について研究する。		1		

計畫 研究（實習）	○正しい姿勢、執筆、腕法、章法などを理解する。 ○「かな」や漢字草書の名筆を鑑賞する。 ○書寫態度をよくする。 4、平がなを用筆を中心として分類し練習するよう計畫する。 5、練習順序、時間、等をはっきりさせる 二、平假名の練習 1、「つらちや」「ろるゑ」「てそえ」「うりけ」の練習をして次の用筆法を發見する。 ○回轉するところは筆の表裏が反對になる。 ○屈折スプリングの使用される場所を知る。 ○鋒先は線の終りまで届くようにする 2、名蹟の鑑賞をする。 智永眞草千字文　懷素草書千字文　筆の表裏反對になる所を味わう。 3、「のあめ」「ゐゆぬ」「とをみひん」「はよ」を練習して次の用筆を知る。 ○筆壓を加える場所を知る。 ○運筆の遲速、緩急を知る。 ○筆は進む方向の面を紙面にあてる。 △既習の文字を使って短い言葉を書いてみる。 4、「ほなま」「むすお」「こにた」「ねわれ」の練習をして次の用筆を知る。 ○二線の交叉は直角又は直角に近くする。 ○古筆鑑賞、和漢朗詠集、關戸本古今集 蒸翁いろは帖——二線の交叉の美を味わう。 5、「いかふ」「もし」「へく」「さきせ」の練習をする。 ○筆の彈力性を活かして使用する。 ○「かな」の源字について研究する。	平がなの書寫力（作品） 毎時清書して提出する。 古筆の鑑賞力（テスト） 姿勢、執筆、腕法 章法（觀察） 静かにおちついてかけるか（觀察）	3 3	姿勢、執筆の寫眞 中等習字㈡ 平がな手本 教師の範書 智永千字文 懷素草書千字文 中國書道史 和漢朗詠集 關戸本古今集 蒸翁いろは帖 日本書道史 かな源字表	國語學習全般と密接な連絡をする。 社會科日本史

五三

五四

發展	6、速寫に適した形を研究する。 と、れ、る、わ、む、よ、は、ほ、ま、等 三、學習の整理 1、綜合練習、いろは四十八字を、中字小字に練習する。 2、清書をしてみなで批評鑑賞する。 3、實際生活に役立つようにすると同時にこれからも時々練習する。	用筆法について（テスト） 綜合練習の清書（作品）	1		調和体の學習

三、本時の學習指導案

1、主眼、日常生活に最も多く使用される「平がな」練習をするよう決定し、目標をはっきりさせる。——學習の段階は問題把握から計畫に至る。

目標

イ、靜かにおちついて文字がかけるようにする。

ロ、平がな練習の目標がはっきりわかる。

ハ、ノートは正しく美しく書けるようにする。

ニ、正しい姿勢、執筆、腕法で書けるようにする。

ホ、「つ、ら、ち、や」の用筆について研究する。

2、學習過程

學習問題	樣式	學習活動	指導	評價	時間
本時の計畫 本時の目標	話合（全体） 說明	1、本時の學習の計畫を話合によってきめる。 2、本時の學習目標を話合って明らかにする。 3、毛筆で立派な文字が書けるには漢字や假名の基礎練習が大切であることを話合う。	司會は教師がする。 生活のための基礎技術の重要さを説明する。		5
平がな練習の決定 平がな練習の目標決定	話合（全体）	4、平がなの單体を練習するよう決定する。 5、平がな練習の目標を話合って明らかにする。 ○正しく、速く、美しくかけるようにする。 ○「かな」の用筆法についてしらべる。 ○正しい姿勢、執筆、腕法、章法などを理解する。 ○「かな」や漢字（草書）の名筆を鑑賞する。	ノートに整理させる。		10

10 20	硬筆の書寫力(ノート)觀察 姿勢、執筆、腕法(觀察) 字形用筆(作品)	豫め分類表を用意して話合の資料とする 姿勢、執筆、腕法、の指導をする。 筆の表裏反對になる所を説明する。	○書寫態度をよくする。 6、平がなを用筆を中心として分類し練習するよう計畫する。順序時間の豫定を明らかにする。 7、つ、ら、ち、や、の用筆を研究する。 8、清書してみなで鑑賞しあう。 9、次時の學習豫定を話合つてきめる、	話合(全体) 説明 臨書(個人) 話合(全体)	學習計畫を立てる 本時のまとめ 次時の豫定

3、反省

四、資料

1、資料の研究

平假名を用筆法を中心として分類する。臨書、背臨、創作という順序で實習する。

○用筆中心かな分類表	
一	つやちら。ろるゑ。てそえ。うりけ
二	のあめ。ゐゆぬ。とをひみん。はよ。
三	ほなま。むすお。こにた。ねわれ。
四	いかふ。へく。もし。さきせ。

「かな」の用筆法

①回轉するところは筆の表裏が反對になる。回轉するところはおなじ筆壓で進んでも細くなる。この要領で書く文字に次のようなものがある。

つ、ら、ち、や

谷氏本智永千字文、懷素草書千字文に筆の表裏反對になるところが明瞭にあらわれている。

②屈折スプリングを使用する文字に次のような文字がある。

ろ、る、て、え、そ、ゑ、ん

③鋒先は畫の終りまで届くように注意する文字 。

う、り

④二線の交叉は直角又は直角に近くする。

は、よ、ほ、む、な、ま、お、す

和漢朗詠集、關戸本古今集、蓀翁いろは帖等により二線の交叉の美を味う。

⑤筆壓を加える場所に注意する文字。

の、め、あ、ゐ、ぬ、ゆ

⑥運筆の緩急(リズム)に注意する文字。

と、み、は、ひ、を

五五

⑦速寫に適した形を研究する。

と、れ、る、わ、は等

⑧かなの源字(漢字の草体から變化した點に注意する。)

假名源字表					
い以	ろ呂	は波	に仁	ほ保	へ皿
と止	ち知	り利	ぬ奴	る留	を遠
わ和	か加	よ與	た太	れ禮	そ曾
つ川	ね禰	な奈	ら良	む武	う宇
ゐ爲	の乃	お於	く久	や也	ま末
け計	ふ不	こ己	え衣	て天	あ安
さ左	き幾	ゆ由	め女	み美	し之
ゑ惠	ひ比	も毛	せ世	す寸	ん无

⑨其他、用筆法の一般原則

○起筆と終筆は靜かに筆を使う。

○筆は進む方向の面を紙面にあてる。

○曲る時の瞬間、筆の形はS字形になる。

(この場合、バネ又はスプリングと呼ぶ。)

○筆の形により送筆と止筆にわけることが出來る。止筆は、何れの方向へでも運動出來る形である。

鑑賞資料

1、智永眞草千字文……筆の表裏反對になるところを味わう。これを味わうには谷氏本がよい。智永は陳から隋にかけての人、王逸少七代の孫に當る。呉興の永欣寺に住し、書道に精進して樓を下らざること四十年、その間王羲之の千字文を臨書すること八百本、之を江東の諸寺に一本づつ施入したという。

2、懷素草書千字文……筆の表裏反對になるところを味わう。

懷素六十三の草書、平淡古雅にして趣がある。古來一字千金の値ありというところから千金帖の名を以て知られている。懷素は中唐の人、長沙に生れ、幼より佛に事へ、書を學んだ。酒を好み奇行が多かつたから世に顚素と稱した。家貧にして書くべき紙なく、芭蕉をうえてその葉に揮毫した。

3、和漢朗詠集……二線の交叉の美を味わう。

傳藤原行成筆、鑑賞には粘葉本御物朗詠がよい。漢字も假名も肉づきの少い淸い線で正しく强く優美ごの上もない。行成は一條攝政伊尹公の孫で、左近衛少將義孝卿の男である。天性溫厚聰明、才藝人を拔いた。道風、佐理と共に三蹟と仰がれた。

4、關戸本古今集……二線の交叉の美を味わう。

傳行成筆、平安朝を通じて優秀なものである。變化に富んでいて筆力があり、藝術的感興の横溢している點では

五六

和漢朗詠集の上であろう。

5、蒸翁いろは帖……大字かなの美、二線の交叉の美を味わう。

漢字と「かな」の線に區別がない。貫名菘翁八十六才の作。筆力蒼勁、格調の極めて高いものである。菘翁は德川末期の人、德島の城下に生れた。書は三筆につぐといわれる。

2、生徒の實態

本校の一年の生徒は、毛筆習字を今まで餘りしていない。従って毛筆による書寫態度は出來ておらず、文字を大切にし書くことをたのしむような氣風はほとんどないといってもよい。しかし乍ら習字をしようという要求は可成り强いものがある。

1、經驗……硬筆により平假名を書くことは小學校の一年より多くの學科でやっている譯であるが、ノートを見ると字形は一般に正しさを欠き、印刷体に近く、はや書に適するような書風で書いているものは、ほとんどない。毛筆による平假名の練習は今まで全く行われていない。従って基礎的修練をする意味に於て日常生活に最も使われる平がなの學習は是非とも必要である。

2、關心……生徒(四七名)に習字に對する希望を書かせてみると、習字の時間をもっとふやしてほしいと云う者二五名。習字の時間をつぶさないでほしいと云う者三〇名。漢字や假名の基礎練習から指導して貰いたいという要求が强い。

3、能力

技能……毛筆による習字の經驗が少いため、運筆の技能は僅かな者(書塾に通う者)を除いては、未熟である。

理解……姿勢……よくないもの二八名

執筆……無理のあるもの三〇名

章法……名前の位置の悪いもの一二名

腕法……全員懸腕が出來る

態度……静かに落着いて書けぬものがたくさんあり、文字をたのしんで書くものは、ほとんどない。

五、習字教育の諸問題

1、小中學校の特質

①指導内容上

小學校は硬筆書方が中心である。毛筆習字は自由研究において、學習してもよいことになっている。硬筆は藝術的表現において毛筆におとるが書道の歴史を見ると、初めは龜甲獣骨の面に刀で文字を刻した。つまり書のはじめは硬筆であった。それから紙、墨、硯、筆の發達にともなって毛筆書道は發達した硬筆も單に實用というだけでなく藝術面も今後開拓しなければならない。研究によっては硬筆でも可成りまで雅味を出すことが出來る。指導に當っては次の諸點に留意するがよい。

(イ)速寫に便利な書風を用いる。

五七

五八

(ロ)平假名を徹底する。

(ハ)漢字は行書を本体とする。

楷書も行意を加える。

(ニ)漢字は新字体を使用する。

(ホ)假名は連綿法を使用する。

中學校においては、一、二年毛筆習字を必須としている。年間三五時——七〇時の特設された時間がある。小學校において毛筆により文字の形態と輕快な運筆を會得させ、中學校においては毛筆により用筆法の根本を會得させる。由來毛筆によって日本の習字は生長發展して來た。従って漢字、假名の本來の性質が毛筆に適する樣に作られている。

②指導方法上

○小學校(一、二、三年)

(イ)兒童の獨創性を重んじていく。

(ロ)兒童の自發活動を重んじていく。

(ハ)表現能力を高めるようにする。

(ニ)継續して努力するよう指導する

(ホ)文字の大切な價値をしらせる。

文字は時間、空間を超越して文化を保存することが出來る。文字は文化をすすめる上に大切なものである。文字を大切にし文字を尊敬する氣持を三つ子の魂にしていきたいと思う。

○小學校(四、五、六年)

(イ)自分の書いたものを反省させる。

(ロ)他人の書いたものを眺めさせる。

(ハ)反復練習して身につけさせる。

(ニ)白紙に文字をかく指導をする。

白紙に文字を書いて餘白を生かすことは書道における布置、章法の問題である。東洋美は餘白の生かし方にある。

○中學校

(イ)受身の態度から自主的にする。

(ロ)教科書の利用に注意する。

(ハ)肉筆と印刷の區別を明らかにする。

(ニ)習字の必要性を學んでいく

(ホ)創作をするよう指導する。

2、教師の立場

毛筆習字は藝術性が强い。従って教師の立場はいかにあるべきか。學校は生徒を創作家にするのではない。獨創性を重んじても、創作というものは、たやすく出來るものではない。學校は生徒を書の美の理解者に仕立てるのである。教師のある者は作家と共にあり、ある者は生徒と共に理解者の側に立つ。なし得れば教師は生徒の手本を書くにとどまらず創作を志し作家的精進をすることがよい。創作に精進する態度が强い感化を生徒に與える。

唯藝術感覺の鋭い教師は自分が偏している場合があることを自覺し、生徒から絶對視されぬよう注意しなければならない。

3、教科書の採擇

手本として生徒に與えるものは、法帖でも、大家の書でも、教科書の書でもよい。しかし一年を通じて一貫した指導をするには定まつた教科書を使用するがよく、採擇にあたつては文部省の檢定濟のものがよいと思う。採擇の基準として次のような事項があげられる。

(イ)生徒の心身の發達に適應したものであること。

(ロ)生徒の生活、經驗、興味に即したものであること。

(ハ)近代感覺を宿した新鮮な書風であること。

(ニ)筆者は人格高潔であり書品の高いこと。

(ホ)單元學習に役立つ教科書であること。

(ヘ)穏健中正で藝術的價値の高いこと。

4、大字主義、小字主義の問題

習字は小字から大字へのコースがよいか、大字から小字へのコースがよいかの問題である。これは大字から小字へのコースが古來からの鐵則である。小字から大字へ進むのは意味がない。大きく書いて、心身ともに伸々とさせることが大切である。

5、習字入門期の書体

楷書から入るのがよいか、行書から入るのがよいかの問題である。一般には楷書から入るのがよいとされているが、行書から入ることも考えられる。國語生活の實際から見ると、平假名と調和する行書から入つた方がよいかもしれない。今後の研究問題である。

6、習字に對する世論

今日の教育は實用主義の教育である。實用性が稀薄になりつゝある毛筆習字は、學校教育からのぞかれるような狀態である。しかし作ら一方習字教育振興の氣運がおこりつゝある。これは傳統藝術を護して行きたいという新しい民族意識のあらわれとおもう。最近小學校の習字正課を叫ぶものが激增している。五、六年位には週一時間位實施するようになるかもしれない。

社會科

一、社會の特質

社會科指導要領の始めに「今度新しく設けられた社會科の任務は青少年に社會生活を理解させ、その進展に力を致す態度や能力を養成することである。そのために青少年の社會的經驗を今までよりももつと豐かに、もつと深いものに發展させて行こうとすることが大切である。」とある。これは社會科の目標と方法を示している所であるが、それはどのような意味をもつか、又その前に何故社會科を設けなくてはならなかつたのかという點につき少し考えてみたい。終戰後修身、歴史、地理に代つて公民科が設けられ、更に社會科がとりあげられた事から、社會科は此れ等の教科をとり合せた様な性格のものだと考える向も多かつた。此の點指導要領は「社會科は從來の教科の寄せ集めや綜合ではない。今までの修身、公民、歴史、地理の教授のすがたはもはや社會科の中には見られなくなる。……」とはつきり否定している。從來のこれらの教科では兒童生徒に社會的經驗そのものを育てることには重點を置かないで、倫理學、經濟學、地理學、歴史學の知識を兒童生徒にのみこませる事にきうきうとしてしまつていた。勿論いづれ將來生活上の問題を解くに役立つだろうと考えてはいたが、實際には知識だけは得たが、それが統一されて實際生活に働くことがなかつた。例えば修身では德目を說明し、ことばで言わせて、できれば滿足するといつた觀念的畫一的な面が强くわるい形式主義に陷つていた。此の點は學問体系に重點を置く教育のしくみ―教科カリキュラム―の持つ欠陷でもあつた。そして指導のすがたも教師中心、教科書中心から抜け出すことができなかつた。

戰後の混亂と急迫した事情の下に生活する者にとつてはどうしても生活に根を下すような力が切實に要望される。社會の激しい變動に處して行ける様な實踐的な行動人、これが新しい教育の目ざす人間像である。新教育の指向する方向は社會科に於て端的に示されているとよく言われる。實踐的な行動人の育成という課題をになつて新しい構想で設けられたのが社會科である。從つて社會科に於ては生活の現實と取組み、生活の上の課題を解決する實踐力を養わねばならない。兒童生徒が自發的に問題解決のために活動するという學習形態がとられなくてはならない。そしてその實踐を通して、社會生活の理解とその進展に役立つ態度や能力の育成が期待されるわけである。これこそ社會科の前述の教科と異る立場であり、内容と指導の方法の骨子となる點である。

このように兒童生徒の生活を取り上げて生活へぶつける事をたて前としているのが社會科である。生活をとりあげるという場合の生活というのは社會科で扱おうとする内容に關する事であり、それを生活へぶつけるというのはその指導の方法である。

社會科の學習の對稱となるものは始に述べた樣に社會生活の理解に役立つ社會生活關係の事象であるがその中から現在及び將來の子どもの生活に必要なものを選擇するわけである。此の點は項を改めて詳述する。次にこうして取り上げられた內容は兒童生徒にとつてどう學習されるか。もともとこれ等の內容は兒童生徒の生活上直接必要とされ、又興味を持つ問題である事から兒童生徒はその解決のためには積極的に工夫もし計畫して研究を進めて行く事が期待される。此の活動を通じて、兒童生徒の經驗は發展されて行く。そしてのぞましい知識、技能や態度を身につけ、更に現在の環境に適應し、社會生活を進展させるのに必要な能力を身につける事が出來るようになる。要するに、社會科は從來の修身、歷史、地理に比較する時その內容に於て學問的体系から生活体系、經驗体系へ、方法に於て敎師中心、敎科書中心から兒童生徒中心、活動中心へと變つたのである。

こゝで少し社會科と他の敎科との關係について考えたい。補說四頁に「小學校の敎科は學科分立の組織では十分にその敎育の目的を達成することができないので、しだいに生活經驗の綜合的な發展をめざす新しい敎科課程にうつりかわろうとしています……」とあり、學校敎育法第十八條の示す小學校敎育の目標は有爲な社會形成者を作ることにあるということができるが、これと前の社會科の目標を比較して見ると同じ事がらを目標に持つものである事から社會科が小學校敎育の目標達成のために重要な位置を占めている事がわかる。一面他の敎科例えば國語では社會生活の中から特に言語生活の領域を問題とし算數は數理生活を取り上げる等それぞれの領域に應じて社會生活を取り上げて扱つている。從つて社會科の特に着目する依存關係の理解や、社會生活に適應しこれを改善する態度技能は他の敎科の主要目標とかたく結びついているわけである。

各敎科とも此の樣に社會生活という共通の基盤の上に立つてそれぞれの敎科に應じて內容を取り上げているのであるから、當然社會科の內容の中に各敎科の物が入り、各敎科の指導の際社會科の內容と密接に關連を持たせる必要も生じて來るわけである。このことは社會生活の多面性とか、生活の融合的な性質等に着目しても明らかな所である。他敎科との關連のしかたには社會科に包攝し得る內容もあろうし、發展として取り上げて適當なものもあろうし、又當然分野の異なる物もある筈であつて、その限界も考えられねばならない所である。

二、社會科の目標と內容

先に述べたように、社會科は、社會生活を取扱う敎科である。したがつて、社會科を明らかにするためには、その目標と內容とをこの面にそつて、十分理解しなければならない。以下に社會科の目標、內容および學習の系統は、どのようなものか簡單に說明する。

(一) 社會科の目標

社會科の目標について、學習指導要領(補說)は、「社會科の主要目標を一言でいえば、できるだけりつぱな公民的資質を發展させることであります。」というように述べている。「りつぱな公民的資質」とあつさりいつているが、現在の日本の社會の求めているそれは、かつての社會の求めた「よい日本人」といつたものとはちがい、民主的社會の實踐的な行動人としての資質である。この要求にこたえて、民主的社會の建設にふさわしい新しい人間形成をすることこそ、われわれが敎育のすべての營みにおいてなさねばならぬことなのである。そしてこのことは憲法や、それが敎育基本法、學校敎育法、施行規則に、更に敎育の一般目標に一貫して明らかに規定されている。

さて、こうした社會科の目標をもう少し具体的にいうと、

(一)自分たちの住んでいる世界に正しく適應できるように、

(二)その世界の中で、望ましい人間關係を實現していけるように、

(三)自分たちの屬する共同社會を進歩向上させ、文化の發展に寄與することができるように、

子どもたちに力をつけてやることである。そして、それには、社會生活に關して、

(一)どんな理解をもたせねばならないか、

(二)どんな態度を養わねばならないか、

(三)どんな能力を身につけさせねばならないか、

という三つの觀點からみていくことが必要である。

先ず(一)については、學習指導要領（社會科編Ｉ）は、「社會生活を理解するには、その社會生活の中にあるいろいろな種類の相互依存の關係を理解することが、最もたいせつである。」と述べ、その相互依存の關係を

(1) 人と人との間の相互依存關係

(2) 人間と自然環境との間の相互關係

(3) 個人と社會制度や施設との間の相互依存關係

の三つに分けて考えている。そして、(1)は、單なる個人間の關係ばかりでなく、更に進んで、個人の多數の集まりとみなされる集團と個人との關係、集團相互間ないし諸國民相互の關係をも含むことになる。(2)は、われわれの衣食住の樣式が、各地の自然に適當して營まれていること、及びわれわれは自然を巧みに利用することによつて、自分たちの生活を次第に豐かにしてきた事實の中に見られる。(3)は、學校とか、組合とか政府とかいう社會の施設や、いろいろな社會の制度、更に道德とか、法制あるいは習慣というような文化もまた、社會を構成している個人の努力によつて生み出され、働いているものであることを考えると、これに關する子どもたちの經驗もまた、深められ、廣められて、社會生活のより深い理解に導かれなくてはならない。なお學習指導要領社會編にもあるように、その相互依存の關係を理解するには、人間性の理解がこれにともなわなければならない。社會生活の根本に、人間らしい生活を求めている万人の願いがひそんでいることを忘れて、ただ社會に現われているさまざまのことばかり理解しても、それは眞に社會生活を理解

六一

六二

たものである。學年相應にするためには、子供の經驗や興味、問題にふさわしく取上げられ、また生活や學習の能力に應じて適切に設定される必要がある。これが次に單元目標を考えるときの基準を示すものとなる。單元目標は、この學年目標を基準とし、とりあげられた生活や、問題、興味など内容となる事項に即し、また、學習の場から必要になる能力や態度を含んで學習の實際に應じた目標となるものであり、單元を展開していく場合の、教師の直接の目當てがこれである。これがはつきりしていなければ、子どもたちは、いろいろと、或は活潑に遊び、研究し、學習のための活動はするが、何をしたのかわからなくなつてしまう。

學習指導要領（社會科編Ⅰ）には、社會科の目標として十五項目を各學年に展開して、小學校の六ヶ年に對しては、各學年毎に學年目標が示され中學校に對しては、各單元毎に、單元の目標が示されている。

㈢ 社會科の内容

社會科の目標が、明らかになつたら、その目標を達成するために、どんな内容を學習させたらよいかということが問題となつてくる。

すでに前節で、社會生活を理解するには、人と人、人間と自然環境、個人と社會制度や施設との間の三つの相互依存關係を理解することが大切であるということをあげたが、結局これらの人間關係がすべて、社會科の學習の領域であり、學習の内容

しているとはいえない。

次に㈠の社會生活に關して、どんな態度を養わねばならないか、また㈡のどんな能力を身につけさせねばならないかという點については、學習指導要領（社會科編Ⅰ）は、「子どもたちの人間生活、社會生活に關する理解が進むにつれて、必然的に自分たちの社會生活を進展させようとする際に、必要になつてくるのが態度や能力である。そして、それがそのまま將來の社會生活に必要な態度となり、能力となるのである。」と述べている。そのことは例えば、人々の幸福に對して積極的な熱意をもつとか、あらゆる不正に對して積極的に反ばつする心をもつとか、或はまた、人といろいろな問題について上手に話し合うことができるとかいうことは、社會生活を進展させようとする際に、その推進力として必要であるというのである。更にいいかえれば、社會生活を理解することは、民主的社會を建設し維持するのに欠くことのできない條件である。しかしそれは更に、十分な態度や能力と結合しなかつたならば、何も役に立たないということである。

以上のような考えに基づいて、社會科の學習で、目標といわれるものに三とうりの考えられる。すなわち、小學校社會科の目標として各學年の基準を示す一般目標と、それを學年に應じて學習のねらいとする學年目標と、更に學習の單元に即して示される單元目標とである。一般目標は、先に述べたようであり、學年目標を基準として、子供の發達に應じ學年相應に具體化され

るのであるということを考えてみれば、その基本的要求についてとらえればよいわけであろう。そしてそのとらえ方に應じて、具體的な學習の内容がでてくるであろう。ところがこの人間の基本的欲求については、いろいろな分類が可能で、學習指導要領（補説）は、一應次のような社會的機能による分類をしている。

1、生命、財産および資源の保護保全
2、生産、分配、消費
3、運輸、通信、交通、交際
4、美的および宗教的欲求の表現
5、教育
6、厚生慰安
7、政治

これらの各機能が、それぞれ十分な働きをすることが、いかなる社會においても人間の基本的欲求であることは説明を要しないであろう。

以上のような關係を、社會生活の事象を横の斷面でとらえてみると、次の圖のような構造になる。（これに歴史的な取扱や依存關係が存していることはいうまでもない）このような生活關係をもつ個人が相互に關係的に生活しているのであつて、お互のひとりの生活を中心にとりあげてみるとこのような構造をもつているのである。

この現象面を内容としてどのようにとりあげるかということ、

となるものである。社會科の學習の領域には、およそ人間關係といわれるものはすべて含まれるといつてよい。だから社會科は、人間關係に關する教科だといわれる。

この人間關係の中には、家庭に於ける兩親と子どもとの關係、兄弟姉妹の關係、近隣の友人關係、學校における先生や生徒との關係、というようなもの、さらに村や町の人々の間の關係、もつと廣く外國人との關係などもあり、そこにはさらに、個人と集團との關係、集團と集團との關係も含まれる。また人間が地表に生活し、氣候や風土に影響される以上人間生活が自然環境と密接な關係をもつていることも、いうまでもない。だから社會科が人間關係を學習する教科ならば、人間生活と自然環境との關係も當然その領域に含まなければならない。

また、このような人間關係は、現代社會においては非常に複雜であるから、これを深く研究する學問は、非常に分化し、文化人類學、人文地理學、史學、社會學、政治學、經濟學等のような社會學に分かれて、それぞれの立場の原則から、學問的に組織立てられた内容と方法とを持つている。そこで社會科で學習すべき領域は、いわばそのような諸社會科學の領域を包括している。

さて、それでは、このように複雜で廣範圍な領域から、どのように複雜で廣範圍な領域から、どのようにして學習の内容をとらえるかが問題である。それには、そこに營まれているあらゆる社會事象は、人間の基本的欲求をみたすために營まれてい

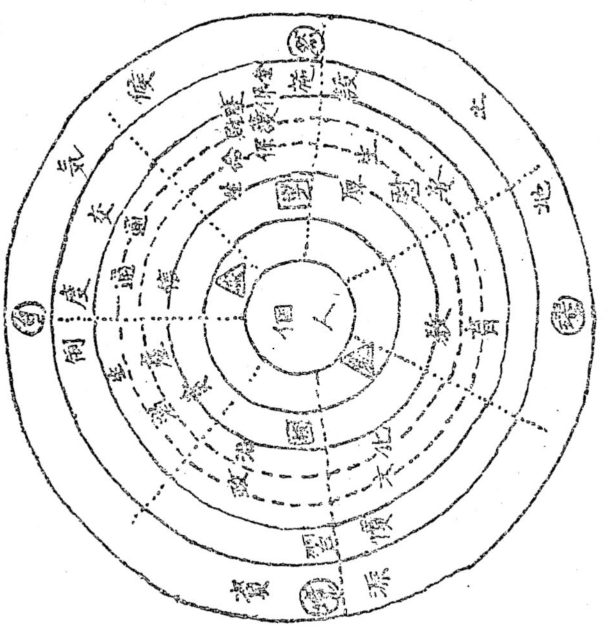

第一に、相互に依存し、關係をもつ關係面のたもちかた、維持利用のしかたと、それによる生活の向上を期していくこと、第二にそれぞれの有機的なはたらきが、社會生活をしていく上に、どんな役割を果しているかそのはたらきの社會生活上の意味を知り、一層そのはたらきを發揮させようとする。これを內容上人と人との關係、人と自然環境との關係、制度、施設との關係でみていこうとし、また、類型的には、社會的な相互依存の關係、自然環境との關係、歴史的な依存關係などとしてとらえようとしているのである。

學習指導要領（社會編Ⅰ）に示されてある小學校各學年の參考問題は、この主要な社會機能に即しているもので、子どもたちに、社會生活の各部面を理解させる出發點として役立つのである。

㈢　社會科學習の系統

目標が明らかにされ、その目標を達成するために學習の內容をどのようにとらえるかもわかった。しかし、これだけではまだ學習指導をはじめることはできない。子どもたちの發達の段階に基づいて學習の系統をもたなければならない。學年が進むにつれて、子どもたちに解決を要求してくる問題や、その解決の活動やその際必要になってくる理解や知識は、どのように發達していくかということをとらえて、學年相應の學習の內容を、各學年に配することをしなければならない。

それでは、子どもたちの發達段階をどうとらえるかということが問題である。それを學習指導要領（社會科編Ⅰ・Ⅱ補説）は、子どもたちの社會生活の經驗が、年と共にどう廣くなり深くなっていくかということでとらえている。これを子どもたちの經驗領域といっている。次にあげたのがそれである。なおそ

六五

れには、子供たちの經驗する社會生活の領域と關連して、興味と能力の發達も示されている。

第一學年　家庭・學校および近所の生活

この時期の兒童は、自己中心的であって、身近かな社會を、かれらに直接關係ある限り行動を通じて理解することができる。

第二學年　家庭・學校および近隣の生活

一年に比べて、經驗が一段と廣まり深まってくる。ことに近所の社會生活の經驗が深くなる。近所の社會での人々の協力や種々の職業や公共施設を、ある程度まで理解できる。

第三學年　地域社會の生活（大昔の生活と比較して）

經驗領域が身近かな生活からしだいに擴がって、村や町にまでおよんでいく。自然環境と人間との間の相互の適應が興味の中心となる。そして全く文明の開けない不自由な時代の人々の生活にも、しばしば興味を示すことがある。

第四學年　私たちの生活の現在と過去

經驗領域はさらに擴がって、縣あるいは、日本にまでおよぶであろう。自然環境と人間との相互の適應が、依然として興味の中心であり、歴史的な意識が、ようやく、芽ばえるが、時代の觀念は未だ分化せず、過去の時代はすべて、現在と對比された昔として、一概に考えられる。

第五學年　現代日本の生活

發明發見に興味をもち、日本の生活が、發明發見によって變化して現在に至った點を理解するであろう。

第六學年　日本の生活と諸外國

發明發見に興味をもつことは、前學年と同樣であるが、發明發見によって、世界的規模をもつようになった產業、交通、通信等の理解を通じて、わが國の生活を、とくに世界との關連の上でみることができる。

第七學年　われわれの生活圈

第八學年　近代產業時代の生活

第八學年　民主々義の發展

第十學年　われわれの社會問題の基本的諸問題

このような經驗の領域は、子どもたちの社會生活の經驗の發展のおおよその基準であって、決して絕對的、固定的なものではなく、子どもたち個人により、また子どもたちの生活する社會生活の狀況によって、變動してくるものである。したがってこれを、重點をおくべき一般的經驗領域、あるいは簡單に主要經驗領域と呼ぶことにしている。

このような經驗領域の系列を考えておくと、敎育の全体計畫に對して、一般的な大きな方向を與えたり、その學校の子どもたちがとくに觸れるべき材料を見なおす基礎を與えるし、社會科として取り上げる學年ごとの重要な理解や知識の範圍を選ぶ助けになり、無意味に重複したり、反復したりするのをふせぐことができるのである。

以上、社會科の目標、內容および學習の系統について、あら

六六

ましを説明したわけであるが、この三つの組合せからはじめて社會科の學習指導が成立するのである。

三、社會科の學習指導

1、學習指導計畫

(イ)、小學校の單元計畫

(一)單元計畫の要件

(1)とりあげる學習素材が、該當學年兒童に適切なものであること。

素材の適切さは、兒童がその素材によい問題や興味をもつこと、その問題を解決することが、設定されたある目標の理解に役立つていくようなものであるかないかによつてきめられる。

(2)適切な學習活動が選擇されること。

學習活動の適否は、第一に、その活動によつて、ある問題が解決されて目標を果すことができるかどうか。第二に、興味のある活動で、經驗的な背景をもつているかどうかなどによつてきめられる。

(3)單元の統一が、學年的な發達にふさわしい形態でなされていること。

低學年的な形態―共通な生活經驗に出發し、これを發展させていくような性質のものがよい。學習が具象的經驗的に行われていくことが、低學年の特色である。季節により變化する生活の中から、學習として取り上げるに意味のある共通な經驗をとりあげていくことが適當である。例えば、一、二年の「ままごと遊び」「ひなまつり」などのように。

高學年的な形態―問題意識が分化してきて、何を問題にするかが、はつきりしてくるようになると、單元は大きく問題によつて統一され、一貫され、發展するような形態の單元であることが、のぞましい。

(4)單元が學習上適切な機會を得ていること。

學習が經驗的な背景の上になされることや、直接に生活へくいこむものであることを考えると、學習の內容はそれを學ぶにふさわしい時期を得ている必要がある。これは學習する意欲をさかんにしたり、學習を効果的に導くことになる。單元の計畫が一年間を見透して立てられるとき、この配慮が大切である。

(二)單元計畫の實際(別冊、參照)

○○年

單元設定の理由				
(單元名) 自○○月○○旬 至○○月○○旬 ○○○時間				
目標	學習事項	學習活動	他敎科との關連	資料、施設
理解				

六七

態度○○				
技能○○				
豫備調査				
評價				

(ロ)中學校の單元計畫

(一)單元とは何か

生徒の關心をもつある主題を中心として展開されるところの敎育上有意義な學習經驗あるいは學習活動のまとまりである。

(二)單元はどう構成するか。

社會科の內容構成は、どのような範圍から學習內容を選ぶか、どのような範圍まで學習の內容を及ぼすか、という學習範圍の問題と、これらの內容をどんな順序で學習させるか、各學年にはどんな興味の中心を配するかという排列の問題の二方向より考えねばならない。學習の範圍とは學習領域のことで人間の基本的欲求をみたすため人間のいとなむあらゆる社會事象をふくんでいる。基本欲求は七つの社會的機能に分類される。排列の問題は主要經驗領域のことである。（社會科の內容の項參照）この學習の範圍と排列の二つの軸線を組合せて、社會科課程の骨組を作り問題を選定する。

選ばれた問題を中心にどう作業單元を構成するか、その主要條件をあげると、

・社會科の一般目標の中のいくつかの目標に連關をもつこと。

・地域社會の要求を考慮すること。

・生徒の關心、能力、經驗を考慮すること。

・昨年度實施した經驗を重視すること。

・指導要領を參考にすること。

以上の五點を綜合的に考慮して作業單元を作る。

(三)單元はどう組織するか。

右のような構成の觀點にしたがつて、學習の單元を實際に組たてる必要がある。これは敎師が指導に入る前にまず自らもつべき計畫を明らかにするためにも必要である。單元の組織については學習指導要領が一應これを示しているから大体それにしたがつて、要旨、目標、概觀、予備調査及び評價、資料の五項目より組織する。

六八

1、要旨…選ばれた單元が現在の社會生活においてどんな課題をもつているかという單元の社會的意義と、それが生徒の現在の生活に深い關係をもち學習する價値が充分あるという教育的意義とを明確にし、單元が設定された基本的意義を明らかにする。

2、目標…この單元のねらいであつて何を學習するためにこの單元が選ばれたかを明らかにし學習において行われるすべての經驗に實際上の目的をあたえるために理解、技能態度の三面より目標をかゝげる。なお各目標に卽して學習事項を示す。

3、概觀…要旨と目標の基盤の上にたちここでは內容の範圍と順序を定める。內容とは單元の學習が包括する經驗の內容である。その問題に對應して學習事項をあげる。あげられた學習事項が範圍を示す學習事項とは目標達成上學習すべき項目を指す。

4、予備調査及び評價…實際指導えの手がかりとして關心、能力、生活の三面より調査の觀點をかかげる。またどれだけの目標に到達できたか、近迫し得たかを理解、技能、態度の觀點より判定の基準を評價の項でかかげる。

5、資料…この單元を學習するにあたり生徒及び教師が活用する必要にして充分な參考書を教師用、生徒用に區別して列記しておく。

單元〔　　　　〕

一，要旨

二，目標

觀	點	學習事項の番號
理解	1, … 2, 3, …	1, 3, 7 5, 8 2
技態	5, … 6, …	1〜5 6, 7, 8
態度	8, … 9, …	4〜8 1, 2, 3

三，概觀

問　　題	學　習　事　項

四，豫備調査
　(A) 生活
　(B) 能力
　(C) 關心
評　價
・理解
・技能
・態度

五，資料
・教師用
・生徒用

㈣年次計畫はどう組むか。
作られたいくつかの單元は一年間の教育計畫として配列されねばならない。その條件は次のようなものである。
・一つの單元がすむと次の單元が必然の發展として配置されること。
・學年として經驗領域が完全にマスターされるように重點的に時間の配當も考慮すること。
・他教科の單元と充分連絡をとること。
・施設、資料、機會、季節も考慮すること
㈤組まれた年次計畫はどうか。
（別冊參照）

六九

2、學習指導案樣式
(イ)小學校社會科學習指導案
單元計畫に示された單元を、それぞれの組の實情に照らし綿密に考え、兒童が自らの學習として展開し得るようにするのが、學習指導案の研究である。
㈠目標
理解、態度、技能の三面から、學習として果たし得る目標を詳細に考え、項目的に列擧する。目標は、學習する素材や、問題と結びつけられると具體的になり、この單元では何によつて、どんなねらいを果していくのか明らかになるので、ねらいとその內容を照應したかたちでとらえていくようにする。三つの面から、このようなねらいとその內容がわかると、これによつて單元の內容的な概觀が得られ、立案研究の足場ができると共に、到達點や、素材が明らかになる。これは「單元計畫」の目標や次の學習基盤の研究からきめられてくるものである。目標は多岐にわたるので、その單元の主眼點を、予めはつきりさせておく。
㈡學習の基盤
學習の基盤として重要なものは、兒童とその生活する環境である。
1、兒童の研究
兒童の實態をとらえるのに、次の三點からする。
經驗……どんな生活經驗をもつているか、個々の子どもの實際と、組の兒童の共通的な經驗を知り、その考察をする。
興味……兒童が興味をもち、または問題にしているものが何であるかとらえる。
能力……兒童の生活能力の程度を知るのであるが、理解、態度、技能の三點より學習上特に知つておく必要のあるものにつき研究する。この考察は、經驗や興味の實態と照應してなされることが必要である。
兒童の經驗、興味、能力の總括的な考察をあとへつける。ここでは、
①どんな素材をとりあげ、どんなことを問題にさせたらよいか。學習する內容の適否
②學習させるに適當な程度、到達點。
③學習の動機や方法の手がかりを得ようとする。
2、社會生活の研究
社會生活……生活環境として、その學年の兒童に關係をもつ自然的な環境と社會生活につき、地域の實態を中心に、學習上必要な事象問題をとりあげて考察する。
社會的要求……子どもへの直接的な要求が何であるか、その具體的な事項をあげて考える。家庭から、或は職域から、また市民として兒童へ、いろいろな要求

七〇

を持ちこまれている。それを考察する。

資料、施設……學習の對象となったり、學習に利用できる施設や資料にどんなものがあるか、どんな内容が學習できるかをしらべる。また生活の必要から積極的に利用するよう、その必要や利用のしかたを明きらかにする。

以上の三項を總括して、

①學習させるに適當な内容

②必要な學習活動

などを考える。

㈢展開

單元を、學習として展開していくときの、子どもの活動、うごきかたなどを中心に研究するところである。

1、展開系列

子どもの學習は、興味や問題で動いていくので、それにあったように學習事項や、活動をしくむため、展開の系列を考え、その單元を學習していく全貌がみられるように表示する。この系列は、

①單元の内容がどうつながっていくか。

②學習する子供の心理的な過程、

を中心に考える。學習する兒童の心理的な過程としてだいじなことは、はじめに學習意欲をもち、問題が何であるかはっきりつかむこと、その問題解決のために、しらべかたや、まとめかたを考えて研究をすることと必要によっては、わかったことを生活へいかに關係させるか。生活を充實させ、改善するために實踐面を改めて考えていく。こういう過程を展開のしかたにあらわすことが必要で、そのためには、はじめに何をするか、それから次はどうしたらよいかなど、素材や活動を、子供が問題を解決していく過程にあうように考慮しなければならない。また單元の目標をどのように果していくかを活動の展開に即して評價していく必要があるので、その機會、觀點、内容を示していくことが必要となってくる。この表では、學習に必要な時間の予定も、事項活動と照應したかたちで記載する。

なお最後の備考欄へは、學習に必要な準備と連絡とをあげていく。準備がよくできているかどうかは、學習の意欲や効果に、大きな影響をおよぼすから、十分な準備が必要である。どんなものが準備として必要になるかは、單元によってきまるが、一般的にだいじなことは、

①學習環境を設定すること―そのために必要なもの、効果的な設定―

②子どもの學習活動や指導に必要な諸用具の完備（その効果的な使い方）の二點である。

この單元が、どれだけの學習をさせたらよいかを關係

七一

七二

的に明きらかにし、學習を効果的、能率的にしていく必要から連絡を考えてあげるべきで、

①他教科との關連では、どんな事項がいつ扱われるか、關連するものについて、はっきりさせておく。

②社會科の既習事項と、先へどう發展するかの見透しをつける。

2、本時の學習

本時學習の詳細な案を、多面的によく考えて立てる。ここでは、子どもの動きをよくとらえ、目標を十分に果し得るための最も詳細な立案が必要である。

はじめに本時の主眼をはっきりつかんでおき、學習の効果をあげるようにする。

學習事項……展開系列をうけて、どんなことを學習するのかわかるようにそれを事項的に記載する。（問題をかかげてもよい。）

學習活動…適切な活動をあげ、いろいろな面（行動・思考・素材・用具・人・その他）からくわしく考え、具体的に示す。なお、ここえ學習の樣式を合せて表していくようにする。樣式とは、例えば、「話し合い」を「グループ」でするか、「全体」でするか。「調査」を「個人」でするのか、「グループ」でするかのかといったようなことである

指導……指導者として、目標を果たさせるため、學習活動を活溌にするために必要なことを、考えておくところである。示唆すること、敎えること、注意することなどのほかに、學習環境の構成もくふされる必要がある。なお學習の内容が、直接的であるだけに、經驗、興味、能力の上からの個人差を、とりあげることはその目標を果たしていく上から、極めて重要なことになってくる。ここでは、そのことを、仕事の分け方、研究のしかたなどから考え、合わせて指導の留意點をあげていく。

目標……學習活動の一つ一つに、その活動が、どんな目標につながるかを考え、果たすべきねらいを示していく。

評價……次項の評價計劃により、實際に評價をする機會を設け、どんな事項についてするのかをくわしく記載する。

備考……學習活動をよく考え、それに必要な時間を、活動別に記入したり、準備品やその他板書事項などを記入する。

㈣評價

學習が成功したか、失敗したか、効果があったか、なかったか、學習の最もだいじな急所を判定するのが、評價の中心である。

1、計畫

觀點……理解、態度、技能で示す。

判定する事項……學習がいかに兒童の身についたか、その成果をたしかめるのであるが、これは目標に照らしてきめられる。目標は、判定すべき主要な事項を考えさせるとともに、到達點程度をも示していて、判定の基準になっている。

方法……評價をどのようにするかについて考えておく。方法(質問紙法、觀察など)とその問題および評價尺度(優劣段階、質的段階)などなるべく詳細に計畫しておいて、評價が容易にでき得るように用意する。

機會……事項別におよその機會を予定する。

2、考察

判定した學習成果につき、考察したり、學習指導の經過をふりかえることと、また、單元全體にわたつて、適否を考えることや、子どもの動きかた、指導法などを反省する。評價の結果、成果として不充分なものについては、いずれかの單元において學習させるように考えておく必要がある。

社會科單元「冬ごしの生活」學習指導案

四年○組　氏名

一、目標

○近くの山山に雪が來て、寒い木枯しがカラカラと落ち葉を吹きまくる十一月の下旬、ゑびす講の賣出しが終る頃から、あわただしく兒童達の家庭でも冬ごもりの仕度が始まる。道に薪をつんだ車や大根を滿載したトラックが頻りに見られ、家では野菜や果物をかこつたり、乾したり、燃料を用意してつみこんだり、又夜おそくまでこたつできものやふとんのつくろいに余念がない母親の姿のよく見られる頃である。

○どの家庭も酷しい寒さに備えて防寒の衣料や脂肪分の多い食料などどれも欲しい物ばかりであるのに對して、公定が解けて野菜魚などの食料や衣料などもよほど出廻つて來ている。しかしやはり家計の上から思うように入手出來ないので家人の勞苦はまだまだ續くわけである。

○こうした中で成長盛りの此のころの兒童に對して、衣食住の面から節用、愛護などが問題にされ、こたつも關連しての生活上の亂れや、寒さに對してちぢみこまない積極的な動作が取り上げられる。又四年生なりのいろいろな手傳いもあげられる。

○此の期の兒童達は身近かな事象に對して、多樣な關心を示すと言われているが、このような環境の中にあつてその關心は著しく冬ごしの生活の諸相に向けられている。十二月中旬頃よりは、樂しい冬休みへの期待で胸も一杯であろう

○こうした時期に關心深い身近かな冬越しの生活から衣食住の資材の貯蔵、保存の苦心や原料産地などについて學習を

進め、それらの氣候との關係や變遷などを明らかにして、自然の狀況に適應して衣食住資材の活用を計つている人間生活の昔と今についての理解を深めようとするのが此の單元のねらいである。

內容	目標
○食料の活用法 ・冬ごしの食物の種類 ・〃　貯蔵法と效用 ・漬物の種類と效用 ・食料の貯蔵法 ・かんづめの作り方 ・昔の食料貯蔵法	○食料が不足してくると、人人は資料の活用を計るようにすること。 ○食料の活用法を工夫すると、我我は生活を豊かにし能率的にすることが出來ること。 ○食料の生産や消費は物が不自由なほど計畫を立てる必要があること。 ○われわれの祖先は食料入手のため資料の活用を考えたり、愛護してきたこと。 ○これまでの郷土上の人人は食料貯蔵の工夫してきたこと。 ○これまでの人人は氣候に適合して食料について工夫してきたこと。 ○物を有效に使用する能力、食料を大切にする態度。 ○昔と今の食料貯蔵法を比較して進歩の狀態や單純な理由を考える能力、利用する態度。 ○工場見學の計畫をたてる能力、見學に際し分擔した仕事に責任感をもつ態度。 ○祖先の業蹟に感謝する態度。 ○一つの話題を中心に話合いして行く能力。
○食料の入手 ・野菜市場のはたらき ・野菜の產地 ・漬物の產地 ・食料入手の方法	○生產運搬分配などの方法が進んで來たので食料がしだいに得易くなつてきたこと。 ○日本地圖を大まかに讀む能力（鐵道都市縣境など） ○簡單な記號を用いて縣や市の大まかな地圖を書く能力。
○衣料の活用 ・冬ごもりの衣料(種類、材料、仕事) ・衣服節用 ・衣服の變遷 ・農業の發達	○人人は氣候に適合して衣服の工夫をすること。 ○衣料が不足してくると人人は資材を活用しようと工夫すること。 ○衣料の活用法を工夫すると、我我の生活を豊かにし能率的にすることができること。 ○衣料の生產や消費については資材が不足なので、十分計畫を立てる必要があること。 ○衣服を大切にする態度、上手に使用する能力。 ○われわれの祖先は衣服の材料に、いろいろの資材を活用してきたこと。 ○歷史年表を讀む能力。○參考書を利用する能力。

	○昔と今の衣生活を比較して進歩の狀態や單純な理由を考える能力、批判する態度。
○衣服の發達とその産地	○生産、運搬、分配などの方法が進んで來たので衣服の材料はしだいに得易くなつできたこと。 ○日本地圖を大まかに讀む能力（鐵道、都市縣境など）
・住居の工夫 ・冬ごしの住居の仕事 ・住居の構造場所 ・住居の變遷 ・住居の材料	○人人は氣候、地勢、資材などの影響を受けること。 ○人人は住居やその場所は氣候地勢資材などの影響を受けること。 ○郷土の人人がこれまで住居についてして來たことの中には今日でも役立つものがあること。 ○昔の生活と今の生活を比較し、進歩の狀態や單純な理由を考える能力、批判する態度。 ○簡單な道具の製作や修理を工夫してする。
○燃料の工夫 ・燃料の種類 ・燃料の使用法 ・暖房製置の種類、發達	○燃料として資源の活用法を工夫すると、我我の生活を能率的にすることができること。 ○燃料の不足に備えていろいろ計畫をたてること。 ○われわれの祖先は燃料や暖房の裝置を工夫改善もしてきたこと。 ○燃料を有効に使う能力、大切にする態度。
○燃料の産地	○生産、運搬などの方法が進んで來たので、燃料もしだいに得易くなつてきたこと。 ○簡單な記號を用いて郷土の地圖を書く。
○火災の原因 ・火災○原因 ・消防署の仕事 ・消防器具の發達 ・火災防止の種類	○人人は協力して火災防止につとめることが大切であること。 ○消防の器具や施設はしだいに進んできたこと。 ○これまでの郷土の人人の防火に對する經驗は今日でも役立つこと。 ○物の不足している今日は資材の愛護が特に大切であること。 ○火の取扱いに注意する態度。
○冬やすみの計畫	○計畫をたてる能力。 ○お手傳いをする能力（室内外のそして食事の用意、適當な家業）○進んでする態度。 ○時間的な生活をする態度。　○金錢を有效に使用する（小遣錢の記帳） ○保健上必要なことを勵行する。

十五

十六

二、學習の基盤

（調査研究の結果は本時學習に必要の部分のみ掲載）

1, 兒童の研究

(1) 經驗

- 此のごろしたお手つだい　　　　（兒童）
- 着物のことでせわをやかれること（〃）
- 野菜市場を見たことがあるか　　（〃）
- かんづめ工場を見たことがあるか（〃）
- 昔の飢饉の話を見たり聞いたりした事があるか（〃）
- 昔の衣料や家のことで見たり聞いたりした事があるか　　　　（〃）

（考察）

冬越しの用意の仕事は全兒童が殆ど見ている。何かかを直接してもいる。食料の貯蔵法や昔の生活については斷片的であるが見たり聞いたりした經驗をあげている。

○冬越しの用意で子供にさせたい仕事　　11,10　39名

事項	まきはこび	まきわり	すきまのめばり	野菜の收穫	野菜のかこい	植木の手入	お茶洗い	つけものをつける	家のまわりを片付ける	なし
實數	13	8	8	5	4	2	9	3	29	2

○家庭で使用している燃料

種別	炭	薪	煉炭	ガス	電氣	石炭	その他
實數	39	37	25	19	8	2	0

○野菜をかこう家

事項	自作	買入れ	自作の買入れ	かこわない
實數	2	28	6	2

(2) 興味

○家の人たちは冬のよういに食物のことでどんな工夫をしているか　11,7　42名　（再生法）

事項	やさいをうめる	つけものをする	ほしておく	買つておく	くさらないようにする	えさのよういをする	なし
實數	26	18	17	8	2	10	0
%	62	43	41	19	5	3	0

○家の人たちは冬ごしの用意にそのほかどんなことをするか　同上

事項	衣服のようい	こたつを作る	しようじをはる	へいをなおす	炭や薪のようい	雪がこいする	えさのようい	なし
實數	18	25	8	3	11	3	2	0
%	43	60	19	7	25	7	5	

○食べ物のことでしたいこと、しらべたいこと、どうしてか

11,5　42名

類別	効用	發見・變遷	種類	産地	處置(調理法)	栽培(とれ高)	成分	その他	計
實數	21	15	15	13	9	9	9	5	96
%	50	35	35	30	21	21	21	12	

問題數	五個あげた者	四	三	二	一	あげないもの
實人員	1	3	10	19	10	0

○きものの勉强でしたいこと、しらべたいこと、どうしてか

○昔のたべ物と今のたべ物のちがうこと

○たべものやねんりようのことで何か昔の人のおかげをうけていることがあるか

○家のことでしたいこと、しらべたいこと、どうしてか

11,5　42名

事項	家の中の工夫	作り方	構造(設計図)	發明・發見	種類	土地	材料	その他
實數	14	10	12 (7)	6	6	2	3	13
%	33	24	28	14	14	5	7	

類型	知的	行動的
實數	50	17
%	70	30

(考察)　家庭の冬越しの仕事に對する關心は相當にたかまつて來てはいるが、これは本格的にその仕事の始まる下旬頃から增すばかりであろう。昔の人の工夫やおかげについては問題の類型はあまり多くない。上表の通り衣、食、住につき種類、發見發達、處置、原料産地等を多く問題にしている。したいこと、しりたいことと問うたのに對し、しりたいことをあげているものが多い。知的な傾向も持ち始めたと見得する。理由に對してはあげない者も相等あり、有用的と言う立場が多い。

(3) 能力

○きもののことで家の人からせわをやかれること

○炭や薪をうまく使うにはどうすればよいか

○たべ物をうまく使うことができるようにいろいろ工夫してどんなことをしているか、どんなことが役に立つか

	正確	不正確	なし
實人數	16	22	4
%	38	52	10

正答16名のあげているものは
- ・つけもの
- ・冷藏庫
- ・梅漬
- ・かつぶし　かんづめ　にぼし
- ・かんづめ
- ・加工
- ・ほして　等である

○自分の家のうまくできていることはどんなことですか、どうしてか

類別	構造	方位	道具	構造・方位	なし
實數	20	15	15	14	0
%	30	25	25	20	

○地圖をよくよむ力

觀察

觀點	よめる	よめる方	よめない方
實人數	16	18	10

○お手傳いのしかた、觀察

	A	B	C	D
すぐとりかかるか	12	17	12	3
進んでするか	8	18	12	6
てにねいにするか	10	17	13	4
根氣よくするか	10	14	12	8

○冬ごしの準備に家ではどんなことをするか（略）

○衣食住のざいりようが昔とくらべて手に入りやすくなつたのは何のおかげだろう（〃）

○ほしい物が自由に手にはいらないのはどうしてか、はいらないとするとどんなことを考えて行かねばならないか

(考察)　資材活用についての理解は余り高くない。冬ごしの準備としてというようになると具体的になると始めて大部分が問題にし得る程度である。

物資不足の對策として抽象的な答が多かつたが、活用の工夫(11名)增産(11名)無答(9名)あつた。

昔の人の工夫に對しては「大昔の人人」で讀み取つた範圍であげているが項目はすくない。無答5名

家庭の要求や敎師の觀察より見てお手傳、話合い、讀圖の能力など相當問題がある。

◎(綜合考察)

學習の內容に對する子供達の經驗は豐富である。特に冬越しの仕事に對しても手傳いや觀察の機會が多い。

冬越しの生活への關心はどの子にも强いので、生活經驗の想起から充分單元の學習へ入り得るものと思われる。地圖を讀む事や書く事の興味が强く、歷史的關心も目立つてきたので產地や發達は扱い得る、學習か進むにつれて氣候との關係活用の工夫等の理解に於ては具体的に考察を進めさせる事が必要である。昔の生活も同樣であるが此の際歷史的關心の薄い子に對する扱い方は注意を要す。衣服、食物に對する能力や態度は活動的な子供達であるだけ問題も多く指導すべき點である。

2 社會生活の硏究

(1) 社會生活

○市內に見られる冬越しの準備

◎食料 •越冬野菜については長野市靑果市場は「野菜については今年の狀況に心配はない」として次の理由をあげている。

①統制がはづれたので入荷が豐富である―更級、上高井、下高井、上水內、下水內、南佐久、北佐久、上小

②縣外からの移入も充分期待できる―愛知、崎玉、郡馬、新潟

③値段も昨年と大差ない、物によつている―需給の關係がはつきり出てきている。

④°昨年に比して各小賣店でも店頭へ出して競爭するようになつている事から自由に買える。

⑤市內需要者8万人に對し每日平均800〆漬大根、漬菜

需要28万～30万貫もゆつくり確保の目途がある。

・一方各家庭では昨年までの經驗と慣習から大部分が野菜のかこいをしている。

・漬物は北信の特徴として恒例のように、えびす講過ぎから漬けにかかつて殆ど全家庭が用意する。

・主な種類は馬鈴署、甘藷、大根、里芋、人蔘、ごぼう、白菜、葱、玉葱、かぼちや、野澤菜、きゆうり、茄子等である。

・主な貯え方は ・紙にくるんでおく ・そのまゝ土に入れる ・乾燥法 ・冷凍法 ・むろに入れる ・漬物（野澤菜漬大根漬、鹽漬け、らつきう漬、かからし漬、うめづけ、果物のびんづめ等）・箱へ入れたまゝ等いろいろある。

・兒童家庭の狀況（略）

◎衣料 ・概況 ・保存狀況 ・種別　◎住居 ・概況 ・冬に對する處過　◎燃料 ・種類別受給狀況、產地及以上に對する兒童家庭の實態。

○市內衣食生活の概況

○市內衣食住生活發展の概況

(2) 社會的要求

○家庭への質問「寒さに向つて子供達の生活上問題にされる點（いいことわるいこと）御注意なさる點」

一般的には

◎こたつから出て勉强させたい
◎採煖の工夫をしてやつて欲しい
◎こたつから離れない
○外く出ようとしない
◎保健の習慣をくずさぬ様にしたい
◎寒さにまけぬ様させたい
○朝寢防

衣生活の面で

◎よく傷めて困る
◎不足で困る（防寒の衣服）
○うすぎさせたい
◎自家修理で間に合せている
○新しいものをきたがる
○つぎの當つたのを厭う
○成長盛りで去年のがもう間に合わぬ

食生活の面で

偏食
辨當保温の工夫
給食は助かる
好轉して來た
脂肪食をとらせたい

住生活の面で

◎整頓にもつと注意させたい
◎火の注意を徹底してほしい
○燃料の使い方
○採煖方法改善したい
○燃料の入手難

これ等の要求はどれも切實なものであり、取り上ぐべき物も多い。特に衣生活の面の要求が多い。火の注意を徹底してほしいは殆ど全部があげている

(3) 資料・施設 ○各種衣料、生地、火災統計表、各種暖房裝置の繪、寫眞、各地、各時代の家の繪、寫眞、歷史年表（繪圖）訊年要錄、日本農村社會史、地理風俗大系、日本地圖（產物圖）「今昔の長野」長野市小史、長野市史社會科年鑑、朝日兒童年鑑、日本の今昔、大昔の人人

○長野青果市場、內山かん詰工場、長水薪炭組合、消防署、縣廳林務課（詳細略）

七九

八〇

三，展開

1、展開系列

學習事項	學習活動	評價	所要時間	備考
	・朝の話合（毎朝始業前に行つている）等で寒さに對する家庭の用意への關心を高めて行く、寒さの强い朝。			
・教室の保温、防寒の衣料の種類	○教室のすきまの目ばりをしたり、皆つしている防寒衣料の展覽をして見合う。			
	○上の活動をしながら家でしている防寒のための仕事を話し合つてしたいことやりたいことをとりあげる。			
・漬け物のしかた	○學級園の菜や大根で晝食の漬物を作る。家でしている事を話し合う。			漬物桶
・冬ごしの生活への關心	○教室の冬越しの用意とそれにつれての話合いから出て來たしたいことやしらべたいことをあげる。			
・しらべ方、し方	○していくことやしらべていくことをグループや全体で話合つてきめる。		5時間	
	○きまつたしごとの順序やり方を話し合つてきめる			
	○家庭の冬ごしのためのいろいろの工夫をグループで手分けしてしらべろ。			
	○しらべたことの發表會をする			
・冬ごもりの食物（種類、貯藏法、効用）	・家庭で冬の準備にたくわえられる食料の種類や貯藏法を繪圖に書きそれらの効用を發表する	食料の不足と資材活用の關係の理解		漬物、罐詰びん詰数種
・漬け物の種類、効用	・漬物の種類を調べて分類表を作り漬物の役立つわけを考えて報告する。			
・冬ごしの衣料（種類、原料、仕事）	・「家の人は冬ごしの衣料についでどんな仕事や工夫をしているか」を調べて紙芝居にする	衣料　仝		
・冬ごしの住居の仕事 ・燃料の種類	・冬に備えて家でしている保温の工夫や手入れについて調べ燃料の種類とそれらを使つた經驗とともに發表する	燃料　仝		
	○發表會からわかつた冬ごしの人人の生活の意味について話じ合い、なお調べたいことをあげる。		8時間	

	○食物衣服住居の順にグループや全体で調べることを話合つてきめる。			衣類、生地數種
•食料の貯藏法	○食物を保存する方法を調べて、それらの品物を持ち寄つて工夫してある点をしらべる。 ○氣候の違う土地でしている食料貯藏法を調べる。	食料保存の工夫の理解		野菜市場概要 「信濃食品工業」概要
•野菜市場のはたらき •かんづめの作り方	○野菜市場を見學して市内へ入つて來る野菜の産地や量をきく。 ○かんずめ工場を見學して製造過程を見たり原料製品の先を聞く。	見學の態度		
•野菜の産地 •食料入手の經路	○これ等の品物の來る所を地圖に書く。 ○いろいろの食料が手に入るまでの經路を話し合つて苦心を考える。	地圖を書く技能		
•昔の食料貯藏法 •農業の發達 •衣料の變遷	○昔の食料の貯藏の仕方や飢饉の話を本で讀む。 ○農業の發達について「日本の昔と今」を讀む。 ○農業の發達と衣料の變遷について更に「日本の昔と今」を讀む。 ○「歴史繪圖」により昔の着物の變つて來た事を見て今と較べて話合う。	昔と今の食料貯藏を比較する能力 衣料の變遷と昔の人の工夫の理解	10時間	「日本の昔と今」 歴史繪圖
•衣服の材料 •衣服材料の産地 •衣服の節用	○衣服の材料と季節の關係を調べる。 ○衣服の材料の産地を地圖で讀む。 ○衣服の足りないわけと節用の仕方を話合い「自分の着物についての問題」を作文する。	衣料と季節の關係 地圖を讀む力 衣服節用の態度	4時間	日本産物地圖
•住居の構造、場所	○各地の家の材料や構造、場所を示す繪や寫眞を集めて違うわけを調べる。			
•住居の變遷 •暖房裝置の種類、發達	○住居の變遷について「大昔の人人」「日本の昔と今」をよむ。 ○暖房裝置の種類をあげ繪圖に書き古い順に並べてよくなつた点を話し合う。	住居の變遷の理解 暖房裝置の發達の理解	5時間	住居變遷模型 歴史繪圖 地理風俗大系
○燃料の産地 •燃料の使用法 •火災の原因	○燃料の産地を調べて地圖に書きこむ。 ○燃料の上手な使い方を話合う。 ○火災統計をよみ火災の原因を話し合いストーブの焚き方を工夫する。	地圖の書き方 燃料の節用		燃料組合 長野縣圖 火災統計 防火ポスター
•消防署の仕事	○消防署のおじさんを招いて、火事の原因や消防署の仕事の話を聽く。	火災防止と人々の協力		日本の昔と今 四年の學習
•消防器具の發達 •火災防止の注意 •冬やすみの注意	○消防器具の發達をしらべ今と較べる。 ○火災防止の標語を作る。 ○冬やすみの計畫をたてる。	消防器具の發達 資材愛護の態度 計畫のたて方	4時間 2時間	冬やすみ帳 夏やすみ帳

2、準備（詳細略）

漬物桶、問題を印刷したプリント、漬物教室、かん詰、びん詰數種、衣類、生地、暖房裝置の繪、防火ポスター、火災統計、歴史繪圖、日本地圖、各種の家の寫眞繪、冬やすみ帳、夏休生活記錄、昔の消防器具の繪、參考圖書

3、連絡（詳細略）

四年…「長野市附近山手の利用」……前單元
「長野市の今昔」……次單元
「裾花川の利用」「丈夫なからだ」
理科「生き物の冬ごし」「たべもの」
「こんろと湯わかし」
國語「冬やすみの計畫」

三年…「家のでき方」「樂い食事」
五年…「家庭建設」「衣食主の發達とその資源」
六年…「自然と人の生活」

4、本時の學習

主眼　グループ毎に選擇した衣食住の問題を吟味して學級の問題として把握させる。

學習事項	學習活動	指導	目標	評價	備考
衣食住につき、したいこと、しらべたいことの撰擇	○漬け物がつかつたかどうか食べて調べる。 ○前の時間とのつながりを考えて、今日の豫定を話す（問答）	•つけものの桶、目貼りされた教室防寒具の展覽物。 グループのあげた問題の印刷物は各人に渡してある。 「漬け物などやつている中にやつて見たくなつた問題をきめること」が今日の目的であることを確める。 一、二グループに自分達のあげた問題を言わせる。	關心のうすい子 K.T.N指名	冬ごしの衣食住の生活に關心を高める	（他のグループの仕事を問題にしているか）　3分

	○昨日發表した各グループの問題でわからないことをきき合う（全体話合う）	•質問の要点をはつきりさせてあまり時間をとらないで行くよう援助する。		グループの協力		
類以した問題の發見		•同じ問題、つながる問題に氣づかせる。				5分
	○全体の問題を見て自分達の問題との關連を確めグループで話合う。	•例をあげて同じ問題を見つけさせる。		冬ごしの衣食住の問題をはつきりさせる		
	○問題を話合つて整理できる物を整理する。	•ここで全部完了しなくともいい。			（他のグループのあげた問題を理解したか）	10分
問題やしごとの仕方	○しごとについては問題を、問題についてはしごとを話合う。したい理由も考えてはつきりさせる。	•しごとと問題と二種類あることに氣づかせる。 •内容について考えさせる。 •理由は單純なものであつていい。	かんたんな事柄は話合の抵抗の多い子F.K・O.Y.T等指名 話題からそれるS.Y.Nに注意する	話題になつていることを中心に話合う話したことについてまちがいがあつたら見つける	（關心は昂つたか）	15分
	○時間や材料や方法などから見て、吟味する（問答、話合）	•時間について材料についてなど考える觀点は敎師が示してやる。 •具体物を準備しておいて意慾をそえる。	關心の少ない子T.T.a.K.Y.M等を問答の中へ入れる			15分
學習上必要な條件	○きまつた問題を記帳する。	•敎師は小黑板へ板書する			（問題の把握の程度	2分

四、評　價

	判定する事項	方	法
	○衣食住資材活用の工夫とその有用性の理解	再生法	

八三

八四

理 解	○各地の衣食住の營み方と氣候との關係 ○昔の資源愛護、利用の仕方とそれかが今に與えている恩惠 ○生産運搬分配の方法の進歩により衣食住の物資の得易くなつたことの理解 ○物が不自由なほど生産や消費に計畫をたてる必要のあること	•もつとたくさん食物を手に入れて生活をつごうよくするには、どうすればよいか、どうしてか •冬ごしの食料のたくわえ方にはどんなものがありますか （以下略）	資材活用の工夫がよくあがる（3以上）上 〃　少しあがる（2以下）中 〃　あがらぬ（0）下 理由について判定 活用法を正しく言つている數(30人上)上 〃（2～1）中 〃（0）下 正答　3以上　上 2～1　中 0　下

(四)中學校の學習指導案

一、目標

この單元は何を學習するために選ばれたか、生徒は何を得ればよいかという主眼をつきりさせ中心的に重點的に明記する。それを理解、技能、態度という基本的分類に從つて學習目標を項目的にあげる。

・理解とは生徒が學習したある特定の定義や知識を他の場所で應用できるかをいう。

・技能とは有爲な社會形成者として身につけねばならない技能的特性をいう。

・態度とは行動にあらわれた精神的の傾向をいう。

・學習活動への關連とは目標があきらかになるとそれに到達するために予測する學習活動を具体的に目標に應じてあげる際し指導への準備としての予備調査、資料の調

べの結果いくらかの修正が生ずる場合もある。

二、指導への準備

實際指導への考慮として予備調査をなし資料の調べをして生徒の學習指〇の万全を期する準備を整えるところである。

1、予備調査

實際指導への手がかりとして、かかげた目標を果たすめクラスの審習の出發點を生徒の現在の生活、關心、能力の面から明らかにする。また評價の際の基準ともする。

・生活とはこの單元に關係した生徒の日常生活は主としてどんな面にあらわれているかを明らかにする。

・關心とはこの單元に對して生徒が問題にしている傾向の度合を明らかにする。

・能力とは本單元で要求される目標に對して理解、技能、態度の面より生徒の學習能力の程度を調査する。
生徒の現實的な生活範圍とその樣相及びその中での生徒のもつ問題の傾向それを解決する能力の程度を總括的に考察し實際指導への具体的な手がかりとする。
2、資料の調べ
本單元の目標を有効に果し、生徒が問題を合理的發展的に解決するため教師や生徒の利用する施設、資料の種類、内容及びその利用法を明らかにする。
三、評價の計畫
目標が達成されているか、どの程度に達成されつゝあるか、より効果的な指導技術を見出すため目標に照らして理解、技能、態度の面から評價の觀點や方法を計畫する。
四、展開
目標、予備調査、資料の調べ、評價の計畫を地盤として學習による生徒の再構成が必然的に可能になるように學習の流れを計畫的具体的に示す。
1、連絡
社會科内においては既習事項と先への發展系列を明らかにし、他教科においては關係ある學習事項と時期の點を明らかにする。
2、指導上の留意點
地域の實態、學校の特殊性、生徒の實状よりの單元の學習にあたり特に留意すべき諸點を具体的に列擧する。
3、學習過程
時間的な流れにしたがつて學習が進められる過程を明らかにする。
・順序とは生徒が問題をつかみ目標を立て解決の手順を考察し學習していく全過程で計畫、調査研究、完結の三段階に分ける。
・計畫段階では問題の把握、内容の選擇、目標の設定、學習活動の企劃などの仕事を生徒と教師で行う。
・調査研究の段階ではグループごとに分擔された仕事について話合いグループの中での分擔をきめ個人學習に進む。個人學習の結果を班内で討議しまとめて學級全体に報告し、全員で檢討理解する段階で次のような過程をとる。資料の蒐集、利用する施設の檢討、調査分擔、ノートにとる。班内討議、作圖表、プリント報告の準備、學級への報告、討議理解。
・完結の段階とは學習を綜合的印象的にし單元全体のしめくくりをする段階である。生徒の關心興味は最高頂に達し、本單元で得た能力が具体的に活用され發展されねばならない。
・學習活動とは、生徒が自主的に問題を解決していくところの行動、思考、研究のすべての實踐的な形である。

八五

八六

選んだ活動はどれも學習目標を果すとともに生徒の成長に直接關係のあるものでなくてはならぬ、學習活動は多方面に豊かにとり入れられなくてはならない。
・評價とは評價の計畫に示された觀點と方法に則りどういうことを、どのような場所で、どういう方法で評價するかを學習活動に關係させて明らかにする。
・時間　本單元で所要とする時間について記入するところである。計畫、調査研究、完結の三過程に時間を割當てる。
五、反省
評價の結果から目標達成の度合を考察し學習指導過程を反省し、單元の適否、學習活動の適否、指導技術の改善點などを明らかにする。なお予備調査評價學習過程などを指導記錄表に記入し次年度の指導計畫の資料とする。
◎　指導日案
學習指導案の展開の頃において時間的な流れに從つて學習の概略は明らかになつたのであるが然しそれはすぐ各時の指導に用いられるものではない。實際指導の具体的な場に於ける各時の指導案が必要である。
1、本時の主眼
本時の學習のねらいである。生徒と教師とで立案した學習目標と合致するか又はそれと深い關連をもつものであつて最も簡明にして具体的なものでなくてはならない。
2、學習過程
本時の學習の流れを時間的發展に從つて具体的に最もこく明に記入する。從つて生徒はどのように活動し、どのようなことを理解し、どのようなことを身につけるか明らかとなり教師は何を指導するかひと目で授業の全ぼうが明瞭にされるところである。
・過程とは學習が發展する時間的な流れを示す。
・樣式とは學習事項をどんな學習形式をとりどんな形態で學習を進め發展させるかを明らかにするのである。
・學習活動は展開の項における意味内容をもつものであつて、ここの項では學習する事項が最も具体的にしてわかりよい形において表現され然も時間的推移の順序に記入されねばならない。
・指導とは生徒の自發的な學習が有力に發展するために學習環境の設定や學習の方向を示唆したり、行動や思考に對して刺戟を與えたり、學習の結果を批評しまとめたりすることを示す項である。
學習活動と表裏一体となり生徒の問題解決への一切の活動の背後となる充分な指導の用意が大切である。
・備考の項は、利用する資料、施設、評價の機會、學習時間、準備品等を示す。又その他記入する事項があれば記入する。評價の計畫に示された觀點に則りどの位置で、どのような事をなすか具体的に示すものである。

3、反省
主眼がどの程度果されたか、指導技術の方法はどうか、生徒の活動狀態はどうかという點について反省し次時の出發點とする。又學習記錄表に記錄事項を記入する。

◎ 學習指導の具体案

社會科「近代工業はどのように發達し、われわれの日常生活にどんな變化をあたえたか」學習指導案

○學年○組　指導者　○○○○

一、目標

觀點		學習活動の番號
理解	1、世界の工業の現狀について、その種類、地域生産高を理解する	1、2、3、4
	2、世界の工業の現狀を比較聯關しながらわが國再建にとつて新しい方向の工業的發展の重要性を認識する。	1、—4、8、10、11
	3、工業地帶の發達にはいろいろな自然的社會的條件が必要であることを理解する。	5、6
	4、産業革命が世界の經濟生活に重大な變化をあたえたことを認識する。	9
	5、近代工業の發展によつて社會組織が著しく變化し新しい社會問題がいろいろ發生して來たことを理解する。	10、12、13
	6、世界の工業生産によつて生産された品物が貿易機關の發展と相まつて世界中の人々の生活を一つに結びつけるようになつたことを認識する	1、—11
態度	7、わが國及び郷土の工業の現狀と將來について深い關心をもつ。	1、—4、7
	8、どんな困難でも人間社會の問題であるかぎり解決されないものはない確信を得る。	12、13
技能	9、施設、資料の利用、圖表、統計表を作製する力を高める。	1、—13

二、指導への準備

1、豫備調査（調査年月日二四、一〇、二〇調査人員四五人）

（A）生活

生活内容	實人員
家で工場を經營している者	三
工場を見學したことのある者	四五
工場で生産される樣子や人の働いている樣子を映畫や寫眞で見た者	四五
工業に關する話を聞いたことのある者	三五
工業に關する本を讀んだことのある者	一八
工業な産に關するニュースを聞いたり見たりした者	四五

○家で工場を經營しているものは少ないが工場生産については見學、映畫、寫眞等の視覺を通して全員經驗をもつている。又工業一般についても大部分のものは文化機關をを通して知的經驗をもつている

・どんな工場を經營しているか。・どんな工場を見學したか。・どんな工場生産の樣子を見たか。・工業に關したどんな話しや本を見たり聞いたりしたか。（調査結果記載略）

（B）能力

近代工業の發達によつて世の中がどう變化したか			
内容	實人員	内容	實人員
都市の發達	三一	勞働者の發生	二七
農業から工業へ移行	八	資源の利用増加	一四
手工業より機械工業	二九	文化の發達	五
發明の促進	六	會社の發生	二
勞資の區分	二〇	人口の増加	三三
勞働問題の發生	一五	交通機關の發達	四〇
通信機關の發達	一八	商業が活潑	二五
貿易の發達	二	世の中が活氣づいた	一二
不衛生	一〇	生活がはなやか	五

○近代工業の發達によつて起つてきた變化が大体理解されているが然し全員のものが理解しているものでもなく又その理解が科學的に立證されているものでもない。

・長野市の工場からはどんなものがつくられるか、又どんな種類の工業が行なわれているか。・日本ではどんな地方が工業が盛んであるか又その地方ではどんな工業が行なわれているか。・工業地帶として發達するためにはどんな條件が必要か。・日本ではどの位の工業生産をあげているか。・世界の大工業地帶はどこか又そこではどんな種類の工業が行なわれているか、そして原料はどこからきているか。・世界各國ではどの位の工業生産をあげているか。・産業革命、勞働組合、ギルト、資本主義社會についておのおのの意味はどうか。・近代工業にはどんな種類があるか。（調査結果記載略）

（C）關心

近代工業についてどんな問題を調べたいと思うか			
内容	實人員	内容	實人員
近代工業の發達過程	四〇	わが國の工業と世界の工業の比較	四四
工業生産に使用する機械	二	工業と天然資源の利用の關係	一八
世界工業の分布狀態	三〇	工業の種類	四一
工業の發達する條件	二八	工業と農牧業との關係	八
科學の進歩と工業の關係	五	世界の工業の生産額の狀態	四五
産業革命	一〇	勞働問題	三

○調査の結果を見るとこの單元で學習していきたいという教師の立場を多かれ少なかれ包含しているので問題及び學習活動を選定していくのに大した困難はないと思はれる。

◎以上生活、關心、能力よりしてこの單元の導入がたやすく出來ると共に單元構成の見透しが立ち關心と興味をもつて學習が順調に然し徹底して行なわれると思う。

2、資料の調べ（記載略）

三、評價の計畫

	觀點	方法
理解	1、世界の工業生産の現狀の理解態度（地域、種類、生産高市場等）	再生活、完成法
理解	2、近代工業發達の條件の理解程度	眞僞法、選擇法
理解	3、わが國の工業の現狀及び特色の理解程度	完成法、組合法
理解	4、近代的工業發展の過程の理解程度	眞僞法、完成法
理解	5、産業革命の必然性及びあたえた影響の理解	選擇法
理解	6、長野市の工業生産の現狀の理解程度	組合法
理解	7、工業生産が社會組織、生活にあたえた影響の認識程度	再成法、組合法
理解	8、工業生産の重要性の認識程度	論文テスト
技能	9、施設、資料の活用程度と發表の仕方の程度	直接觀察
技能	10、圖表統計表の作成力	直接觀察
態度	11、工業生産に關する問題を共同しての解決していく態度	直接觀察
態度	12、工業生産に關する關心程度	論文テスト、直接觀察

四、展開

1、連絡

（A）教科内の連絡

農牧生産
交通通信
近代工業——天然資源

（B）他教科との連絡（記載略）

2、指導上の留意點

①問題把握については生徒の自主的思考を重んじ充分自己自身の問題として把握できるよう留意する。

②調査時間は出來るだけ家庭學習で補い發表の時間を多くとるように指導する。

③調査資料は出來るだけ多く活用させ發表原稿は班で充分まとめ、說明にあたつては實物や寫眞を多く利用して具体的にするように指導する。

④⑤⑥⑦（記載略）

3、學習過程

順序		學習活動	評價	時間
計畫	問題の把握	○どういう事を學習していつたらよいかについて自由に話合う ○近代工業について學習することをきめる		4時間
	題目の決定	○「近代工業はどのように發達しわれわれの日常生活にどんな變化をあたえたか」という題目にすることをきめる		
	問題の選定	○題目の内容となる問題について話合つてきめる（調査研究の項參照）		
	目標の設定	○目標を話合つて設定する（目標の項參照）		
	學習活動選定	○學習活動を話合つてきめる（調査研究の項參照）		
調査研究	學習計畫の立案	○學習の順序、時間、方法について話合つて立案する		
	（A）の問題の調査	（A）世界では現在どんな種類の工業がどこでどのように行なわれているか。 1、紡織工業の種類、盛んな地域、生産高を書物で調べて圖にかく、また日本の紡織工業と世界の諸地域のを比較して見る。 2、食糧品工業にはどんなものがありどこでどのように行なわれているか書物で調べる。なお日本の食糧品工業と他の國々のそれを比較してその特色を話合う。 3、世界の製鐵業地および機械工業の盛んな地域を圖示しどんな機械をどの位、生産しているか調べる。また日本の機械工業の現狀と世界各地のそれと比べてその特色を話合う。 4、化學工業にはどんなものがあるか、またどこでどの位生産されているか、書物で調べ圖表を作る。日本の化學工業の現狀をさ	1、9、10、11、12、8 1、8、9、10、11、12 1、8、9、10、11、12 1、8、9、10、11、12	23時間
	（A）表の問題の發表	調べ世界の國々と比較して見る。		
	（B）の問題の調	（B）近代工業の發展にはどんな條件が必要か。 5、世界の大工業地帶はどのように分布しているか圖示し工業生産を盛んにしている原因を次のことから考え學級討議によつて明らかにする。 a 氣候と工業地帶（氣候帶圖を作り關係を究明する）	2、9、10、12	
完結	學習のまとめ	○作成した圖表を展覽し學習を整理する。 ○「日本の工業の將來」という題で論文をかき討論會を開く。 ○近代工業に關係ある映畫を見學する。 ○「近代工業」の參考書を讀む。		3時間
	反省	○學習の反省會を開く		

八九

五、反省

九〇

◇社會科日案

月　日　○時扱い　指導者　○○○○

1、本時の主眼

紡織工業の種類、盛んな地域生産高の理解を通して工業生産の重要性と各國の密接なつながりについての認識を深める。

2、學習過程

過程		樣式	學習活動	指導	備考
調査研究	本時の計畫 紡織工業の種類の發表	話合(全) 聞く記錄(全)	○本時の學習を話合い紡績工業について發表することにきめる ○紡織工業につい發表を聞き次の樣な學習をし理解する 1、紡績工業には綿工業、絹工業、羊毛工業、人絹およびスフ工業のあること	・學習は進行係により進めさせる ・進行係の問題のとりあげ方問題の解決の仕方、學習の進め方について指導する	世界地圖 日本地圖 ←2→ ←1→
	綿工業について發表	聞く記錄(全)	2、綿工業の盛んな地域及び生産高について理解する a、イギリスについて ・中心地、マンチエスター、グラスゴー ・マンチエスターの盛んな理由と歴史 ・生産高(記載略) b、フランス、ドイツ、ソ聯、ポーランド、スイス、イスパニヤイタリヤについて ・中心地アルサス地方、ライン下流地方、モスクワ、ロズ、バーゼル、チユーリッヒ、バルセロナ、ミラーノ ・生産高(記載略) c、アメリカについて ・中心地マサチユセッツ、ロードアイランド、コネチカット、北カロライナ、南カロライナ、ジヨジヤ各州、アトランタ、コロンビア、ラレー ・盛んな理由 ・生産高 d、インド、支那について ・中心地ボンペイ、カルカッタ、マドラス、上海、青島、揚子江沿岸 ・生産高(記載略) e、日本について ・中心地大阪平野、濃尾平野、關東平野の諸都市、その他 ・發達過程と現在の狀態 ・生産高(記載略) f、各國の生産高について比較し世界に於ける位置を理解する。	・發表の仕方、聞き方について指導する ・メモを充分とらせる ・説明は理論的に順序よくさせる ・寫眞、圖表等は適ぎ有効に使用するよう特に指導する ・地名地域は地圖の上ではつきりさせる ・説明はゆつくりとさせる ・發表のとき教科書は充分全員に活用させる	・發表の仕方 ・資料の活用程度 ・圖表の作成力 ・理解程度 ・學習の態度 ←11→
	絹工業について發表	聞く記錄(全)	3、絹工業の盛んな地域及び生産高について理解する。 a、アメリカについて ・中心地 バターソン、シカゴ、ボルチモア ・生産高 ・わが國との關係(記載略) b、フランス、スイス、ドイツ、イタリヤについて ・中心地リヨン、チユリッヒ、クレフエルト、ミラーノ ・生産高(記載略) c、日本について ・中心地 ・發達過程と現狀 ・生産高(記載略) d、各國の生産高について比較し世界に於ける位置を理解する		・發表の仕方 ・理解程度 ←8→
	羊毛工業について發表	聞く記錄(全)	4、羊毛工業についてその盛んな地域及び生産高を理解する a、ヨーロッパが盛んな理由について b、イギリスについて ・中心地ヨークシアー地方(クーズ) ・盛んな理由、發達過程と現狀 ・生産高(記載略) c、ベルギーについて ・中心地フラスダース地方(ブラッセル、カン) ・昔と今日の現狀 ・生産高(記載略) d、ドイツ、アメリカについて ・中心地ブレーメン、ハンブルグリユーベック、ニユーヨーク、ボストン、フイラデルフイア ・生産高(記載略) e、日本について 中心地愛知縣その他 ・現狀 ・生産高(記載略) f、各國の生産を比較し世界に於ける位置を理解する		・發表の仕方 ・理解程度 ←8→
	人絹及びスフ工業について發表	聞く記錄(全)	5、人絹及びスフ工業について盛んな地域及び生産高について理解する a、合衆國、ドイツ、イギリス、イタリヤはついて ・中心地 ・生産高(記載略) b、日本について ・中心地福井、石川、大阪の各府縣 ・發達過程と現狀 ・生産高(記載略) c、各國の生産高について比較し世界の位置を理解する d、スフナイロンは如何にして作られるか概略を理解する。	・質問された時わからない時は素直にわからないと言わせる ・發表の不正確なところや曖昧なところは補足する ・目標にあつた位置ずけとまとをする	・發表の仕方 ・理解程度 ←8→
	質疑應答	話合(全) 話合(全)	○班及び全員で發表不足のところを補う ○質問や意見を出し合つて話し合い理解を深める	・筋の通つた補足をさせる ・質問事項は目標からはずれないようにさせる	・問題のとらえ方 ・批判の着眼点 ←10→
	次時の計畫	話合(全) 話合(全)	○調査、發表、板書の仕方について氣のついたところを發表し合い話し合う ○次時の計畫として學習活動の2を發表することを決める	・充分意見を言わせる ・意見は全体の問題として充分話合させる	←2→

九一

九二

3、本時の反省

社會科日本史

一、歴史の性格

A、歴史は批判的であることによって成立する。

世界の事實はすべて歴史的である。いつどんな事でも歴史的世界の事實でありその背後に歴史の流れを背負っている。長野市の住民が近在の農民とヤミ取引をして生活しているという背後には敗戰後の日本の經濟界の動きがそのまま含められてあり更に世界史的立場に於ける日本の地位が示されて居り發展しつつある歴史的社會の一つの姿を示しているわけである――しかしその様な事實の連續は歴史にはならない。事實の連續は自然である丈で歴史でない。田邊先生もいつて居られる様に歴史は精神が主体となるものである。自己否定を原理とした精神具体的に自己を押しすゝめる精神が歴史の主体となる。自然はそのもつ一律背反の爲に破かいされてしまわぬ様に自から歴史化する外はない。歴史はこの様な自然を存立せしむる地盤として具体的な存在なのである。歴史の事實で無數にあるそれ等の中に於て歴史事實を明瞭ならしむる事が出來る事物・記録が史料といわれる。史料が解釋される事により歴史が構成される。この過程に於て批判的精神によつてのみ歴史が成立し得る。歴史はいつでも一方に於て世界に起つた客觀的出來事を意味する。英語のHistry にしてもドイツ語の Geschichte にしてもその語源の中に出來事という意味があるそうであるが客觀的な出來事、事實という性格が一面に於てもたれている。しかし他の一面に於て史料の解釋によつての獨斷でなく思惟の法則にしたがつた批判的精神の活動によつてのみ歴史が構成され得る。その方法的過程の中には記憶知識調査隣接科學との交渉等いろいろのものが入つて來るが、それらは皆批判される爲の資料にすぎない。歴史學そのものがわい曲されて正常な發達のほとんどなかつた我が國に於ては事實の連鎖が歴史と考えられている向きも多い。もしそうならば抽象された事實はあり得ないという事となり、自然の時間的流れそのものが歴史という事になるのではないだろうか。しかも空間的にも無限に廣がらねば歴史が考えられぬというおかしな事になる。そうでなく或る一部分の事實と考えられた事實丈を連鎖して歴史を考えるとするならばその事實(拔き出された事實)の實在性を何によつて基礎づけるか――それは批判精神の活動以外に基礎となるものがないではないか。こう考えると從來無批判的に權威者研究家のならべたものをそのまゝ承認するの愚が平常行なわれていた事に思いを致すであろう。歴史批判とは何であろうか。

批判はすべて疑う事より出發する。疑いが生ぜず全面的に承認されている場合に批判の生ずる餘地がない。デカルトのコギト、エルゴ、スムという様に疑うという事實より出發する時に批判精神のいかに活潑に働くかが説明を要しない。歴史批判の

九三

九四

場合、歴史事實の實在性から始めて一つの歴史事實のもつ意味それが他の歴史事實、時代への連關に疑問をもち理性の承服する迄追求する事が歴史の批判である。この解決の爲には①歴史を動かす法則性への論理的追求②具体的な歴史事實がその時代とどう關連をもつかとの研究③之等の研究に要する厖大な知識と調査資料等が必要になると考える。之等を組合せ用いて得られる一連の結果は歴史批判の大きな成果でなければならない。批判という言葉の意味によつてもわかる様に歴史批判とよばれるものは一つの歴史事實のもつ意味を明確にさせてそれが歴史の系列全体にどんな關係があるかを明らかにする事である。ただ關連という丈でなく一つの歴史事實の意味を明らかにする事によりそれがその時代を構成する論理的基礎を明らかにする事に最も大きな任務が存する。歴史の批判という事が上述の様に一つの歴史事實とその時代との連關に於てもつ意味に就ていわれるとするならば、時代區分が歴史に於ていかに大切であるかは本質的な問題となつて來る。

B、發展史としての考え方

人類の歴史が原始時代から現代までの發展として考えられるそれは低級なものから高級なものへという形に於ていえるのではない、時間的に過ぎ行く中にあつて古きものがほび新しきものが誕生して行く歴史そのものの姿をいう意味である。しかも古きものにはない人類の前進性を新しきものがもつて生れる。ここに發展の概念が歴史の概念として用いられる。具体的にいえばそれは社會の發展である。一つの社會の時間的な推移による内面的な改善進歩があつてもそれが社會としての發展でない限り歴史の上に於ては大きな意味を表わさない。

○例えば大陸より輸入せられた原始文化の中に於て農業技術は日本の原始社會を質的に改變せしめている。彌生式文化が西日本より漸次東進し農業のもつ企畫性により原始社會より次第に古代社會へと推移する契機を與えつゝあつた時東北方面に於ての縄文文化は龜ヶ丘土器の様な技術的に秀れた縄文期の優秀作品を生む程になつていてもそれが單に技術の進歩にとどまつて社會の發展になり得なかつた。

○又江戸期の經濟文化が町人の手に移り近世的性格を示しているにもかかわらずそれが思想の大變革をもたらし得ず社會改革の口火となり得ないで反復熟練の度をつみ高度に進歩するのみにて政治への變革にまで及ばない爲に政治の面に於ては相變らずの中世的性格を追放し得なかつた。

これ等はいづれも社會の發展の契機とはなり得ず一つの社會の中に於ける熟練と進歩を示している丈であつたのである。發展史として歴史を見て行く場合には一つの時代が次の時代に移り行く場合に必ず前時代の中に次の時代を擔う新しい階級が生じている。そして新しい階級によつて擔はれる時代が出來上つた時にそこに區切りをつけて時代の區分を考えるのであるから時代區分を異にするという事は一つ一つの時代の擔當者についての見解を異にするという事になるのであるし歴史の考え方の根

本的な相違となるのである。

發展史として歴史を見て行くという事には過去から規定される現在を考えるのみではない。未來より規定される現在を考える方向をもたねばならない。過去が現在より規定されるという方向をもたねばならない。發展史が社會の發展史としてとらえられる時には、發展という概念の一見逆の方向を考えられる未來より規定される方向がなくてはならない。この方向こそ社會の改革に於ける依るべき理論であり意志的行動による具体的事業の別な表現である。未來より規定される現在をもつ事こそ輝かしい世界なのである。

C、歴史はそれ自身一回的な性格をもつ。

歴史にはくり返しがない。歴史の發展を見渡すと非常に似た様な現象が多く見出される。しかし一見似ている如き印象は文字通り似ているとの印象であつて批判的に全体と部分との關連に於てとらえて行くならば個々の事象が皆異つている事に氣がつくであろう。歴史にはくりかえしが起らない。一回的な性格が歴史の本質である。歴史も科學であるといわれる。しかし歴史には實驗し測定する方法がない。と共に自然科學では因果律はいかなる場合でも適用出來るが歴史に於てはそれがない。この點に於ても歴史の一回的性格は自然科學と異る。しかしこのちがつた性格の歴史を科學たらしめるものは發展の概念である。之は18～19世紀にかけて現れているもので思想上の劃期的な變革である。發展史となるに到つて過去の社會と現在の社會は同一主体の變化で連續体となつた。現實はその中に過去も未來も含み又過去は現在をはらみ未來は現在を規定する。ここに於て歴史はその出發點を現在におかねばならない。現在は一切を含み現在より過去の歴史を構成する手がかりが得られるからである。歴史は本質的な意味に於て現在を起點として成立するという意味に於ても一回的でなければならない。歴史の一回性の故に發展が成立するし、又逆に發展史であるが故に一回的であるともいえる。

D、歴史の二重性分極性

解釋がなければ歴史は成立たない。記錄が解釋されねばそれは史料とはならない。解釋される事を前提としてはじめて歴史は成立する。歴史はいつでも一方に於ては世界に於て起つた客觀的出來事としての意味を有する生成即存在である。この場合自然と同一となる。しかし自然の樣に連續的な歴史事實の交互繼起が歴史とはならない。事件の交替によつて歴史は構成されない。歴史の存在は記錄の解釋によつてのみ認識せられる。そこに於ては田邊先生のいわれる樣に歴史は分極的である。いつでも對立的な分極に分れている。分極的對立的であるものが統一されて行くこれが歴史の生成發展である。歴史に於けるあらゆる存在が成つたものであり永久不變にあるものでない。時間的であるが故に存在は生成的である。我々の作爲である歴史の生成は我々の實踐的な作爲を互に貫きあい相滲透している。歴史的現實が如何にあるかという事と我々が自己と世界とをいか

九五

に決定するかという事とが相關的である。歴史に於てはいつでも思考（それは實存的な思考）が歴史的現實を貫くのである。存在（歴史の世界）と思考が互に滲み透つている。單なる歴史は成立しない。存在即思考これが歴史である。即ち歴史的な存在はわれ〳〵が思考の自覺的立場でいかにその存在を決定するかという事によつて決つて來る。存在と思考との相互滲透關係が歴史の特色となつて來る。歴史は永遠と時間、存在と思考、自然と自由、物質と精神といつた樣な分極性をもつて來る。即ち歴史はまさに物質的精神的なものである。對立してどこまでもはなれる傾向と同時に常に新しく結びつく、こうして飛躍が行なはれる事が歴史の根本構造である。この事は自然や倫理にはない事である歴史のみのもつ二重性でなければならない。

E、歴史に於ける史觀の問題

歴史は解釋によつて成立するという原則を認める時に歴史を構成する主体の立場によつて異つた史觀が成立するのは當然である。經濟に優越性をおく時に唯物史觀が生じ意識形態に優越性をおく時に觀念史觀が生ずる。又文化史に偏する場合と政治史に偏する場合とある如くである。問題は史觀の差異如何にあるのでなく史觀の差異によつて歴史そのものに正否をあてはめて考える點にあるのである。社會は一つの文化でつつまれるのではなくあらゆる文化でつつまれる。歴史ではこうした綜合された全体について考えられて行くので一つの史觀のみ說くところによつて歴史發展がなされるのではない。歴史的必然はこういう史觀の外にあるのである。史觀そのものが歴史的必然をとらえ得るのでなく歴史の科學性が歴史的必然性の存在を明らかにするのである。今日までの日本に於ては歴史學の確立がなく時によつては歴史が手段として用いられ政治や道德などに從屬せしめられた。之は學問的に確立しない爲に起る悲哀であつて勿論歴史學本來の進み方である筈ではない。又政治や道德の發展の爲にも眞に役立たない事である。歴史が歴史として、獨立に追求せられてその方法が學問的である事が歴史學としても日本の社會の眞理追求の姿からしても最も望ましいものであつたろう。ここの點でも今日改めて歴史のもつ性格を吟味追求せられねばならぬであろう。

九六

二、歴史教育の課題

A、批判的精神から要請せられる課題

歴史を見る事により歴史を考え歴史を見る態度を養うという文化的に相當高いレベルをねらうが故に歴史の教育に於て期待されるものは大きい。この點では我々の考える方向は或は文部當局の社會科日本史の地位よりも遙かに歴史を重視するといえるであろう。歴史に於て批判的態度により一つの事象の意味を考え又全体との關聯を考え歴史全体からの見通しをもつ（それは世界史的見通しをもつ）事は見る事考える事により自己自身を形成する大切な場所となる。歴史を見歴史を考える自己の主体性を尊重するが故に批判的であり得るし、それなるが故に自

己形成に役立つ。勿論之は新制中學に於ける社會科日本史に於て十全に果されるとは考えていないが歴史の教育のもつ根柢的な課題である。この方向に於て歴史教育が行なはれるならば中學社會科の日本史に於ても生徒一人一人に問題的に解決を要請する過程にて自己形成が進められる生徒がこの方向に於て歴史を學ぶならば問題解決の態度の更に後年までの延長により批判精神をたよりに自己形成が進められる。それが日本の民主化にどれ丈大きな開拓になるか知れない。

この點で社會科の單元學習と比較して考えて見る時に一般社會科の場合複雜な現實の場面に横たわるいくつかの問題を問題的に取り上げて解決するという作業ではそれを自己形成に役立たせるに困難な場合が多い。というのは現實の問題の複雜さに押し流されて自己の思考過程の自己訓練という樣な自己形成への面へ影響を與えるのは困難である。しかし歴史の場合に於ては現實という複雜さもなく對象が歴史事象時代と限定されて出て來る丈に考える道すぢに複雜さが少い困難の程度の高いものも横たわるであろうが對象的に見るに一應見やすい。批判的精神による自己形成という場合には歴史に於ける場合の方が生徒に取つて模式的であるといえるであろう。更に古い形の歴史教育では歴史教育にならぬ場合が多いが、之を社會科の單元學習の線まで引上げることは刻下の急務である。そして社會への理解とか社會への適合とかいう靜的な消極面を打破して眞によりよい社會の建設への原動力たらしめねばならないであろう。

も一つ文化國家を標榜して立つ我が國では日本史を知る事は國民の責任であろうと思う。我が國の文化の由來を史的にとらえ我が國の歴史の發展の上に我が國にあるべき民主主義を打ち立てねば文化國家とはいえないであろう學問的に我が國の歴史の發展をとらえずして我が國の文化を高めるために渾身の情熱を拂うという事は考えられぬではないか。以上一つは批判精神による自己形成の爲に二つに國民の文化的責任の爲に歴史の教育が强力に行なはれねばならぬ點をあげたのである。

B、日本の民主化という事よりの課題

更に第三の點として日本の民主化という大きな仕事への史的裏付としての歴史の教育を持ちたい。周知せられる樣に民主的雰圍氣の殆どない日本に於て過去の日本の姿を明らかにし日本にルネッサンスのなかつた事を究明して民主化への情熱をわき立たせる事もその一つの任務であろうし、わづかに流れている民主的な精神や人物をすくい上げてあらためて研究するも大切であろう。明治以來の國威宣揚主義の歴史では凡そ逆の效果丈しか殘さない。そこには今迄の樣な政權史だけでなくして全面的に社會を構成する要素を研究して行かねばならない。日本人民の歴史でなければならない。貴族武士の特權階級が語られる丈でなく庶民一般が語られねばならないし、政權の爭奪戰が敍される丈でなく社會經濟や文化一般が探られねばならない。こうして日本の發展の姿をたどる事が日本の過去の姿の批判となり現實の我々の態度が史的に與えられた民主化への情熱となつ

九七

て日本の民主化への大きな役割をするであろう。歴史が發展史として社會發展の上にとらえられる時に歴史の教育に於ては、各社會の發展の姿を取り上げその論理的追求をして行く事が重大な問題となる。唯物史觀では生產力の變遷が社會發展の主要素であると考えられてそれが根柢になつて論理が組み立てられるが、歴史の教育の課題としては社會發展の歴史的必然はどこから出て來るかという根本的な問題に取り組む事が最も大きな課題となるであろう。之により全く新しい史觀も誕生する可能性が包藏されるわけである。

勿論この大きな課題は新制中學の生徒の年齢に於てはその論理的發達の未熟からして不可能である。しかし之の方向に立つ事が可能な樣な歴史の教育がなされねばならないであろう。そうでなければ歴史教育の根本的な運命に逆行して歴史教育を自滅せしめる方向へ押しすすめるに過ぎないといえるであろう。

三、社會科日本史指導の方向

前二項に於てのべた樣に歴史の性格と歴史教育の一般的課題が明白になつた時に之を新制中學の社會科日本史として實現する場合どこに問題がありどこに困難があるのであろうか。前項より考えて現實によつて歴史が成立するしかも發展史的に考えて社會の姿の發展をとらえるものとするならば社會科日本史は現實社會の成立の歴的根據をつかむ爲の學習でなければならない。

九八

A、セパレートコースを形成する事について。

この場合あくまでも社會科歴史とされている爲に社會科の一環として一般社會科の目標に合致する樣に考えて行く、しかも一般社會科と同一の單元に組み込んで學習して行かずセパレートのコースを取るべきである。之は何によるのであるか。歴史の本質として縱に部分的なものに分割してしまつた場合それは歴史でなくなる事が多い。横のまとまり即ち各時代に於ける綜合的な社會の發展の樣相をとらえてこそ歴史であり、之によつてはじめて現實社會の史的根據もただし得ると考える。であるから一般社會の中の各單元の歴史的部分の集束では歴史たり得ない現實社會の史的根據はそれからは出て來ない。故にこの横の連絡いわば批判的作爲が成立し得る樣にセパレートのコースをえらぶのである。セパレートコースの形を取つて行く事が歴史教育に於ける歴史の本質を失なはない都合のよい方法であるならばここに於ける實際の展開が今までの歴史教育とどういうちがいがあるのであろうか。語られる歴史きく歴史という形で今迄の歴史教育と何等ちがわない講義とノートの歴史教育が相當多く行なはれているのが現狀ではないだろうか。たしかに先生のつかんでいる歴史を生徒に語る事にも大きな意味はある。しかしこれが歴史教育の全部であつてよいだろうか。セパレートコースを形成した事は縱のつながり丈を見て部分的に歴史のタバを作り時代的に各社會をとらえない非歴史的なものでなく横のまとまりにて各時代の姿をとらえ各社會の具体的な姿をつ

かんで——それはその社會の作つたその時代の人々の努力を活動をその時代のものとしてとらえる事も含む——それによつて現實の社會の歴史的意味を明確にとらえる爲の措置であつたのである。又こういう見方のもとに學んで行くのが眞に歴史を學ぶことになるのではなかろうか。であるからセパレートで社會科歴史を行う事は本來歴史であるものを歴史たる様に取りあつかう事であるのだし、それによつて歴史教育の效果が充分あげられる様に仕組まれねばならぬ筈である。

B、社會科日本史の目標について、

　セパレートコースによる歴史學習が定位されたらその目標が明確にさるべきである。文部省關係で了解した次の十一項目をかかげる。

1、社會科の一般目標に合致する事
2、現代社會及び現在の生活文化を綜合發展的に理解すること
3、歴史とわれわれの生活とのつながりを知る事により現代の歴史的地位を理解する事歴史發展の必然性を理解すること
4、歴史發展の必然性を理解すること
5、歴史發展に於ける普遍性と同時に國及び地域による特殊性を認識させる事
6、文學藝術科學等が近代社會に於て占める役割を理解させる事
7、歴史は漸進的ながら進歩へ向つて發展する事を理解する事により社會進展に對して有する自己の責任と情熱を抱かせる事
8、歴史の時代概念を理解させる事
9、各時代各社會に共通する人間性の把握につとめさせる事
10、歴史の理解を通じ現代社會を綜合的に理解するに必要な能力を養う事
11、事實を合理的批判的に取扱う態度と技能を育てる事

これを次の様に要約する事が出來る。

a、社會の一般目標と合致する
b、現實の社會の理解と理解する能力
c、歴史發展の必然性の理解
d、歴史發展の普通性と特殊性の理解
e、社會發展の方向
f、事實を合理的批判的に取扱う態度

以上の様に目標が考えられるならば設定せられる各單元に於ける目標はこれらの目標のいくつかをそれぞれ含まねばならぬであろう。

C、問題解決の學習——單元構成と指導の展開

　歴史教育の課題より歴史教育に負はされた一般的課題を果す爲には生徒のもつ問題を解決する方向に於て自發的に學習することが最も望ましいのではないであろうか。即ち一般社會の學習と軌を一つにして單元學習が望ましいのではないであろうか。それはどう考えられたらよいであろうか。問題とは何か課題とはどうちがうであろうか。課題という場合それに

九九

よつて表現される概念は研究されるべき内容が共通性をもつ場合に多く用いられるであろう。それは一般的課題の性格を多分にもつ事になるであろう。之に對して問題といわれる場合には極めて個性的な解決要請をするものと考えられる。しかしそれは或る共通な基盤に立つ限り共通な解決を求めるものという性格を示して來るであろう。又問題はそれ自身解決を要求しているのである問題はそれが解決されて問題としての性格が消失する所に問題の本質がある。しかも之の問題の成立する基盤は實に多方面に亘つている。ここでは教育の面で教室内に於て取り上げられる問題であるから生徒の興味關心のあるものである事とそれが同時に現實の社會の一般的課題につながつていなければならない。でなければそれを解決しても現實の社會の理解にならない。故に生徒のもつ問題か何かという捜査が先づ第一に行なはれねばならぬであろう。之は單元設定の前に行なはるべきものであろう。生徒のもつものが問題以前の形でもとに角引き出して單元構成の出發とならねばならぬであろう。——私の學校ではこの様な調査の事を基礎調査といつている。之を學習前に行なはれる予備調査と區別している。

　單元構成に當つてはこの生徒のもつ問題の解決の爲に社會的要求特に歴史教育に於ける体系的系列即ち各社會の要素的な事項とにらみ合せつき合せて單元が構成される。構成された單元の中に更に學習に都合のよい（目標達成に都合のよい）問題を設定しその學習解決に都合のよい學習内容を考える。

問題の解決→單元目標の達成→單元に内包される問題の解決といつた手順で生徒のもつている問題を解決して行きたい。

　基礎調査で生徒の興味關心と歴史を考える論理的思惟の發達段階とをとらえておいて、一方原始、古代、封建近代と各社會に於ける成立、發展、變質、崩壊等の要素をあげておく。一方は生徒の自主的な問題解決の方向であり一方は各社會の理解の爲の要素的歴史事實である。この場合生徒の要求の線のみ強く出すと縦の歴史のタバが出來る可能性がある。之がそれぞれの社會構成をとらえるのに有効に役立てばよいがでなければ大部分の場合は興味的センサクや見本的な事柄の羅列に終る事が多い。これでは歴史をとらえた事にならない。この危険性を救う爲には生徒の問題が結晶して來ぬ場合には止むを得ず各社會の要素に近よつて之の系列でとらえて行くし方で單元構成をしてもし方がないであろう。勿論いい單元が作られる時には生徒の要求が生徒の能力の發達段階にあつていて、しかも凡そ予定された各社會の要素的事實と結びつき得るのである。こうして作られる單元であるならば原始古代封建近代の各社會を一つ一單元としている様な大きな單元でもよく、更にいくつかの單元が一つの社會の解明に關係する様な小さい單元であつてもよいであろう。しかし私たちの經驗では小さい單元の方が初頭の生徒の問題を解決するのにより問題的であり得る。實は昨年度原始社會古代社會封建前期近代社會と五つの單元で二三年を全部含めてしまつたのであるが結局大きすぎて取扱時間が長くなりす

100

ぎ問題把握した當初が最後までつゞかずして終つたという場合が出て來ている。

年次計畫については以上の如くして構成された單元を一年に亘つて排列して月々の位置を定めて行くものと規定する。そこでは單元の全貌がつかめる程度排列しておき一年の見通しに資する事にしておく。排列の順序にも論理的な意味があるべきであるがそれは取り上げられる問題の性格によつて定めらるべきであろう。もし生徒の問題に系列がなく他教科との關連に問題がなければ、歷史發展の系列（時間的系列）にしたがうのが一應わかり易いのではなかろうか。

指導の展開に對してそれを具案的に成立させたものが指導案である。それは予定された時限内に最大の効果を上げるべく立案されたものである筈である。當校に於て取つている社會科日本史の指導案の樣式は別掲の樣であり之についての立場は指導案の所で說明されるものである。指導案の具備すべき條件はそれによつて具体的な指導の展開が直ちに行なはれるものであること、出來る丈簡潔で要點を失なはないものであること、實際指導の展開に際して必要な資料の研究調査が充分なされている事があげられる。特に社會科日本史の場合最後の項目は常に心要である。

實際指導の展開について過去の指導に於て取つた一例をあげて見る。それは近代社會に於ての「帝國主義的戰爭へまでの道すぢ」という問題の中の「日本が實際に侵畧的な態度に出て大陸その他へ侵畧開始をしたのはいつか」という問題の解決に於ての過程なのである。之の前に一應「近代日本の成立」という問題解決として

1、明治維新、明治初年の政府と政治

2、立憲政治の完成

3、對外關係の變遷

4、文化的發展

の四つの學習内容について學習をし終つているのである。さて「日本の侵畧開始の時期」の判斷をする爲に生徒はいくつかの資料についてしらべた。

1、個人々々思い〳〵にしらべた史料の發表を前半にやつて皆がそれを一通り聞き終つた

2、次に各自の考えて來た結論を各自の史料に基づいて發表し板書によつて整理してみた

3、各個人の立場考え方がはつきりしたので各自自分とちがう意見の人に對し出問展開し

4、質問からつゞいて各自の立場より對他の立場に意見交換から論戰に移つたのであつた

この内容をいうと大別して四つになる。

A、明治初年より侵畧開始というもの

——江華島事件など征韓論などを有力な史料としている。卽ち自から對外的に獨立しない中に朝鮮に對して治外法權を求ている日本の態度を侵畧だというのである。

一〇一

B、日淸戰爭を以つて侵畧の精神的轉回點だというもの

——日淸戰爭を日本の精神的結束の機會であるとしそれ以前と以後とを國家主義的に大きな色別けの時代として戰後の國家主義的に動いて來た精神的な節をもつて侵畧の手始めとする。具体的表れは下關條約の政府原案、德富蘇峰の態度の轉換など最もよい史料として用いられている。

C、日露戰爭後實際的な權益を大陸に獲得し朝鮮に總督を送つた事等である。

——實際的表れの方面から史料を得て實際行動で說明しようとする。

D、歐州第一次大戰後二十一ヶ條條約によつて對中國について行なはれたものを最初の侵畧とする。

——二十一ヶ條條約の性格を侵畧の最好例として考えるもの

以上四說それ〴〵根據がありそれ〴〵自分の意向を絕對と考えてそれ〴〵討議しはじめたのである。討議の最初の段階では各自が自分のしらべた研究により對立したので群雄割據という姿となつた。次の段階では動議も出たり司會の努力もあつたりして他人の立場もよく考えて見るという空氣が多くなつて表面は討議が不活潑になつてお互考えこみ始めた。この段階になると女子の多くは自說か又は他人の說どれでもいいという極めて極端な色合に分れて比較檢討を論理的に進めて行く筋から脫落しはじめた。次の段階ではA說よりD說まで凡そ四〇年位の年代差があるが日本の態度を客觀的と見る爲にこの間の諸外國の狀勢態度をしらべる事が必要であるという事になり、これを改めてしらべ始めては時間的に容易でないから先生の話をきこうとの發議があり、この間の國際的主として歐洲諸國の帝國主義的狀勢について講義した。これを資料として更に又討議に入り大体の意見をまとめて見た。先づCは外面的にのみ見すぎるとて多くから否定され、Aは近代國家として成立しない以前の日本の姿なので近代化に忙しい日本としては帝國主義的侵畧ともいえない將來の願望の表れに過ぎないであろうなどというロマンティシズムさへ表れた。Bは諸外國の帝國主義的進出の華やかさ激しさに後進日本も追隨したという見解が外くやはり實質的帝國主義的侵畧の開始ではない。むしろある面でおくれ走せの日本が歐洲諸國の侵畧にあはないという必死の動きの表れだとさえいうものも表れた。結局Dが日本侵畧の初期であるという意見が相當多かつた。之に對して指導者は討議の進行について感覺的に我田引水の意見や極端に史實を誤るものを正していた丈でこの場合の意見の定立には指導的に立たなかつた。討議の結果一つの結論に到達してしまつたわけでもない多くがDの意見をもつて日本侵畧の開始だとしたあたり歷史家の意見でも區々であろう。又少數の生徒の中にはAを以て最後までゆづらない者もありBを以つて貫いた生徒もいた全部が歷史學から見て誤りであるにせよこの過程が尊いものに思える。

展開の途上に於ける評價については生徒の座席表を用いて質疑、討議等を記號をもつて記入する方法が都合よいであろう。

一〇二

記號は讀め、觀點を設けてその觀點ごとに段階別の記號を作つておく。これを用いて次々に起つて來る生徒の動きを觀點ごと段階別にとらえて記入すると極めて都合よくとらえて行かれる。勿論全体的な動きについては記入なしに直ちにつかんで指導を進めねばならない。

D、郷土史との關係について

社會科日本史の考え方は常に世界史的でなければならない。歴史の必然性をつかむ事を目標の一つに入れ態度としても之を作り上げる樣に努力している建前からいつても歴史の動きを世界史的にとらえねばならない。日本史を考えて行くにしてもどこかで世界史とふれて行く事によつて世界史的に日本史を規定する事になるのである。例へば奈良時代を扱う時に歐洲の中世界史と比較して見る、唐の隆盛をとらえて比較して見る。とヨーロッパでは中世の沈滯した時代にあたるのに比し日本は恩も角も唐の影響を受けて興隆しようとする動きが見られる。この時代に行はれたと推定される法隆寺建築にギリシャの影響がある等全くの斷絶はなくわづかのつながりがあり乍ら同時代に非常にちがつた状勢を示している。これを戰國で又江戸期で世界史的に比較して見ると又非常に面白い點がつかまれる。これが唯單なる比較でなく世界史を動かすものと日本史の動く姿とを比較し考える所まで行けるならば本格的であると思はれる。この考え方を郷土史を見る場合にも用いてこれによつて日本史の學習の中へ郷土史を持ち込みたい。即ち郷土の歴史は生徒の身近に感ずる點で有効な史料であり得る。しかし地域の歴史はやゝもすると地域的情勢の變化、事件の羅列に終つて批判的に考えられて行く面を見失い勝ちである。郷土史がこれであつてはならない。常に日本史の系列の中のどこにその位置を占めるかを考え日本史と連結させ時代の動きの極めて具体的な證左として歴史を見つめる生徒の爲に用いたい。

例へば長野市史より善光寺村の年貢の高をしらべ出しそれが如何に高い比率のものであるかを考えたり、松代藩の二斗八騒動の記錄をしらべたりして如何に農民生活が壓迫されたか、命をかけた百姓一揆を起さねば生活條件が何としても打開出來なかつた事を知つたり、上田藩の明治元年の騒動打ちこはしを調べたり古老に話をきいたりして農民層が封建政治の打倒にどれ丈期待していたか、それが新政府によつて滿足せられなかつた時の農民の失望はどの位であつたか等をとらえ封建社會の基本的矛盾を明確につかむのに役立たせるなどである。

四、具体案の一例

A、年次計畫

ここには年次計畫をかかける紙幅をもたないので省略する。當校にて公表してある年次計畫を參照願いたい。

B、指導案例（體甚を用いている）

「封建前期の社會」　　指導者氏名

一、目標

一〇三

停滯を破つて新しい社會を築かねばならない必然性によつて生れた新しく力强い封建社會を見通しその歴史的位置をたしかめる。

1、武家發生の必然性をとらえる。

2、武家の社會を理解する。

3、鎌倉幕府の制度組織を理解する。

4、貴族と武士の對立關係をとらえる。

5、室町と鎌倉の二つの時代の差異を理解する。

6、室町の出現理由を理解する

7、武家勢力の變貌を理解しその理由を考える。

8、民衆の成長を理解する。

9、鎌倉室町の文化の特質を知る。

10、鎌倉より室町に至る間の歴史關係より歴史必然の働く姿を考える。

11、莊園の變質崩壞の過程を理解しそれが封建社會そのもの變質と關係する所を考える。

12、史料より歴史の關係を追求する能力と態度を養う。

二、指導への準備

a、生徒の實態の調査――調査項目をあげるのみにとどめる。

歴史的關心

①封建性とか封建的とかいう事をきいた事がありますか。

②家庭生活や社會生活で封建的なものを見たり考えたりした事がありますか。

③②の場合封建的なものに對してどんな感じをもつていますか。

④武士やその時代、封建性について調べて見たいと思つた事がありますか。

⑤今迄よんだ文學作品などの中で出て來る封建社會のいろいろな事について興味をもつた事がありますか。

歴史知識

①封建制度という事を知つていますか次の答の正しいと思うものに○をつけて下さい。

1、――2、――3、――4、――5、――

②次の各項目について關係あるものを線で結んで下さい。

北條時宗	建武の爭亂	鎌倉初期
道元	元寇	同　中期
足利義滿	金閣寺	同　末期
足利義政	應仁の亂	室町初期
室町幕府	管領	同　中期
細川勝元	銀閣寺	
後醍醐天皇	禪宗	

③今までによんだ文學作品などの中から鎌倉室町の時代の中の事件と人について知つている丈かいて下さい。

歴史認識の能力

生徒の論理的思惟の發達段階を示すスタンダードが得られ

一〇四

ない故に個々の歴史的事實に當面した場合に於てそれを考える。教師の立場から構定は出來るが事前に能力としてまとめてとらえ得るは困難である

ロ、資料の研究

この單元で特になさねばならない資料の研究の重點は武家の成立、封建社會の推移、荘園の發現と崩解、農村の推移、貴族と武家、武家と武家の關係、文化と社會狀態、等であろう。紙數の關係上一二の項目について記して他は省略する。

①武家の成立

武家はその成立理由を種々の面からとらえ得る。

・地方貴族としての武家の成立、地方官の貴族化は古くからの傳統をもつている。公の立場では律令國家の地方官として成立するが私的には地方的に權力をもつものの繼續である。この繼續に地方官としての權力をつけ加えて地方の實權者となるのは容易であつた。しかも中央の官職が藤原氏に固定して行く時には地方權力もこれ等一連の權力に固定して土着した。この地方貴族が地方官として立つ制度の中に兵力がある。これによつて地方貴族の權力は武力をもつた權力と化して行つた。それがやがて下から生れて來る村落武家と合して武家勢力の發達となつて行く。

・村落武家の成長、律令國家はそれ自体官僚制であり私的勢力の介入をゆるさぬ筈のものであるが公民の性格は變質し土地は私有せられて行つた。これは荘園の發達に伴つて發展し荘園の變質につれて地緣的集團としての村落に發展して行く——この點については別項に於て說かれる——かくして封建村落が生成しそこに於て武家が成長する。私有勢力と律令体制の抗爭、公民の流民化又その反抗運動等の中に複合した形で村落武士が生ずる。又それ等の先頭に地方貴族が立つ事が多い。この場合は村落首長の武力とも結合し武家の棟梁化して行くかくして地方貴族は村落武家を結集して大勢力として育つて行く。

武家は單個人としては成立しない。土地と人とを含めた一個の首長として成立する。典型的な場合は一村落の一首長として武家となる。であるから村と共に生れ村と共に育つ。即ち地緣的關係に於て一定の土地と人とに權力的に關係する方向に於て成立する。その場合村は家の性格を帶びた族團的集團であり武家はその君主たる族長の性格をもつている。いわば武家は族長的權力をもつて族團社會を支配する君主となるのである。故に武家は人と土地とを合せた單位であるのである。この場合武家は單一ではなく集團を作つている。族長的武家が集つて集團を形成して行く過程を互に權力的に征服の道を取りつつ族團的主從の關係を取つたのである。この主從關係は絕對的主從關係であり家父長的君主への臣從という形をとるのである。

②封建社會の推移

鎌倉幕府が成立しそれを中心に全國の武家が集つてもなお

一〇五

一〇六

非地緣的なものであつた。この非地緣的集團たる事は單位武士がそれぞれ獨立して棟梁と住んでいるので、その下に戰爭があつても自辯で參加する。又平時の村落には幕府として何等の力を加えない完全に武家がもつているつまり政權からいえば分裂政權なのである。

こうして出來る封建社會は一應鎌倉封建制をもつて基本形が見られるが勿論靜止していない。鎌倉期初頭に於ける貴族も荘園も地頭武家も封建村落もそれぞれ前進して行くが動きは激しくはなく停滯的である。のみならず權力が出來上つた時に權力層は權力維持の爲に固定的方策を取る、もと發生の當時發展的方向へ向つて出來ている村落武家は發展を阻止する性格に轉ずる。そして動搖を生じ權力者又はその体系の全体に及んで變化して行く事になる。

鎌倉期に於ての問題は社會的變化でありそれは基本的な形に於てまづ重大であつた。そしてその族長的君主たる武家の變化に及んでいる。村が農耕そのものに於て次第に發達し抗爭と發達との交錯をしつつ發展する。水利問題、採草地、境爭い等がいつもその範圍を規制している。之に加えて交換經濟が出て來て農家は村落内の一單位のみでなく村落外とも關係をもち得るし又もたねばならなくなつて行く。それに家族も變わる事になり次第に小家族への分化がなされ古代家族は中世的な性格に變質して行く。之と共に地頭武家は貨幣經濟への參加により經濟的變動にわづらはされ村丈の收奪では不足して來る。そこで所領を質入れ賣却する傾向が多くなる。この結果次第に大武士として成長する守護勢力の下に統帥されて行く。かくして守護勢力の增大と共に鎌倉政權と守護勢力との間の調和は元冠を契機として次第にくづれて行き遂に鎌倉政權の崩壞を見る。これは表から見ると公家領に於ける武家勢力の擴大という現象を通じて、武家そのものの勢力はいよいよ擴大せられて行くが村落的な地頭割としての武家が弱体化している事を示すもので、武家そのものの伸權は新しい族團の成長へと向つているのである。このゆらぎと勢力の伸長との間にあつていよいよ窮地に追い込まれて行くのは原都貴族であり、この反撃が加はり新しい族團勢力としての守護勢力は大武士として新しい時代を要求している。それとこれとの複合によつて鎌倉政權は倒れ去るのである。この後は南北朝の爭亂の時代に入る。鎌倉棟梁が倒れて中央政權が出來ない一應公家と武家の連合政權が出來たが公家も土地民衆を所有し支配していて單に集つている丈であるから律令政權の再現でもなく、問題は少しも片づかないのである。ここに於て之は中央政權の名にも價しない、だから爭亂はつづく。眞に全体の棟梁たらんとするものはより大きな權力をかりようとして互に天皇を擁立する。そこで南北二朝に對立し自から二分された公家武家が爭う事になるのである。南方には公家と小武家群であつたし北方は大武家が集つて

足利が中心であつた。鎌倉的棟梁を失つた全國の武家はそれ〳〵大棟梁に成長せんとし又有利に大棟梁に屬しようとして戰亂が重なる。そして大武家的北軍が勝殘つた。大武家の勝利であつた。この結果公家の勢力は決定的に弱小化した。戰亂にまぎれてその領有地は武家に侵されたのである。この戰亂に勝殘つたのは大武家であり之が室町時代を作り更に進展して大名への發展を生じて行くのである。この發展の契機たらしめたものは經濟的發達と經濟的抑壓より逸れようとする土一揆である。一五〇年に亘る土一揆の敗れ去つたあとには完全に封建大名が勝殘つた。そしてその成長は前期封建社會をも否定し後期制へと推進せしめる原動力となるのである。――資料としての參考書を掲げる――

三、評價の計畫――目標に合せてそれを展開のどこで評價するかの計畫である。記載の形のみを示し内容を省畧する。

觀點	評價の方法
目標の項目に合せて觀點をかかげる	テストによる 討議中の態度等

四、展開

1、連絡　前單元「古代社會」次の單元「封建後期の社會」と連絡する。一船社會三年のⅡ「われ〳〵の政治はどの樣に行なわれているか」連絡をもつ、

2、時間配當

問題の把握　二時間
研究　一五時間
終結　四時間
計二一時間

3、指導上の注意

○生徒の研究調査に余り時間をかけないしかし授業外の時間で作業は充分させる。

○分擔研究の場合には可變グループを本体とし希望する問題に集中してグループを作る。

○生徒の發表はそれを史料としてそれから問題を抽出して討議研究することに充分時間をつかう樣に考える。

4、學習過程

a、問題の把握計畫樹立

何を問題としたらよいか、生徒自から問題を把握する樣に教師は指導計畫案にしたがつて學習環境を整備しておく。

次の樣な問題が取り上げられるであろう。

①現代日本に殘る封建性はどこに見られるか
②封建牲の歴史的由來はどうだろうか
　1封建社會の成立
　2前期封建社會の發展
　3前期封建社會の變質
③封建社會の文化はどうだろうか

b、調査研究

問題	學習活動
○現代日本に殘る封建性はどこに見られるか	・封建性といわれる内容はどんなものであろうか話しあう 主從關係とその類似世界 身分差の觀念、男女差別觀念等 ・社會のどの部面に見られるであろうか話しあう ・それが現代日本にどんな役割をしているか考える
○封建性の歴史的由來はどうだろうか 1、封建社會の成立	・武士の發生について調べる 土地關係から、中央勢力との關係から、古代家族の崩壞郷村制の發生 ・武家社會の構造について調べる 家人と棟梁、主從關係と奉公の觀念 族團的社會、莊園と武士 ・鎌倉幕府の成立と展開 源平爭亂のいきさつ、幕府の組織、守護と地頭 農民への二重支配、承久の亂の意味、源氏の滅亡と北條氏の實力政治、泰時時賴の政治 ・佛教の興隆と武家思想形成についてしらべる 新時代の思想的據點としての佛教 庶民と新佛教、武家思想と禪
2、前期封建社會の發展	省畧
3前期封建社會の變質	省畧
○封建社會の文化はどうだろうか	省畧

c、終結

○作つた圖表を教室に展覽する。
○目標が達せられたかどうか話しあう。
○封建前期の社會と日本という題で論文をかき發表する。

五、反省

○學習記録を整理する。
○次の社會への連絡を考えておく。

㊙本時の學習

1、主眼、莊園の崩解について理解し之を考へる道程より近世化の傾向をつかむ。

2、學習過程

過程	學習活動	指導	評價	備考
3、前期封建社會の變質	・莊園の崩解について分擔者の發表	各自の調査と對照分擔者の發表をきく樣に指導	きく態度 發表し方	15分
莊園の崩解	・質疑應答	困難な問題に出合つた場合補說によつて說明		5分
	・發表を資料として問題をとらえる	歴史を動かすものをつかむ樣に指導する 次の樣な問題を用意する 。莊園細分化の傾向 。名主勢力の増大と莊園の崩解との關係 。莊園の武家勢力内への移行 。莊園の崩解が土地制度の形としてどんな意味をもつ事になるか	問題をとゝのえて行く態度の論理的な傾向について	生徒より問題が出されない場合を考えておく 5分
	・共通の問題となつたものについて皆で話しあう	積極的に意見發表が出來るよう 自ら考えてみる態度を強調する	討議の内容について	20分
	・解決出來る問題の處置について考える	補說による解明、再調査の適用區別を立てて指導する		5分
	・本時の學習をまとめる			
	・次時への豫定			

3、反省

4、資料　教師に於て調査し意見を確立しておくべき項目問題について項目のみかかげる

。莊園と相續制度

。莊園の細分化、武士化の傾向について

下地中分、半濟、守護請等

。莊園内部の質的變化について

耕作農民の貢租負擔、地頭名主莊官の勢力變遷、守護との關連

算數・數學科

一、何故單元學習をするか

㈠新しい算數・數學科の立場

算數、數學科は從來の敎育に於ても重要な位置を占めて來たのであるが、算數、數學科が新しい敎育全般からみて、どんな位置にあるか考えて行く事が必要であると思う。

新しい敎育に於ては、生活指導ということに重點がおかれている。即ち生活指導とは子供たちの新しい生活を創造して行くことを指導するものである。更に言いかえれば、子供自らの判斷によつてものごとを理解し、批判し、創造していく生活を指導していくもので、敎師はこういう場合の良き相談相手となつて行く事になるのである。以上のような立場から算數・數學科の敎育上に於ける位置を見直す必要がある時、一体「數學によつて意見や行動の決定することを指導する」ことは、どういうことであるのか、例をあげて說明すると、氣なしにわれわれが日常使用している言葉の中に「あそこは遠い。」とか「高い。」とか、又「今日は暖い。」などという表現を平氣で用いている事があるが、その「遠い。」という事は何を基準にして言つているのか明瞭でない。一應、話し言葉として理解はしているがよく考えてみると甚だ曖昧な言葉である。又「澤山あるね。」といつた事を例にとつてみても同樣な事が言える。即ち、數量的な判斷に裏

付けされた表現でなければならないということであると思う。自分の家には、三本しかないのに、ここには二十本もあるので「澤山あるね。」と言つたのであろう。從つて數量が用いられるのは、主としてものごとの比較判斷をするときに使われるのである。旅行などする場合に、どれ位かゝるか判斷するにも、數量を用いる必要が起きる。われわれ、又子供の日常生活においても、社會生活においても、或は職業生活においても、數量的判斷の必要に迫られて來ることが多い。單なる思いつきではなく數量的な資料を基礎にして、初めて具体的な意見や行動の決定がなされるのである。以上をまとめれば、算數、數學科は子供自身の判斷によつて、自らの生活を創造して行き得る人間に育てあげることを目的としている立場である。

㈡從來の算數、數學科の反省

今までの算數や數學科の指導を考えてみると「とにかく、計算をやればよい。數學の時間には、計算方法をしつかり敎えこんでおいて、計算が確實に速く出來るようにすればよい。」と思つている。計算が確實でしかも速く出來ることの必要は昔も今も變りはないが、ただ計算ができるだけで、その計算がどういう生活に、どう使われて行くか、又使つて行つたらよいか見當のつかない子供が多くはなかつたかと思う。これでは數學が使えない道具になつてしまつて生きた働きのある道具にはなり得ない。即ちわれわれの生活の上に何ら役立つ所なく必要も感じられない。例へば、敎科書にあつたグラフを讀みとつて手帳に寫す

だけでは、どうしてグラフを使うのか、問題にならないし、又グラフを使えばどんなよさがあるのか、便利なのか解らない、甚だ無意味なものである。之を「グラフはどのような社會的使命を果しているのか。」といった、グラフそのものの社會における使命を考え理解することによって、使えぬ道具から、使える道具にすることができる。又時計の時刻のよみなど低學年の兒童に指導する場合を考えてみれば、只時計の模型など動かして九時とか十二時、三時、六時を話し、讀ませただけでは、いくら速く確實に讀めても何ら子供の生活は高まらないのではなかろうか。子供に記憶させ、計算して答を出させればそれで授業はおしまいになったのである。時刻を讀みとる必要というものを、社會的な面から考えると、人々の協力という事が一つ考えられる。集會の始りの時刻、家庭でいったら食事の時刻、就寝の時間的な良い習慣をつけるための必要等から時計の見方が指導されて初めて、生活の上に正しく位置づけられ、生きてくる事になるのである。

次に、學習の場に臨んでは、子供が學習の必要感を持ったり、興味深く授業を進められるような考慮は拂われなかったか、あくまで與えていく、謂所教育から子供の能力に應ずる事を考え、興味關心を研究し、自發性の上に立った自主的學習への反省がきびしく行われる。こうして、子供の生きた相や、諸調査によって指導が適當と思われる機會に子供自らの問題として、とりあげた問題と、その解決の道筋が單元學習の實相である。

では、こういった學習の指導に當って兒童や生徒自らが、學習する間にどんな點が重要であるかと云えば、第一に、生活の中から問題を把え、その解決の動機づけがなくてはならない。第二にその問題を解決することが切なる願であり、それも合理的に解決しようとする意慾をもっていなければならない。この問題解決が、數量的な判斷によってなされることが算數・數學科の使命となるのである。更に第三に、解決された結果を批判し、自分の向上を評價するという態度が常に考えられていなければならない。斯く算數・數學科の單元學習の必要が檢討されるのである。

二、單元學習はどのようにしてするか

ここでは、算數科の單元學習がどのようにして展開されるか、例をあげて說明する。これは三年生の單元で、丁度初秋の頃、子供の病氣に寝冷えというのがある。これを問題として展開されたのが、「寝冷えしらべ。」である。指導の計畫としては、「寝冷えをしないようにするには、どうすればよいか。」という事が問題解決で、算數的な技能としては温度を測ったり、棒グラフを書いたり讀んだりする事が考えられる。

1、問題把握の段階

最近の冷々とした朝晩の凉さの話合いや、この頃の傳染病などの新聞記事などが子供の關心となって話合いが進められる。病氣の事に關しては家庭でよく注意される事も話し合われ、自分の毎日の生活なども問題となってくる。母親からよく受ける

二二

注意の中で「寝冷え。」と、云った問題も思いだされたり、又實際夜に凉しくなって、腹の邊が「すうっ。」とした經驗なども思い起される。夜中にハッとして眼が醒めた事など話合っているうちに、寝冷の起きるのはどうしてだろう。調べてみたいといった欲求に迫られる。敎師は「これから寝冷え調べをしよう。」と子供に問題をはっきりつかませる事ができる。

2、計畫樹立の段階

ここでは、子供がその問題がどのような方法で解決して行くか研究の計畫を樹てるのである。「寝冷えを調べるにはどうしたらよいか。」が話合われ、体温を調べるとか、氣温をしらべる、病氣にはどんなものがあるか、とか寝冷えをしない工夫とか、種々話合われる中には問題にならない事など出て來るかもしれない。敎師の指導も入って、氣温と体温との關係に於て寝冷えは起るらしい、といった方向に目を向けさせ、①一日の溫度の變化はどうであろうか。②寝冷えをした時の氣温はどうだろうか。という問題を考えさせ、子供の研究希望に應じて研究を分擔したり、研究期間、發表の時期や、具体的な研究方法の細案を檢討するのである。時に解決さるべき問題の焦點を適確に把握する事が單元學習では肝心であるから、こゝをしっかり指導する必要がある。

3、實施・調査研究の段階

問題解決の資料の蒐集や、研究の整理を進めて行く段階で、寝冷えでいえば、氣温や体温の測定、研究中に氣付いた事、不

二三

明な問題など、一一丹念に記錄したりして、發表討議の段階に備える。

4、發表討議の段階

研究した結果を發表し、お互の意見の交換や報告がなされ、一應の問題解決が完成される段階で、体温や氣温の測定を數字では比較しにくいからグラフで表わしたりして、寝冷えが起きるのは、夕方から氣温が急激に冷えて行くからだといった所に氣付かせ、寝冷えの起きるわけを、調査した体温と氣温との相關々係から解決させる。

從って「今夜は冷えるぞ。」といった事に氣付けば、その時の衞生的な豫防として子供から、腹卷をする必要があるとか、寝卷きを着る、寝る時は暑くても我慢しなければいけないとかいう生活態度がきめられるのである。

5、完結の段階

ここでは未だ、グラフを書くとか讀むとかいう事の適確な意味が不明瞭である。子供は氣温をグラフにする事は困難で体温計の型が頭に浮んでいて、未だグラフとして把えられていない。朝・晝・夜・夜半の氣温の變化を示した寒暖計の目盛を左の一ヶ所に移し、下の線をそろえ「棒グラフ。」という名稱と、グラフは比べ易いから比べるとき使用するものであって、丁度寒暖計の目盛をとったようなものであると說明することによって、棒グラフの意味がわかり、又書き方も指導される。更に以上のような研究から生れ出た事項を自分自身で行動に移すばかり

でなく、學校の他の生徒にも又社會の人にも分かち合うという仕事の決定もこの段階でなされる。

6、發展の段階

研究發表會や學習によつて得た理解事項を身につけ實際生活への態度が生れて來るものだある。又猫や犬などの体温を調べるとか、腹巻きの工夫をするとか、多方面に亘る發展が自由研究として子供の個性を伸長する機會が多い、以上のように單元の展開をしてみると、多面的な能力を養う事が可能となり、教師は子供の問題を適確に把握する必要があると共に、子供自身も常に問題を持つている事が必要だある。計畫的かつ自覺的な學習が多方面に亘つて行われ、常に自分自身の問題解決の方向に進み、これによる生活態度の向上も目指す事が可能である。

三、單元はどのように構成し、展開さるべきものか

算數・數學科に於ける學習はどのような立場で如何に展開されるかは前述の通りであるが、そのような單元が教場におろされ實際展開されるまだには如何なる手續をとらなければならないかについて述べたいと思う。

文部省で定めた指導要領に則つて地方の指導計畫があり、各學校にはその學校としての源泉單元がある。個々の教場では、實地に用いられる作業單元が作られるというのが單元構成の大体の段階であると思う。從つて源泉單元は莫大な資料と、深い研究の累積された結果によつて作り出されて行くものである。又源泉單元を年指導計畫と考え、これに系統づけられて教師と兒童・生徒との協力によつて作業單元が作られる譯なのでこのでは、諸君が教生實習の期間中に研究し、子供と共に學習してゆく作業單元の計畫指導を中心にして述べることにする。

(一)源泉單元を構成、或は再檢討し學習指導をする場合の指導体系

算數科單元〔　　〕學習指導案

一、單元設定の理由

前單元の指導內容から關聯しこれから指導しようとする內容について檢討し、記述する。

1、數學的ねらい　即ち、指導計畫の豫定に照して何をするか明かにし、その指導內容を分析して指導段階を明確にする。

2、取上げられる生活主題　兒童の經驗興味關心などから子供の話題を考え算數的ねらい（數學目標）に照して取上げ得る話題を列擧する。この際の手がかりとして教科書、CSの生活經驗、生活の地域的特質などを參考にして書く。

3、社會的ねらい　基本法、學校教育法に照して生活主題を一つ一つ吟味して兒童にどのような望ましい態度が養われるか考え、取上げる生活主題を決定する。

4、課題の決定　望ましい態度を基にして取上げた生活主題（問題）を限定し、指導しようとする理解、能力の判斷が調和されるかどうか吟味し、適確な問題解決になり得るか檢討

する。

5、課題解決の意味　限定された問題の解決によつて如何なる價値效用がさるか、算數的働きによつて、どんな生活が實現され得るか述べる。

二、目標

①理解　②能力　③態度

觀點＼記述尺度	理解できない	まだ誤がある	殆ど誤りがない

設定の理由で明らかになつた課題から課題解決のための目標を理解、能力、態度に分析してあげる。特に能力は觀點を分析して能力差の考慮を具体的にしておく必要がある。即ち理解や實現化される態度は一貫したものであるが技能面においては兒童に色々の段階があるが故である。

三、學習の展開計畫

過程	學習問題	樣式	解決の方向	能力差	評價の觀點 理解	評價の觀點 能力	評價の觀點 態度	時間

單元の目標が決定されれば、この單元をどんな學習の場に展開するかどんな兒童の學習活動を豫想して展開するか、又その活動をどう計畫して評價するかを考える必要がある。この場合各兒童の能力に應じた指導がなされ、評價されうるような計畫がなされなくてはならぬ。この能力差は目標が同一でなければならない。從つて同一方向をもつものであるが、能力（理解技能）を分析し段階づけ具体的に案に計畫されなくてはならない。

四、評價の具体的方法

（理解）（能力）（態度）の面よりそれぞれ【テスト】問題に評價方法を記し機會を明確にする。

學習の展開計畫に擧げられた評價の觀點から評價の具体的な方法を考える必要がある。即ち學習とは兒童の行動の變化であり、望ましい行動の變化が學習であるから、その變化が見え得るように、教師はもとより兒童も自己評價できるように援助する必要がある。從つて學習途上の評價が完全でなければ、單元展開に支障を招き指導の徹底を欠くおそれがある。學習結果の評價も同樣である。

五、本時の學習

1、主眼
2、指導上の注意
3、準備
4、學習指導過程

學習問題	樣式	學習活動	指導 觀點	指導 能力差	評價	時間

小學校と中學校との指導案形式で多少の違いはあるが考え方は全く同一で次のように考えた。

㊤算數科指導案樣式（小學校）

一、目標

源泉單元に示された目標を示すのであつて、理解・能力・態度に分け社會的なものと數學習的な面とに亘つて擧げる譯だが直接そこに入る前に設定の理由で述べた、數學的ねらい、取り上げられる生活課題、社會的ねらい、課題の決定、課題解決の意味の五つを端的にまとめて數行の文章で書き下す。

理解	
能力	
態度	

二、展開

源泉單元に即して學習の基礎を基に豫想される學習を選擇し、次のような形式によつて學習の展開系列を示す。

過程	學習問題	學習活動	能力差	評價の觀點			時間
				理解	能力	態度	

イ、過程ーは、單元學習の一般過程に從つて、動機付け、問題把握、計畫樹立、實施調査研究、發表討議、完結、發展の七段階による。

一一五

ロ、學習問題ー子供が解決しようとするのはどんな問題であるか。

ハ、學習活動ー子供が問題に對して、如何なる解決をして行くか豫想される活動を書く。

ニ、能力差ー特に優れている子供や、遲退兒、性格的に特長のある者を學習活動に即して考えておく。

ホ、評價の觀點ー目標に照らして特に綿密に計畫する。

ヘ、時間ー處用時間

三、本時の學習

1、主眼ーその時間のどんな學習によつて、どういつた子供の問題を解決し、如何なる目標が達せられるか、本時の學習の骨子を述べる。

2、指導上の注意ー實際その日の學習の特殊な傾向から考えて格別注意すべき點や學習の力點を擧げる。

3 準備ー學習に必要な準備品を特に兒童と教師の二面から考えられなくてはならない。

4、學習指導過程ーここでは學習の過程を構成的に見易く表すため、項目を定めて一覽表の形式で示す。

學習問題	樣式	學習活動	指導		評價	時間
			觀點	能力差		

學習問題は一の展開系列の學習問題を更に分析し小節に分けて子供の問題を擧げ學習活動の項は豫想される學習樣式によつて活動の好ましいものを具体的に表わす。評價は學習中又は學習後の評價のねらいを細に示す。「指導」では特に觀點を明示し、ここでも個人差を考慮して記述していく。

5、本時の反省ー評價及び學習活動の表れ方によつて、本時の反省を記錄しこれを累積考察して單元全体の反省にしていく考えである。

四、資料

1、兒童の實態

2、素材の研究

計畫に對して、學級の子供はどうであるか、又指導者自身の研究や、謂わば受け入れ狀況を、確める研究であり、之によつて學級に即した學習の凡その構想が成立することになるので我々は勿論、特に教生諸君はこの點をしつかりやることがそのまゝ子供を見つめる大事な仕事にもなるし又將來の研究を進めていく方法や、我々個々の生き方の勉强にもなるのだと思う。即ち兒童の關心や生活經驗、取擧げられている素に對して實態はどんなであるか、數理的な能力を調べたり、能力を反面として考えられる生活實態などを研究する。更に素材の研究としては單元設定の際の參考資料などの再檢討、數理的目標の實踐的研究など、特に素材が子供にとつて生活的であり地域の社會的要求にもつらなるものである事を明

一一六

以上の計畫に從つて、學習に入る時、展開計畫の順に從つて小節ごとに教師と兒童の話合いで計畫を立て又學習途上に於ても修正して學習を進めていくことが多い。從つて每時每に計畫が必要であり、前時の反省などと合せて、主眼となるべき本時のねらい注意點準備がなされなくてはならない。特に能力差を考慮に入れた場合は、見やすい記述であることが望ましい。又本時の學習の反省から次時の計畫の準備がなされる必要がある。

5、本時の反省

六、資料

1、兒童の實態

2、素材の研究

兒童の實態（經驗、興味、能力）などの記錄結果、又兒童の諸調査など參考としてあげる。素材の文献的研究や實踐的研究などがこの項に含まれるものである。

以上、各項目に亘つて一通り說明したのであるが、構成の手順については、實習中又は終了後、特に研究されなければならない點である。

㈡源泉單元がある場合の指導体係

この形式は年度計畫として完全な源泉單元が定まつている場合指導者の責任において源泉單元を示す必要のない時の指導体系で、之から實際教生諸君が實習期間中これで研究をしていくのである。

らかにする事を、實踐的、文献的の二面から研究する。
以上述べて来たことが、特に教育實習生のために考えられた様式である。

(2)學習指導〇の具体例

イ、小學校

算數科單元「おみせごつこ」學習指導案

第一學年〇組　指導者〇〇〇〇　〇年〇月〇日

一、目標

二學期になつて十以下の數の構成について學習して来たが、本單元では、この十以下の數の合成分解が反射的にその場でできるように修練しようとするものである。當該學級兒童のこの期に於ける十以下の數の合成分解によつて切開かれる生活主題はいろいろあるが、本單元では綜合的修練をねらう立場と社會的からおみせごつこを取上げるのがよいと考える。即ち、この期はよく講などの大賣出しもあつて、おみせに對する興味には深いものがあるが、兒童の實態は實際の値段と金錢の使用が合致し難い。おつりが正しく出来ない、買う順番が混亂する等の問題をもつている。これをとり上げてお金の勘定を正しくまちがえぬようにいつも正しいことを好む態度を養成することが出来る。
以上のことから、一、正しい賣買をするにはどのようにしたらよいか。二、買う順番を正しくしよう等の問題解決を指導しようとするものであるこの學習によつて、お金の勘定がまちがつたら人に迷惑をかけること、人にお金を渡す時にはきちんと渡すべきこと、おつりはいつもまちがわぬよう調べてからやつたり、もらつたりすることを理解させると共にお金の扱い方に習熟させよい使い方ができるようにする。

(1)理解事項

①お店が私達の生活に役立つていること。

②お店の品物には値段があること。

③買物のおつかいをするには、お金の計算がよくできなくてはならないこと

(2)能力

①十圓以下の數を合成する能力

・一圓・二圓・と數えて見て扱う。

・六圓を五圓と一圓として扱う。

・六圓は一圓と五圓・二圓と四圓・三圓と三圓・四圓と二圓・五圓と一圓と合せたものとして扱う。

②十圓以下の數を分解する能力

・六圓は七圓より一圓少いと見る

・□圓たす二圓は六圓・□圓たす三圓は六圓・□圓たす四圓は六圓等と見る。

③一圓・二圓・三圓などと金高を書き表したり扱う能力

・「一圓」のことばを數字に表して扱う。

・書かれた一圓を「一圓」とみなして扱う。

・一圓を數字に書いたり、一圓を出して扱う。

二七

二八

(3)態度

①物の賣買に當つて、お金の勘定を常にまちがわないようにする態度。

②買物などの時に順番を守る態度

③他人との交際に當つて挨拶、ことば使いを正しくする態度

④玩具や學用品などの取扱いを大切にする。

二、學習の展開計畫——取扱時間（８時間）

過程	學習問題	學習活動	能力差	評價の觀點 理解	能力	態度	時間
動機づけ		○お店ごつこをやつている繪、買つてきたものでたのしそうに遊んでいる繪やお金、商品等を展示する。 ○これらについて自由に話し合わせる。					15分
問題把握		○上の話し合いから各自のやり度いことを發表させ、その主なものを板書しその方法を檢討し、おみせごつこをやるようにきめる。		○お店はお金と品物とを交換するところであることについて			
計畫	○おみせごつこをするにはどんな準備をしたらよいだろうか	○おみせごつこをするにはどんな準備をしたらよいか話し合う。 ○おみせの準備すべきもの ①どんなお店を何軒つくればよいか話し合う。 ②賣る品物はどんなものを用意したらよいか話し合う。 ③何をいくら位でうるか話し合う。 ④お店はどんなふうに飾りつければよいか話し合う。 ・お客さんの準備すべきもの ①お金はどれくらいつくればよいか話し合う。		○もののの値段はどの位か。 ○裝飾・整頓・並べ方について	○おみせごつこに必要なお店とその數のきめ方について ○商品の種類と個數のきめ方について。 ○お金の種類、大きさとその數		60分

樹立	○お店ごつこの準備をしよう。	②どれくらいのさいふをつくればよいか話し合う。 ○お店ごつこの準備をする。 •お店の準備 ①商品を集めたり作つたりする。 ②ねだん表をつくる。 ③おみせのかざりをつけをする。 ④商店を見學して來て具合のわるい所をなおす。 •お客さんの準備 ①お金をつくる。 ②さいふをつくる。 ③お金の勘定練習をする。	能力差ⒶⒷⒸタイプを考慮する	○お金とさいふの大きさとの關係について ○お店のものにはきまつたねだんがあること ○買物の※つかいをするにはお金の計算がよくできなくてはならないこと。	○必要なだけ準備できるか。 ○ねだん表のかき方。 ○裝飾、整頓、並べ方について ○お金のつくり方。 ○さいふのつくり方。 ○お金の勘定の仕方10以下の數の構成についてテスト(1)(2)(3)(4)(5)		150分 150分
實施・調査	○お店ごつこをたのしくやろう	○おみせごつこをたのしくやる仕方について話し合う。 ○おみせと買う人とに別れておみせごつこをする。 •買うものをお店へ見にいつて來て、傳票にかき、お金を先生からもらう。 •もらつたお金で買物をする。 •賣つた人は賣上傳票にかく。	この際能力差はＡＢＣタイプの兒童を考慮する		○10以下の數の構成について Ⓐ4圓と3圓で直観的に7圓とできるか Ⓑ4圓に3圓を數え足して7圓とできるか Ⓒ両方を數えて7圓とできるか ○金高を書きあらわし	○あいさつの仕方やことば使いが正しくできるか。 ○買つて來た品物を正しく處理できるか。	30分

二九

三〇

研究		○賣買を中止してお店ではお金の整理、殘品ししらべ、お家では買つたものや、つかつたお金をしらべたりする。			たり使う能力（目標の項の記述尺度による） ○賣上高は大体いくらか。 ○賣つた品物はどれくらいか。 ○買つた品物はどれくらいか。		
發表討議	○おみせごつこがたのしくできたか	○お家では何をどれくらい買つたか話し合う。 ○一番うれたお店一番うれた品物について話し合う。 ○お店ごつこがたのしくできたか話し合う。		○賣れかた多少の原因について理解度 ○計算がよくできたり、あいさつ、ことばづかいが正しくできるとたのしいこと。			15分
完結	○どうしたら一番たのしいおみせごつこができるか	○どうしたら一番たのしいおみせごつこができるか話し合う。		○ 〃			
發展	○お金の勘定がよくできるよう練習しよう。	○お金の勘定の仕方を練習する	能力差ⒶⒷⒸを考慮		○お金の勘定の仕方（10以下の數の合成分解）		50分

三、本時の學習――第七時限の取扱い――

①主　　　眼　•おみせごつこの遊びの生活指導を通して10以下の數の合成分解の修練をはかる。

②指導上の注意　•言われた品物の値段とお金の計算とが合つたら買うことに特に注意する。

•なるべく全体の子供が買いに行くように注意する。

③準　　　備　おみせごつこの紙芝居、作つた紙幣、傳票

④學習指導過程

學習問題	様式	學習活動	指導 觀點	指導 能力差	評價	時間
o歌唱 o基本的計算練習	全体(歌唱) (全体問答)	oままごと遊びの歌を歌う。 oお金の勘定の練習をする。	oお金の勘定の結果をポツケツトの花カードで示させる。		o10以下の數の構成ができるか。 o數の構成の結果を花カードで示せるか。 o花カードを又元の位置へかえせるか。(順序數)	10分
oおみせごつこはどのようにしたらよいか。	全体(問答)	oおみせごつこの仕方について話し合う。 oおみせごつこの紙芝居を見る。 oやおやさんごつこを想い起こさせ、もつとおもしろく上手にやるにはどうしたらよいか話し合う。	o傳票に書いてやることを指示する。		oおみせごつこの仕方がわかつたかどうか	
oおみせごつこをたのしくやろう。	全体(作業) (グループ中心)	oお家を中心におみせごつこをする。 o自分の買うものをお店へ見に行つて來て、傳票に書き、お金を先生にもらいにいく。 oもらつたお金で買物をする。 o賣つた人は賣上傳票にかく。 o買つて來た品物でなかよくあそぶ。きちんとせいとんしておく。 o賣上を中止してお店ではお金の整理、殘品しらべ、お家では買つたものや、つかつたお金をしらべたりする。	oお家を留守にしないで交替で買いにいくこと。 oお店で言われた値段と自分の計算したお金と合つたら買うようにする。 o賣上高買上高に深入りしないようにする	この際能力差はABCタイプの兒童を考慮する	o買う順番がうまくいつているかどうか。 o10以下の數の構成ができるか。(目標の項の記述尺度による) oお金を數える能力。 o金高を書き表したり扱う能力(目標の記述尺度) oお家で仲よくあそべるか。 o買つた品物を大切にできるか。 o賣上高は大体どれくらいかわるか。 o賣つた品物はどれくらいかわかるか o買つた品物はどれくらいかわかるか	20分
oおみせごつこがたのしくできたか。	全体(問答)	oお家では何をどれくらい買つたか發表する。 o一番うれたお店、一番うれた品物について話し合う。 oおみせごつこがたのしくできたか話し合う。			o賣れ方の多少の原因に對する理かい度。 o計算がよくできたり、あいさつやことばづかいが正しくできるとたのしいことがわかつたか	15分
oどうしたら一番たのしいおみせごつこができるか	全体(問答)	oどうしたら一番たのしいおみせごつこができるか話し合う。			o同上	
o評價	全体(作業)	o賣買の際の代金を計算する。(プリント)	o合成分解の仕方について整理する。		o10以下の數の合成分解がどの程度できるか。 テスト(6)	

⑤本時の反省

四、資料

①兒童の評價成績の記錄（省略）

②おみせごつこに對する興味關心能力の實態記錄（省略）

ロ、中學校

等數料單元「貿易の現狀」學習指導案

信大長野附屬中學校二年五組

指導者　○年○組　○○○○

〔一〕 この單元を設定した理由

數學的主題 {a, 誤差と近似値の概念と計算 / b, 三角形の相似の條件}

課題の發生

(イ)數學的ねらい

a 1 誤差と近似値の概念について

o誤差が直接具体に的問題とされる場は實際の測定において、その測定値の信頼度がまず問題となる場合に考えられる。

この學級の生徒はこれまでの經驗では「校舍の圖面」〔勉强室の備品等〕の單元て取扱つた測定値は各人により、あるいはその都度一致しなかつた。これに對する考え方は技術的、方法的、の未熟により生れた結果であるとし、ひたすらそのような欠陥を除くように努力し、またその結果から信頼感の高いものをとり上げて平均値を求めるような方法をとるとかまた近似値としては端数を四捨五入するという方法を用いて來た。

この考え方は「眞の値」が存在するはずであるという前提をもつて、できるだけそれに近い値を得るように努力したということとまたそうすべきであるということを理解した段階である。生徒はその頃から見て現在は相當に批判的にものを見たり論理的に考察を進めるように發達して來たと見られるので、次の段階として測定値についてその正しさ、くわしさを考え批判的に信頼度を問題とする段階に進めることが可能であると思われる。

○誤差及び近似値の概念を構成する順序は次のように進めるのが自然であると考えられる。

①測定値が各人により違つたり、またその都度一致しなかつたりする。この場合、測定値に對して眞の値が存在すると考えられる。

②測定値と、そのものの眞の値との差を誤差という用語を使つて考える。

③注意深く行われた測定値は眞の値により近い數値であると考えられ、この場合誤差はより小さいと考えられる。（近似値の概念の出發）

④測定値の誤差が小さい程、その信頼度が高いと考えられることから測定値の正しさを考えることができる。

⑤測定値の正しさは誤差大きさで決定される。從つて注意深く行われた測定値の誤差は、その時用いられた計器の最小目盛の１單位より小さいはずであることがわかり、さらにわれわれの努力によつてその $\frac{1}{2}$ よりも小さくすることができることもわかる。

⑥近似値は誤差の大きさが考えられている數値である。從つて近似値の正しさはその誤差の大きさで決定される。

近似値の誤差は、その數値の最後の桁の１單位より小であつて切捨て、切上げの處理がなされたものであること、さらにその單位の $\frac{1}{2}$ より小さくする處理方法が四捨五入法であることを理解する。

⑦測定値や近似値の正しさをそろえるということはそれらの誤差の最大限の單位をそろえることである。從つて信頼できる數値の最後の桁を一致させることになる。

⑧測定値や近似値を書き表わすとき信頼できる數値が上から幾桁目まであるかを示すことが測定値や近似値のくわしさを表わすことで、このときの各桁の數値を有効數字ということを理解する。

⑨近似値や測定値を $a\times10^n$ の形で表わせることを理解しaは結局有効數字を示すことになり、大きさの程度は10の指數nで示されることを理解する。

a2　近似値(測定値)の計算

一三三

一三四

①近似値(測定値)の加減計算をするとき正しさをそろえて行わなければ無意味になる理由を理解する。（前記⑦と關連する）

②二つの近似値の乘法において上から二桁目まで信頼できるとき、その積は大体上から二桁目まで信頼できる數であることを實際に計算を行つて歸納的に理解する。

③三桁、四桁等の場合についても上と同樣に理解する。

④除法の場合も乘法と大体同じように行うことができることを理解する。

⑤上記の②③④を綜合して近似値（測定値）の乘除計算をするとき加減と同樣にくわしさをそろえて行わなければ無意味になることを理解する。

⑥近似値の乘除計算において次のことを理解する。

・$(a\times10^n)\times(b\times10^m)$ として計算するとき abのくわしさをそろえれば $a\times b$ のくわしさも同じに得られ、それ以下の數値は信頼できないこと、またこの積の大きさの程度は 10^{m+n} で示されること。

・$(a\times10^n)\div(b\times10^m)$ として計算するとき abのくわしさをそろえれば $a\div b$ のくわしさも大体同じに得られ、それ以下の數は信頼できないこと、またこの商の大きさの程度は 10^{m-n} で示されること。

ab, 三角形の相似の條件

①この學級の生徒の既習の經驗としては「形は同じであるが長さの割合が違う圖形」という程度の理解內容で相似形を扱つて來ている。即ち簡單な地圖、平面圖等を實際に相似なものとして考えたり、もようの擴大、縮小，等を操作的な立場で扱つている。

②ここでは相似形の概念を明確な知識として持つべき段階に來ていると考えられる、そこでまず、相似形について、圖形として最も簡單なもの、またそれを基本的なものとして、複雜な圖形を分解的に扱う單位的な意味で三角形の相似の概念を條件という知識で明確にとらえる。

③「條件という考え方」を必要とする場においてこれを意識的に求めようとすることが必要である。

ここでの「條件」は正確には「必要にして十分な條件」の意味になるのであろうが、もつと具体的に「どんな場合でも相似形であることが、まちがいなく指適できたり、かいたりすることができるために原理的なものを求める。從つて映畫や幻燈における原畫と映像の關係とか寫眞機における實物と像の關係の如き具体的なものを足場として、三角形の相似の條件を一般的、論理的な理解事項としてまとめる、ことが自然である。

④三角形の相似の條件は三つの場合があることを理解す

るこれを理解する段階として觀察的にとらえたものを分折的考察へ進め、これを論理的知識内容とするこの順序は次のように考えられる。

1，同じ形に見える——角の大きさの等しく見えるのが同順に對應しているこれを實測によつて確め、三つの角のがそれぞれ等しい、さらに三角形の内角の和は二直角であること考えて、〔二角がそれぞれ等しい時は相似である〕とまとめる。

2，同じ形に見える——一つの角が等しく見え、それを挾む二邊の長短の割合が同じに見える。これを實測と計算で確め、〔一つの角とそれを挾む二邊の比が等しい時は相似である〕とまとめる。

3 1の場合と2の場合とを合せ考えると論理的に〔三つの連比が等しい時は相似である〕とでるが實測によつて確める。

⑤上の理解内容は三角形が相似であるときの性質の程度であるがこれよつて作圖して見る場合、初めに述べた〔條件〕としての知識内容になる。

⑥以上は理解が安定したものとなる過程で、最後は何れも測定によつて確められて落着く、このことは測定は數値によつて表わされることであるから、この學習の動機的な場に、數値に關することから追求されることがはいつても不自然ではないと考えられる。

C 以上二つの數學的内容を關連的に考察すると、生徒の思考の段階が具体的なものを、きつかけに論理的に知識内容とし考察を進めようとする時間になつている。從つて測定値や近似値及び誤差について直接問題とされる場は、測定から得た數値や計算の結果の數値を具体的なものに、表わす場合が想像できる。この場合としては〔建築物の展開圖、設計圖〕〔土地の測量〕〔地圖や圖面の擴大、縮小〕〔統計や調査した資料をグラフに表わす〕等において直線の長さと數値の關係が問題になることが考えられ、相似形の條件が必要となる場合は上の何れの場合にも適用される。このような考察によりa,bは關連のあるように組合せて學習することができる。

(ロ)採り上げられる生活主題

この學級では前單元「生産の方向」において生産や經濟について國家、社會的な立場から考察しようとする態度が、深まつており、新聞の記事に對する關心もこのような立場から考察しようとする態度が深まつており、新聞の記事に對する關心もこのような立場で、トピックとして常識的な豊かさを持つている。從つて前單元に續くものとして〔わが國の貿易の現狀〕を研究題目とし、この研究の過程に統計的考察を帶グラフによつて行う場を豫想するとき〔數學的ねらい〕の内容も生きた働きとなるであろう。

一二五

一二六

(ハ)社會的ねらい

この學級の生徒の環境では生産生活に直接している家庭は極めて少く他は俸給生活者商店經營者であるため全般として無自覺な消費生活に過してしまうおそれが考えられる、これを國家的な立場から自覺的に消費生活を規整しようとしたり、國の生産の發展向上に協力しようと心構えを持つにはわが國の事情からして貿易の現狀を理解することは必要な事である。このようにして生徒には〝勤勞と責任を重んずる〟平和社會の自主的な國民となることを期待する。

概　觀

現在の國民生活の水準、難易を左右する國家的、社會的に重要な問題と考えられものを擧げ喜んでその向上發展に期待のかけられるものを考えるとき、また前單元の發展としても「貿易の現狀」を研究問題として選定されるであろう。

「貿易の現狀」を研究しようとするとき、その内容として分折すれば次のような問題を明らかにすることが必要となる。

①輸出と輸入はどちらが多いか——不均衡はどのような影響を生じるか

輸出輸出の比較をわかり易くする。棒グラフに表わす。

入超か出超か計算(差)して＋－の符號のついた數で表わす。

入超額を輸出に對して百分率で表わす。

これらの結果を資料として不均衡について考察する。

②輸出や輸入はどんな品目が重要なものになつているか。

品目別に百分率を求め順位を表わしたり帶グラフに表わす。

品目別の百分率はくわしさをどこまで求めるが適當か

帶グラフに百分率を表わすとき正しさはどの位表わされるか

近以値、誤差の概念を用いて帶グラフをかく

計算によらないで百分率を直接、帶グラフに表わす方法を工夫する。

（三角形の相似を適用し、その條件を確める）

③輸出入と生産の關係はどのような狀態か——わが國の生産の性格はどうか

わが國の生産で原料を外國に依存しているものは何か、しないものは何か

依存率の意味を考え、それを次のような式に表わして種々の品目の場合に適用しそれによつて表われた結果を考察する。

（R…依存率、A…國内産原料B…輸入原料 $R=\frac{B}{A+B}$）

依存率を相似三角形の作圖により直線の長サに表わして能率的に處理する。以上の處理方法から得た結果を

資料に考察する。

④輸入市場、輸出市場はどんな關係になつているか

市場――地區別に輸出入額を表わす。

百分率で市場の大きさを考える、帶グラフに表わす。

品目による市場の大きさを見る、　〃　〃

表わされた帶グラフを關係的に考察し市場の開拓について討議する。

⑤貿易の現狀について①～④において得た結果を資料として貿易振興生産向上のため努力すべき方向を見いだす。

各自、それに協力できる點を考える。

以上の研究を基礎にして、さらに發展するときは上のような考えで列國の貿易の狀況を理解し、一層わが國の貿易の理解を豊かにすることができる。

課題解決の意味

概觀に示したように學習することによつて、a誤差と近似の概念及びその計算、C三角計の相似の條件はこみいつた資料も作業的、能率的にしかも正確をもつたものに處理できる方法の論據として役立ち、また、このように處理された正確性のある資料によつて貿易の意義を理解することは、信を世界に得て自活、(向上せねばならぬ國民的自覺のもとに「勤勞と責任を重んずる」自主的な平和國民の態度を養成するものである。

〔二〕 目標（評價の觀點）

(1) 理解

わが國の生活水準の向上をはかるには貿易「の現狀」を資料の適切な處理によつて理解することから出發しなければならない事を次の數學的理解の上に立つて判斷する。

①出超・入超は輸出輸入の差を表わすものであつて、＋、－の符號を用いて示すことが便利であること。

②a輸出入品の重要度を比較するとき百分率を用いることがわかりやすいこと、bそれを表わすときにくわしさ、正しさの考え方が必要であること。（近似値の導入）

③各種の輸出品、輸入品の重要度を相對して比較するような場合は帶グラフを用いることが便利であること。

④近似値・測定値の意味に關して眞の値、誤差、正しさ、くわしさ、有効數字の意味を理解する。

⑤測定値・近似値の加法、減法を行うときは正しさをそろえる理由を理解する。

⑥測定値・近似値の乘法、除法ではそれに用いた有効數等の數だけ（そろえて）結果にも有効數字が得られること。

⑦測定値・近似値のくわしを表わすには $a\times10n$ の形で表わせること、この時aは有効數字を10aは大きさの程度を示すこと。

一三七

一三八

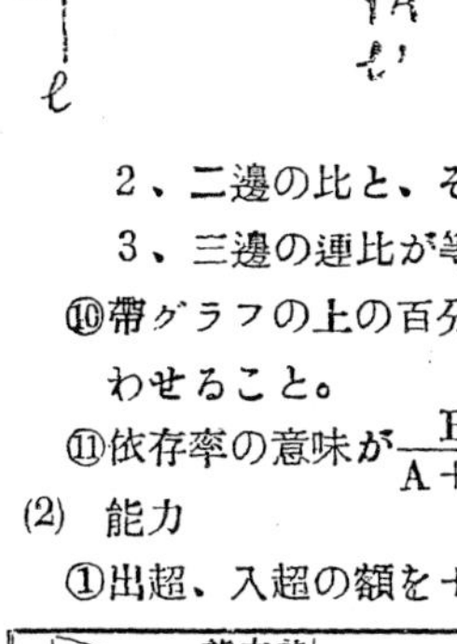

⑧左の圖において直線ℓ,ℓ'を平行に引きℓ上の點A, Bとℓ'上の點A', B', とをそれぞれ結ぶ直線を引くときその交點をPとすれば△PABと△PA'B'とは相似な三角形であること。

⑨二つの三角形が、相似であるためには次の三つの條件があること。

1、つの二角がそれぞれ相等しい

2、二邊の比と、そのはさむ角が相等しい

3、三邊の連比が等しい

⑩帶グラフの上の百分率の數は左の圖のかき方によつて表わせること。

⑪依存率の意味が $\frac{B}{A+B}$ の式で表はせること

(2) 能力

①出超、入超の額を＋－の符號を用いて表わせる能力

	能力差／觀点	A	B	C
1	輸出輸入の差を求める	理解している	説明を聞いて（1回）わかる	説明をくりかえして聞けばわかる
2	輸出、輸入の額の等しいときを0として出超へ＋入超へ－をつける	○説明が獨りでできる ○適用が常に正しい	説明をきいて（1回）わかる 稀にまちがえる	指示され適用できるて

②百分率のくわしさ正しさを考えて帶グラフをかく

	能力差／觀点	A	B	C
1	くわしさは通普小數第1位まで表わされているのを知つて	理解している	指摘されて思いつく	その都度注意されて理解する
2	正しさを1目盛りの單位に1%をあてて表わす	小數部の誤差を小さくしようと努力する	整數部だけは正しい	指示されればできる
3	近似値の加法と同じ意味で扱う	計算の結果と對照して誤差を訂正する	説明を聞いて誤差の訂正に努力する	指示されればできる

③近似値の加法減法を行う能力

能力差／觀點	A	B	C
正しさをそろえる	理解している、常に確實	時々誤りがある	指示されればできる

④近似値の乘法、除法を行う能力

	能力差／觀點	A	B	C
1	くわしさをそろえる、有効數字	理解している常に確實	時々誤りがある	指導者と共同できる
2	$(A\times10^{n})\times(B\times10^{m})$ として $(A\times B)\times10^{n+m}$ で行う	同　上	同　上	同　上
3	$(A\times10^{n})\div(B\times10^{m})$ として $(A\div B)\times10^{n-m}$ で行う	同　上	同　上	同　上

⑤近似値の除法、百分率などを求める計算に摘用する能力

能力差／觀點	A	B	C

1	百分率などを近似値として扱う	理解している	改めて説明を聞けばわかる	指導者と共同できる
2	結果となる百分率などの首位を知つて有効數字を定める	理解しているすぐ概算できる	指示されれば概算できる	同　上

⑥百分率を帶グラフへ直接表わす能力（理解⑧適用）

	觀點 ＼ 能力差	A	B	C
1	理解⑧の関で ○全体の數を三けたとつてＡＢの長さに表わす ○ 100の目盛りを表わす長さをB′A′にする	理解している長さ（測定値）が正確	時々不正確	指導者と共同でできる
2	C,P を通る直線を引いてC′を定める	理解している正確	同　上	同　上
3	A′C′等の長さを讀むとき誤差に注意する	1目盛りの$\frac{1}{2}$以内	整數部は確實	指導者と共同で、整數部は確實

(3)　態度

①外國と文化の交換貿易を盛んにして生活水準の向上を希望する態度

②資料にもとずいて判斷した意見をのべたり、他の意見を理解しようとする習慣

③無意味な計算をしないように合理的に處理しようとする習慣

④正確に圖をかいたりかいた圖の正しさに注意する習慣

⑤貿易の振興のために貢献できるような職業や研究に對する關心

〔三〕　學習の展開計畫……………………………………………16時間

過程	問題	解決の方向（學習活動）	能差力	指導の觀點	評價 理解	能力	態度	時間
問	○國民の生活水準の高低や難易に直接關係の深い問題について何が考えられるか	1、前單元から研究の必要があると思われる話題を擧げる（全） 2、最近の新聞記事やラジオの解説などでしばしば問題にとり上げられるものを擧げる 3、話題をまとめる（全） 「貿易の問題はわが國の復興に對し重要な問題である」 ○學習目標 {自分達の希望から……生活を豊かに / 社會的必要性から…生活文化の水準を高めるため	全 ↓				①	1½

一二九

一三〇

過程	問題	解決の方向（學習活動）	能差力	指導の觀點	理解	能力	態度	時間
題把握	○「貿易の現狀」を理解するにはどのような問題を分析できるか	○研究題目「貿易の現狀」の理解（全） 1、貿易を考えるときの要素となるものや對象となるものを擧げて整理する （グループの話合い→全体） 問題 ①輸出、輸入はどのくらい行われているか、どちらが多いか ②輸出や輸入はどんな品目が重要なものになつているか ③輸出入と生産の關係はとのような狀態かその特徴（生産の性格）はどうか ④輸入市場、輸出市場はどんな關係になつているか、今後どのように開拓する必要があるか ⑤貿易を振興させるにはどのような點に努力すればよいか						
計畫	○各問題について、どのように計畫をして進めたらよいか	1、各問題に對する必要資料の見當をたてる ○輸出入の（統計一覽表）（全） ○わが國の生産狀況についての統計 ○貿易白書（昭和24年8月16日付新聞） ○年鑑（時事、朝日　……） 2、各問題について作業計畫をたてる、（分）──（全） ○解決しようとする目的に對する數學的な方法「概觀參照」 ○問題の分擔（希望と教師の意見） ○時間の配分（中間報告まで、發表討議まで等） 以上をまとめて研究計畫表に作成		○戰後の資料を主にし、戰前は參考になるもの ○分擔 ①C、②A、③C ④B、⑤全 ○この後發表する申合せ事項記入できるようにさせる			②	1½
	①輸出輸入はどのくらい行われているか、どちらが多いか	1昨年の狀態（分） ○輸出、輸入の差を求める ○出超、入超のことばを用いる、十一の適用 ○入超は比較的多いか、少いか、百分率の〃〃 ○以上をまとめて説明するために	B C	○輸出を基準に考える意味	①	① ②	④ ③	5

調		棒グラフに表わし、それぞれの數値を記入する。正しさはどこまで表わされるか 2、終戰後について ○1と同様に 3、戰前と比較 4、以上を綜合して輸出輸入の均とうについて考察と意見をまとめる		○ねらいの A1の④〜⑦	④			
査研究	②輸出や輸入はどんなものが重要なものになつているか	昨年の狀態 1、輸入について ○額の多いもの順位を表わす ○各品目について百分率を算出する 百分率のくわしさはどこまで算出する ○各品目の百分率を帶グラフにかくどのように正しさが表わされるか ○近似値・測定値について、教科書・參考書をしらべる 2、輸出について ○額の多い順位を表わす ○百率を帶グラフに表わす 輸入のときの、グラフに表わすことのできる正さしを問題とし、直接グラフに百分率を表わす工夫をする ○幻燈の映寫等をヒントにして、實際の數と、百分率の數を相對する直線の上に書き關係る考察する （相似な三角形の性質の研究） ○百分率の數が直接帶グラフの直線の上に表わせるか確める 三角形の相似の條件により	A ↓	○ねらいA1の⑧ ○〃 A1の③〜 ○〃 A2の①〜⑦ ○幻燈の映寫等を示唆する	④ ④ ⑤ ⑧ (9) (10)	② ③ ⑨		
	③輸出入と生産の關係はどのような狀態か、その特徴はどうか	1、原料を外國に依存しているもの、いないもの ○輸入品の統計表から見つけだす ○輸出品の統計表から見つけだす	C ↓					

一三一

一三二

		○依存率の意味によつてその程度を表わす 百分率のくわしさはどこまで表わせるか 2、依存率を相似三角形の作圖により作業的に求める ○問題②の輸出についての學習活動の系列に準ず		○共同の中間發表を聞いてから	⑪ ⑧ ⑨ ⑩	② ⑥		
調査	④輸出、輸入市場はどんな關係になつているか	1、市場の意味、市場の大きさの意味 ○その表わし方に百分率を用いる ○各市場の大きさの百分率を帶グラフで表わす 帶グラフに表わされる正しさはどのくらいか 2、品目による市場の大きさを表わす ○帶グラフに表わす正しさの考え方から 割算を行うときのくわしさを考える ○百分率を直接帶グラフに表わす方法を工夫する 相似な三角形の作圖	B ↓	○ねらい A1の①〜⑦ ○ねらいの A2の④ ○幻燈の映寫等を示唆する	④ ⑧ ⑨ ⑩	② ④⑤1 ⑥		
研究	○研究の過程で、數學的に考えたり處理したりする方法でどんな事が問題になつたか （中間報告） またどんな工夫をしたか	○①〜④の分擔研究の½程度から3程度の進行過程で中斷して各分擔班の報告を聞き共同研究をする （次の問題にした點を研究計表に記入） ①1入超、出超と 一、十、 2棒グラフの正しさ ②1百分率の くわしさ 正しさ 2直接、帶グラフに百分率を表わす工夫 ③1依存率の意味とそれを表わす式 2百分率のくわしさの意 ④1百分率を帶グラフに表わす正しさ 2百分率のくわしさと割算 ○上の事項を整理して ○近似値測定値の考え方を研究する	全 ↓	A1①〜⑨	⑪ ② ④			3

		○②の2 を新しい考え方として 相似な三角形の性質(條件)を研究する→かいて見る		B①～⑤ A1②⑤⑥	⑩	⑥		
	○新しい數學的知識方法を、各自の研究に適用する	1、分擔研究の繼續 1、修正、充實 2、各問題の處理した資料の考察 3、發表、討議の準備 處理資料の整理、發表用圖表作製 考察事項の整理、	A, B, C				④ ②	この時間は分擔研究の中
發展 結 終	○①～④の問題はそれぞれ、どんな事が明かになつたか	1、發表會を行い質疑應答をする 問題分擔の班毎に發表說明	全				② 上中下	2
	⑥貿易の振興をさせるにはどのような點に努力すればよいか	2、資料から得た考察事項を關係的に考察する ○考察事項の發表 ○次の問題は何が考えられるか ○結論的なものへ建設的に考察し發表し合う					①	
		3、資料を內容に盛つて論文をかく――(報告)		發展として			⑤	
	○この研究に用いられた重要な數學的知識方法は何であつたか	4、數學的なものを擧げ、各自のそれに對する理解、熟練の程度を反省し練習する		練習				
		○テストしてみる		テスト				
		5、數學的なものについて、さらに充實するものについて研究する						3
		(A)近似値の計算					③	
		加法、減法	A, B, C	A2の①②③		③		
		○乘法、除法	A, B, C,	A2の○⑨ A2の④		④ ⑤		
		(B)相似な三角形					④	
		○一般に相似な三角形をかく場合 三種の條件の一つ、一つに適するように作圖する						

一三三

一三四

		6、どのくらい確實にできるようになつたか テストして練習するところを明らかにする						
		7、練習　繼續的計畫をたてる						

〔四〕 評價の計畫

四、單元學習の基本問題は何か

㈠數理概念の理解事項の究明

算數、數學科において、學習指導の計畫について考えてみると、計畫の樹立に到るまでには種々の手續きを必要とする。特に算數、數學科において考えねばならぬことは、兒童に「何を理解させるのか」ということである。即ちどの樣な數理概念をどんな順序に從つてどんな段階を經て指導するかについての研究が必要である。例へば小數で言えば、1、量の大きさを表す小數概念、2、割合を表わす小數概念3、數としての小數概念の三つに分析することが出來る。分析された概念の指導も亦いくつかの段階をとつて、學習が進められていくのである。右はほんの一例としての理解事項、指導段階を問題にして考えたものであるが、各學年ではこうした段階の一部分を能力に應じて理解させようとしたものが指導內容一覽表である。これが小數、分數、四則、整數・圖表・圖形に亘つて分析され指導段階が明かにされなければならない。課題解決の學習だと言われている單元學習では特に重要な事である。

㈡學習內容を決める手がかりを兒童の生活課題に求める。兒童は毎日問題解決、繰り返しの經過をとつているが、これをどうしたら學習課題にまで高め、學習事項を決定して來るかが研究の要點になつてくる。兒童の切實な課題は何であるかをはつきりさせることである。そのうち、取り上げられるものはどれ〳〵が考えて、學習內容として選擇して來るべきである。この基準は、社會の必要や子供の必要の面から、夫々の學校の年事計劃の上から決定されてくると考える。

㈢次に兒童の生活課題と、分析された概念の理解事項が調和しているかどうか吟味する方法に馴れることと、調和するような展開のしかたと言うのも研究していくことである。

以上は極めて、具体性をねらつて、抽象化された感が深いのであるが、要は學習指導の問題就中生活指導そのものを目的としている單元學習の究明さるべき點は數限りないのであるが、限られた實習期間中に問題のありかの一端でもつかみ得その困難さに痛感して愈々きびしい自己省察の眼が開かれるものであればこれに優るものはなかろう。

理　　科

一、新しい理科教育の特質

1、理科教育のあり方

○科學の進展と文化國家．最近數年間の世界における科學の進歩はかつての１８世紀の半ばから１９世紀にかけての科學の進歩を、遙かにしのぐ急激なものがある。終戰後の日本が敗戰の混迷と社會機構の大變革の中にすつかり衣食住の問題のみに近視化し、廣く世界文化に通ずる知識への欲求を忘れ果てているとき、世界の科學水準は過去の何れの時代にもその比を見ない進歩を遂げているのである。文化國家として立つわが國民に今最も要請されることは廣い視野に立つた世界文化への關心であり、文化の基底を流れる科學への欲求心である。

○人間形成の立場から要請される科學性．民主的文化國家を形成する國民は人間性豊かな個人（よい人柄の人間）でなくてはならない。さらにその個人が社會に對して能動的にはたらきかけ、その社會に良き影響を與えその福祉を増進することを期待している。このような生活力ある社會人はその基底に明析なる科學性を持つていなければならない。この意味に於て初等理科教育が將來の科學者を養成するという目的以上に完全なる社會人の育成の上から缺くことの出來ないものである。

○經驗主義の立場に立つ理科敎育．兒童生徒がその人間性に浸潤した科學性を持ち、生活が絶えずこの科學性によつて裏ずけられるまでに能力化し態度化されるようにする理科教育は唯單なる科學知識の習得のみによつては決して果されないのである。兒童生徒がその生活環境の中から必要と興味によつて摑み出す自然現象に對する課題を、最もその子供に適した方法によつて研究させ經驗させることによつて初めて達せられるものである。子供達が自らの學習の旅の中に於て經驗したことこそ、その身につく科學性を培うものである。言いかえれば新しい理科教育は、「自然を對象として兒童生徒が有意義なる經驗をし、その經驗を兒童自らの知的構造の中に再構成していく、」ことであると言える。學習指導要領２頁の「科學とは何ぞや、」の項において、「自然、環境に起る現象を研究して、これまで自分の持つていた知識とうまく調和がとれるように說明が出來ると、その時出來た調和のとれた知識の体系が科學である、」と述べているが、これは今後の理科敎育の根本的立場を示すものである。この重要なる言葉の中に新しい理科教育の目標と方法と內容とが一体となつた形で綜合されていると考えてさしつかえないであろう。

2、理科教育の目標

新しい理科教育は兒童が自然を對象として有意義なる經驗をし、その經驗を兒童自らが自己構造の中に再構成することであると述べたが、さて兒童のこれらの經驗が有意義であるかないかはどこで判斷するか、いわば有意義を規定する物指はどこか

ら出るかということになる。それは大きく考えると教育の畫く理想的な人間像から來るものであり．又教育目的から規定される理念でもある。教育目的を概略的にいえば、それはよりよき社會人を作ることにあるということが出來るであろう。このよりよき社會人は人間相互が依存して行く場合の社會能力の保持者であるばかりでなく、自然に順應しこれを活用し、又生活を科學的に處理し得る科學的能力の保持者でなくてはならない。この科學的能力が經驗の再構成の中に自らきたえられていくかどうかによつて有意義であるか否かが規定されるのである。この科學的能力については、學校教育法、指導要領一般篇、及理科篇に於て次のように示されている。

①學校教育法…小中學校の目的である「心身の發達に應じた初等中學教育」の一要素として「日常生活に於ける自然現象を科學的に觀察し處理する能力を養い」（小學校理科敎育の目的）その敎育の基礎の上に「國家及社會の形成者として必要な資質を養う」（中學校理科教育の目的）

②指導要領一般篇に於て敎育の一般目標として…A．個人生活——自然と社會とについての見方 考え方を科學的、合理的にし、いつもこれらについて研究的に學んでいこうとする態度をもち、また、これによつて科學的知識を豊かにしていくようになること。B．家庭生活——家庭生活の營みを科學的合理的に考えこれを能率的にする知識と技能とを身につけ、これによつてその生活を向上させることができるようになること。C．社會生活——廣く世界の文化（他の文化と共に）についてその特性を理解し、世界と共に平和をきずき國際的に協調していく精神を身につけること。D．經濟生活及び職業生活——新しい日本の產業の發達につくすことが出來るような科學力と、これを發展させないではおかない熱意とを持つようになること。

さらに教育の場におろして見ると、

③指導要領理科篇では兒童の環境にある問題につき次の三點を身につけることを目標としている。

A科學の原理と應用に關する知識（科學的知識）——學習の目標（理解の目標）

B物事を科學的に見たり、考えたり、取扱つたりする能力（科學的觀察、考察、處理）

C眞理を見出し進んで新しいものを作り出す態度（科學的態度）

（B・C）指導の目標、

3、理科教育の方法

敎育はこれを受ける子供のために行われているはずでありながら、やゝもすると今まで大人の指導者自身の立場で與えられていたのではなかろうか。理科教育に於て、物理學、化學、生物學、天文學等を、唯、子供に理解出來る程度に平易化して授けるようなことでは、子供は何々の法則、何々の原理は暗記することは出來ても、これらの知識は生活とは全く無關係のため、日常生活にそれらの知識が滲み出ることなく、物事の眞理を見出し、生活を改善していこうとする態度は身につかな

かつたのである。このような記憶的、畫一的學習方法に於ては大多數の子供に理科學習に對する興味を失わせ勝ちであつた。子供達の持つ疑問の對象を調べて見るとその大部分が理科に關するものであるということから、（長野附屬小學校「兒童の疑問と理科敎育」）考えて見るとすべての人に科學的な探求心の芽生えを見出すことが出來る。全人的立場に立つて要請される科學性の芽生えといえるのである。子供達のこれらの興味を如何にその學習に於て育て導くかは、理科敎育の方法に課せられた大きな問題である。從來の理科敎育の反省を項目的に拾つて見ると次のようである。

①敎材カリキユラムによる學習から經驗カリキユラムによる學習へ、
②知識の記憶的學習から生活改善能力構成の學習へ、
③生活と切りはなされた理法から、生活ににじみ出る理法へ、
④無味乾燥の學習から興味關心の意欲學習へ、
⑤劃一的學習から兒童能力卽應の學習へ、

前述のように敎育は子供の立場から出發しなくてはならない。兒童・生徒が彼等の生活環境の中から興味と硏究の必要さとをもつてとり上げる課題から何を學習すべきかを決定しなくてはならない。理科敎育の方法としてとろうとする單元學習の立場もそこにあるのである。從つて單元學習はまず兒童生徒の生活環境の中から彼等の生活を向上させるために必要な學習問題を選び出すことに初まる。いいかえると、理科敎育の第一歩は理科的環境の整備であるといえる。この課題解決のため彼等自身の努力によつて學習させ、解決させるよう指導するのであるが、この場合に子供の心身の發達、能力、關心の程度及び學習目標等の面から敎師の側で注意深く計畫をめぐらし、子供の學習に無理がなく、學習內容も片寄らないで自然環境のあらゆる分野にわたるよう指導する必要がある。

二、理科學習指導の計畫

1、學習指導要領について、

學習指導要領は敎師が各學校に卽してコースを立てる場合に立案しやすいような注意書きの書物であると考えてよい。各學校では學習指導要領を骨組として敎育計畫をたてるのである。さてこれはどんな內容をもつかというと第一に目標が示されてある。第二に理科學習能力發達段階表が示されている。これは理科の指導目標を一歩分析的、具体的に示したものである。勿論早急に作つたものと思われ、完全のものとは思わないが、實際にのぞんでは、この能力や態度の發達程度をよくのみこんで、コースをたてなくてはならない。第三には兒童生徒の經驗範圍が示されている。これは子供の經驗をひろいあげて組織化し、系統化する場合都合がよいように、各學年の經驗領域とその及ぶべき能力の程度が具体的な言葉で示されている。この一語一句をよく吟味して各學校に卽した單元をえらべば、各學校のコースは異つてもその水準は大体同じになるわけである。第

四として理科の指導方法が示されている。ここでは經驗構成のみちゆきとしての基本的な要素と指導のコツがのべられ、新しい敎育の行き方が端的に示されている。最後には、各學年の實際指導について、更に、われわれが單元構成するに都合のよいように、その學年の目標、兒童生徒の學習活動や作業單元のひろい方、作業單元の展開の方法、テストの方法等がのべられている。

2、單元構成の手順

理科單元構成の手順を示せば次のようである。

○ 理科敎育に對する社會的要求
- 敎育基本法、學校敎育法、指導要領（指導及理解の目標）
- 地域社會の要求
- 敎師の敎育的識見からの洞察

○ 科學的環境の實態
- 自然環境の調査（主として生物、空と土、の分野）
- 科學的施設、資料の調査（主として機械と道具、保健衛生の分野）

○ 兒童の生活實態
- 自然を對象とする遊びの傾向
- 自然を對象とする興味、關心（疑問）の傾向

○ 兒童の理科能力の實態
- 心意及能力の發達調査
- 學習指導の實踐記錄

理科敎育の排列基準
理科敎育の範圍 →（學年の學習目標 / 學年の學習內容）→ 單元題目
（學習材の硏究）
理科的要求

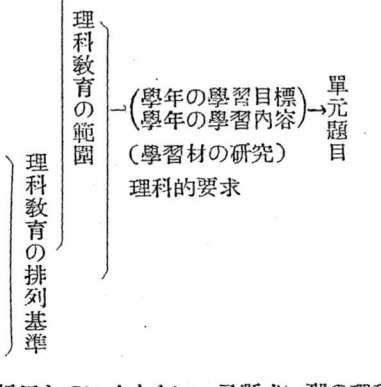

單元をきめるには以上のようにして、兒童生徒の實態等から白紙の狀態で、敎師一人一人が考えていくのが理想的であるが、單元の中には全國的に共通性を持つもの、或はかなり廣い範圍の地域に適したものも少くない。たとへば學習指導要領や敎科書等からよい單元例を選び、これに兒童の實態等による修正を加え採用していくもよい。又縣或い郡の理科硏究會などで考案した單元があれば、さらにそれはその學校に身近に適した單元と見ることが出來る。こうしたいろいろの案の中から敎師がもつとも適切と考えるもの、自分が指導するにもつとも扱いよいと考えられる案を採用すればよいであろう。そしてその上

にその學校の特殊な問題をとり出し追加すれば更に完全なものになるであろう。なお單元の修正に最も參考となるのは何年間かの指導記錄であり、學習記錄である。こうしたものを手がかりとして單元計畫を修正していくことが必要である。

3、單元具体例

小學校三年單元12「冬のしたく」

單元	設定の理由
十二 冬のしたく 11月下旬——12月中旬 13時間	○季節によつて變化する自然環境に關心を持ち、これらの自然現象を理解しようとする態度理解出來る能力や、また日常生活を改善し科學化しようとする態度能力は必要のものである。 ○寒さがはげしく相當長期にわたる本集特有の冬の氣象現象やこれに順應した生活様式に對する科學的の考察は必要である。 ○この期の兒童は自然環境の變化に相當關心を持つており、家庭の冬じたくの用意などの手傳いを通してこの季節に關する兒童の疑問も多くなつて來ている。 ○三年のこの期の兒童は自己中心的未分化的な心意傾向をやゝ離れてやゝ關連的な考察が出來るようになつて來ている。 ○この單元は「きせつだより」の發展として冬の生物の様子を観察し、冬の氣候やこれに對する生物、のうつり變りや人の生活の向方を理解させ、季節の變化と生物との關係に關心やもつ態度能力を身につけさせようとするのである。

目標	學習事項	學習活動	他教科との連絡	資料及準備
一理、理解		○この頃の家の仕事やお手つだいについての繪や作文と話合。 ○この頃の寒さや生物の様子についての話合い。 ○この頃の病氣についての話合い。 ○學習したい問題の話合と決定。	〔社〕「冬じたく」とかみ合せて學習を進めていく 〔理〕「きせつだより」	○生物の冬ごしの繪、寫眞 ・冬の生活風景、の繪や寫眞 ・昨年の病欠數を表わしたグラフ(冬)
1、氣候は季節によつてだんだん變り秋から冬にかけて寒氣が強くなる。 2、太陽は私たちに熱と光を與えてくれ、それによつて生物の生活のようすがちがう。 3、冬は夜が長くて晝が短く日のあたつている時間が短い。	1、この頃の氣候 ・氣温の變り方 ・日なたと日かげ	1、この頃の氣候について調べる。 (1) 夏からの氣象(氣温、霜、結氷、雪)等の移り變りの考察(きせつだよりから) 夏と冬の氣候のちがい。 (2) 日なたと日かげの様子の比較。 氣温、寒さ、(体温と關係ずける) 日なたの虫 日かげの霜柱、雪、日光や風と暖さ。	〔社〕「夏のくらし」でつゆの頃の氣候を觀察している 〔理〕「春のたねまき」	□長野市のつけなの時期 「きせつだより」の記錄 △長野測候所
4、着物やその他身につけるものは季節によつてちがい保温や通風や体の保護をよく考えて作つてある。	・晝と夜	(3) 晝と夜の長さのちがいや氣温のちがいの考察。	〔社〕「動物と植物の生活」で日光と植物の關係を考察している。	
5、人は野菜や果物を冬から春にかけて使うために特別工夫している。 6、冬の寒さを防ぐため人はいろいろ工夫している。 7、昆虫は主に卵やさなぎで冬を越し、また冬眠するものもある。へび、かえる、こうもり、かたつむりなども冬眠する。	2、私たちの冬のしたく。 ・着る物 ・やさいやくだもの ・寒さの防ぎ方	2、私たち冬のしたくについて調べる。 (1) 冬着る物の考察 一年中の着る物の厚さ、形とその理由。 布をあつめ、使う季節とその特長を考察する。 (2) 冬にとつておくやさいやくだものの種類とそのかこい方の調べ。(寒さを防ぐ工夫について考察) (3) 寒さの防ぎ方、暖のとり方の調べ。 火氣用具と使用場所 日光・風と防寒	〔算〕「ねびえ」で夏の一日の氣温の變化と体温について考察 〔社〕夏のくらしで着物について調べてある	○夏の一日の氣温 ○温度計(各自) ○夏の着物の調べの記錄
8、鳥やけものの中には冬羽や毛の生え方や色が變つたり、住む場所を變えるものがある。 9、木には秋の終りかたから葉の色が變り落ちるものと冬でも葉が落ちないものがある。 10、植物は種子や根や冬芽で冬を越し多くの植物の生長は冬の間とまる。	3、生き物の冬のしたく ・生き物の變り方 ・動物の冬ごし ・植物の冬ごし	3、生き物の冬のしたくのようすを調べる。 (1) 秋から冬にかけて虫など動物の變り方。 (2) 秋から冬にかけて草木の變り方。 (3) 虫やかえるなどの冬ごもりのようすの觀察。 (4) 冬見られる鳥や見られなくなつた鳥の調べ。 (5) いろいろの動物の冬ごしの仕方を調べる。 (6) いろいろの木の冬ごしのようすを觀察。 常綠樹と落葉樹の種類と様子 幹、枝の色の變化、木の芽等の防寒の様子 (7) 草や作物の冬ごしの様子。 草や作物の生長の様子、寒氣のさけ方 草の冬ごしの仕方	〔社〕「いなかの生活で秋のとり入れからたべものにふれている 〔理〕「きせつだより」の發展的取扱い 〔理〕「もみじがり」で秋の生物を觀察している	○觀察用具 □圖鑑類
11、清潔にしたり少しの注意でかぜや、ひび、あかぎれ、しもやけなどを防げる。	4、冬のえいせい ・病氣やけが	4、冬の病氣や氣をつける點について調べる。 (1) この頃かかりやすい病氣の調べ。 學年または學級のこの頃の病欠數	〔社〕「いなかの生活」で秋の作物を觀察している	△保健所、病院、學校衛生室

12、冬は体のはたらきが鈍るから、けがをしたり、病氣になりやすい。適當に運動して体をつくることがよい。	・たのし遊いびと運動	これからかかりやすい病氣の種類とようす、注意點、これからしやすいけがの調べ (2) 冬のたのしい運動や遊びについて調べる。 學校の遊びや運動でよいものの調べ 家の遊うや運動でよいものの調べ	〔社〕「夏のくらし」で夏のえいせいを取扱つてある。	〔註〕 ○準備品 □資料 △施設

	豫備調査	評價
二、技能 1、生物、氣象などの自然環境の變化を繼續的に觀察する。 2、生物の冬ごしの様子、私たちの冬のしたくを自然環境と關連的に觀察する。 3、生物の種類を分類したり着物食物の種類などを分類する。 4、觀察したり調べたことを寫生したり、簡素化したり、觀察文に記錄する。 5、温度計など計器の使い方になれる。 三、態度 1、氣候や生物のうつり變りに興味を持ち觀察する。 2、私たちの生活の仕方を調べ改善していこうとする。 3、常に健康に關心をもちよい習慣を身につける。 4、友人と協力して物事を根氣よく研究する。 5、常に疑問をもち不明の點を先生や友人にきく。	○この頃の家の手傳いについての調査 ○この頃の氣候と生物についての關心の程度 ○冬の生物の生活についての理解の程度 ○冬の人の生活について考察の程度 ○冬の病氣けがの經驗調査 ○冬の衛生についての理解の程度	○氣候變化の原因の理解の程度 ○觀察、考察、記錄や觀察器具扱の程度 ○衣服の特長使用時期についての考察程度 ○冬越に對する工夫處置がどの程度わかつたか ○生物の季節的變化をどのように考察するか ○生物の冬ごしの仕方をどの程度理解したか ○冬の病氣けがに對する理解の程度

中學校一年單元○「火をよく燃やすにはどうしたらよいか」

一、設定の理由

火は我々の生活にとつてなくてはならないものである。食物の調理に暖房に、又工場に交通機關に、何一つとして直接間接に火と關係しないものはないといつてよい。今日電氣の利用が盛んになつては來たが、しかし火の使用をなくすることはできない、實に人類の文化は火の利用の進歩と共に高まつたといつてもよいであろう。

このように火の使用が大であれば、燃料の消費は莫大なものとなる。これは家庭にとつては經濟的に大きな負擔であり、國全体から見ても輕視出來ぬ問題であろう。從つて燃料を有効に使うか否かは、生活の合理化から見ても大切な問題である。又年々、莫大な損失を招くものに火災がある。これにはいろいろの對策があるであろうが、中でも大切なのは火の適切な使用と處理とであろう。子供の時から、これが身についていたら、失火による火災も大いに防ぐことができるであろう。

子供達の日常生活から見れば、かまどの火がよくもえないで、家の人が困つているのを見受け、その對策に心を向けたこともあるであろうし、燃料の節約についても工夫したであろう。或は又、あかあかと燃える焰に、不思議とおどろきをおぼえたことであろう。調査によつても、火について、このような關心が強いことを示しているし、この期の發達段階から見ても、これを科學的にきわめようとする段階である。

以上の立場から、火について學習することは、この期の生徒にとつて、全く適切なものであり、これによつて家庭生活の合理化へ一歩を進めることであり、C・Sの一般目標二の3に向つても有効に進められるもである。

二、概觀

寒くなつてくると、火がこいしくなる。敎室にはストーブが入り、家ではこたつや火鉢で暖をとるようになる。この場合、誰しものすることは、よく燃やそう、火を消さないようにしようということである。又毎日臺所では炊事のためにかまどやこんろが使われる。が、よく燃えないで煙ばかしでることがある。この時にはどのようにしたらよくもえるかと工夫したことであろう。

○、よく燃やすにはどうしたらよいか

物がもえるという現象は不思議なものである。あかあかと焰をたてゝ燃え、後に僅かの灰が殘るだけである。この現象から

○、物が燃えるとはどういうことか。

よく燃えるにはよい燃料でなければいけないし、有効に使わなければならない。

○、燃料はどのように加工したらよいだろうか。

今日火を作るにはマッチを用いる。マッチはどうして火を發するか、マッチの外に發火方法はないか、昔はどのようにしていたかも思うであろうし、これから火薬や爆發のことにも注意を引くであろう。

○、發火させるにはどうしたらよいか、

火を使うと火災の心配も出てくる。これには火の後始末をよくするとか、火事になつても早く消すようにしなくてはならない。

○、火を消すにはどうしたらよいか。

以上によつて、火に對する基礎的な科學が學習され、日常生活に役立つことができるであろう。この學習で、物をもやすことから、どのようにしてうまく熱をとり入れるかが問題になるであろうか、これは次單元「熱をどのように利用しているか」に發展するものであり、又一年數學「生活の計畫」三年理科「地下資源をどのように利用しているか」にも關連をもつものである、

三、目標

①理解

1、火のもえるに必要なものは、燃料と空氣と發火點以上の溫度とである。

2、煙突は空氣の對流をさかんにし、燃燒ガスを外にはき出させるものである。

3、物が燃えるのはその物が酸素と化合することで、出來たものは酸化物である。

4、一酸化炭素は炭が强く熱せられ酸素の不充分なとき、發生し、有毒な氣体で青いほのおをたてゝもえる。

5、水素は亜鉛に稀硫酸を注ぐと發生し、空氣より輕く、燃えて水となり、酸素がまじると爆發する。

6、酸素は鹽素酸カリウムを熱すると發生し、酸素の中では物質をよく燃やす。

7、物質は混合物と化合物と元素にわけられる。

8、空氣は主に酸素と空氣の混合物で、その割合は一對四である。

9、焰は氣体が燃える時に生ずる。

10、金物のさびは酸化で、ゆるい燃燒である。

11、木炭は木材をむしやきにして、作つたものである

12、コークスや石炭ガスは石炭をむしやきにして作つたものである。

13、發火點は物質によつてちがう。

14、發火はまさつ熱から、發火點の低い物質にもえつかせてする。

15、火藥は自ら酸素を出して燃える。

16、消火は燃えるに必要な條件を取り除くことによつて出來る。

②技能

17、こんろやかまどの火をよく燃えるように工夫する。

18、水素や酸素を水中で捕集し、その性質をしらべる實際の操作ができる。

19、空氣の組成をしらべる實驗の操作ができる。

20、木材や石炭をむしやきにする實驗の操作ができる。

21、消火のしかたをいろいろに工夫する。

③態度

22、こんろやかまどを改良して、生活をよくしようとする。

23、實驗には細心の注意をもつてし、事象をよく觀察して記錄する。

24、實驗には危險のないように、裝置をよくしらべる。

25、炭火をおこす時、換氣に注意する。

四、豫想される學習活動

1、火と我々の生活上の關係についてしらべる。

2、火が燃えるには何が必要か、ろうそくの焰に集氣瓶をかぶして、實驗する。

3、燃燒に酸素が必要だと知つたのは、いつ頃で誰によつて發見されたか。

4、よくもやすには燃料のかちをどうすればよいかしらべる。

5、火がよく燃えないで、煙の出るのはどういう場合かしらべる。

6、こんろかまど、ストーブについて形をしらべ、もえ方はどうかしらべる。

7、煙突はどんなはたらきをするかしらべる。

8、ガスバーナーの構造や使い方についてしらべる。

9、ガス吹管を作つてガラス細工をする。

10、酸素アセチレン焰や酸水素焰はどんなものかしらべる。

11、酸素アセチレン焰で鐵板を切つたり、つないでいるところを見學する。

12、マグネシウムをもやして變化を見、もえる前ともえた後との重さを比較する。

13、木炭はもえると何になるかしらべる。

………省略………………………………

41、消火法や消火劑にはどんなものがあるかしらべる。

42、都市や山林ではどのように防火を考えているかしらべる。

五、評價の計畫

	觀點	方法	時期
理解	○火がもえるに必要なものは何か。 ○炭をおこすとき、青い焰の出るのは何か。体にとつてはどうか。 ○……省略…………	筆答 筆答	學習後 學習後
技能	○水素や酸素を捕集するにはどうしたらよいか。 ……省略…………	觀察 筆答	學習中 學習後
態度	○水素や酸素の實驗に、裝置を念入りにし	觀察	實驗中

	らべるか。 ……省略……………		

4、年次計畫

單元が構成されると、その指導の時期、時數等を明らかにし、年間を通して適當に排列する。この學習指導の大まかなプログラムというべきものが年次計畫である。このようなプログラムが全學年につき作られ、これによつて全校の理科の學習指導が進行し、實施の反省は記錄され、翌年は改訂されて、ますますその學校の實狀に適したものに計畫されていかなくてはならない。次に各學年とも單元は生活環境のあらゆる面にわたるように選ぶべきである。單元構成の手順を正しく踏むと各學年の目標として當然、五分野（動物、植物の生活、空と土の變化）機械と道具、保健衛生）にわたるわけであるが、少くも各學年を通じてこの五分野に屬するものが平均して配分されるよう考慮されなくてはならない。年次計畫を組む場合にその單元のとり方に二つの方法がある。一つは「稻を育ててしらべて見よう」のように長期にわたる單元と「學級園の種まき」の如く季節を追うものとである。前者は理科教育に缺くことの出來ない。繼續觀察の立場に立つて考えたものであり、後者はその取扱いの時期による區分より考えたものである。いずれによるもその取扱いに留意すればよいのであるが、後者の場合は特に單元の發展となる繼續觀察の指導を考慮に入れることが大切である。

三、理科學習指導の實際

1、學習指導の一般過程

理科の學習指導の方法は、環境の相違、兒童生徒の狀況、取り扱う素材、指導者によつていろいろ考えられるが、學習の流れというものは大きく考えると一致してくると思う。これを學習指導一般過程ということにする。學習指導要領ではそれを次の如く四つの段階に分類している（　）內當校の學習過程

①導きの段階（動機づけ、問題把握）

②研究理解の段階（計畫、研究、解決）

③整理の段階（整理）

④活用の段階（發展）

①導きの段階（動機づけ、問題把握）この段階においては兒童生徒に有意義なる經驗を得させるような學習への端緒を摑ませるのである。この場合たとえ敎師が子供達の興味と必要にもとずいて作つた指導案であつても、これを子供たちに有無をいわせずあてがつて、學習を進めるようなことはさけなくてはならない。子供達の學習意欲を起させるように環境設定をするとか、そのほか興味，必要感を誘發するような適當の方法で學習の動機を與えれば、それから後は子供達の方が先に立つて學習活動を進めるものである。即ち敎師の側に於てあらかじめたてられた綿密なる指導計畫にもとずいて、まず兒童に學ぶ事柄自体に必要と興味を感じさせることが大切である。なおこの段階に於

ては兒童の持つ幾つかの問題を互に吟味、整理して學習問題をはつきり摑ませることが必要である。

②研究理解の段階（計畫、研究、解決）

ここでは二つの段階にわけて考えてみたい。その第一はしらべたいと思う事柄について、どのように進めたらよいか計畫を立て、その計畫にもとずいて素直に經驗したり、それを記述したりすることである。この段階に於ては敎師は餘り深入りした說明をさけ、唯學習方向をあやまらないよう指導し、子供の意欲によつてぐんぐん自然のふところにとび込ませるがよい。そこに子供は幾つもの疑問や矛盾を見出すであろう。第二はそこで發見した疑問や矛盾を解決しようとしてどこまでも究明していく段階である。一つの豫想をたてては、それをたしかめ、豫想に反すれば更に新しい豫想をたてて、それをたしかめるのである。即ち自分が手を出し實驗を工夫して自然ととりくみ學習活動の最終の目標にまで到達するに至る過程である。

③整理活用の段階（整理、發展）

研究理解された事柄は、單に頭の中で理解統一されるだけに止めず、その理解は今までの學習の間に學び得た態度、能力と共に、何等かの形で活動化し、實際生活に應用されていくように指導して、はじめて理解されたことが生きた知識としてはたらくようになるのである。その意味に於て研究の整理は、子供の發展學習の端緒となるように指導されなくてはならない。

2、學習指導案樣式

理科單元「〇〇」學習指導案　　　　小學校

1、目標

○設定の理由を要約して本單元學習の趣旨を明らかにする。

	目　標	內　容
理解	單元の目標をあげる	目標に照應して內容を具体的にあげる
能力		
態度		

2、展開（動機づけ、問題把握、計畫、研究、解決、整理、發展の學習過程を考慮して）

學習問題（事項）	評價の觀點	時間	施設及び資料	連絡

3、本時の學習

①本時の主眼

②學習過程

學習問題(事項)	學習活動	樣式	指導	評價	時間	備考

③反省

4、資料

①兒童の實態

②環境の實態

③素材の研究　文献によるもの

　　　　　　　實踐研究

理科單元」○○」學習指導案　　　　中學校

1、目標

理解

技能

態度

2、指導への準備

①生徒の實態　　關心　經驗

②科學的環境　　施設　資料

③展開（全　　時間）

過　程	學習活動	評價の觀點	施設及資料	時間	備　考
問題把握					
研　究					
完　結					

4、反省

①單元構成について

②指導案について

5、各時の學習

期日　　　時限

①主眼

②學習過程

學習事項	學習活動	教師の指導	準　備	評價の觀點	備考
		注意事項を含む			

③反省

3、學習指導案具体例

理科單元「冬のしたく」學習指導案

小學校三年○組　指導者氏名

1、目標

○日々の生活は常に自然との關係を保ち、自然現象の變化に順應しこれを利用することによつて行われているもので、季節によつて變化する自然環境に關心を持ちこれらの自然現象を理解しようとする態度、これに必要な能力は生活力の主要なる一部である。また我々の生活様式には改善されなくてはならない點が多く、惰性的な生活を反省し改善して進んだ生活を築き上げ日常生活を科學化しようとする態度能力は前者と共に必要である。この點から鄉土の自然環境の季節的變化の觀察と、主として四季に於ける私たちの生活

の考察は重要であり、長くて寒い本縣特有の冬の自然現象及生活様式の考察は特にとり上げられなくてはならない。

○「きせつだより」に於て、自然環境の季節的變化及びこれに順應する人の生活様式などを觀察し、自然現象に對する基礎的經驗を得させ繼續觀察する態度、能力を養つて來たのであるが、この季節は生物の氣候に順應する姿を最も顯著に觀察し得る時であるから「きせつだより」の發展的學習をさせたい。

○この期の兒童は自然環境の變化に相當關心を持つて來ており、特にこの季節はこれ等に關する兒童の疑問も多くなり、また家庭でも冬じたくは主要なる家事となり、兒童は手傳いなどを通して冬の生活への希望と共にその生活の仕方などについて關心の高まる時期である。

三年の後期に入り兒童は自己中心的未文化的な傾向を離れて、やゝ單純な論理がわかり物事をやゝ客觀的分析的に觀る眼が開けて來ており、關聯的な考察力が働くようになり、初歩の實驗觀察や數量的觀察も出來るようになつて來ている。

○この單元は「きせつだより」の發展として、冬の生物の様子を觀察し、私たちの生活様式について考察させることにより、冬の氣候や、これに對する生物の變り方、人の生活の仕方を理解し、きせつの變化に關心をもち、生活の仕方を改善していく態度、能力を身につけさせようとするのである。

	目　　標	内　　容
理解	1、氣候は季節によつてだんだん變り、秋から冬にかけて寒氣が强くなる。	○夏からの氣象の變化 氣溫の變化、降霜の時期、結氷の時期、降雪の時期、今までの最低氣溫の日 ○夏と冬の氣溫のちがい、一日中の氣溫の變化
	2、太陽は私たちに熱と光を與えてくれ、それによつて生物の生活のようすがちがう。	○日なたと日かげの氣溫、寒暖のちがい。 日なたに見られる虫の様子、日かげの霜柱、雪、草の様子
能	1、生物、氣象などの自然環境の變化を繼續的に觀察する。	○「きせつだより」の觀察（記錄）整理の仕方 氣象の變化を觀測(記錄)整理 秋から冬にかけての動物植物の變化の記錄
	2、生物の冬ごしの様子、私たちの冬のしたくを自然環境と關連的に觀察	○秋から冬にかけて人の生活様式變化の考察のし方、 ○衣類の厚さ形と氣候　○布の厚さ色と氣候

力		冬の食生活と氣候、生物、防寒と日光、火氣、風 ○動物の冬の生態、植物の生態についての考察力 冬見られる虫の種類と様子（その場所と防寒） 卵やさなぎの種類と様子（〃） 草木、作物の冬ごしと防寒、
態度	1、氣候や生物のうつり變りに興味を持ち觀察していく、	○きせつだよりを進んでする。 氣象の變化を興味をもつて觀測する。 氣象の變化に伴う生物變化に關心疑問をもつ。

2、展開

學習問題	評價の觀點	時間	施設及び資料	連絡
1、この頃の家や近所の目につく仕事、私たちの手傳いの繪や作文について發表 2、この頃の家や近所の人の仕事はどんなことが多く何のためにしているか。 3、この頃の寒さや動物植物の樣子はどうか。 4、この頃よくどん病氣にかかるだろう。 5、この頃の氣候や私たちの冬じたくや生き物の樣子でどんなことを調べたいか。 6、學習したい問題の發表吟味整理 ○この頃の氣候はどんなに變つて來たか。 ○私たちの冬のしたくはどのようにしているか。 ○生き物の冬のしたくはどのようか。 ○どんな冬の病氣がありどんなことに氣をつければよいか。	○家の人のこの頃の仕事の目的が理解されたか（觀察） ○學習問題の把握の程度はどうか（觀察）	150分	○生物の冬ごしの寫眞や繪 ○冬の生活、冬仕事の樣子をあらわした繪や寫眞 ○昨年の病欠數を表わしたグラフ（冬） □長野市のつけ菜の時期、30日頃（調査） □手傳いの調査 ○「きせつだより」の記錄 △長野測候所	〔社會〕「冬じたく」とかみ合せて學習する。 〔理科〕「きせつだより」 〔社會〕「夏のくらし」でつゆの頃の氣候を觀察している。
1、この頃の氣候はどんなに變つて來たか。 (1)夏からの氣候の變り方はどうか。	○夏からの氣候の變化やその原因を			

一四九

一五〇

（氣温の變化、霜、結氷、雪等の時期） ○夏の氣候と冬の氣候とどんなところがちがうか。	どのように理解したか（テスト）			
3、生き物の冬のしたくはどのようか。 (1)いつ頃からいろいろの虫が見えなくなつたろう。 (2)草木のようすはどのように變つて來たろう。 (3)どんなところにどのような虫や卵が見られるだろう。 (4)見られなくなつた鳥やこの頃よく見かける鳥はないか。 (5)夏とようすの變つたそのほかの動物は何か。 (6)いろいろの木の冬ごしのようすはどうか。 (7)草や作物の冬ごしのようすはどうか。	○生物の季節的變化をどのように考察するか（觀察） ○生物の冬ごしをどの程度觀察するか（觀察記錄） ○生物の冬ごしの仕方をどの程度理解したか（テスト） ○觀察した生物の分類の仕方はどうか（觀察記錄）	350分	○「きせつだより」の記錄 （□經驗知識の調査） ○觀察用具 □圖鑑類 □家庭の各作物の調査 （□經驗知識の調査） 〔註〕○準備品 □資料 △施設	〔理科〕「きせつだより」の發展的取扱い 〔理科〕「もみじがり」で秋の生物を觀察している。 〔社會〕「いなかの生活」で秋の作物を觀察している。

3、本時の學習

(1) 本時の主眼

草木の冬のしたくについてきせつだよりの考察や野外における觀察によつてまとめたものの發表を中心に植物の氣候に順應する姿を考察し、生物の季節的變化に關する興味を深める。

(2) 學習過程

學習問題	學習活動	樣式	指導	評價	時間	備考
1、木の冬ごしの	○草木の樣子は夏や秋とくらべてど	問答	野外で觀察した時の經驗を			○野外觀察の記錄

ようすはどうか。	うちがつていたか。	(全体)	想起させる(下位生の關心を高める)			及採集標本
	1、木の冬ごしのようすはどうか考える。					○野外觀察の評價の結果
(1)冬葉の落ちる木と落ちない木	(1)冬葉の落ちる木と落ちない木のようす。(研究グループの發表をきく) ○どんな木があるか。 ○葉のようすはどうか	發表	○發表が要點的になるよう指導し、具体的に下位生にも理解される様注意する	○觀察記録の整理の仕方はどうか(記録)	30分	○落葉樹常綠樹についての經驗知識の調査
	○そのほか氣づいたことについて話合	話合(全体)	○植物生理の面には深入りしない(研究問題として殘す)	○落葉樹と常綠樹の冬のしたくのちがいをどの程度理解したか(テスト)		
(2)木の芽のようす。	(2)いろいろの木の芽の冬ごしのようす。(研究グループの發表をきく) ○どんな芽があり、寒さのふせぎ方はどうか。	發表	○氣候と關係ずけて考察するように指導する。	○木の芽の寒さのふせぎ方にいろいろあることがわかつたか(テスト)		○木の芽の採集して來たもの
	○その他氣づいたことについて話合。	話合(全体)	○構造などには深入りしない。			
2、草や作物の冬ごしのようすはどうか。	2、草や作物の冬ごしのようすはどうか考える。(研究グループの發表をきく)	發表	○寒さをふせぐに都合のよい點、生長のようすについて考察するよう指導する。	○草の冬ごしのようすや年内に枯れる草花について理解の程度はどうか(テスト)	20分	○冬の作物についての知識調査 ○家庭の冬作物の調査
芽や葉をつけているもの	○冬でも葉や芽をつけている草、作物の種類や生長のようすはどうか		○冬の作物の作り方で工夫している點を考えさせる(私たちの冬のしたくと關係づける)	○冬の作物について工夫している點はどうか(テスト)		
根でこすもの	○根で冬をこしている草の種類やようすはどうか。					○學級園の草花の觀察記録
そのほか	○その他氣づいたことについて話合	話合(全体)	○年内に枯れる草花に注意させる。	○冬の草木に關する興味は高まつたか。(觀察)		

(3) 反省

4、資料

(一)兒童の實態三年○組兒童44名(男21女23)11月初旬調査

(ABC…男子名. abc…女子名)

〔表一〕

〔表二〕

1、經驗

○冬の生物の觀察經驗(冬の生きものの様子をよく見た事があるか、何を見たか)

見たことがあるもの、男子 5　女子 1

何をみたか、鳥 2(I.Y) 草木 3(A.N.O) 虫 2(O.y)

2、興味

①「季節便り」に對する關心(評價の記録…テスト觀察記録より)

關心の傾向 綜合點(30)	關心がない方 0――10	普通 11――20	關心がある方 21――30
男	2	11	8
女	2	15	6
兒童氏名	Av IA ow am		Ko.Ao.T.N.M. I.Ts. S. h. u.y. ye.kk.c.

②理科學習に對する興味(理科の學習がすきか、きらいか、そのわけ)

男子は全部すき、女子きらい、5(kk.am.we.no.um)

すきの理由(主なるもの)	男	女	計
1、山などへ勉强にいくから	15	9	24
2、色々のことがわかるから	8	8	16
3、色々見ることがおもしろい(おもしろい8を含む)	7	8	15
4、草や木や虫などの名をおぼえる	7	2	9

きらいの理由			
1、むづかしいから	0	3	3
3、山へしらべにいくから	0	1	1

③冬の生物に關係した問題、疑問

問題(疑問)	男	女	計
1、冬虫がいないのはなぜか	8	2	10
2、冬動物は何をしているか	0	2	2
3、虫はどこにいるか	2	0	2
4、冬眠するのはなぜか	0	2	2
5、鳥は冬どうやつて生きているか	2	1	3
6、どうしてねこやいぬは寒くないか	2	0	2
7、冬になるとどうして葉がおちるか	4	13	17
8、木の葉はどうして紅葉するか	7	7	14

3、能力

(1) 落葉樹、常綠樹についての理解(男14、女21)

○(冬木の葉のおちる木、おちない木にはどんなものがあるか)(　)内は兒童數

落葉樹……かき(30)ポプラ(25)いちよう(24)もみじ(26)さくら(9)ざくろ(3)あんず(9)うめ(8)りんご(4)きり(3)やなぎ(3)もも(3)

常綠樹……まつ(28)すぎ(20)かし(3)なんてん(2)ひのき(2)

（答えた種數）

答えた種類		0	1	2	3	4	5	6
落葉樹	男		1	2	4	2	3	7
	女		2	4	5	4	2	4
	計		3	6	9	6	5	11
常綠樹	男	3	5	6	3	1	1	
	女	6	7	6	2			
	計	9	12	12	5	1	1	

(2) 卵やさなぎ幼虫で越冬する虫についての理解（男20、女23）

○（冬卵やさなぎ等をのこして死んでしまう虫にはどんなものがあるか）

とんぼ(32) ちよう(20) こうろぎ(19) せみ(19) ばつた(10) きりぎりす(10) いなご(7) かまきり(6) 以下略

（答えた種數略）

○（冬卵やさなぎ仔虫などはどんなところに見られるか）

土の中(13)水の中(11) おち葉や藁の中(5) 木の皮の下(3)木の根もと)2)葉のうら(2)家の中(2) 木の枝(1) 石の下(1)日のあたるところ(1)

(3) 冬の作物についての理解

○（冬作る作物にはどんなものがあるか）

ねぎ(22)ゆきな(18)ほうれんそう(16)むぎ(10)あぶらな(9)そらまめ(3)えんどう(3)

(4) 觀察用具 {（計器類の使用能力）男(21)女(23)}

	温	度	計	も	の さ	し	虫メガネ
正確度	上	中	下	上	中	下	取扱いなれないもの
誤差	0.2°迄	0.5°迄	1°以上	1 mm	2 mm	3 mm以上	
男	16	3K.AN AO.	2IA.I	19	1 YH.	1 IA	3AH.I A.Ov
女	18	1km	4nk.5. 3lk.am	21	1nm	1mk	3kk.km.ah.
計	34	4	6	40	2	2	

（温度計は室温を計らせ正確さ（誤差）見方時間取扱いについて調査したものもの、さしは5cmの線の長さを計らせ8cmの線を引かせて正確さ、時間、見方について調査した）

○温度計の目盛をよみとる子供達の速さは大体10—20位で時に遲い子供はNG(40″)yy(25″)am(35″)である。

○ものさしの目盛をよみとる速さは大体(10—20″)で特に遲い兒童はIH.(35″) YH(30″) sy″(30″) である當學年では正確さ及び取扱いになれさせるところに重點をおく。

㈢環境の實態

○科學的環境等略

(1) 家庭で冬作つている作物の調査

○冬作物を作る家（13）

○作物の種類、ほうれんそう(13)たまねぎ(5)ゆきな(9)

えんどう(9)

(2) 父兄の本單元についての要望（冬の生物に關するもの）

1、生物の季節による變化をわからせたい

2、冬眠のよくわかる動物についてしらべさせたい

3、冬の動物の移動についてわからせたい

4、家で飼つている生き物に對する冬の用意を考えさせたい

5、畑の作物麥等について作り方を見させたい（以下略）

㈢素材の研究（詳細略）

○冬の氣候の特長（長野市）氣候を變化させる諸條件—日の氣温の變り方（夏冬）

○冬季における生物の生態の變化及び分類

・動物の冬越……哺乳類や鳥類の冬越（毛の増加、皮下脂肪の増加、保護色、渡り鳥、冬眠等）

・冬眠について

・昆虫類の冬越の仕方について……（冬眠するもの、卵。さなぎ、幼虫、成虫別の越冬の仕方及びその場所様子）

・植物の冬越……冬芽をもつて越年する樹木（落葉樹、常綠樹）冬芽が地面に接する草冬芽が地中にある草、種子になる草

・水中植物の越冬

○落葉について……越冬と落葉について（適應現象）以下略

4、指導上の留意事項及びその他

①各學年の學習活動傾向（學年の特色）

學年	兒童の心意發達	觀察能力	自然に對する交渉理解の傾向	學習活動の傾向（學習内容の傾向）
一 二	主客未分化 自己中心的	素朴的觀察（みる）全体的直觀的な觀察	○遊びを通じて自然及び、科的環境と交渉をもつ。 ○理法の中で遊び、理法を含んだもので遊ぶ。）自然と未分化）	○自然物の形や性質をつかつて遊ぶ。 ○自然物の形などをまねる。 ○自然物から作つたもので遊ぶ。 〔例〕川原遊び、めだかすくい、さゝ船ながし、雪だるまづくり、鏡のけんか
三	やゝ分化的になる 自己中心的なところやゝぬけ	關連的觀察 比較觀察の初歩	○自然を對象として意識しはじめる。 ○自然現象及自然物に對して情緒的であり、親近性をもつ。	○生物の世話（飼育栽培）を好むも、だいたい一時的である。 ○やゝ學習に計畫性をもち（記錄もとれるようになる）

	る。	や丶（みくらべる）		○繼續學習の傾向を示す。 〔例〕きせつだより、あさがおつくり、おたまぢやくしをかう、學級園の虫をかう、お月さまの觀測
四	分化的になる。論理的思考がや丶出來はじめる。	關連的觀察 比較觀察 數量的觀察 繼續觀察 （みくらべる）	○自然を對象として意識する。 ○自然に對する親近性と共に、自然を理解してその理法に順應するようになる ○理知的の理解ではあるが、事實的理解に止り、外面的理解である。	○生物の飼育栽培を考えてする。 ○自然物の形態や種類を問題にする。 ○廣く學習經驗を求める。 ○數量的に記錄するようになる。 ○繼續學習をする 〔例〕草花のおしばあつめ、うさぎの飼育、いね、じやがいもの栽培。
五	客觀的理知的論理的思考が出來はじめる。	分折的綜合的觀察の初步 や丶（たしかめる）	○理知的に自然をとらえる。 ○事實的理解から更に進み內面的に因果關係まで極めようとする。	○自然現象の變化、自然物の構造機能などを深く調べることを好む。 ○實驗的學習を好む。 〔例〕根莖葉のはたらき、樂器しらべ、食物と消化
六	客觀的理知的論理的思考が出來て來る。	分折的綜合的觀察 （たしかめる）	○自然の理法を應用し自然を利用する。 ○生活を合理化しようとする ○自然の理知的綜合的理解にす丶む。	○自然現象の變化を綜合的に考察することを好む。 ○製作、製造等實習的のことを好む。 〔例〕生物の進化、私たちのからだ、太陽と月、たべものの加工

②指導上の注意點

A，理科學習に興味を持たせせるには、

○子供の疑問（問題）の焦點をはつきりさせて觀察に導く。

○實際のものに即して指導する。

○子供の心身の發進を考慮して指導する。

一五五

一五六

○指導の効果をいそがない。

○教師が常に子供の研究經過に關心をもつている。

B，科學的のしつけ。

○觀察、研究の方法について、計畫準備は必ずする。（教師と共に）

○觀察實驗用の器具は大切に取扱う。

○觀察は正しく、くわしく、明らかにする。

○結論は幾回かの觀察の後出し、安易に考えない。

○研究は最後までやり通す。（教師の關心）

○研究後の整理整頓はきちんとする。

C，その他

○素材の研究に於て豫備實驗の必要のものは必ず充分にしておく

○學習材として最も適するものは何か工夫する。

③實踐記錄及學習記錄（略）

④教科書、ワークブツク及び參考者（略）

音　樂　科

一、音樂の特質
(一)藝　術
(二)音樂藝術
　1、音を素材とする時間的藝術
　2、演奏活動を必要とする再現藝術
二、音樂教育の意義
(一)全人格的教養
(二)音樂藝術の本質的發展
(三)民主々義への發展
(四)慰　安
三、音樂教育の目標
(一)音樂美の理解感得を行い、これによつて高い美的情操と豐かな人間性とを養う
(二)音樂に關する知識及び技術を習得させる
(三)音樂における創造力を養う(旋律や曲をつくること)
(四)音樂における表現力を養う(歌うこと、樂器をひくこと)
(五)樂譜を讀む力及び書く力を養う
(六)音樂における鑑賞力を養う
四、小中學校音樂教育の目標
(一)音樂を愛する心と音樂を鑑賞する力をえさせ、かつそれを發展させる
(二)音樂的な活動に對する欲求を盛んにするとともにそれを增進させる
(三)音樂による自巳表現力をつける
(四)音樂に關する基礎的な知識及び技術をもたせ、それらの能力を發展させる
五、小中學校音樂教育の内容
(一)小學校の内容
　1、觀點(要素、形式、構成、音色、解釋)
　2、内　容

學年	音樂の要素に對する理解表現	音樂の形式構成に對する理解	樂器の音色に對する理解	音樂の解釋
一年	1、リズムを感覺的運動的にとらえさせる 2、單純な旋律を歌う力を養う 3、和音感を養う		樂器の音色に興味をもたせる	音そのものの美を直接感得あせる
二年	1、リズムを感覺的動的にとらえさせる 2、リズムと旋律を一体的にとらえさせるとともに旋律をうたう力を養う 3、和音感を養う		樂器の音色に興味をもたせる	音そのものの美を直接感得させる
三年	1、音樂の各要素を一体として感覺的、運動的にとらえさせる 2、單音唱歌のみならず合唱合奏をも漸次實施させる 3、樂譜についての初歩的知識を徐々に與えるとともに旋律の作曲を試みさせる		1、樂器に對する知識技術をもたせる 2、音色の組合せによる美を味わわせる	1、音そのものの美を直接に感得させる 2、樂曲と音色との關係に注意させる
四年	1、音樂の各要素を一体としてとらえさせるとともにそれらの關連を徐々に理解させる 2、合唱合奏を次第に强化する 3、樂譜樂典についての知識を與えるとともに旋律の作曲を試みさせる	音樂の形式構成に對する知的理解を次第にもたせる	1、樂器に對する系統的知識もたせ技術を習得させる 2、音色の組合せによる美を味わわせるとともに合奏の力を養う	1、音そのものの美を直接に感得させる 2、樂曲と音色との關係に對する理解を深める 3、各國の民謡と勞働及び社會生活と關係についての理解をもたせる
五年	1、音樂の各要素を一体としてとらえさせるとともにそれらの關連を徐々に理解させる 2、合唱合奏をいつそう强化する 3、樂譜樂典についての知識を深めるとともに旋律の作曲を試みさせる	1、音樂の形式構成についての知的理解を深めるとともに初歩的な歴史的知識を與える 2、標題と音樂についての理解をもたせる	1、樂器に對する系統的な知識をもたせ、技術を習得させる 2、合奏の美を味わせるとともに合奏の力を養う	1、音そのものの美を直接に感得させる 2、樂曲と音色との關係に對する理解を深める 3、各國の民謡についての理解を深める 4、標題と音樂との關係についての理解をもたせる
六年	1、音樂の各要素を一体としてとらえさせるとともにそれの關連を理解させる 2、合唱、合奏を强化する 3、樂譜、樂典についての知識を深めると	1、音樂の形式構成についての知的理解を深めるとともに初歩的な歴史的知識を與える 2、標題と音樂についての理	1、樂器に對する系統的な知識をもたせ技術を習得させる 2、合唱合奏を味わわせるとともに合奏の力	1、音そのものの美を直接に感得させる 2、樂曲と音色との關係に對する理解を深める 3、各國の音樂についての特

年	ともに旋律或は小曲の作曲を試みさせる	解をたせる	を養う	4、徴を理解させる 課題と音樂についての理解をもたせる

(三)中學校の内容

1、觀　點（表現、理解、解釋）

2、内　容

學年	音樂の表現	音樂に對する知的理解	音樂の解釋
一年	1、歌唱及び演奏技術の向上をはかる 2、表現的技術を習得させる 3、詩の内容を音樂的に生かすことにつとめる 4、創作への興味を増大させ旋律、小曲等の作曲を行わせる	1、リズム、旋律、和聲及び形式を總合的にとらえる力を高める 2、音樂の要素、形式、構成に對する知的理解を高める 3、音樂の歴史的發展についての理解をもたせる	1、音を感覺的にとらえることを通しそれの意味する内容及び情操を理解させる 2、人間的知識の上に立つて各國の音樂の民族的特徴を理解させる
二年	1、歌唱及び演奏技術の向上特に合奏、合唱の技術を向上させる 2、表情的技術を向上させる 3、詩の内容を音樂的に生かすことにつとめる 4、音樂の内容及び形式にもとずく演奏を行わしめる 5、創作の興味を増大させ次第にまとまりをもつた曲をつくらせる	1、リズム、旋律、和聲及び形式を總合的にとらえる力を高める 2、音樂の要素、形式、構成に對する知的理解を高める 3、音樂の歴史的發展についての理解をもたせる	1、音を感覺的にとらえることを通し、それの意味する内容及びそれのもつ情操を理解させる 2、人間的土台の上に立つて各國の音樂の民族的特徴を理解させる
三年	1、歌唱及び演奏技術の向上、特に合唱、合奏の技術を向上させる 2、表情的技術を向上させる 3、詩の内容を音樂的に生かすことにつとめる 4、音樂の内容及び形式にもとずく演奏を	1、リズム旋律、和聲及び形式を總合的にとらえる力を高める 2、音樂の要素形式構成に對する知的理解を高める 3、音樂の歴史的發展についての理解をもたせる	1、音を感覺的にとらえることを通しそれの意味する内容、及びそれのもつ情操を理解させる 2、人間的土台の上に立つて各國の音樂の民族的特徴を理解させる 3、音樂の様式についての理解をもたせる

年	5、行わしめる 創作への興味を増大させ、次第にまとまりをもつた曲を作らせる	4、音樂と他の藝術及び文化一般との關連を通し普遍的な人間性について理解をもたせる

六、音樂の習活動

(一)學習活動の目標

1、歌唱　樂しく、正しく、美しく歌う
2、器樂　樂しく、正しく、美しく演奏する
3、鑑賞　樂しく、正しく、深く聽き味わう
4、創作　樂しく、正しく、美しくつくる

(二)學習活動の範圍と要點

1、歌唱（齊唱、輪唱、合唱。）

①發聲、發音
②音　階
③唱　法
④リズム
⑤歌唱技術
⑥齊唱、合唱
⑦讀譜、視唱
⑧表　情
⑨記　憶
⑩詩の解釋
⑪自發的學習

2、器樂（伴奏、獨立の合奏獨奏。）

①樂器の種類、編成指導（小學校）

Aメロデー樂器の種類（リズム樂器は略）

a木琴系　木琴、鐵琴、オルガン、ピアノ、アコーデオン

bハーモニカ系　單音ハーモニカ、複音ハーモニカ、バリトンハーモニカ、バスハーモニカ

c笛　系　たて笛、よこ笛、クラリネット、オカリナ、トーンネット、かつこう笛

B合奏形態

aリズムバンド　リズム樂器のみ（拍子とリズムに分ける）メロデー部は歌唱

bメロデーバンド　リズム樂器にメロデー樂器（單聲）

cハーモニーバンド　リズム樂器にメロデー樂器の和聲的編成

C指　導

a合奏形態　一、二年リズムバンド　三、四年メロデーバンド　五、六年ハーモニーバンド

b樂器指導　一、二年 木琴になじませる

三　年　男女に分け男子にハーモニカ 女子は木琴で基本

四　年　男女に分け男子に笛（たて↓

よこ）女子は木琴で應用

五、六年　合奏形態

②リズムメロデーハーモニー

③演奏技術

④伴奏、合奏、獨奏

⑤讀　　譜

⑥表　　情

⑦記　　憶

⑧形式、構成

⑨特殊見童

⑩自發的學習

3、鑑賞（聲樂器樂）

①鑑賞指導の根本態度

②音　　色

③絶對音樂、標題音樂、劇音樂

④民謠及び民族的音樂

⑤形式、構成、樣式

⑥音 樂 史

⑦他藝術との關連

4、創作（部分創作、完全創作）

①指導の根本的態度

②活動の要點

③創作基盤

④指導の方法

七、基礎練習

㈠基礎練習の注意

	目標			
歌唱	たのしく	正しく	美しく	よく
器樂	たのしく	正しく	美しく	よく
鑑賞	たのしく	正しく	深く	よく
創作	たのしく	正しく	美しく	よく
観点	意欲	技術 基礎技術（基礎練習）	技術 特殊技術（專門技術）	態度

㈡基礎練習の範圍

要素＼各動面＼観点	聽音 歌唱面	聽音 器樂面	聽音 創作面	視譜 歌唱面	視譜 器樂面	視譜 創作面
リズム	聽誦	聽打	記譜	讀	打	寫譜
メロデー	聽唱	聽奏	記譜	視唱	視奏	寫譜
ハーモニー	聽唱	聽奏	記譜	視唱	視奏	寫譜

一六一

一六二

（三）基 礎 練 習 素 材

1、基 礎 リ ズ ム

♩を單位とする基礎リズム（2/4, 3/4, 4/4）								♩.を單位とする基礎リズム（6/8）			
一拍		二拍		三拍		四拍		一拍		二拍	
基礎リズム	名稱	基礎リズム	名稱	基礎リズム	名稱	基礎リズム	名稱	基礎リズム	名稱	基礎リズム	名稱
1	たん	15	たーあー	22	たーあーあー	23	たあああ	1	たあん	11	たーあーん
2	うん	16	たーんた					2	ううん		
3	たた	17	たーんう					3	たたた		
4	たう	18	たーんとと					4	たうた		
5	うた	19	たたあん					5	たうう		
6	とととと	20	たたんた					6	たんた		
7	ととん	21	うたんた					7	たんう		
8	んととと							8	うんた		
9	たとと							9	たんとと		
10	うっとと							10	たーとた		
11	ととた										
12	とたっと										
13	たーっと										
14	うーっと										

2. 組合せリズム（2拍子）

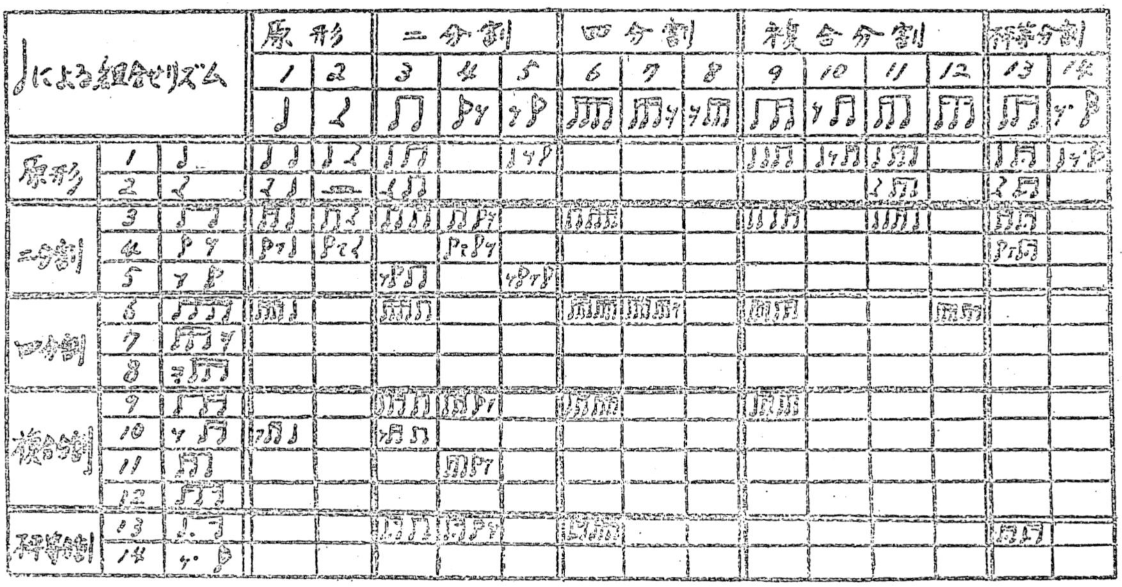

♩による組合せリズム
原形
二分割
四分割
複合分割
不等分割
1 2 3 4 5 6 7 8 9 10 11 12 13 14

一六三

一六四

主要なる組合せ及び單獨リズム（2拍子）

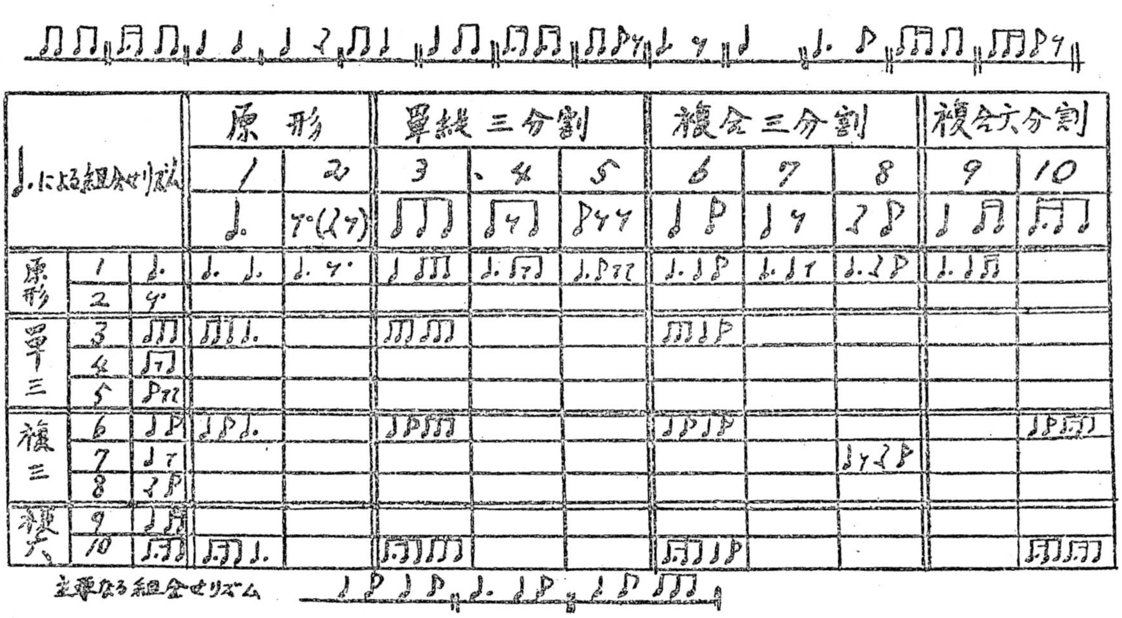

♩.による組合せリズム
原形
單純三分割
複合三分割
複合六分割
1 2 3 4 5 6 7 8 9 10
原形
單三
複三
複六
主要なる組合せリズム

3、基 礎 音 程

	二度	三度	四度	五度	六度	七度	八度
ド	ド-レ レ-ド	ド-ミ ミ-ド	ド-ファ ファ-ド	ド-ソ ソ-ド	ド-ラ ラ-ド		ド-ド
レ	レ-ミ ミ-レ	レ-ファ ファ-レ	レ-ソ ソ-レ	レ-ラ ラ-レ			レ-レ
ミ	ミ-ファ ファ-ミ	ミ-ソ ソ-ミ	ミ-ラ ラ-ミ		ミ-ド ド-ミ		
ファ	ファ-ソ ソ-ファ	ファ-ラ ラ-ファ					
ソ	ソ-ラ ラ-ソ	ソ-シ シ-ソ	ソ-ド ド-ソ	ソ-レ レ-ソ	ソ-ミ ミ-ソ	ソ-ファ ファ-ソ	ソ-ソ
ラ	ラ-シ シ-ラ	ラ-ド ド-ラ	ラ-レ レ-ラ				
シ	シ-ド ド-シ	シ-レ レ-シ		ファ-シ			

	二度	三度	四度	五度	六度	七度	八度
長音程	レミソラシ / ドレファソラ	ミラシ / ドファソ			ラ ミ / ド ソ		
短音程	ファ ド / ミ シ	ファソドレ / レミラシ			ド ソ / ミ シ	ファ / ソ	
完全音程			ファソラドシ / ドレミソラ	ソ ラ レ / ド レ ソ			ド レ ソ / ド レ ソ
減音程				ファ / シ			

一六五

一六六

4、旋 律 的 音 程

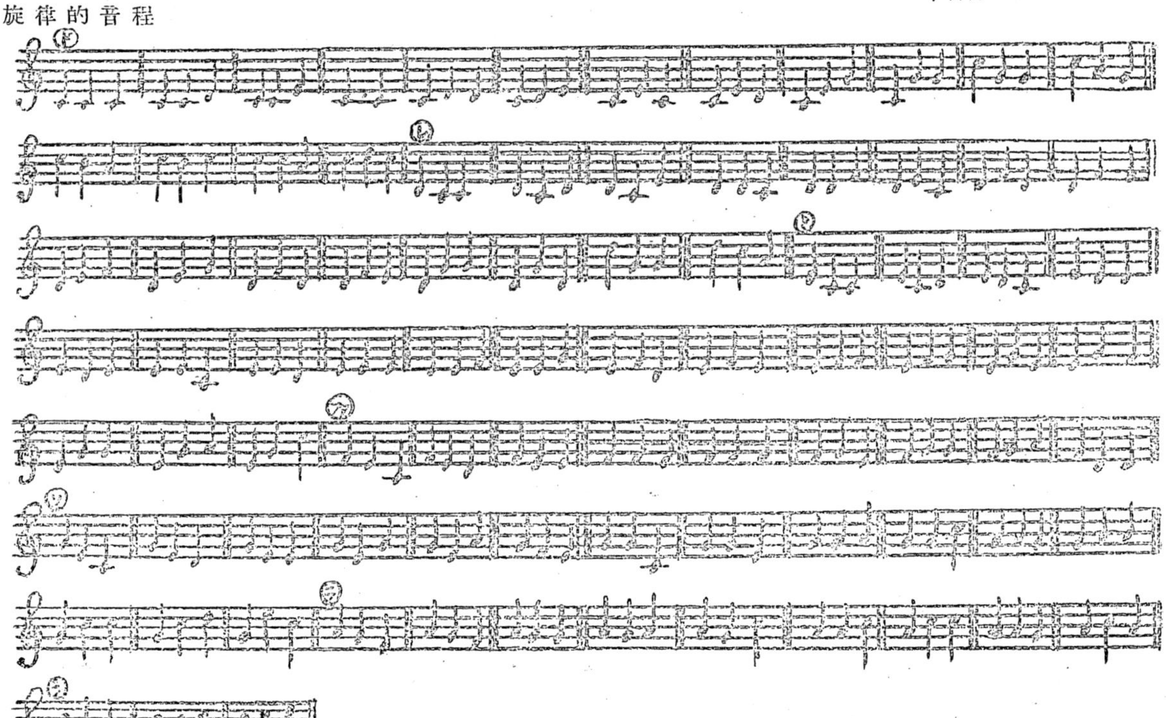

5、 和音 終止形

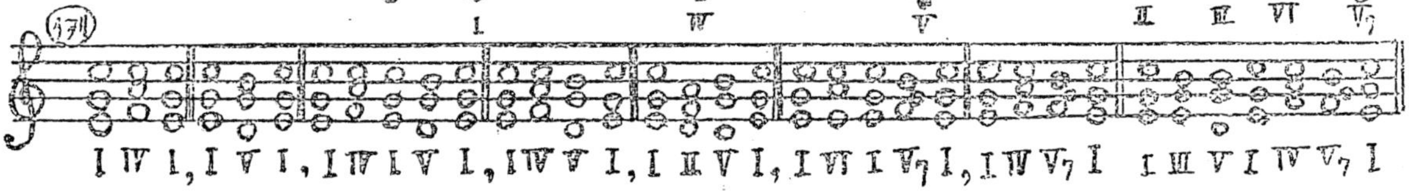

四 視唱法視奏法

例 ♩=104

視唱

1、拍子記號$\frac{2}{4}$の意味かよく分る

2、位相のちがつた音符を正常位におきかえて考えられる

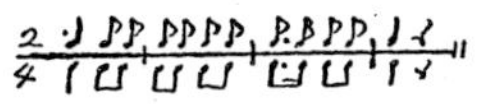

3、音符の一連をきそリズムに分類できる

4、きそリズムの一つ一つを正しくよむことが出來る
(イ)きそリズムの名稱を知つている
(ロ)手拍子の打つ、ひらくの二擧動に合せてリズム名が規則正しく分割される
(ハ)手拍子にあわせてリズムがよめる

5、一小節毎になつたリズムをよむことが出來る

6、組合せたリズムを二小節單位でもよめる

7、リズムの通讀が出來る

8、言葉のリズムでもよめる

9、アクセントをつけてよめる

10、速度を考えて正しくよめる

11、曲の調子と主音が分る

12、度を直觀して階名よみが出來る

13、階名リズムよみが出來る

14、階名唱が出來る

視唱、視奏の基盤

(一)リズム

1、拍子の理解表現が出來る
(2拍子、3拍子、4拍子、6拍子)

2、一拍單位になる音符の名前が分る
(○四分おんぷ○八分おんぷ○ふてん四分おんぷ)

3、小節の意味が分る
(縦線にかこまれた一くくり)

4、拍子記號の意味が分る
(例$\frac{3}{4}$「を一拍とした一小節3拍子の曲)

5、音符の種々な位相を正常位に考えることが出來る

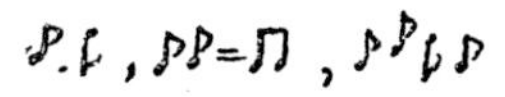

6、音符の連なりを基そリズムとして分類出來る(基そリズム表による)

7、基そリズム個々のよみ方、手拍子の打ち方が正しく出來る
バチの場合(運撥法)
右手、左手、両手
一打　ロール
早くもうてる、おそくもうてる
強くもうてる、よわくもうてる
長くもうてる、短かくもうてる
だんだんつよくだんだんよわくもうてる
位置がとびとびでもうてる

8、基そリズムを組合せた表現も自由に出來る

9、組合せリズムを漸次擴大して表現出來る

10、リズムの通讀、通打が出來る

11、言葉のリズムでもよむことが出來る

12、アクセントをつけてよむことが出來る

13、速度を考えて表現できる

(二)音程

視唱	視奏
14、音域がととのえられている	14、樂器の構造、特に鍵盤における音の配列が分る
15、音階を階名唱で出來る(聴覺)	15、運撥法がよくのみこめている
16、音程練習も出來る(度を基とした感覺訓練)	16、音階、音程練習がよく出來る
17、五線の見方が分る(視覺訓練)	17、五線の見方が分る(同　左)
18、五線における度の直かんと對象音の同時把握が出來る	18、譜表と鍵盤が直結できる
19、音名の理解がある	19、ハ調が音階音でもつかめる
20、音名は譜表との照合が出來る	20、音名による理解もついている
21、調子記號と主音の位置が分る(♯、♭)	21、♯、♭、♮の意味及び用い方が譜表と對象して鍵盤上に構成できる
21、どんな調子でも階名よみが出來る	22、どんな曲でもハ調でよめる
22、階名リズムよみが出來る	23、曲に應じて運撥法が應用出來る
23、階名リズムよみが出來る	

(三)歌　詩

24、歌詞を正しくよみ內容が概觀出來る

25、詩のリズムよみが出來る

26、歌詞を曲に生かしてうたえる

視奏(木琴)

1、拍子記號$\frac{2}{4}$の意味がよく分る

2、位相のちがつた音符を正常位として理解出來る

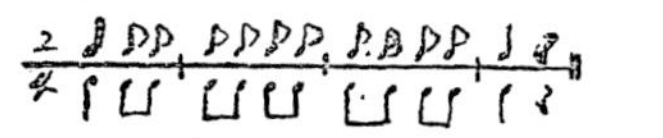

3、音符の一連を基そリズムに分類出來る

4、基そリズムの一つ一つを正しくうつことが出來る
(イ)足拍子をもとにしてよみながら手でうてる
(ロ)足拍子をもとにしてよみながらバチでうてる
(ハ)足拍子に合せてバチでうてる
(運撥法左の通り)

5、一小節毎に組合したリズムをよみながらうてる

6、組合せたリズムを二小節單位でもうてる

7、リズムを通してよみながらうてる

8、言葉のリズム(階名、音名)でもよみながらうてる

9、アクセントをつけてうてる

10、速度を考えて正しくうてる

11、譜表上の音を鍵盤上に直結出來る

12、固定度階名唱(ハ調)ででも直結出來る

13、變化音の用い方が分る

14、ハ調階名よみが出來る

15、ハ調階名リズムよみがよく出來る

16、ハ調階名リズムがそのまゝ鍵盤上に再現出來る

17、曲の彈奏が出來る

18、曲によつて運撥法が自由に出來る

八、學習指導案

(一)小學校の樣式

「單元題目」學習指導案

1、目標　單元設定の意義と明標の明示

2、展開　展開の構想を明確に表示

(1) 學習事項と所用時間

(2) 學習指導計畫

區分	主眼	學習事項						評價	準備	注意
		歌唱	器樂	鑑賞	創作	基礎	理論			
第一時										
第二時										

3、本時の學習

「單元題目」第〇時學習指導案

(1) 本時の主眼

(2) 學習過程

學習事項	學習活動	學習指導	評價	準備	備考

4、基盤

(1) 敎材の研究

(2) 兒童の實態

中小學校の學習指導案

「雲と風」音樂學習指導案…(四年生)

一、目標

(1) 意義

合唱、合奏に對して兒童は最近非常な關心を示して來た特に合奏に對して著しい傾向を見せている。然しながらその能力は興味關心に追隨出來る迄に立至つていない。本單元においては特に合唱、合奏の基礎能力の修練に重點をおく目的で三年に學習したヘ長調のドイツ民謠をト長調二部合唱曲に又器樂敎材に編曲して與え歌曲一体の立場で之を學習させんとするものである。

(2) 目標「雲と風」により

①ト長調四分の三拍子による二部合唱曲の視唱

②小三部形式の理解

③シャープを含む二重奏法の習得

④器樂合奏

⑤旋律におけるリズム變形

音盤「かつこうワルツ」により

⑤複合三部形式の理解

二、展開

(1) 學習事項と所用時間

活動	學習事項	所用時間
歌唱	低音部の視唱、合唱	100分
器樂	低音部の視奏、二重奏、器樂合奏	290分
鑑賞	まりつき、ちようちよ、ぼんおどり、いけの雨、かつこうワルツ	

(2) 學習指導計畫

區分	主眼	學習事項					評價	準備	注意
		歌唱	器樂	鑑賞	創作	理論			
第一時	小三部形式	低音部視唱	視奏			小三部形式	視唱		旋律視唱
第二時	低音部視唱	階唱勤活	二重奏	まりつき			視奏	敎材「まりつき」	二重奏はゆつくり
第三時	二重奏	合唱	二重唱	ちようちよぼんおどり	旋律の變形		二重奏	敎材「ちようちよ」「ぼんおどり」	
第四時	合奏	合唱	合奏(前)				視奏(時)	木琴、鐵琴	敎材との移動
第五時	トリオ	合唱	合奏(中)	いけの雨			視奏(中)	同上	早くよまぬこと
第六時	合唱、合奏	合唱	合奏(後)	かつこうワルツ			視奏(後)	音盤	ワルツについて

三、本時の學習

「雲と風」第一時學習指導案

(一)本時の主眼

(二)學習過程

學習事項	學習活動		學習指導	評價	準備	備考
○既習歌曲の復習	齊唱	うたのおけいこ ひびくようたごえ いけの雨 雲と風			敎材集	
ト長調の理解						
低音部の旋律をうたつたり、たたいたりする	齊奏	雲と風	ヘ調→ト調	視唱(全)		板書 主旋律ト調で
	齊唱	主唱を發見させてすぐにうたわせる				
	齊奏	ト長調のひき方を工夫させる	調子感をつめませる	階音讀の速さ(個)		
	齊讀	階名讀		視唱(全)		
	齊奏	一句づつよくよんではひく				

	視唱	齊奏しては一樂句ずつ階名でうたう			
	組唱	三段にくぎつてうたう	形式の指導(小三重奏形式)		
	問答	旋律の構成をしらべて對照部と反復部を見出す			
	組唱	强弱の加減をよくききながら考える	發想法の研究		
	問答	强弱のしるしを考えさせる			
	個人唱	自由に發想つけてうたわせる			
合唱の練習	組唱		批判の觀察の指導		
	合唱	低音に自信のある子供にあわせて	和音のひびきをよくききとらせる	和音のひびきをきく(全)	
二重奏の練習	組奏		組分けをしてやる(合唱)重奏の意欲をきく		
音盤の鑑賞	鑑賞	リクレーションとしてきかせる			「かつこうワルツ」學習

(三)反　省

四、資　料

(一)教材の研究

(1) 歌唱面からの研究

(イ) 作曲……ドイツ民謠、作　詞……岩佐東一郎

(ロ) 歌詞の研究

樂曲にただアクセントを合わせて雲の流れとそよ風を歌つただけのもので內容的には別に深い表現はない。平坦な歌詞である。

(ハ) 樂曲の研究

ト長調(既習はヘ調)四分の三拍子　速度四分音符120(M.M)

音域は一點嬰ヘ音より二點二音迄

形式は四小節の三小樂節を重ねた小三部形式で A, B, A と考えられるがリズム型の上では後のAは第一部分のAに比して多小變化している。

リズムの形式は輕快な舞踏曲風である。

和聲の進行は殆ど一度、五度(屬七)の連續であるが十一小節中間に三度が一つはいつている。然しこれはむしろ經過音として扱いたい。

(ニ) 歌い方の研究

三拍子のアクセントをはつきり自覺して歌う。

「ほら、ほら」のリズム二種類に注意(のびすぎない、短かすぎない)

第二段最終小節のブレスに注意

ほ、ふの發音發聲に注意

一七一

一七二

>mf >
ほらｿほらｿ　ごらんよーｿ　mf > ほらｿほらｿ　ごらんよーｿ

mp
しらくも　が　ながれるーよ　mp そよかぜーが　ふいてくーる

mf
ほーらほーら　おそらをーｿ　mf ほーらほーら　おいけにーｿ

(ホ) 伴奏の研究

旋律の對稱は兩手平均にレガート奏法

三拍子の伴奏はアクセントを明瞭に然かも輕快に

二重奏

二音一打兩手奏

二重音によるトレモロ奏(幹音、派生音)

(2) 器樂面からの研究

(イ) 樂曲の研究

前奏、主旋律伴奏の三部からなり、A ‖:B:‖:C:‖ の形をとつている合奏曲でDはハ長調に轉調が用いられている。

合奏曲の樂器の編成で目立つところは

A	B	C
(6) かつこう笛ピアノ(12)	旋律(木、鐵琴)リズム樂器、ピアノ伴奏	(ロ)旋律(木、鐵琴、ピアノ)リズム樂器
前奏部	主旋律の部	後奏部

(ロ) 奏法の研究

太鼓のトレモロ奏法　シンバルの記號

かつこう笛の吹き方　の入れ方木鐵琴による和音伴奏

(3) 鑑賞材の研究

(イ) レコード名　かつこうワルツ　ヨナソン曲　管弦樂

(ロ) 樂曲の研究

曲中多少の擬音を用いているが大体はカッコーの啼聲をテーマにして純器樂的に取扱いそれを中心としてワルツに仕上げたものである。

曲は　A－B－A　の複合三部形式で

第一號　輕快な拍子　二拍目から出る三拍子（かつこう啼聲）

第二部　緩徐なトリオ

第二部　一部のくりかえし

△兒童の研究　(略)

單元の題目「　　　　」學習指導案

一、目標　表現、知的理解、解釋の面から單元の直接ねらつているものを具体的に記す

二、指導の準備

㈠生徒の實態

生理的心理發達段階

興味　關心　必要

能力　經驗　環境

㈡學習素材の研究

(イ)表現｛歌唱・器樂・創作｝知的理解

(ロ)受容～鑑賞

㈢實際的研究　技術面について殊に研究する

㈣其の他必要事項

三、評價

㈠計畫

㈡處理

㈢考察

觀點	機會	方法

四、展開

㈠學習事項と所要時間

學習事項	時間

㈡學習指導計畫

學習指導と順序	學習活動 歌唱	器樂	創作	鑑賞	評價の觀點	準備	時間

㈢指導上の留意點（殊に必要なもの）

㈣連絡（他教材　他教科　學校生活　社會生活）

㈤本時の學習指導

本時の主眼（最も具体的にはっきり示す）

學習事項と順序	學習活動 歌唱	器樂	創作	鑑賞	指導	準備	備考

反省

一七三

一七四

五、反省

單元について　指導案について

學習について

九、指導記錄

㈠學級記錄

時 月	日	曜	指導事項（過程の形で）	指導の反省	系統記錄 歌唱	器樂	鑑賞	創作	聽音	視唱	お話	宿題	雜記

㈡個人記錄

座席表をつくり個々の空欄に學期間の觀察記錄をとる

	1リズム 2視唱 3歌唱 4器樂 5鑑賞 6創作		忘れもの	欠、早退、チコ
A男	1 2 3 4 5 6			
B男	1 2 3 4 5 6			
C男	1 2 3 4 5 6			
D子	1 2 3 4 5 6			
E子	1 2 3 4 5 6			

但し空白にはリズム視唱等の文字を入れず

圖畫工作科

一、圖画工作教育の歴史的展望

(一)圖画教育の變遷

1、實用主義の時代

明治初年より圖画教育は實用主義を母胎として、臨画乃至は基礎的訓練の形で教育の一環に参劃した。明治六年文部省は「圖画階梯」とか「小學画學書」とかを發行しているが、これらの教科書は何れも鉛筆画を中心とする線の訓練に始まり、物体を画くことを指導した。主として軍人の學校に採用され、小學校では至ってふるわなかった。明治十一年信州人伊澤修二が米國から歸朝し、東京高等師範學校長となるに及び圖画教育は漸く興隆に向いだし、また小山正太郎が圖画教育の改革を行った。而してその指導は多く鉛筆画を教材とした臨画であった。

明治十八年文部省は岡倉覺三、フェロノサ両氏に命じて圖画教育の研究をさせているが、両氏がこれに對して答申したものによると、「圖画は學術上必要なるのみならず、日本の如き秀でた工藝を持つ國では特に必要である。」とし、又、「實用に役立つ圖画に寫生画と装飾画の二つがあり、寫生画は物の説明に當って、言語の及ばざるところを補うに役立ち、装飾画は工藝に有用である。」としている。又「これに答えるものは日本画である。」という結論を下し、こゝで毛筆画帳は數十種も刊行され、毛筆画時代を出現した。さらに両氏の報告書は「普通學校に圖画を設くる目的は固より實用を計るにありと雖、画精實用は多岐にして性質を異にするもの少なからず」とし、「精密なる數字上の比例を要する下圖を作ること、理學の説明に供すること、彫刻師、石版師の技倆を助くるために學ぶこと」等の項目を多くあげられているのであって、以ってその實用主義的な考え方を察するに容易である。これを要するに圖画教育は他教科の補助的存在で、職人や美術家になるための準備教育とされ圖画そのものの目的が解されないばかりでなく、教授形態も兒童の美感に着眼して表現させ鑑賞を通して情操の陶冶をなすというような方向はとられず、專ら画き方、技術の訓練の形体をとっていた。多くは臨画が課ぜられていた。この思想は明治二十四年になって出來た小學校教則の圖画の目的にも反映している。この教則が明治三十三年に於ける修正に於ても同様の立場がとられ、國民學校教則の出來るまで一貫して小學校に於ける圖画教育の指針をなしていたのである。

明治四十四年に東京高師の安部七五三吉が「實驗圖画教授法」を出版しているが立場はやはり變っていない。安部氏はこの時代の圖画教育思潮を代表する人物であっただけにその影響は甚だ大きく初等圖画教育界を殆ど指導していた觀があった。

以上明治時代の圖画教育の概觀であるが、鉛筆画時代あり毛筆画時代あり、又黒板画時代あり画帳を用いた時があって、その教材、用具は種々な主張のもとに變遷して來ているにかゝわ

らず、圖画教育の目的は第一に實地の學術技藝に役立つ實用主義におかれていたことには變りがなかった。なお教材や用具はかなりの變遷を經て來てその數も多く、内容も漸くゆたかになって來たことは認められる。

2、藝術主義の時代

大正時代にはいって尚しばらく臨画指導がおこなわれていたが、教材は主として西洋画的なものであって、文部省の作った「新訂画帖」などを見ても、それはよく知られる。しかしながら、こゝに世人は、圖画教育のみならず教育全般にわたって、兒童中心の教育が必要であり、兒童の原理に基づく教授の改革をせねばならぬことに氣づいて、いわゆる新教育運動が展開されるに至った。

この頃ロシャに於いて洋画と農民美術とを研究して歸朝した山本鼎に依って唱えられた自由画教育は、この革新的教育思潮に迎えられて、たちまちにして小學校圖画教育をリードしたものである。氏は画帳主義の批判と反省の立場に立ち、兒童の美意識、美感に立脚して藝術的表現と鑑賞をなさしめなくてはならないとし、圖画は功利實用の方便にあらず、兒童の美しい感情を表現せしめて、情操の醇化をはからなくてはならないことを唱導した。しかも臨画を否定して、兒童を直接に自然に開放し、その中に動く圖画を兒童自身に發表させるのには教師の實際指導が大切である所以を强調している。こゝに於いて圖画は始めて他教科目と對等の位置をとり、みずからの藝術的使命を自覺するに至ったと言える。折から白樺派の教育運動による文藝主義的人生觀が世に行われるに至り、わが信州に於いても自由画ならざるはなかったという時代となった。表現材料に於いても水彩繪具・クレヨンなどが提供されるようになり、兒童は手本模寫という無味偏狭な舊殻を脱して、生き生きとした自然の中に思う存分に美をさがし、自己の感興によって自由に大膽に表現をすることが出來た。たゞしかし殘念なことに、この主義の主なる目的が誤り傳えられて、全くの自由主義がやがて放任主義となったり、兒童の心意に即さない表現を、大人が强いておこなわせて、少しも反省せず、むしろ大人の目からのみ兒童の作品を、徒らに玩具視するに至って、自由画教育はその本筋から脱線していった。しかしながら兒童本位の藝術教育がおこなわれる機運を促進したものは實にこの自由画教育のたまものであると言うことが出來る。

大正十四年に至り岸田劉生が「圖画教育論」を著して「美育が徹底すれば美を好み醜を嫌うようになる。美は善ではない。しかし美化された美を知る心は殺伐利己醜惡などを嫌う力をもつに至る。だから美育によって善心が出來る。この善の心は外から强いられたものではなく自發的に善を行う心である。」として圖画教育は道徳教育であるといっている。即ち圖画教育が兒童の感情に根底を有し、之を醇化啓培するために、道徳的にもすぐれた人間を作り得ることを述べ、圖画は單なる表現手段にあらず、圖画教育即ち魂の教育なりとした。この時代といえ

ども勿論、實用的な圖案、用器画などが行われないではなかつたが、美的感情の養成という藝術的表現が圖画教育の主流をなして来た時代であることが知られるのである。この思想は昭和時代に及んでもおこなわれて來た。

3、用美一体主義の時代

これらの思想を受けて、昭和十六年國民學校の制度が施行せられ、國民生活の充實が叫ばれるに至つた。そして従来の圖画教育の如く兒童の個性又は感情を養うことを忘れた實用主義であつたり、反面、藝術主義にかたむきすぎて、兒童の感情をゆたかになし得たはよかつたが、これを生活に具現、應用してゆく實利的立場を忘れたものになつたりしてはよくない。この両者は各々その一に走つて他をかえりみないという欠點を有していて、これでは完全な圖画教育によつて國民を作ることは不可能であると考えられるに至つた。かくして藝能科圖画が新しく要請されたのである。しかるに間もなく太平洋戰爭の起るに從つて教育の目的全般が擧げて戰爭目的に集注されるようになり、圖画教育も又漸くその方便たるにすぎざる状態となり、やがて全くその道具となつてしまつた。

(二)工作教育の變遷

1、職業主義の時代

わが國に於いて手工が始めて小學校に加設されたのは明治十九年の小學校令からであつて、この手工が工作の前身である。勿論これより以前にも手工教育はおこなわれていたのであるがほとんど問題にならない状態であつた。圖画教育に比して甚だしく立遅れていたことを認めざるを得ないのである。明治二十三年に小學校令が改正され尋常小學校に於ても加設されるようになつた。事實上は高等科から尋常科まで、その範圍がひろげられたのであつたが、實状は依然として不振であり、法規上では隨意科目であつて、手工科教員が他科目の教員に轉用されたり、やむなく手工科を閉鎖する師範學校ができたりするような有様であつた。明治三十六年に小學校令が再改正をされ、こゝに於て高等科では、手工、農業、商業のうち一科目を必須科目として施行すべきことを規定せられ、始めて手工の地位が重要視されるに至つた。しかしこゝではまだ農業、商業と同一視されている職業教育の一環であつたわけである。

明治四十年に小學校令が三度改正され、手工は農業、商業と同一の性質のものでないことが認められた。この改正に於て、文部省は手工の加設の奬勵をしている程で手工科としての獨自性が重視されるようになつた。ところが明治四十四年に小學校令が四度改正されるに及んで再び手工科は農業、商業と同一視されるようになつてしまつたのである。以上を要するに、法令改正に伴つて手工はその重要性をみとめられつゝも、その精神に於ては、やはり農業、商業と同一であり一般に手工は産業教育乃至は職業教育として考えられていたことが明らかである。また明治二十二年上原六四郎氏の著した手工科講義を見ても、明治二十六年大日本教育會が後藤牧太・上原六四郎・手本福隆・千

島精一・野尻精一・中川謙太郎諸氏を委員として取調べをさせた報告書の中の教材を見ても、細工の種類は國民學校制度施行以前と大差のないものになつているが、その内容はフランス風の幾何學的なものと、スロイド風な技術訓練に基礎をおいたものであつて、やはり職業主義的なものである。明治三十七年文部省の上原六四郎・岡山秀吉両氏が編纂した小學校教師用手工教科書を見ても以前ほど職業的でないにしても藝術的乃至は創作的な教材に乏しいものであつた。

2、一般的陶冶の時代

大正三年に歐米留學より歸朝した東京高師の岡山秀吉教授が新手工教授を著して、アメリカ風の手工を輸入し、設備の改善動力機械の利用を主張し、自由な手工を唱道した。したがつて大正七年頃から藝術教育の主張や創造主義教育がとなえられ、手工もいろ／＼な點から論ぜられるようになつた。教材の内容もゆたかになり、兒童の心理、要求を重視して選擇排列をし、創作を重んじ、藝術的要素を増してきた。大正十五年法令が改正され、實業科目の中に工業が加えられ、手工が實業から完全に獨立して、高等小學校に於いて始めて必須科目となつたのであつた。しかしながら尋常科に於いてそれを見ないのは、まだ重要性に於いて十分に認められていないことを物語つているのである。文部省ではこの改正に應ずるため新しく教授要目案を作り、道府縣の師範學校にその實施研究をすゝめている。以上を要するに、法規上手工科は實業科から獨立し、高等科に於いては必須科目となり、その教育精神に於いても單に、實業的立場からのみでなく、人間一般の陶冶科目として重要視されるようになつたわけで、教材も文部省より教授要目案が出て製圖などが重視され、技術の修練と共に構成力とか創作力をねらつたものが選擇されるようになつた。即ち大正初期より昭和にかけて、初等教育に於ける手工は、重要視され、目的も人間性陶冶にあることが漸次認められるようになつたのである。しかしながら、眞の國民情操の陶冶とか、技術文化創造のための技術性の修練などの根本問題は自覺されず、具体的方法が十分に研究されてはいなかつたという反省をもたせるに至つたのであつた。

3、用美一体主義の時代

他教科に比して甚だしく立遅れた手工科は、國民學校制度の實施されるに至つて、藝能科工作として生れ變つたのであるが太平洋戰爭に伴つて、機械化國防に、又精密工業に、高度の工作力、造形的技術が要求されるようになり、これまた圖画教育とともに漸次道具化されるようになつた。徒らに高度の技術を兒童に課し、すこしも兒童の心意發達の程度を考えず、單なる科學的正確さをねらつて、情操の陶冶を忘れた工作教育が出現するようになつてわれわれは敗戰の運命をになわされたのであつた。

とにかく國民學校時代の工作科の考え方も圖画科とともに、情操と技術とは一体であるという考えのもとに、日本的藝能の特

性は生活即藝術であるということが言われ、美と用とは一体でなくてはならないとされたのであった。このことは果して矛盾しないでおこなわれたかというと、國民敎育に於いて絶えず論議の焦點であり、對立が尖鋭化されて、暗い影を識者に投げかけていた事實のあることを思う時に、やはり、欠陥ある思想の必然的に招いた結果であることが認められるように思う。

かくて終戦によってこゝに新しい日本の誕生となり、六三制の實施に伴って圖画工作敎育も又新しい門出をすることとなった。私共は圖画工作敎育のたどって来た歴史を展望しそれの深い反省にもとずいて、誰からも左右されることのないあるべき姿の圖画工作敎育を見出し、豫想される種々の問題ととりくみながらこれをりっぱなものに打立てねばならぬ。

二、圖画工作敎育の特質

一体圖画工作敎育は敎育の一環としてどのような地位を占め如何なる役割りをはたすべきものであろうか。こゝに圖画工作敎育の特性、方向を考えてみるに先ずそれは人間の表現的生活活動のうち、その造形的表現活動を通じて人間性の基盤に培うものと考えられる。即ち造形美を通じての人間形成という使命をもつものでなくてはならない。一体吾々人類の文化が發達して来て今日に至った永い歴史をひもといて見る時、圖画工作敎育が如何に定位さるべきかがよくわかる。即ち人類が未開の時代から、今日までの非常に長い間に於ける數知れない多くの人々の創意工夫や經驗が積もり積もって今日見る如き進んだ文化を持つようになった。われわれがこのような文化を今日持つことが出来たのは先人の工夫し經驗したことがらを受け継いで次の時代の人々が經驗や工夫を加え、更に次の時代の人々へと傳えて行くという働きをして来たがために外ならない。そこでわれわれはこゝにこれらの文化を建設し進展させて行くためには他人の思想や感情を正しく受けとる力と、創意工夫の力を養い、又自分の持っている思想感情を正確に發表する力を備えていることが必要である。人類はその思想や感情を何によって發表して来たであろうか。凡そ次の三通りの方法によってなされて来た。即ち時間的抽象的なことを發表するためには言語とか文字を用い、空間的、具象的なことは繪画とか彫刻とかいう造形的なものにより、更にもう一つは身振りを用いた。これらの發表能力はそれぞれの領域をもっていて、普通は一を以って他にかえることは出来ない。こゝに國語や外國語が敎科として取り上げられている一方、圖画工作が同様な立場で敎科として取り上げられて、造形的な種々の能力を養うべき一つの根據となるのである。

人間が他の動物と異る理由として、よく道具の使えることをいう。人は手で道具を作り、その道具を使って更に進んだ道具を作り、進んだ文化を建設して来た。かくの如き造形活動がいかに營まれるかはその人類の文化の程度を示すバロメーターでもある。文化には、精神的思想方面があって、それが極めて、重要な文化の一面ではあるがそれが何らかの形で具象化されな

一七九

一八〇

ければ、直接に生活をうるおわせ豊かにすることは出来ない。まして物質文化の方面では、その具象化は欠くことの出来ない條件である。かゝる點から具象化のための技術の養成、またはすべての技術の基礎となる目と手の感覺を鋭敏にすることは圖画工作敎育が擔う一つの重要な項目である。更に人は美を愛し美を創造し、美を味い樂しむ特性を持っている。吾々は吾々の祖先の遺した銅鐸にえがかれている極めて原始的な線描の繪にも直ちにそれが何を物語っているかを想像することが出来る。如何にそれが細密にえがかれようとも魚の繪は猫にとっては一片の紙切にしかすぎない。彼の頭を支配しているものは形ではなくて、嗅覺だからである。人類はこの特性を持っていたが故に、諸々の藝術作品を生み、それによって生活にうるおいを與えて来た。未開の時代にも、それにふさわしい藝術的な活動をしており、はげしい鬪爭の時代にもその活動は決して停止してはいない。かく考えて来ると藝術は單なるぜいたくではなく、やむにやまれぬ人の本性から出發しているものである。この本性を育て、平和で香りの高い文化を建設する素地を與えることは、敎育の一つのつとめでなければならない。兒童生徒が抽象的、理論的な仕事と、具体的、實際的な仕事とのどちらを好むか、また、將来彼等がこの兩者の中、どちらの職業に多く就くであろうか、云うまでもなく後者により多くの興味を持ち、將来具体的實際的な仕事に從事する者の方が斷然多いことは彼等の實生活を觀察し、また職業調査を一見すれば直ちに明らかとなる所である。殆どすべての敎科に於て出来るだけ具体的になるべく實際的に敎材を取扱って行こうとするのは兒童生徒のかゝる要求から来るものである。そして最も具体的な最も實際的な敎科としてはまず圖画工作を第一にあげなければならない。圖画工作は兒童生徒の具体的實際的な活動性を助長し、いろいろな知識や技能を習得する基礎を築くものといわなければならない。

以上述べた所から圖画工作敎育の目標が生まれ、その目標によって敎材が選ばれ、指導の方法が考究されるのである。

三、圖画工作の目標

學習指導要領は一般目標として、次の如き三つの大きな目標と夫々四乃至七つのやゝ具体的な目標を示している。即ち、

一、自然や人工物を觀察し、表現する能力を養う。

(一)記憶や想像により、各種の描画材料または粘土その他の材料を使って自然や人工物を表現する能力。

(二)寫生により、各種の描画材料または粘土その他の材料を使って自然や人工物を表現する能力。

(三)新しい造形品を創作し構成する能力。

(四)豊かな美的情操

(五)形や色に對する鋭敏な感覺

(六)自然美の理解

二、家庭や學校で用いる有用なものや、美しいものを作る能力を養う。

(一)家庭や學校で必要なものゝ設計、圖案、裝飾、製作の能力。
(二)普通の工具、材料、設備を使いこなし、またそれを良好な狀態に保持する能力。
(三)環境の要素を最も有効に用いる態度。
(四)創作能力。
(五)科學的、研究的、實踐的態度。
(六)有用なものや美しいものを作る際に手まめに働き誠實に仕事をする能力。
(七)有用なものや、美しいものを作る際に、ともに働きともに樂しむ態度。

三、實用品や藝術品を理解し鑑賞する能力を養う。
(一)生活に必要な品物の實用價値や美的價値を理解し、また品物相互の調和に注意し適當に選擇し採りあわせる能力
(二)造形的な物品の賢明な使用者となる力。
(三)繪畫彫刻、建築等を鑑賞する能力
(四)豊かな美的情操

この目標の中、一は美術を主眼とするものであり、二は用の面を主とする技術に關するものである。三は鑑賞に關するものである。これらの目標に立脚し兒童生徒の身心の發達段階に應じ各學年の單元の目標がきめられて來るのであるが單元の目標に就いては次章に述べることゝする。

尚此處に要素單元に要請される技能の系統を參考にかかげると次の如くである。(小學校)

	單元表現材料＼學年	1	2	3	4	5	6
描畫	鉛筆	物の形を比較的こまかく描ける	同上	主として物の要點をつかんで描ける	物の明暗、調子が表現できる	物の要點描寫、精密描寫ができる	同上
	クレヨン クレパス	物の色、形を大まかに描ける(擴充內塡)	物の色と形がはっきり描ける	物を強く又は弱く(柔かく)表現できる	物の明暗、調子を色で表現できる	同上	同上
	水彩繪具					繪具の性質を會得し、明暗、調子が表現できる	物の質感、量感の表現ができる
	色紙	物の形を大まかに描ける	同上	物を強く又は柔かく表現できる	物の明暗、調子が表現できる	同上	同上
	木炭	物の大体のりんかくを描ける	物のりんかくが描ける	物の要點が大たんに描ける	物の形を正しく描ける	物の明暗の表現ができる	物の明暗、調子の表現ができる
	チョーク	物の形を大きく描ける(黒板、地面)	同上	物の要點が大たんに描ける			
	ペン				物を線で表現することができる	同上	同上
	すみ				物を線で表現することができる	物の濃淡による表現ができる	同上

		1	2	3	4	5	6
彫塑	粘土	初歩の立体が作れる(くだもの、器物どうぶつ)	同上(立方体、くだもの、どうぶつ、たてもの)	同上(球、のりもの人物など)	同上(圓柱、長球など)	同上(圓錐、卵形など)	物の量感の表現ができる(人物、たてもの)
	木材					まるぼり、ひらぼりができる	同上
	いも				まるぼりができる	まるぼり、ひらぼりができる	同上
	土砂	遊びとしての立体表現ができる	同上				
工作 紙	うす紙 色紙	折る、切る、ちぎる、はることができる	同上	同上	立体構成(裁つ、とじる)ができる		
	中厚紙	初歩的立体ができる 折る、切る、まげる、はる、組立、穴あけ	同上	同上	立体構成(裁つ、まげる、はる、組立、穴をあける)ができる	同上	
	厚紙					立体構成(裁つ、曲げる、折る、はる、穴をあける、組立てる、糸をとおす)ができる	同上
工作	ぎびがら	切る、接ぐことができる	切る、接ぐ、壓縮ができる		切る、割る、接ぐ、穴をあけることができる		
竹	割竹				切る、割る、けずる、みがく、穴をあける、ふしをぬくことができる	同上(塗装ができる)	かごあみの初歩かできる
	丸竹				切る、まげる、穴をあける、けずる、みがく、かんたんな構成ができる	同上(塗装ができる)	接合ができる
木	板材					木取る、切る、削る、穴をあける、接合する、くみたてる、塗装することができる	同上
	角材					木取る、切る、削る、穴をあける、接合する、くみたてる、塗装することができる	同上

金屬 針金					切る、まげる、のばすみがく、接合することができる	同上
金屬 板金					切る、折りまげる、みがく、打出す、接合することができる	同上
糸、布、ひも				リボンむすびの初歩ができる	かんたんなあみものができる	ししゅうの初歩ができる
その他	平面的、立体的表現ができる（遊び）つみ木、木のは、木のみささなど	同上	立体が構成できる	なわないの初歩、立体構成ができる	あみもの、その他の立体構成ができる	同上
デザイン 色彩	有彩色十一色無彩色三色の記憶ができる	色相を十一に分けることができる色紙や木のはを美しくならべられる	無彩色十一段階の分類ができる、有彩色の明度と無彩色の明度との比較ができる	色の對比の効果がわかる色のあざやかさがわかる	繪具の混色、色の混合ができる配色が出來る	同上色から受ける感じの研究ができる色の三屬性がわかる配色ができる
デザイン 形体	自然物（平面的、立体的なもの）の分類整理ができる	同上本や箱（立方体）の形をしらべることができる	球及びその變形、又はその一部の分類整理ができる	同上の他に圓柱、長球	圓錐、卵形、らせん狀のものを左のものに加える	複合形の分類、整理ができる（器物、建築物）
デザイン 圖案	色や形を美しくならべることができる	木のはや草花の單獨もようや連續もようの初歩がかける	木のはなどがごばんめもように貼つてもようが作れる、切りぬきもよう。ポスターの初歩的なものが作れる	二方連續、四方連續もようの初歩が描ける	便化基本形式がわかる平面圖案、器物圖案、裝飾文字が描ける	室内裝飾、服飾、幾何もようが描ける
デザイン 製圖	物をあてて形がかける	物を實測して方眼紙に實物大にかける	かんたんな展開圖がかける	縮尺、倍尺を使って展開圖がかける	投影圖法による初歩的製圖ができる	同上
知識の學習 用具	はさみ、切出、きりが使えるものさし、糊	同上	はさみ、ものさし、小刀、三角定木、コンパス、やつとこ、きりくい切り、糊などが使える	第三學年のものの他にのこぎり、釘拔金づち、木づちが使える	のこぎり、かんなが充分に使える、その他ねじまわし、のみ、はんだこて、曲尺、分度器を加う	同上
知識の學習 材料	各種材料の用法が一通りわかる	同上	同上	各種材料の利用ができる	同上	同上

四、圖画工作の單元學習

1、圖画工作科に於ける單元の考え方とその構成

兒童生徒の生活活動を見るに、その造形的生活活動は次の三つの現れ方をするものと考えられる。

即ち

イ、繪をかく
ロ、物を造る
ハ、繪や物を見る

從つてこの生活經驗のかたまりが、すでに生活に於ける兒童生徒の造形的な大きな單元とも考えられるのであるが、更にこの三部面が學習活動に連關して次の六つの學習經驗のまとまりとして豫想される。即ち

イ、描　画
ロ、彫　塑
ハ、工作（工藝的なものも含めて）
ニ、デザイン（色彩、形体、圖案、製圖）
ホ、鑑　賞
ヘ、知識學習

この六つの部門は單獨に、又は相互に連關して學習されるものであり、しかも各部門は各學年の兒童・生徒に即して學習されるべき素材をふくみ得るものでなくてはならない。その素材を生活經驗（生活題材的なもの、季節的なもの、行事的なものなど）と生活環境（山、川、空、動植物、人物など）より集め、これを兒童生徒の能力、經驗、興味及び心理的發達、六つの部門に要請される基本技能の系統などに照して教材を決定することができる。この教材を美術表現、基礎的技術修練、實用的技術修練の三つの立場から考察し、各學年に配置したものが學習單元となる。以上の關係を圖示すれば次の如くである。即ち單元構成の立場と學習單元及び六つの部門である要素單元との關係を示すものである。

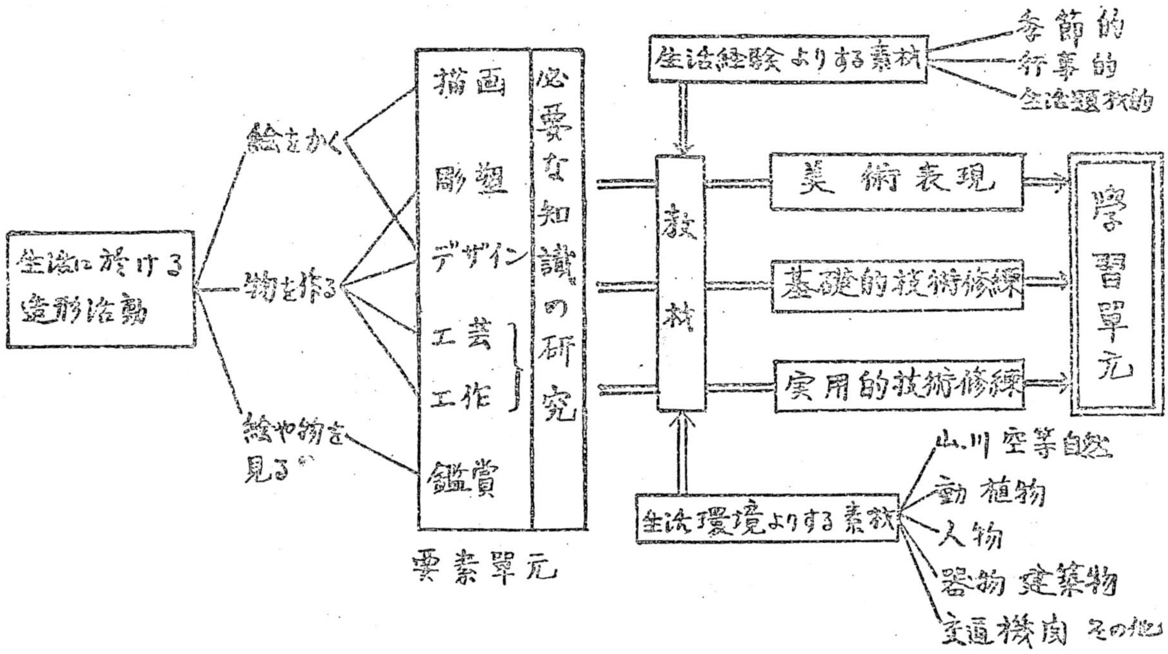

2、單元選擇の基準

單元選擇の基準としては、次の如き事項が考えられる。

イ、見童生徒が自身で學習を進められる學習經驗のまとまりであること。

ロ、目標のはっきりしたものであること。

ハ、連續的發展の可能なものであること。

ニ、創作的表現活動發生の母胎であること。

ホ、見童生徒の經驗・興味・能力・心理的發達に即したもので

あること。

3、單元構成の方法

單元構成の方法を圖示すると次の如きものとなる。

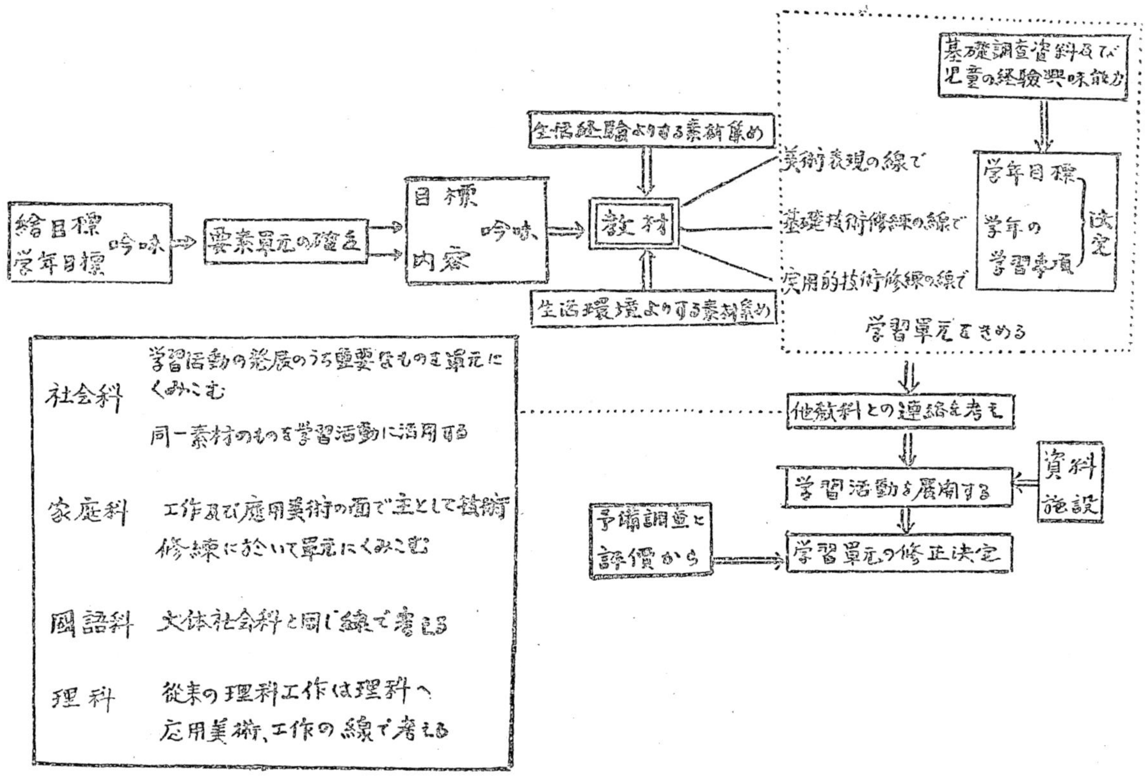

4、評價の問題

イ、評價の目的

第一……兒童生徒の個性の把握をする。

第二……教授者の反省

・教材の選擇はよかつたか
・環境設定は効いていたか
・基礎調査はどうだつたか
・學習の進行狀態はどうであつたか
・興味に即して學習されたか
・學習單元の適否はどうか
・目標は達成されたか

第三……兒童・生徒自身の反省

ロ、評價の觀點

各學習單元の目標に即し、鑑賞、表現、理解について行われなければならない。

ハ、評價の方法

・知識學習に適用するもの……綜合的方法・分析的方法（學習指導要領一般編參照）
・表現技能の狀態を知るもの……一對比較法・記述尺度法
・鑑賞力を知るもの……並列比較法・順位比較法
・態度を知るもの……記述尺度法
・創作力、感覺、情操などを知るに適切な方法は今の所まだない。今後の研究にまたねばならない。

ニ、評價に於ける研究問題

特に作品の評價に於いて評定の基準をどこに置くかが今後の研究問題である。このために作品の各學年に於ける標準尺度を作る必要が起る。廣域にわたる地域の標準尺度が作られない間は、各學校の標準作品を作ることに努力しなくては、評定が極端に主觀的になり信頼度のまことに低い評價がおこなわれるに至る。尚評價の機會はいつころが最もよいかを研究しなくてはならない。從來の如く作品による評價を行うのみでは、決して科學的な評價とは言えない。しかしながら評價の方法はつとめて簡略で合理的な方法を工夫しなくては、實際授業にたずさわる者には繁雜な手數となるばかりで、教育の効果は少しもあがらぬことになるであろう。

學習指導案様式（小學校）

「單元名」學習指導案　　年　組　指導者

一、目標……本單元の學習の主眼を豫備調査や單元計畫の目標から明確に示す

確立した目標はこれを理解、表現、鑑賞の觀點別に明記する

二、展開計畫……環境設定、經驗の想起、表現主題の把握、表現の計畫、考察、表現、鑑賞批評、發展などの過程にわたつてその學習事項をあげ、大体の所要時間を豫定する。これに伴う準備（環境設定及び學習に於ける參考品材料、用具設備等）、連絡、評價の計畫を明らかにする。

一八七

三、本時の學習

1、主眼……本時のねらいを指導の立場から明確にする。

2、學習過程

學習事項	様式	學習活動	指導	評價	備考
			(注意も入れて		時間 準備 資料

3、本時の反省

四、資料……圖画工作學習指導の基盤をなすものである。

1、兒童の實態……單元の學習に際しての兒童生徒の實態を豫備調査による考察で把握する。

イ、經驗……兒童生徒の生活をその造形活動によつて考究し、美術面及び技術面に於ける素材に關する經驗の狀態を明確にする。

ロ、興味……學習の端緒に於ける興味、素材に對する欲求の狀態を簡明に把える。

ハ、能力……學習前に兒童の有する造形能力を美術面並びに技術面にわたつて調べる。

（豫備調査はその調査觀點、方法、結果の考察にわたつて明示し學習指導に於ける活用を考える。）

2、素材の研究……學習の素材について、指導者が自ら製作・實習・試作を通して研究をも行う。

イ、美術面については主として次の項目について研究する。

表現主題・構想・構圖・色彩・形体・量感・質感・遠近・技法・材料・用具・鑑賞資料・作者傳・參考品

ロ、技術面については主として次の項目について研究する。

製作主題・構成・技法・材料・工具・原理・圖法・形体・色彩・デザイン・參考品

一八八

要素單元＼學年		1	2	3	4	5	6
描	記憶想像作	1、描寫への興味を喚起する 2、事物を注意してみる 3、自由な表現練習をさせる 4、眼と手をねる	1、觀察力をやしなう 2、表現内容(客觀界)の擴充 3、自由な表現の練習 4、眼と手をねる	1、着想について指導し構圖に注意して構成力と描寫力をやしなう 2、計劃的表現 3、表現意欲をたかめる	1、着想、構圖について指導し、構圖力と描寫力をやしなう 2、計劃的表現 3、表現意欲をたかめる 4、繪畫表現と說明的表現の練習をさせる		

畫		工
寫生作	構想作	作
1、觀察のしかたの初歩的練習 2、自然や人工物の美しさを味わう 3、寫生の趣味をやしなう 4、眼と手をねる		1、製作の興味を喚起する 2、紙製品の初歩的工作法を會得させる 3、工夫考案の力をやしなう 4、装飾力、整理力をやしなう 5、廢品や使用度の少い材料で美しいもの、役にたつものを作る力をやしなう 6、環境利用につねに注意する
1、觀察力をやしなう(對象) 2、自然や人工物の美しさを味わう 3、寫生の態度をやしなう 4、眼と手をねる		1、中厚紙による立体構成の興味を喚起する 2、同上 3、同上 4、同上 5、同上 6、同上 7、自分で目的をたてて作る 8、眼と手をねる
1、形や色に對する觀察力を養う 2、自然や人工物の美しさを味わう 3、正確な表現練習をさせる 4、寫生の興味を深める		1、中厚紙、厚紙を主材料とした立体の構成の興味を喚起する 2、紙製品の工作法を理解させる 3、工夫考案の力をやしなう 4、自分に必要なものを自分で作り處理する力をやしなう 5、家庭や學校にある廢品又は使用度の少い材料で新しい利用法を考えて美しいもの、役にたつものを作る力をやしなう
1、形体、色彩、明暗陰影をよく觀察し、正しく描寫する力を養う 2、要點をつかんで速く描く練習をさせる 3、クレヨン重色に習熟させる 4、形体、色彩の美しさを味わわせ、寫生の興味を深める	1、畫面の構成を工夫させる 2、工夫考案の力をやしなう	1、厚紙を主材料とする立体構成を練習させる 2、工夫考案の力をやしなう 3、自分に必要なものを自分で作り處理する力をやしなう 4、研究的に精實に仕事をさせる 5、竹材の性質を理解させ、その利用法を考えさせる 6、硬い材料になれさせる 7、同上⑤
1、同上 2、精密に描寫する 3、要點をつかんで速く描く	1、畫面の構成を工夫させて構成力をやしなう 2、構想にもとづく表現力をやしなう 3、繪畫的表現と説明的表現の練習をさせる 4、工夫考案の力をやしなう	1、木材の性質と用途を理解させる 2、木材による美しいもの、役に立つものの製作をさせる 3、同上 4、創造力をやしなう 5、眼と手をねらせる 6、糸、布の性質と用途を理解させる 7、糸、布で美しいもの、役にたつものを作る力をやしなう 8、装飾の才能と美的趣味をやしなう 9、同上⑦
1、同上 2、3、同上 4、創作的態度をやしなう 5、自然美を味わわせる 6、水繪具の使用になれさせる	1、畫面を變化、統一、調和など律動、均衡の諸原則にもとづいて構成する初歩的な練習をさせる 2、繪畫的表現と説明的表現の練習をさせる 3、工夫考案の力をやしなう	1、——12、同上 13、針金、板金によって立体を構成する力をやしなう

	彫	デ	ザ
	塑	色彩	形体
7、眼と手をねる	1、記憶、想像又は寫生によって表現させる 2、粘土又は土砂による表現の興味を喚起する 3、事物を注意してみさせる 4、眼と手をねらせる 5、清潔の習慣をやしなう	1、標準色紙により色相、色名をしらせる 2、色に對する感覺をねり、明確な認識をもたせる	1、木や草の葉をあつめ形の類似によって整理分類する力をやしなう 2、形に對する感覺をねる
	1、同上 2、觀察力をやしなう 3、粘土により立体を表現する練習をする 4、同上 5、同上	1、一年の復習と他の類似色との區別ができるようにする 2、色彩感覺をねらせる	1、木や草の種子や實をあつめ形の類似によって整理分類する力をやしなう 2、物の形に對する關心をふかめ形に對する感覺をねらせる
6、自分で目的をたてて作る 7、環境利用につねに注意する	1、寫生、記憶想像又は構想によって表現させる 2、同上 3、粘土による立体ことに曲面からなっている立体の表現練習をさせる 4、眼と手をねらせる	1、無彩色の明度を識別させる 2、有彩色と無彩色の明度の當合をさせる 3、標準色以外の色の明度をしらべさせる 4、二色、三色による配色ができるようにする 5、彩色感覺をねらせる	1、自然物、人工物の球形、球の變形、球の部分から出來ているものをあつめ、形の類似又は變化の順序に從って整理、分類する力を養う 2、形に對する感覺をねる
8、環境利用につねに注意させる 9、自分で目的をたてて作る	1、寫生又は構想によって表現させる 2、同上 3、曲面の自由な表現をさせる 4、同上	1、色をあつめて色相と明度による分類整理ができるようにする 2、色に對する興味を喚起し感覺をねる 3、めだつ配色、めだたぬ配色ができるようにする(明視實驗)	1、圓柱、圓錐、角柱、角錐に屬するものを自然物、人工物の中からあつめて形の類似にしたがって整理させる 2、環境にある諸形体に心をむけ、形に對する感覺をねらせる
10、同上⑧ 11、同上⑨ 12、針金、板金の性質と用途を理解させる	1、同上 2、形体に對する觀察力を養う 3、同上 4、創造力をやしなう 5、眼と手をねらせる	1、同上 3、水繪具の混合により色を作らせる 3、水繪具と混色板により混色實驗をさせる 4、色に對する興味を喚起し感覺をねる 5、配色練習をさせる	1、物の形に對する理解をふかめる 2、實物の形の特長を確實に把える能力をやしなう 3、形に對する感覺を鋭敏にする
	1、同上 2、同上 3、立体表現の力をやしなう 4、同上⑥ 5、創造力を深める	1、混色を系統的にして、純色、明色、暗色、濁色について研究させる 2、混色の觀念を確立する 3、同上④ 4、同上⑤	1、同上② 2、同上③ 3、新しい形を構成する力を養う 4、創造力をやしなう

圖工（中學）

中學各要素單元における學習目標

學年＼要素單元	描畫 寫生作	描畫 構想作	描畫 記憶想像作	工作
一年	1、靜物の構圖について研究し美的構成が出來る 2、細寫によつて精密正確な觀察と描寫が出來る 3、略寫によつて要點をつかむことゝ簡單な描寫が出きる 4、創造力と美的情操を身につける			1、木工品の製作はどんな基本工作法から成りたつているかを研究して基本工作法を理解する 2、木工具の正しい使い方が出來る 3、簡易な木製品の設計制作裝飾が出來る 4、創造力をつける 5、木製品の賢明なる使用者になれる 6、生活上必要な手藝品の意匠をねりそれを製作することが出來る 7、裝飾の才能と美的趣味を身につける
二年	1、風景靜物等によつて陰影による色の變化、遠近による形と色の變化を觀察し表現することが出來る 2、風景畫の構圖について研究し美的構成が出來る 3、省略によつて要點をとらえることが出來る 4、自然美を觀察し理解する 5、同上(4)			1、木製品の設計製作裝飾及び簡易な修理をすることが出來る 2、普通の木工具を使いこなすことが出來る 3、木製品に關する關心を高めその賢明な使用者となる 4、同上 5、金屬製品の設計製作が出來る 6、普通金工具の使用になれる 7、金屬製品に對する關心を高めその賢明な使用者となる 8、同上6〜7の程度を高める
三年	1、各種の基本練習を總合した描寫練習をし觀察力と表現力を高める 2、人物動物等の描寫がよく出來る 3、同上1〜5			1〜8 同上

一九二

一九一

イン 圖案	イン 製圖	知識の學習	鑑賞
		1、かんたんな工具備品を、有效に使う力をやしなう 2、各種の表現材料を良好な狀態に保持したり使用する力をやしなう	1、繪畫、工藝品などの美しさを味わわせる 2、美的情操をやしなう
1、圖案に對する興味をおこさせる 2、排列の美しさをしらせる 3、工夫考案の力をやしなう		1、同上 2、同上	1、同上 2、同上
1、同上 2、同上 3、同上 4、裝飾の才能をやしなう	1、方眼紙を利用して展開圖をかく順序、方法をしらせる 2、正確な作圖力をやしなう 3、圖をみる力をやしなう 4、三角定木ものさしの使用になれさせる	1、同上 2、同上	1、繪畫、美術工藝品その他の美術品の美しさを味わわせる 2、美術品の價値に關心をもたせる 3、美的情操をやしなう
1、同上 2、圖案の初歩的構成の練習をさせる 3、配色の練習をさせる 4、工夫考案の力をやしなう 5、裝飾物才能をやしなう	1、展開圖のかき方を練習させる 2、同上 3、讀圖力をやしなう 4、一つの平面から立体を構成することの興味を養う	1、環境の一要素としての工具、備品を有效に使う力をやしなう 2、工具、備品の手入れをさせる 3、表現の效果の關係を研究させる	1—2、同上
1、平面圖案の構成練習をさせる 2、色彩と連絡して配色の練習をさせる 3、同上④ 4、同上⑤	1、投影圖法による立体の表し方の初歩をしらせる 2、讀圖力をやしなう 3、正確に作圖する能力をやしなう	1、同上 2、同上 3、同上 4、工具、備品の良否を判斷する力をやしなう	1—3、同上
1—4、同上	1、投影圖をかく練習をさせる 2、同上 3、同上	1、同上 2、同上 3、同上 4、工具、備品の良否を判斷する力をやしない、その改善に關心をもたせる	1—3、同上

デザイン 色彩	デザイン 形体	デザイン 圖案	デザイン 製圖	彫塑	知 工具備品の扱い方
1、混色の實驗をし清色調濁色調の色を系統的に認識出きる 2、補色について理解する 3、色彩に對する感覺を鋭敏にする 4、配色の基本について理解する	1、自然物や人工物の形の合理性について考察する 2、自然物と人工物との形の類似について考察する 3、自然物と人工物との形の類似について考察する 4、形に對する感覺を鋭敏にする	1、圖案化が出來る 2、模様の構成とそれを實際に適用することが出來る 3、創造力をつける 4、美的情操をみにつける	1、展開圖を工作圖に活用することが出來る 2、製圖用の線文字のかき方を理解する 3、第一角法と第三角法について理解する 4、作圖力及讀圖力をつける	1、寫生によつて立体表現の力をつけるかたまりの見方强弱の表現	1、家庭や學校にある諸設備や備品の構造用途及機能について理解する 2、諸設備備品の正しい使用法及手入法保存法を理解しその使用になれさせる
1、色立体について知らせ色彩を系統的に把握する 2、同上3 3、配色に對する理解を深める	1、器物器具類の形体と機能との關係について考察する 2、器具器物類の用と美との關係について考察する 3、同上4	1、器物器具類の圖案構成が出來る 2、同上3 4	1、實際の製作に應用して製圖力を高める 2 同上4	1、マスクを作りかたまりの見方や强弱の表現を出きるようにし彫塑的能度をつける	同上
1、日常用いられている色名がどんな色であるか理解する 2、同上3	1、器物器具機械建築物などの機能と美との關係について考察する 2、同上4	1、室内設備住宅の間取り展示計畫等のような總合的な圖案構成が出來る 2 同上2	同上 程度を高める	1、心棒をつかつて胸像をつくり彫刻的能度をつける	同上

一九三

識 美術常識	鑑賞
1、繪畫にはどんな材料でどんなものにかいたものがあるかを研究し理解する 2、寫描材料の相違によつて題材のとり扱い方や表現にどんなちがいがあるか考察し理解する 3、繪畫に對する常識を深める	1、工藝品美術品の美しさを味解することが出來る 2、用と美との關係について理解する 3、美的情操を高める
1、繪畫や説明圖における各種の表現法について研究する 2、表現目標を異にするにしたがつてそれに適する表現法をとらなければならないことを理解する 3、各種表現法の得失を研究する 4、繪畫や説明圖に對する常識を深める	同上
1、美術が生活とどんな關係をもつているかについて研究する 2、美術を生活に利用する道を考える 3、美術に關する關心を高める	1、日本及世界の美術を鑑賞を主として理解する 2、それを生んだ時代の動きとの關係について理解する 3、美術を愛好する精神を養う 4、美的情操を高める

一九四

○學習指導年次計畫例

中學一年の例

月	三
旬	上～中
學習單元配當時間	○色の研究 8
趣旨	せんれんされた色彩感覺は新しい文化教養としてきわめて大切なものとなつてきた こゝに小學校時代より學んできた色について總合的な考察研究をして吾々の文化生活を豐かにする素地をつくりたい
學習要項	一、混色についていろ〳〵の混合法をしらべて見る 色料の混合 色ガラスによる混合 混色板による混合 併置混合 二、各色相の明度段階別の色紙をつくる 三、混色板及び繪具の混色によつて彩度の低い色をつくる 四、つくつた色紙を利用していろ〳〵の配色をしてみる 五、配色したものを感じによつて分類してみる 六、これらの配色が實際にはどのように使いわけられているか身のまわりのものについて調べてみる
豫備調査	色彩に對する關心 混色能力 配色に對する感覺
評價	色彩に對する感覺 混色 配色に對する判斷 配色の模様
準備	參考圖 標準色紙 混色板 併置混合による織物點描畫 色ガラス

學習指導案樣式　中學校

「單元名○○」學習指導案　　年　組指導者

一、目標＝各學年單元の目標の主眼點を明確に示し、理解、表現、鑑賞の觀點別に明記する。

二、指導への準備

1、豫備調査＝單元の學習に對しての兒童生の實体を豫備調査による考察で把握する。

・經驗＝兒童生徒の生徒をその造形的活動によつて考究し美術面及技術面における素材に關する經驗の狀態を明らかにする。

・關心＝素材に對する興味と關心の狀態を把握する。

・能力＝學習前に兒童生徒の有する造形能力を美術面ならびに技術面にわたつて調べる。

（豫備調査はその調査の觀點方法結果の考察にわたつて明示する）

2、資料の研究

・文献による研究……素材を文献によつて調べて指導上の問題に資する

・實踐的研究……素材について指導者自ら制作實習試作を試みて指導上の問題に資する。

三、評價の計画……評價の計画をたてる。觀點は理解、表現、鑑賞にわたり方法、機會等も研究しておく

四、展　開

1、展開系列……問題の把握（環境設定）表現の計画、考察、表現の結果の鑑賞批評發展等の過程にわたつてその學習事項をあげ大体の所要時間を豫定する。

2、準備……参考品、表現材料、表現の用具等準備すべきものを明かにする。

3、連絡……他教科及び圖工科内における連絡系統について明かにする。

4、本時の學習

(1) 本時の主眼

(2) 學習活動

過程	學習活動	教師の指導	評價	備考
・・・				時間及準備品等を含む

反　省

五、反　省

學習指導案の實際例

「美術と宣傳」學習指導案　年月日　中學二年　指導者

一、趣　旨

近代の社會において宣傳美術は生活のうちに廣く應用されているすなわち思想の宣傳に啓蒙に又商業上の宣傳に等、よい意味の宣傳はこれからの社會にはます〳〵必要となつてくる。そしてこれは町村の美に大きく影響してくる、すぐれた

一九五

文化國家を目標とする吾々はこの面においても香り高い教養を養いたいものである又吾々學校生活の中にも學校行事の豫告、勵行事項の徹底、注意事項の換起等にその活用場が與えられている。一方生徒のこれら問題に對する關心も漸く高く各種の圖案類の蒐集も行われている又いままでのこの種のものとしては殆んど學校行事のポスターでありこれは今までにも幾度もかいてきているのでこの際は、やがて實社會へ出る中學生として廣く社會に眼を轉じ宣傳美術に對する理解を深めこれに對する感覺を高めたい。

二、目　標

宣傳美術に對する理解と感覺を高めもつて香り高い文化の建設に資する。

理解＝宣傳美術の意義を理解する。

　　宣傳美術の種類各種表現法等を理解する

表現＝ポスターや廣告レツテル等の圖案構成が出來る。

　　効果的構圖や効果的な配色が出來る。

　　文字や繪の圖案化が出來る。

鑑賞＝實社會の宣傳美術が批判出來る。

　　宣傳美術に對する感覺を高める。

三、指導への準備

1、豫備調査　調査人員四七名　　質問紙法

經　驗

a 街頭の看板や廣告の類を見るときどんな態度で見るか、

一九六

殆んど注意しない	○
何となく見ている	二
見ても内容をしるだけ	一三
いゝとか悪いとか批判してみる	一三
形や配色についてその効果を批判してみる	九

b 長野市内でどんな形式の宣傳美術が見られるか、（知つているものを列擧させる）

ポスター	三一	乘物の中を利用	四
自動車	三	看　板	二五
ボンボリ	四	電柱利用	三
チンドンヤ	二五	包裝紙	四
ショーウインドウ	三	サンドイッチマン	一九
映画の幕	四	ネオンサイン	三
新聞廣告	一二	案内圖	四
幻　燈	三	廣告びら	二〇
廣告塔	三	旗	二
レツテル	八	寫眞利用	三
雜　誌	六	道路につるす	三

c 圖案の蒐集

○レツテル類を集めたことがある	一六	あつめている	四

○カットや圖案を集めたことがある	一四	集めている	八

d 今までにかいたことのあるポスター

運動會	二八	學藝會	一三
防火ポスター	二九	衛生ポスター	一三
音樂會	一五	美化ポスター	九
展らん會	一三	子供會	一
交通安全	一三		

以上を考察してみると街頭の宣傳美術に對する注意はまだ充分でないしかし相當多方面にわたつて見ていることは推察出來る。こゝにより批判出來る態度を養はねばならない。

種類や形式については全体の話しあいによつて或る程度理解出來可能性がある。

關　心

a 圖案教材に對する好みの傾向

割合すき＝一一　普通＝三一　きらい＝三

b ポスターやレッテルについて興味をもつか。

興味をもつ＝一三　普通＝二八　もたない＝六

c 経驗の a 及び c は關心としてみることも出來る。

以上を考察してみるにこの種の問題に對しては比較的興味關心をもつていると思はれる特に蒐集しているものが相當あるのでこれを利用して鑑賞批評等によつて關心を高め得る可能性がある。

能　力

a 構圖のとり方

適確にとれる	四
比確的上手に出來る	九
普　通	二九
殆んどわかつていない	三
全くわかつていない	二

b 繪を圖案化すること

きわめて上手に圖案化出來る	三
比較的上手に出來る	九
普　通	二三
殆んどできない	一〇
さつぱり出來ない	二

c 文字の圖案化

きわめて上手に出來る	四
比較的上手に出來る	一〇
普　通	二三
圖案化するけれども非常に下手	八
殆んど圖案化出來ない	二

d 配　色

すぐれた配色が出來る	二
計画的に比較的よい配色が出來る	九
普　通	二二
感覺が悪い	一三
まつたく出たらめである	四

一九七

一九八

以上を考察して見るに圖案化する能力と配色に對する感覺を高めなければならないということがいえる

2、資料の研究

a 美術が宣傳手段としてもつ特色

○宣傳すべき内容を視覺を通して直接的瞬間にしかも印象的に傳え得ること。

○言語や文章にくらべて平易に誰にもわかり世界性をもつている。

b 宣傳美術の形式（略記）

ポスター　ビラ　レッテル　包裝紙　看板　廣告塔

繪圖　展示　まん画

c ポスター（宣傳美術の花形）について

ポスターは廣告の媒体でそれが繪画的手段で良く多くその目的効果をあげているのだから繪画的技巧が目的の宣傳化を最大級に具象化した時ポスターは獨自の機能と美とを發揮する

ポスターをかく時の一般に必要な條件は

(1)形の構成＝画面全体が變化とリズムをもつこと

(2)配色が効果的であること＝色相明暗の對比を考えて着目性の强い配色を選ぶとともに要點に注意を集めるようにする。

單に强烈な刺戟を與えるばかりでなくよい感じを與えることが大切である

(3)文字との關係＝ポスターに入れる文字はタイトル、日場所、標語、價格等々であるがそれらの文字は必須なものだけを選擇すること

かゝれる場所とかき方が對象的に呼應して調和的であること。

d モンタージュについて（略）

e 看板の種類（略記）

屋根看板　掛看板　軒吊看板

店内額看板　電柱看板　移動看板

鐵道沿線及街道筋の看板　移動廣告（自動車サンドイッチマン）

f 技法上の問題

繪具はなるべく不透明色が鮮明に出てよい、特にポスターカラーは不透明で發色もよくのびもよく最も具合がよい。水繪具を用いる場合はポスターカラーの白を加えるとよい色のついた紙を用いるとその地を生かすことも出來また繪具を不透明にしないと所期の色が出ないので繪具を不透明にしてかゝせるにはかえつてよい。

四、評價の計画

觀點	評價の問題（事項）	方法	時機
理解	1、宣傳美術の意義を理解したか。	質問紙法	單元終了後
	2、宣傳美術の種類を理解したか	〃	
表現	1、構圖か美的效果的に出きたか	記述尺度法	〃
	2、文字の圖案化がよく出來たか	〃	〃
	3、繪の圖案化がよく出來たか	〃	〃
	4、創作的に表現したか否か	直接觀察	單元學習中
鑑賞	1、お互の作品の價値判斷が出來るか	〃	〃
	2、宣傳美術に對する關心が高まつたか	〃	學習後長き觀察

五、展　開

(一)展開系列

①問題の把握……三五分

②計　画……一五分

③作　業

○宣傳美術の意義種類形式……二〇分

○夏休みに集めておいたポスターレッテル新聞廣告包裝紙等をもちよりその效果。作品の美術的價値等につき批評する……三〇分

○右のもの、一部の作品を再構成する（構圖をかえたり繪や字を訂正してみる）……六〇分

○街の廣告或は看板等を調べてみてその中のあるものをよりよく構成してみる……一〇〇分

○學校行事或は學友會の勵行事項等をポスターにかく……一〇〇分

④完　結

○出來た作品を批評鑑賞する……三〇分

○宣傳美術と都市美との關係について話しあう……一〇分

(二)準　備

画用紙（出來れば色のついたもの）　水彩繪具　ポスターカラー　画板　画鋲

參考作品及參考圖（配色掛圖）

夏休みに蒐集した種々の圖案

(三)連　絡

④本時の學習　第二時

主眼＝參考品、參考圖等を觀察し話しあいによつて宣傳美術の重要性を理解し問題をつかみ學習の手順を理解する。

過程	様式	學習活動	指導	評價	備考
問題の把握	全体話合	夏休みにあつめておいた（レッテル新聞廣告包裝紙ポスター等）についてその宿題實施狀況を見る）	夏休みになるとき宿題として集めさせる	興味の程度を見る	參考品、夏休みに蒐集しておいたもの
	〃		宣傳美術ということばで總稱する		
	〃	學校においては宣傳美術はどのような形であらわれてくるか話し合う	行事と勵行事項の徹底に大別する		
	〃	實社會における宣傳美術はどのような形であらわれているか話しあう	商業上の宣傳、思想の宣傳啓もう商業上の宣傳にはいろ〳〵の種類があることを話しあつて興味をおこさせる		
	〃	以上の話し合いの中からこの單元をきめる			
學習內容をきめる	〃	この學習の內容としてどのようなことをやつたらよいか話し合う	展開系列の項參照	問題のつかみ方	
目標をきめる	〃	この學習の目標をどこにおいたらよいか話し合つてきめる	目標の項參照		
計畫	〃	學習內容をどのような手順でやつていつたらよいか話し合う	學習內容を順序立て完結までいれる（展開系列の項參照）		
作業（一部）	〃	宣傳美術の意義種類表現形式等につき話しあう	問題の把握のところで凡そのことはつかまれているからそれを整理して足りないところをおぎなう	理解の程度	書鋲
	グループ單位ー全体	夏休みにあつめたものにつき批評會をする　グループでまとめたものを全体に發表する　次回の豫定を話しあつておく	宣傳美術という意味あいから夏休みにあつめたものを分類したりその效果を批評したりする　準備品もきめておく	批評の力	

←50分→15分←35分→

六、反　省

本時の反省

体 育 科

學習指導要領小學校体育編には体育の性格について次のように言われている。「体育科は教育の一般目標の達成に必要な諸活動のうち、運動とこれに關連した諸活動および健康生活に關係深い活動を内容とする教科であるということが適當であろう。」とその領域を明らかにし、ついで「組織だてられた身体活動によつて身体的、社會的、情緒的などの發達が助長されると共に余暇の活用に對する基礎も習得されるのである。」とその價値と効用とにおいてその性格を意義ずけている。

更に体育科の目標について言を進めて次のように言つている。

体育科の目標は教育の一般目標を目ざしながらなお体育科の性格に應じてさらに具体化されるものである。体育科の一般目標ともいうべきものは、

一、健康で有能な身体を育成する。

二、よい性格を育成し教養を高める。」

の二項目をあげ、更に下位にある目標としてやゝ具体的に一について八項目、二について一三項目をその内容として列記してある。これを少しく分析し、吟味して見ると、有能な身体を育成するために、健康、運動の技能、安全性に足場をおき、よい性格を育成するためにはスポーツマンシップの高揚が必要であるとしてその要素をあげている。然もそれは技術を通し、活動を通し、その運動に熟練することを通してのみ得られるものであることを强調してある。教養を高めるために、社會生活に適應できるように、社會面にある公衆衛生や正しい余暇の利用についての考慮を行い、その基礎をつくることに重點をおいている。

何れの目標を見ても具体的な活動の場を予想し、場において形成される身体活動並に態度をねらつているわけである。

体育の目標に正しく進むためには活動の場を理解せねばならない。如何なる場が目標を含み体育科の性格に立つているかを知ることは基本的な事柄であるとともに正しく有効な學習を展開するに必要な事柄である。

—場の意義—

運動ということは具体的な身体そのもの〻動きであつて、その動きは目的を持ち、動くことによつて動きの領域を擴大し、動きを複合化し、統合し、その運動の目的とするところに向つて次ぎつぎに展開されてゆくものである。運動という言葉は動いている。「場」を予想したことばである。場には目的性がある。たとえば物が並べられてあるとする。そのものは置かれたものであるとしても置かれてあるからには置かれる目的をもつているのである。即ち配置されている目的や配置されている他のものとの關係において在るべき必要と在るべき理由のもとにそこにあるのだと言われるのである。關係的にあるということは力の釣合とか、そのもの〻目的性において主となるか副となるか或は互いに依存的配置であるか對立的配置であるか、或は壓力的

二〇一

か詰抗的か等々がその内容となつているものである。場は他に向つて働きかけていると共に他から働きかけられているものでそこには引合う力、押しあう力、保ちあいがある。場の力的な釣合が破れるとその配置はくずれ、方向が亂れそのために展開が混亂する。然し場には釣合を保ち、方向を持ち、整つた配置に落つく傾向がある。それは宇宙の原理に添うた愛と眞理と安定の様相に似ているのである。従つて場にはバランスがありリズムがありタイミングやコントロールがあつて各々その性格を持つた動きの型が作られているのである。

人間の運動は物の運動や植物、動物の動きのように無意圖的な運動とは違つて、より高い、より深い理想をもつた場を造つている。引き合い、押しあう等の作用も單なる物的配置の上からくる物理的な力學的な釣合いばかりではなくて、共通の活動目的或は對蹠的な働きの上に立つた釣合いであつたりすることが多い。従つて場にあるということは意識にあるとか無いとかにかゝわらず關係的な力の指配を受けると共にその人の目的に對する擇意がそれぞれの壓力に詰抗して作用を起すのである。

場には二つの作用がある。機械的な無意圖的な配置をもつた力の作用ともう一つは思想的な意圖的な詰抗作用を有する配置の上に立つ力の作用があると言われる。機械的な場の作用はその場の原則に從い技術に熟練しつゝその場に適應する能力が興えられる。思想的な場の作用は時に恐怖心を露出し、劣等感を産み、時には反攻的となり、或は失敗の結果から反省をなし繰り

二〇二

返しを行い性格の改善を余儀なくされてゆくものである。

運動の場は考えている場ではない。具体的な行動の場である。常に對決に迫られている場である。此の場の問題、障碍を解決せずして前進することは出來ない。飛躍して障碍を避けることはできないのである。解決するためにはその性格を知らねばならない。場の性格に合う態度や行動をなすことによつてのみ解決は可能なのである。場の解決には(イ)恐怖心を除くこと、(ロ)素直に接すること、(ハ)熟練すること、等が大切である。場を解決するということは場の持つ性格に従つて場の性格に適應することである。從來の体育の考え方に從えば基礎的能力としての走る、跳ぶ、投げる、格闘する、懸垂する、倒立する、轉回する等の諸活動を身につけることであつたが今日の体育では場に適應する能力を養うことを考えねばならない。適應能力の要素としては瞬間に行動を起す能力であるデシジョン、バランス、タイミング、リズム、コントロールが擧げられる。此の事は具体的な場から生れる能力であつて基礎的な個々の活動から生れるものではない。場の生活からくる能力こそ体育のねらいとして强く考えねばならないのである。その場の持つ活動に熟練することこそ重要な事柄なのである。

—望ましき場の形成要素—

場の活動が重大な意義を有することは前述の通りであるが、それではいかなる内容を持つた場が望ましき場であるか、ということを考えねばならない。具体的な場ではあるがその働きに優

値のない事が多かったり、展開作用が無駄の多い場であったりした時はよい場とは言われない。望ましきよい場といわれるためには次のような要素が含まれていることが必要である。

一、兒童生徒の身体的能力の發達程度に合っていること
　イ、基礎的能力において
　ロ、適應能力において
二、兒童生徒の理解能力と合っていること
　イ、ルールや方法を理解する能力
　ロ、運動に關心を持ち意欲をもっている
三、活動に目標があること
　イ、その運動の性格がはっきりしている
　ロ、その運動の連續的展開が教育の一般目標に合っている
四、教材の要素がはっきりつかまれていること
　イ、運動のスケールが示されている
　ロ、運動のルールがはっきりしている
　ハ、運動の方法が適當である
　ニ、運動の技術が容易である
五、教材の展開が目標に向って明瞭な方向をもっていること
六、兒童生徒の心理的發達の段階に適合していること
七、兒童生徒の環境を整備し容易に經驗がなされること

—場を形成する主体性—

前述の通り場は機械的な力學的な關係的存在としてもあり得るが人間の行動的場として考へる時そこには行動の主体たる人間そのものが關係することになる。民主教育は關係における主体の尊重と關係における主体の自立性にあると云われることがら推しはかっても主体たる人間の欲求が根本となるわけである。人間の基本的本能としてあげられるものゝ中で特に体育生活に必要なものとしては、

一、闘争意欲（競争本能と言われるもの）
二、構成意欲（創造し、改善し、安定する本能と言われるもの）
三、不快、不滿の情を快感、滿足の情に移行する意欲（情緒の安定を求むる本能と言われるもの）

の三つをとり出すことができる。

フランシケルは此の本能を基礎として「人間の生活において人生の目標をいかに見、人生の行路をいかにとるか、ということが人生の經驗として中心となる事柄である」とこのことを規定する要素としては一つは主体の要求であり、二つには場の要求であるとしている。主体の要求は生涯の前半において表われ、思想や情緒が安定すると共に生涯の後半に場の要求が表われてくる。從って前半的生活をなす兒童の生活にあっては主体の要求が主となり、安定期である、高等學校の生徒の生活にあっては場の要求が多く表われてくる。そこでその中間に存在する中學校は主体の要求から場の要求に移動する時期にあたるものと考へても差支へないと思われる。

ビューラー夫人もこれと同樣なことをより具体的に述べられている。即ち人生の活動は欲求と課題によって展開されてゆくも

のである。欲求は生命力に對應するものであって、人生の前半において人間の生活体、生命体として必然的に生ずるものである。それが成長するにつれて宗教や社會や科學等によって課題として決められる。即ち欲求の領域から課題の領域に轉換するのである。主体の要求から場の要求への轉換があるわけである。言葉をかえれば自我中心から社會中心への轉移であり、欲求中心から課題中心えの轉換である。從って小學校にあっては主に場を與えて場の性格とその生命力とを對應させ主体の要求を滿足させることを基盤とし、中學にあっては場を與える時と問題解決のためにはどうすればよいかという課題方式をもった活動の場とを併用してゆくことが行動の心理的發達と合致した方法であると言われる。

—場を形成する身体的機能性—

場の變化をもたらし、場の整理をなし遂げるものはその場の主体的地位にある人間の身体的機能の影響によることが多い。客觀的には同一の場であったとしてもその生活体の作用能力によって構成樣式が變化されてゆく、次に場に適應される運動能力の一般的な展開表を掲げて參考にする。

（一表）　○ 運動能力の展開表

小學校	中學校	高等學校	大學
できる	よくできる	いつもよくできる	美しくできる
可能性	適應性	調整	調整
道具、方法について對決に迫られる	そのもの、性格（フォム）に接觸する	性格にあった場を構成する	場に適應し場を創り、調和する
快、不快の情が主軸となる	闘争本能を主として場に適應する	構成本能	美的本能
基礎的能力	適應能力	轉移能力	轉移能力
‖	‖	‖	‖
走、跳、投 格、轉回 倒立、懸垂	バランス タイム デレクション（時間的應用） リズム コントロル	鈎合 反射 内省	調和 齊一 美意識
誘導 ———	——→ 主軸 ———	——→ 發展 ———	——→ 完成

（二表）

○スポーツ活動における要素の學年展開表

要素＼學年	1　2　年	3　4　年	5　6　年	中　學
活動をおこす動機（あそび）	見たり、聞いたり、さわつてみたり、方法を示されたりしていろいろの運動を平氣で試みる	できる運動、できない運動、好き、きらい、こわい等の感情が伴つてくる 攻撃、逃避、補償の心的動搖が表われる	よくできるようにつとめるが嫌いなものから避けようとする。情的な動搖はあるが作業に力が伴つてくる。	いつもうまくできるように努力したり、特殊な機能を仲間をつくつたりして社會性を考へる。（現象を見、環境をつくり、配置關係的考慮をする）
感情の形成	初發的、散發的感情がでる、そのために行動となる	感情が連續し、統一されるそのためにまとまつた、情操としての傾成を得てくる	知的形成に進み、判斷、計畫、追究、問題、把握、情緒性、意欲性がはつきりしてくる。	計畫し、調査し問題を解決することに努力してくる。
人との關係	樂しく試みる（動機の快感）	個人の感情をその場に表わし、現實にあたつて訂正する	現實に直面し、不平や不滿と理想（希望）とがくいちがつて心理的動搖がおきる	力の序列ができる。個人の動きの力動性―ポジション。關係的な動きの力動性―チームワークを求める
經驗	いろいろの運動を試みることによつて、できるという自信をつける。可能性を知る	だんだん複雜な經驗を可能にする	複雜な構成を經驗してそれに關心をもつ	判定し、分折し、綜合する等の經驗によつて多くのものから選擇することのできる能性をつくる
身体	生活体としての各器官や組織や作用は整つている（第一体型）	組や作用に力が加わり、刺戟を受け入れる型となる（第一体型）	組織や器官が外方に發育する（伸張）	力がつき、作業能が表われ、力的に細かになつてくる（充實）
精神	素朴的感情	對抗的感情	鬪志的感情	排他的感情　分出的感情 （逃避、攻撃、補償）
興味	感覺的刺戟によつて動くことに興味あり（衝動的心理）	ものを征伏することに向つて活動することに興味あり（全能感的心理）	ものを支配しようとすることにむかつて活動することに興味あり（鬪志的心理→批判的心理）	ものを媒介とし支配に向つて活動することに興味あり（内省的、反抗的傾向を表わす、安定となる）
場の活動	1 對決に迫られ動きの必要を感ずる 2 變化を受け變化する 3 場の構成に從う動きに馴れる ○ ［動きにな馴れる 動きの性質を知識として身体の動きとして知ること］ ［あそび］―［快感 不快 不滿］ ○動きの目的があつて、方法が動きの可能な範圍であることを必要とする （素朴的經驗）	1 對決の場から變化を受け變化をする形成活動をなす 2 場の構成に馴れる、理解しようとする ○ ［方法に馴れる］ ［方法 考察］ （生活的經驗）	1 對決に迫られ、變化し形式し發達する 2 場の構成、形成を理解しようとする 3 分折が始る ○ ［ドリルを要求され經驗を欲す、試みる］ ［快感 不快 不滿］―［方法をつくる］―①規則が生れる ②技術が要求される ③有能な能力が生れる （構成的經驗）	1 對決に迫る、2 變化し、 3 形成し、4 發育し、 5 安定形成を働きとして 6 場の構成形成を理解し働きかける ○ ［能力が適當に使える、規則が理解できる、批判的に見える、動きの見通しがつく、欠點が判る、社會性がでる、滿足と快感が多い］ ［運動の性格に馴れる］―①正しい行動がとれる 規則を生かし 技術が身につく ②審判法 ③よい性格ができる（社會性・興味・スキル） （場の調整經驗）

（三表）

○リズムあそび、リズム運動における要素の學年　展開表

要素＼學年		1	2	3	4	5	6	中一	中二	中三
A 情緒	曲想	明快にして大きな波のあるリズム曲にあわせることができる		明快にして大きく波のあるものと細かく速いものゝある曲を好みそれにあわせようと努力する		明快、せん細、豪壮等いづれも好むが長くは續かない		長いもの、せん細なものを好む	明快なもの、變化のあるものを好む	明快とせん細との釣合のとれたものを好む
	詩想	擬人的なもの身近な自然物身近な大人の生活等ですじの組んだものを換徴する		これに活動を加えて變化したくなる	すじの明るいもの主題のはつきりしたものを印象にして過程を作りだす	創りたい、考へたい、大人の考へをもつてきて表わしたい、あこがれが強い	想像が細かになる身近な像に心が動く系列をつけてくる	自分のもの、自分の近い世界を避けて遠い美しいものにあこがれる 感動が強くなつて印象が迫つてくる 内的な自分の心の動きに自分をむすびつける		
	刺戟	刺戟にふさわしい反應が内的におきない。そのまゝ呑んでしまう		刺戟を受けて反應を起す、然し反射的に行動化する點が多い		刺戟を呑み、消化しはじめる。然しよりよきものへのあこがれが強く心が外に向く、（はにかみがでる）		刺戟を消化するが受納的と排他的との兩面が同時的に表われる		落ついて受け入れが的にかたまつて沈んでゆく
B 技法	動きの基礎	1、歩（いろいろの歩き方） 2、走（いろいろの走り方） 3跳（いろいいの跳び方） 4、整（いろいろの形をととのえる）	5、踏（いろいろに足を踏む） 6、屈（いろいろに身体、手足をまげる）		7、伸（手足胴をいろいろに伸ばす） 8、捻（手足胴をいろいろに捻る）	9、轉（頸胴体をいろいろに轉ずる） 10、振る（手、足、頭、胴をいろいろに振る）	1から10までをいろいろに組んで行う			
	動きの變化					1、暖と急 2、緊と解 3、重心の移動	4 釣合 5 旋回	〃	6、飛躍 7、波動	8、蛇行 9、伸縮
	動きの情意				1、流れ 2、ストップ 3、叩打 4、强弱	5、すくう 6、投げる	7、置く 8、伏す	9、かまへる	10、れんしゆゆく	11、呼吸
	動きの創造			1、一部分の改變	2、すじに乘つて 3、すじの中心を生かす	4、曲のテーマに乘つて 5、曲の主題をつかんで	6、すじの主題をつかんで 7、詩の構成を生かして	8、詩の流れの構成に従つて	9、詩情の中心を生かす 10、感動の流れを生かす	11、場の構成（創作活動）
C 熟練	リズムあそび	型をおぼえてリズムにあわせる（主にテンポを考へる）	型のつながりをつける（ 〃 ）	動きの姿勢をかえてリズムにあわせる	意味を含めて表わす					
	模倣物語あそび	詩のすじのとおりに動く	言葉のもつ型を表わす	意味を強く表わす（主にアクセント）	スケッチ					
	過程	感情移入	具体感情像	寫實		形象像	簡素化			表徴像
	表現活動		①舞踊する身体を舞踊することによつて作る ②舞踊になつているものを踊つてその意味と連續を知る (イ)表われ方を知る ㋺舞踊の感動を得る ㋩自分の感動で踊りになつているものを踊る ③感動を受けて身体を形に表わす練習をする ㋑具体像に心を浸み込ませ强く感じた點を抽出する ㋺自分の感動を美しく一本の情緒を盛り强い印象をまとめる ㋑舞踊になつているものに刺戟されて自分の感動を搖がし改變して見る ⑤感動を整理し構成し表現する ㋑鑑賞し創作し踊る ㋺主題をつかみ展開する							

体育科のねらい

体育的な場を形成するためには体育科の目標を知らねばならない。目標は當然教育の一般目標と關連するものであるが、直接活動をひき起す素材の活動形式に具体的に接觸しているのである。理論的な目標論はしばらく措いて、活動の中に目標の要素的なものを見出しこれを手がかりとして活動を展開してゆくことは、活動を容易にし、確實なものにすることにおいて意義がある。即ち目標の要素的分析と運動能力の要素的分析を行い、その重要な内容を項目的につかむ仕事が必要である。特に教材となるべき各運動は理論的に知ると共に身体的にも熟練しておかなければならない。指導者の斯うした技能態度によつて得られた教養ある人間像が見童生徒の未完成な意欲的な人間像と赤裸に觸れあつた時、媒介としての素材の動きを通して現在社會の要求も望ましき將來の社會の要求もその學習活動の場に表われてくるものである。この學習活動の動きを教材と云うのである。教材は過去の客觀的材としての素材觀より發展して學習活動を起す動きの場をいうのである。然し言い表わす言葉の都合上その素材名をとつてはいるが内容を場的に考へてゆきたいと思う。教材の分析並に順序は見童の實態に立つて考へるべきである。學習活動の展開がその方向を正しくつかみ見童生徒の關心の上に立つて學習を容易に導くとき自主的な活動が生じ、教育目標である人間性の育成に効果をもたらすのである。

体育科が理想とする人間像は何か？このことは体育科の性格において已に明らかなように健康でスポーツマンシップに育てられた正しい性格をもち、熟練した深い技能を身につけた身体の具体性であると言われる。

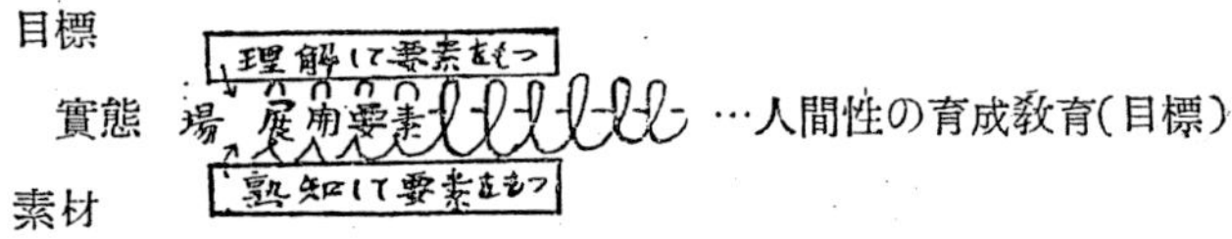

—學習のねらい—

學習は見童生徒の主体的な意欲を基盤とし媒介としての活動が展開されてゆくものであるが教育活動である限り具体的ではあるが卑俗的な樣子から淨化し、淨化した、要素のはつきりした無駄のない活動でなくてはならない。活動の主体である見童生徒の身心の發達と疲勞の實態より推測して互いに關係させつゝ、量的には長い經驗の時間を、質的には内容の豊かなものの經驗を與へねばならない。この熟練し經驗する場を通して健康が增進され、態度が育成されてゆくことが常にねらいとして見通されていなければならない。健康、態度、熟練のねらいを具体的な場に持ちつゝ、どんな順序で、どんな教材で、どんな助言で、どんな見通しをつけてどのようなコースをつくればよいかということを考へるとそれは体育科のカリキュラムということになる。カリキュラムは目標を設定しその目標に到達するための過程（コース）であつて如何なるコースを選ぶかはそのコー

スを通る者とそのコースを指導するものとの關係において決められる筈のものである。その時の條件としては環境、氣象、行事、季節、身体の生活体としての特徴、身心の能力、發達段階考慮されて全体計畫が建てられ、學年計畫につゞり、月間、週間、本時の計畫へと進むべきものである。次に當校における計畫の概略を一部分ではあるが參考までに掲げて見る。

(一表)

全体計畫表

月	4	5	6	7	8	9	10	11	12	1	2	3
氣象	——温	暖期—— ——伸張期——		——暑熱期——		——残暑期—— ——充實期——	——温暖期——		——初冷期——	——寒冷期——		——残冷期——
季節の影響	新しい感じが満ち深い感激がある 秩序ある行動の約束をして行動に敏捷性を與えたい 神經がゆるんで眠くなる 活動表現は强いが自由に動けない 細かい傷をする	体型的に伸びるので榮養が不足しがちとなり疲勞がはつきりする 神經系統がかんまんな動きとなつているので急激な强い運動はできない 夏への準備を心がけつゝ紫外線を多く受けて皮膚の抵抗を大いにする必要がある 榮養と衛生には氣をつけて手や足や頸などの身体を洗ふことを習慣づけること		暑さは身体をだるい感じを與え活動が鈍くなつて休養を要求する。然し發育は秋にそなえてふくらいでくる。体操の運動量をとつて靜養を多くし内ぞう的な疾病を豫防しつつ力的な場をとらねばならぬ 皮膚を灼いて抵抗力を强め能力の低下を防ぐこと 運動の領域は擴大するが思推作用はにぶくなる 室内の体操、樹かげの体操を連續ること		發育の再盛期と云われる季節である 身心共に緊張し活潑に作用する 思考が緻密になり、觀察が出來判斷力が働く 身体の緊張と解緊作用が機敏となり、適應力のつく運動を質的に與え多方面の技能を基礎的に附與することができる			霜の發現から雪となり、凍るような寒さが續く 身体の動きが萎縮の方向に走り、感情的にもかんまんとなる 寒さに敗けると身心共に縮少し能力が落ち今までの能力を落さね樣に基確的な運動に熟練をもちつつ春への伸張に備えて絶えない運動を行うことが必要である 室内体操を常に行いその動きの傾向性を離さぬようにして、機會を見つけては大きな運動を與へること			
季節のねらい	1．基礎的施設の整備 2．基礎的態度の育成 學習を可能ならしむる樣 場的活動の評價	1．ゲームの態度技能の場的學習 (理解する爲の努力的活動、技能增大の活動チ１ムの協力の活動) 2．刺戟、適應力を增大する 3．陽に灼く		1、自覺的運動と休養習慣實踐 2、夏にいどむ態度と力		1．協力を通じて快感を体驗する 2．個人的能力として各種技能の習練 3．經驗の增大 4．基礎的能力の育成 5．理解を深め行動の要点をつかむ			1．寒さにいどむ態度 2．活動へのあこがれ（イ、室内運動(スタンツ)の興味增大　ロ、氷雪への活動） 3．冬季保健 4．情緒的表現 5．リズム運動 6．運動能力を保つ			
まとめとしての行事	(秩序)　遠足	憲法會　遠足	スポーツ會	檢定會	水泳會	遠足　檢定會	運動會	遠足　スポーツ會 檢定會		雪營	スポーツ會	學藝會
内容となる運動	体操（規約方法型） 躾（秩序整列規約） 球技（送りあい、攻めあい） 鬼ごつこ（組み鬼）	球技（送りあい、攻めあい） キツクベースボール ハウスボール バスケツトボール	球技（攻めあい） キヤプテスンボール ネツトボール ハンドベースボール ドツジボール	懸垂（あがる、下りる、回る、振る） 水泳（泳ぐ、潜る、浮く、とびこむ）		走（リレー、疾走、出發）体操（鐵棒、飛箱、徒手） 跳（巾とび、高とび）リズム（リズム遊び、リズム運動） 投（正確投、距離投）構成（グランド構成）			球技(送りあい、攻めあい) ハンドベ１スボール フツトベースボール バスケツトボール 蹴球	雪あそび(すべり) 氷あそび(すべり)	攻めあい…ハンドベースボール 送りあい…バスケツトボール	演劇 創作表現 模倣表現 リズム運動
起案	○給食實施、カロリー發表 ○身体檢査、結果の評價 ○基礎的測定（走跳投、組み分け、協力） ○學習形態の設定 グループ設定 準備の方法 當番制 ○用具 ○運動場、器具の整備 ○憲法會行事發表 ○遠足豫定、發表と整備 ○多角的な經驗を與える準備 ○春の保健 睡眠調査 日光利用 ○校醫講話 健康の相談 健康委員會 兒童會	○給食春の榮養 1．教材の展開系列の設定　評價 2．投力の測定と評價(豫備) 3．各種テストの豫定發表 豫備) 4．課外指導案設定 係員 方法、豫定表 5．校内競技會のプラン設定、發表 6．屋外運動の奬勵 7．水泳場の連絡、豫備調査、諸注意作成 8．夏季修練會準備　大綱決定、方法立案、交渉、連絡 9．中心教材の熟練、基礎的能力のテスト ○蛔虫驅除 ○身体檢査の結果健康養護診療を決定しその方法を示す ○夏の健康の準備　ポスター製作展示、ツ反應 ○校醫の講話、健康相談 兒童會健康委員會		○給食夏の榮養 1．檢定會 係、方法、發表、構成決定 實施、整理 2．水泳實施 引卒 大會豫定表——實施案 結果の處理 3．運動會準備 大綱決定 4．夏季修練會實施 海水浴 登山 5．自主的學習の刺戟と實踐 記錄の作成 ○夏の保健實施 水と衛生 寢冷え ○校醫の講話、健康相談．兒童會 健康委員會		○給食運動と榮養 1．身体檢査と結果の評價 2．基礎的能力テスト（豫備）實施、整理、發表 走、跳、投 係、方法、發表、構成、決定 3．コンテスト種目の努力をなす 走る形態（疾走形——出發、ダツシユ） 跳ぶ形態（助走——踏切——空間——着地） ○個人の能力票記入 4．グランド、砂場の整備、設定(用具.器具、手具の調整) 5．運動會具体的案 職員委員會・生徒會・學級委員會の活躍 6．屋内体育場の整備、方法、グループ活動構成準備 ○蛔虫驅除 ○身体檢査の結果の指導をなす、休養と運動について個別指導 ○秋の健康實施 ○冬の健康準備 兒童會、健康委員會、健康相談			○給食冬の榮養 1．身体檢査と結果と評價 2．雪すべりのグランド設定、竹スキー、ソリ、スキーの整備——實施 3．蹴球用グランド構成 4．リズムあそび、リズム運動のまとめ、ステージ構成 ステージ作成 5．姿勢調整と保温的運動——肋木、マツト、跳箱、調整 6．室内競技ルール設定 7．評價——理解、態度、技術、熟練、狀態、參加、健康について 8．校内競技會のプラン設定發表 9．年内反省と新年度の構案 ○蛔虫驅除 ○ストーブ衛生、しもやけ風邪の豫防 ○ツ反應 ○校醫講話、兒童會、健康委員會、健康相談			計畫の樹立 豫算施設用具 行事計畫

（二表）

四年男子　年次計畫表												
月	4	5	6	7	8	9	10	11	12	1	2	3
主教材	球技 （攻め合い） フツトベースボール	球技（逵り合い） コーナーボール 方形ドツチボール		水泳 （ロングベースボール）		陸上競技 走一（疾走型、繼走）跳一（巾とび） 投一（距離、正確）			球技（逵り合い） （フイルドゴール） （スキー遊び）		球技（攻め合い） （フツトベースボール）	
副教材	体操巧技 ダイヤモンド鬼	球技（攻め合い） ハンドベースボール		体操（組体操） 巧技（器械、マツト）		巧技 （組体操器械マツト） 色々な繼走 色々な縄飛び 色々な鬼遊び			遊戯　一（鬼遊び、帽子とり、押し合い） 巧技　一（手をつかわないで起きる等の巧技）			
健康	空氣に當る 眼手 日光	拭く 汗をふく　洗つたら拭く 持物をふく		灼く 体を灼く よく眠る、よく洗う		はねる　洗う 姿勢、器具を使つてはねる、すんだら洗う			伸びる　出る 姿勢、外に出て滑る、のどを守る			
態度	協力 むだごとを云わぬ	寛容　責任 自分の位置を守る 人を攻めない		恐がらない 一緒に研究する		努力　完行 途中でやめない、いろいろ作つて見る			理解　元氣　協力 交代していろいろの位置を守りその動きを知る スポーツらしいことを考へる 參加する、不平を云わない			
熟練	當番を決めて仕事を行う	適應力 順序を守つてまちがえない 交代を速くする		基礎的能力 （滑る、浮く、飛込む）		基礎的能力 （疾走 踏切 調整能力 （バランス コントロール リズム			ポジション（位置の動き）を交代して動きになれる パス　（投、捕）になれる			

（三表）

六年　リズム表現年次計畫表												
月	4	5	6	7	8	9	10	11	12	1	2	3
主教材	リズム運動 希望の表現 跳躍と回旋のある明快なものを創る	春の表現 ○叙事的表現一花雲風蝶あそび等を調和した美しい線に構成する 抒情的表現一自然の動きに心をとめて自分の感動を順序づけて表わす		夏の表現 うねりと細かさの調和を保ちつゝ、雄大な空雲海、山の變化を表わす		構成する ○主題をつかみ、それの要素をあげてこれを綴る ○いろいろの作品をグランド風に組む			創作的表現 ○追憶をテーマにした構成を行う、それの要素的項目を並べて個人の内容を話し合い綴つてゆく （個人舞踊、組舞踊の變化をもつ） ○鑑賞したり詩の朗讀（アクセント、ポーズ呼かけ）をなし創作する			
副教材	喜びの即興的表現 ○詩の朗讀 ○呼びかけると共に反應する動き	○詩の朗讀、曲の鑑賞、表現の過程を考察する ○基礎的技法をいろいろに組む		○鑑賞によつて變化の綴り方を考察する		參考品（繪や書物や既成品）を用いて變化する ○詩の主題をつかみ動きの變化による組み方の美しさを味う			○長い曲について踊る經驗をもつ ○ステージ風に組むことについて話し合い、作り、鑑賞する			
情緒	喜びをならべてすつきりとした情緒をととのえる	○樂しい快感を自然の中に移入して强い印象をととのえる ○樂しさと淋しさを自然の動きに區別してみる		○雄大な大きい動きの感動 ○急變とショックの感動		○美しい詩や曲に接してその流れの組み方に情をうつす ○明快な感じ、大きい感じ軟らかい感じを選ぶ			○憧憬の世界に樂しさを描き、美しい心の旅を想像する ○感情が對象に移入され快と淋しさと悲しさがわかつてくる			
技法	躍動、旋回、伸、急止等を組んで表わす 即興的創作の快	○置く動作伏す動作を軟らかに表わす ○曲一杯に流したり整えて休んだりする		速さを表わす伸びときざみと回旋の表現		○旋回する事……上肢下肢をつかつて振るようにして体を回す、姿勢を保ち釣合をもつ ○詩情にあわせて動きの變化を表わし、それの調和を保つ ○情緒の流れを、すくう、投げる、置く等により表現する			○基礎的動きに加えて、伏す型、置く型、旋回釣合が考えられ、動きの情が細かになる			
熟練	感動を素直に動く話し合う	○動いている中に動きの情を流しつつ余裕のある表現になれる		○全体としの整へ方 ○印象をまとめること		○自分の感動によつて踊りになつているものを改造する ○詩と動きのコントロール、バランス、タイミング等を個人のときと組舞踊のときに保てるようにする			○具体像に心を滲み込ませ、强く感じた点を抽出する ○即興的に作られたものを再考し整理して簡素化する			

二一〇

―學習の形態―
熟練している場を基盤として次のような觀點に立つて具体的な項目をつくり、その難易度を概觀する。
一、能力の要素的展開の段階に照らしてどこに無理があるだろうかを見、兒童の興味の所在を明らかにする。
二、性格、態度の要素的展開の段階に照らして熟練の場的要素をつかみ難易を決定する。
それによつて得た資料を基にして全習法で行うか、分習法か課題法かを決める。尚形態の内容的なものであるとは思うが次の事が參考になる。
① 能力中心…本能的な主体の欲求が主となる
② 教材中心…場的要求課題欲求が主となる
③ 行事中心…社會的要求であると共に主体、場、課題欲求が含まる
①と③は小學校に適し②と③は中學校に適す。
―學習過程―
主運動にあてはまる學習の展開を主軸とすることは當然であるが体育の媒介物は動きであり、生命的である。本能的な意欲と共に全力の表現が伴うものである。爆發的動きに順應することの鈍い人間の身体に强い活動を直ちに與えることは戒めねばならない。体育は健康増進の手段であるとも言われる面が多分にある生活体の本性に從つて遠きより近きに、緩より急に、弱より强に、の原理に從い、順序をもつて活動を進められねばならない。そこで第一區分として誘導運動をとり、終末整調として整理運動を配置したわけである。（學習指導案例參照）この面つは身体の植物性から見て當然のことであるが此の事に重大な意義を認めて完全なる徒手体操、器械体操を行い、科學的な普遍的な合理的な身体の育成と刺戟を與えねばならない、又主運動に盛られる教材の展開予想においても十分な展開系列に從つて構築されねばならない。（運動能力の展開系列表參照）
―評價―
學校体育において檢査を行い測定をなすことの意義は運動や衛生に關する理論や實踐を科學的に正しく指導して体育の目標を遂成しようとするがためである。檢査し、測定することは手段であつて、それらの結果を綜合して全体を考査評定し學習指導に方向性を與えることである。直接目的としては
一、個々の兒童生徒に對して適切な指導計畫をたてるために身心の現状を知ること、（予備調査という）
二、兒童生徒の學習活動において目的達成のために働きかけている現在の學習活動が適當であるか否かを知ること、（途上評價という）
三、實際の指導法について適不適或は成不成を判定してその改善をはかると共に健康、技術、知識、態度、習慣について進歩を記錄し指導の適正をはかること、（結果の調査という）
が、あげられる。
測定とは個々の斷片的な問題について巨離、時間、重量などを

量的に測ることであり、檢査とは個々の問題に對する測定の結果又は測定とは無關係に觀察實驗の結果を質的に調べることである。考査とは測定、檢査の成績を材料としてこれを質的に評價し、品等づけることである。從つて
体育における評價の内容は測定と檢査とに關係づけてその質を吟味し、反省し、新しい計畫をたてることである。即ち具体的には
一、目標設定におけるもの、
二、計畫に關するもの、
三、成就尺度によるもの、
四、數、量、形、による技能面の具体的類數によるもの、
五、學習内容の吟味によるもの、
六、學習指導の効果に關するもの
七、一般的運動素質の檢査によるものがある、
○方法の一例
1、サーヂャント、ジャンプ　サーヂャントによつて使用された其の場上方跳躍の檢査であつてこれは筋肉の爆發的なれんしゆくの檢査である、比較的潛在的な馬力の檢査で一般的運動素質の重要なる要因である。
2、バーピーの檢査　バーピーによつて作られたもので、生得的な敏捷さと、大筋群の調整能力を測定しようとするもので十秒間に行はれた起立姿勢から蹲立伏臥の姿勢をとる回數によつて檢査するものである。
3、プレイスの檢査　プレイスによつて行われた科學的手續きによる檢査で身体の巧緻性、平衡、身体支配力、柔軟性、力性などを要するスタンツからなつている。
八、一般的運動競技能力の檢査によるもの、
○方法の一例
1、ロジャース筋力の檢査　筋力の檢査はそのまゝ体力や運動能力の檢査ではないが活動している器官の状態や機能の變化は筋肉の状態、機能に對して、それに應じた變化をなすものであるから身体機能に關する價値ある知識を與えるものである。
2、マックロイの競技能力の檢査陸上競技の全体の能力は短巨離走、立巾跳、走高跳、砲丸投（ボール投）の四種目で代表し得るものとして競技能力得點を算出している
次に評價の觀點を示して參考に供したい。

評價の觀点

（學習活動に協力する方法を發見するがために行なわれるもの）

事項	觀点（導き出す項目）
1、目標の設定における評價	1、目標が動搖すると問題が多面的になつて落ちつきを失くし學習が統一されない 2、具体的な活動面よりいろいろな問題を拾つてその中心（軸）に曳かれるように 活動を更改し進歩に役立つように 3、問題の深さをうがつように評價する 4、各項目がどの程度まで到達されているかを學年目標に合せて評價する觀点

2、計畫の評價	1、正常な身体的發達をはかるための計畫に 2、社會的態度を發達させるための計畫に 3、情緒の安定や表現力を高めるため計畫に 4、安全に過す能力を高めるための計畫に 5、レクリエーションョン活動についての理解や技能を發達せしめるための計畫に
3、成就尺度による評價(態度面)	1、指數(級別指數、學年別指數、運動指數)を三段階位に區分してこれに併せる 2、場に對決して反應して起す態度を次の尺度によつて判定する 決して—まれに—ときどき—しばしば—いつも
4、數量形による類數評價(技能面)	1、學習意欲を振興するために具体的な場の活動を數的に形として記錄しこれを評價する 2、學習指導の方法についての適、不適を吟味するために具体的な場の活動を數的形的に記錄し評價する
5、學習内容の評價	展開系列について ○學習活動 ○指導方法 ○用具 ○配置 ○時間 ｝安全程度 安定さ 意欲 ｝について評價する
6、學習指導の評價	協力の方法 問題把握の仕方 素材の研究 チームワーク ｝等の分折構成と共にその方法について評價する

學習指導要領　体育篇の体育科における考査の項參照

—教材—

素材の性格に從い、素材の行動樣式に則つて活動を起す時に教材としての價値が生ずる、素材は教材としての價値的場を構成する因子のようなものであるから素材研究が教材の研究に先行する必要がある。

教材

1、徒手体操(体型的分類、機能的分類、形態的分類)

2、器械体操(跳箱運動、器械運動)

3、陸上競技(走、跳、投、搭)

4、巧技　(マットワーク、ピラミッド(組立運動))

5、チーム・ゲーム(球技全般、野球型、庭球型、籠球型、蹴球型)

6、低い組織のゲーム(素朴的形態ととらわれないルールによるゲーム)

7、季節運動(水泳、雪滑り、登山)

8、リズム運動及ダンス(身体を素材として思想や感情を表現するものでリズム(テンポ、アクセント)情緒、創作の要素がある)

9、余暇活動(逍遥、鑑賞、創造、奉仕等の活動の要素がある)

10、保健活動(健康生活、予防、理論、精神衛生等の要素がある)

(註)最近アメリカ式体育の移入と共にスタンツ(巧技)の運動が興味深く取扱はれて來た。次にその重要と思われるものの要項のみを示す。

スタンツ(巧技)

(イ)意義

(1)辞書的註解としては、人をあっと言わせるような妙技、離れ

業、特別な努力、大仕事曲乗飛行。

(2)体育用語としては、自分の能力を試そうとする欲求から起る遊戯の一形式

(3)巧技の内容となる運動は、器械体操懸垂、倒立、轉回運動、ピラミッドピルディング器械を用いないで地床で行う或種の遊戯的運動の群。

(ロ)巧技の價値

(1)身体の發育を助長する。

(2)筋力を強め器用性を高める。

(3)運動による喜びを体驗しつゝ　(イ)忍耐力　(ロ)勇氣　(ハ)表現力や創造力を高め　(ニ)自律協同の社會性を發達させる

(ハ)運動の分類

(1)柔軟型　(2)平均型　(3)力技型　(4)組立て型　(5)歩行型

(6)跳躍型　(7)轉回型　(8)懸垂型　(9)投擲型

(ニ)指導にあたつての重要な點

○興味を滿す條件

(1)運動要求に應ずること。

(2)運動に困難性をもたせること。

(イ)動きの方向を變える　(ロ)体の姿勢を變える　(ハ)体の支持

(ニ)運動の速度　(ホ)抵抗及び荷重　(ヘ)運動の繼續

(3)運動を自主的に行わせること。

(イ)運動を問題の形式で與える。(ロ)創造性を涵養する。(ハ)記錄を利用する。(ニ)練習の機會を充分に與える。

(4)團体行動を加えること。

(5)危險を防止すること。

—素材研究—

素材の研究は教育目標と兒童の實態に應じて教育的作用を生じ教材としての價値が生れてくる。左に球技活動に例をとつてその研究の一部を示す。

(例一)

球技送りあうゲームバスケットボールの素材研究

○方法　互いに味方同志が球を送り合いつゝ自己のゴールに球を入れることを競う

〔1〕選擇の感覺

1、相手のいないところにいる味方を選擇する

2、ゴール近くにボールを運ぶことの出來る位置にいる味方を選擇する

3、投球したら直ちに次の活動を起す場所と方向を見出す

4、常に相手から離れるように努力し、場を見出す

5、相手より離れてゴールに向つて走り易い位置を選擇する

6、常にゴールに近接する意志的傾きをもつて位置する

7、相手から離れてボールを受けゴールに近すける位置

〔2〕基礎的技術

1、完全捕球(球をはずすことは得點の機會を失すること)

①胸にあて或は胸と腕とで抱えないこと

②腕の關節、筋肉、硬直をしないこと指尖を軟かにして時間的に力が入つて緊張を保つこと

③重心が下つて球に對して正面を向くこと
④重心移動が高くも低くもバランスがとれること
⑤視覺(角)を廣くもつていること
⑥ボールを最后まで見ていること
⑦跳び出してボールを受けること

2、完全送球、攻撃はパスとドリブル以外にはない
①相手のついていない味方をえらぶ
②受けとりやすい球を送る
③受ける人の移動を判斷してその速さ方向、高低，タイミングをみること
④ゴールに向つている人に送球すること
⑤ゴールに向つて走らうとする人を觀察する
⑥いろいろな送り方ができるようにしておく
プッシユ、ドリブル、チエスト、フツク、ショルダー、アンダーサイド、ジンヤプパス、ターンパス、フエイントパス、オーバヘッド、ランニング、バウンヅ
手渡し、ダブルでシングルで速いモーションで
⑦投げたらすぐ走り出して新しい場所につく
⑧ボールを指尖より投け出す
⑨指を廣け指尖に力を入れる掌の位置はボールの両側よりやゝ後方

3、完全投射（シュートは籠球の最終目的である）
①馴れること
球がゴールに届くように投げるいろいろな形で押し出すようにする。
だんだんに遠くから
いろいろな方向から投射する
身体を押し球を押し出す
とび上つて 〃
身を屈けてぐつと 〃
②正しい姿勢を作ること(悪いくせをつけない)
短い距離から十分に投げる
③正確にゴールすること
イ、ボールの高さ―高くあけて垂直に落ちる
ロ、距觀と方向―ボールとリングを結ぶ線
知的に技術化するように練習する
ハ、狙う點―リンクの手前に一點を見る
リングの中心を空間に見る
④一般的に
イ、身体のバランスがとれること
ロ、ゴールを長く見つめること
ハ、入れることができると自信がつく
ニ、直ちにフォローする態度の氣持をもつ
ホ、長く味方が球を持つことは得點の機會が多いこと
⑤技術
イ、プッシュショット　全身を押ばし最后に指尖で

二一五

二一六

ロ、ワンハンドショット
○走りながら　○ピボットしながら
○ワンドリブルしながら
ハ、ジャンプショット
⑥フリースロー
心的に動搖の多い技術で自信と集中觀察の中で安定がとれること
イ、重心を前足に球力は手首のスナツプと前足の軽いスプリングで行う
ロ、球をリンクの手前にポント乘せるつもり

4、ドリブル（麻藥的であつて用い方によつて藥ともなり毒にもなる）球を送りあう方法にパスとドリブルの二方法あるのみドリブルは單獨で進めることが出來る
①プレーに變化が出來る
②ゲームを有利に導く
失敗すると味方の好機を消失しチームワークをこわす
③パス、ショット急發急止方向及びベースの變化が附隨する身体のバランスがとれていなければならない

5、身体を扱う技術
バスケットは高級スポーツである
○競技にスピードがある
○急發、急止、急な方向轉換が多い
（これには身体を扱う技術の裏づけが必要）
①体のバランスのとり方
②ボールを相手から守り味方に安全にパスする
③ショット、ドリブをして得點に持ち込む体の動き
④防禦において相手のこれらの行動を阻止する、かまえ、さばきの技術について
○スタート　パスを貰つて走るとき
ドリブルでゴールに突込むとき
○ストップ　スピードのはけしさも生きる
イ、ジャンプストップ
ロ、スライド 〃
ハ、ピボット(ターン)
ニ，フェイント(フエーク)
ホ、チエンジオブペース
（ハ・ニ・ホ：体のかまえ、足のふんばりが影響する）

6、防禦
對人防禦(マンツウマン)個人が個人を守る
地域 〃 (ゾーンディフエンス)5人が協力して相手の1人乃至5人を防ぐ
一般性
①攻撃は最大の防禦なり
②防禦は受身
③相手が走つたらついていく
④ショットやパスをさせない
⑤ドリブルで抜かれない

⑥防禦が弱いと片輪チーム
⑦防禦はプラスにならぬ
技術
1、相手に樂にボールを持たせない
2、〃　〃　パスやショツトをさせない
3、〃　〃　ゴール下へ切り込ませない
4、位置
5、姿勢
6、足捌
7、跳び上らない
8、動作を予知する
9、フォロー態勢に入る
10、あくまで追う
11、ぴつたりマークする
7、攻撃（5人で攻める競技である）
基礎技術は團体攻撃の手段である
①基礎訓練
②速攻法
③遲攻法
特殊攻撃（アタツク戰法）

（例二）運動能力の分析による要素表

素材	理解	技能	態度
題目　バスケツトボール 目的　身体的接觸をなさない方法において味方同志互いに球を送合いつつ自己のゴールに球を入れあうゲームである 構成 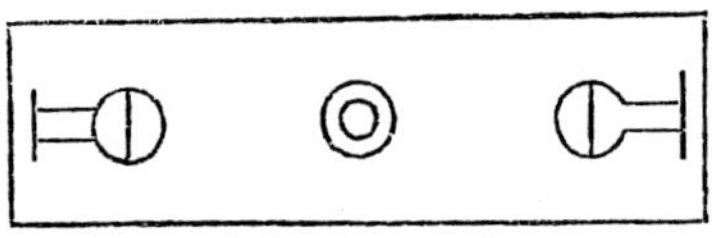	1、その時時の段階における規則をよく知ること 2、球の捕え方について指先の力の入れ方を知ること 3、いろいろな球の捕え方がよい機會を作るに必要であることを知る 4、目的にあつた球の投げ方ができることは機會を作るに必要であることを知る	1、球の扱い方 イ、球を抱かないで捕えること、腕を輕く伸ばし軟かにして動きを自由にし捕える瞬間に力が入るように ロ、球を確實に硬く握ることができる ハ、止つて、歩いて、走つて、跳んだりして球を捕えることができる ニ、球をいろいろに投げる	1、計畫を綿密にすること 練習方法 技術練習 圖面の研究 2、相手の失敗を攻めない 3、フォロシツプを充分に行ふ 4、成功と失敗の數を調査し技術について研究すること 5、判斷を正確にすること 距離

三一七

三一八

1、得点數、段階 (イ)綱へさわつたら………一点 バツクボールド………二点 リンクへさわつたら…三点 ゴールしたら……　五点 （以上 初めての經驗） (ロ)リンクへさわつたら…一点 ゴールしたら……二点 （以上 まとまりが少しできた頃反則を決めてフリースロー得点をきめる） (ハ)かたまること 叩くこと 歩きだすこと ぶつつけること （以上 が少しになつた時ゴールしたら……二点と決める） 2、身体へさわつてはいけないことを注意して經驗する 3、球をだいたり、だいてとび歩いてはいけないことを決めて行う 4、球を運ぶ以外の事柄ゝだんだんなくして行くように話し合つて注意しながら行う 5、計時審判記錄等の分擔の仕事ができるように段階を進めていく ○全員を紅白に二分して行う方法より入る 勝敗　一定の時間内にゴールした數を比較して多い方を勝ちとする ルール 1、重い罪（原則としてフリスローを與へる） (イ)身体的な接觸をしてはいけない （さわること、叩くこと、押すこと、けること、おおいかぶさること） (ロ)背を向けてカードをした時 (ハ)スポーツ精神に反した時	5、投射のゴール板研究をしてどの位置に投げると反射する角度がよいかを知る 6、球の扱いについての技術には夫々の特質があるそれぞれのやり方について動きの方法を知る 7、フォーメーションの圖解的な位置と責任のあり方を知ること 馬蹄形法 對人方法 速攻法 遲攻法 突破法について 8、個々の技術を總合的に調整させることの必要があることを知る 9、係員の仕事を知る 10、運動量が多いから過勞にならないようにその限度を知ること 11、運動後の休養と汗の處置をすること	ことができる ○止つて、歩いて、走つて、跳んだりして球を投げる ○相手をよく見つめガードをよけて球を投げる ○遠くへ投げること 正確に投げること 高く投げること 高く目標に向つて投げること ○兩手でも片手でも投げる、頭上から肩から下から横から胸から ○推し出すような球の投げ方ができる ホ、いろいろな形で投射ができる 停止型で 走り型で 回り型で （以上 各方面から） 板に當てゝ入れる 板に當てないで入れる ヘ、動きの途中で球を捕えることができる とび上つて球を叩く ドリブルの球をとる フォローができる ト、いろいろな球の運びができる	方向 機會 6、必要な技術を得るために練習する努力をなすこと 7、一つの失敗をよく反省しその原因を觀察判斷の要素に立つて考えること 8、休養、睡眠、汗、洗う等の清潔の方法をとること 9、機敏な動きを得ること 10、健康を常に考慮していること 11、自分の位置について充分に責任を負い協力し合うこと 12、正しい場の判斷によつて正義を完行すること

2、輕い罪（原則として球が反對側の所有となる） (イ)球を持つて三以上歩いてはいけない (ロ)境界線をを踏んだり線から出した時 (ハ)ドリブルした時一度兩手でとらえて又つき始めた時 (ニ)フリスローの時外からインプレイする時に總ての人が決められた境界線を踏んだりまたいだりした時 3、ジャンプボール（向き合つた二人の間にボールを投げあげて叩く方法） (イ)兩者が同時にボールをとり合つて所有がはつきりせずそのままでは亂暴な行動をせねばならなくなつた時 (ロ)そのゲームの最初に中央においてゲーム開始のために行う (ハ)ジャンプボールはフリスロー圓とセンター圓において行うこと 4、ゴールした時は後方ラインより反對側のスローによつて開始される		ドリブルで パスで } 運ぶ （約束の型に從つて） 2、身体の動き方 イ、疾走、急止、回旋、跳躍、くぐる、伸びる ロ、ガードの動きができる ハ、歩調（ペース）の變化をつくることができる ニ、フエイント（ごまかしのようなうごき）ができる ホ、タイミングがとれる ヘ、コントロールがとれる ト、バランスがとれる チ、リズムがとれる 3、フオメーション（型）が組める攻める型　守る方急に攻め急に守る型 ゴール下のうばい合う型 4、審判として反則を見ることができる 5、係や役員になつて計時記錄ができる	

—學習指導案—

体育科バスケツトボール學習指導案

5年男子　指導者　姓　　名

單元　バスケツトボールにおけるチームワークの活動を理解する

一、單元の目標

1、ねらい

保健	伸びた姿姿を保つ、湯水を使いよく洗う
態度	協力するための個人の能力と全体えの奉仕
熟練	守備攻撃の變化に應ずる行動の速さ

二一九

二二〇

2、目標

	事項	内容	評價
理解	確實にボールを扱ふための條件を知ること 防禦のシステムを知ること 身体の扱いについての重要さを知ること	投球補球投射ドリブル 對人地域の防禦の圖面と原理 フツトワーク	○ゲーム中 頻數累計表による反省 ○參考圖と指導によるものを書いたり話したりやつたりすること ○失敗と成功の頻數による反省
態度	基礎的な動きを体得すること 基礎的な技術の修練をするときの突込みをすること チームワークの努力をすること	ゴール下に突込む ボールを大事にする 場を觀察する 各技術が身体的に調整されるように練習に努力する 場的、技術的責任を常に感じていること フオロー、助言話し合い責任	○タイミング・チヤンスの構成のプレイ中の觀察反省 ○指導助言の受け入れ方やそれの實行に移すことに努力する樣に 問題をつかんで話し合いをするときに參加する樣に
技能	必要な技術の修練をすること	素材研究の（No.） 完全送球……………１２６７………… 完全捕球……………１２３…………… 完全投射…　………１２４…………… ドリブル……………① 身体の扱い…………①………………… 防禦（デツフエンス）１２11………… 攻撃（オツフエンス）１……　…………	} 一定時間内の頻數テスト 投射線、巨りの力とゴール數 機會をつかんだり成功した數 } 相手のつき方や逃げ方を足の運びで見る
健康	身体の清潔を實行すること 姿勢の正しさを好むこと	汗の處理（薄衣、拭く） あかの處理（入浴、洗面） 肌衣を更える 指を伸ばし、背柱を伸す	○清潔檢査と實行の場を見る ○整姿した時、話をする時等にそのすつきりした態度を見る

二、展開

過程	學習活動	指導	評價	準備及時間
端緒	①フイルドゴールの球の動きについての話し合い(全豫習からの展開反省) 正しい捕球 よいパス 得点を得ること }について考察をする	捕球能力グラフによつて ○捕球とミス ○パスと投射の機會 ○ミスと投射の機會 を知らせ捕球の重要性送球のむつかしさをつかませる	グラフの見方、考察の仕方 比較と見通し	○大グラフ 1、移行グラフ 2、變化グラフ ○ボール3 ゴールハイ2 笛4本 ○計時審判記錄
	②簡易バスケツトボールの槪觀 前時の話合いの展開 用具 方法 採点法	球の動かし方が細かくなると失敗する 走り方、止り方、回り方の身体の動きについて得点が樂だからやりよいことを話し合い興味を喚起し初發的な意欲を强くする	○意見の內容をつかむ ○生氣、乘り氣を槪觀する	
	⑧3分間のうちにゴールの數を多くとつた方が勝つ…こと決めてゲームをする イ、ゲームする ロ、話し合いする	こゝで起きるいろいろな問題を パスに關するもの 動きに關するもの 不平や不滿に關するものに 區分して構成的意見に導く 2組～3組行う	○人員の制限 球が動かない かたまる らんぼうする }の整理 ○パス、ハンブル、ショツト、ドライの數的調査	60分
	④ゲームの構成 組をＡＢの二組に分ける	○相手、味方の判り易い配置をするように ○判斷の機會をつかむことができるように ○平均したチームの力を持つように ○交替を早く觀察を統計にとると ○問題をはつきりとつかむようにする	○散布狀況 ○記錄のしかた	
理解	⑤行動の制約 ○經驗による不滿や不快な事柄の話合い ○步くこと、考えること、球の制約 ○身体的接觸についての制約 これらの約束をつくる	○話し合い 1．嫌なこと 2．あぶないと思つたこと 3．自分に與へられた危險なこと 4．こわいと思つたこと	○試合中に表われた活動の調査 ○キヤリング ○ランニング ○ドリブル ○身体に對する 押、曳く、叩く、抱く、足かけ等	30分
		○スポーツマンシツプの上から訂正したりで構成したりゲームが安心してできるように素朴なルールを生む ○恐怖感を除くようにする		
	⑥初發的規則の構成 ○ボールの所有權をゆずる ○外からなげ入れる	○話し合い 不平不滿について個人の態度を育成しつゝそれを破るような活動に反則としての罰を與へる	○ドライボールの頻數 ○反則らしきものの頻數	20分
	⑦方法的構成 ○パスについて觀察と動きを構成する ○ゴール下へボールを運ぶ ○サイドラインの利用 ○ゴール下の活動	○觀察 巨り、方向、速さについて豫知したりやつて見たりする ○動き ジヤンプパスプツシユパストツプルパス等を行う ○確實な勝因はゴール下を正確に利用することを知つて突込みをなす ○ゴール下は一度であきらめず直ちにフオローすること	○パスの失敗數の調査 ○ゴール下に突込ことの頻數	30分
	⑧關係的構成 ○感覺を得るためにゲームに多く參加する ○身体の扱いをこまかにする爲に先づフツトワークを身につける ○相手と自分を關係的に見てついたりはなれたりする	○1．相手のいない所へ立つている味方を選ぶ感覺 2．ゴール下に運ぶことのできる位置にいる味方を選ぶ感覺 3．投球したら直ちに次の行動を起す 4．常に相手からはなれる樣努力する 5．相手より離れてゴール下に向つて走るに都合のよい位置を選ぶ 6．常にゴールに近接する意志的傾向をもつて位置する 7．相手から離れボールを受けてゴールに近ずく方法	○一人の動きを一人が記錄する ○リズム的活動を觀察する	60分
	⑨意識的構成 ○問題をもつてゲームする	1．パスを正しくすることを中心にゲームする		

	○基礎的研究をする	①②⑥⑦ 2．キヤツチを正しくする〃①②③ 3．シュートを正しくすることを中心にゲームする ①②⑥ 1．分散すること→補⑤送⑦ 2．ストツプする→②、④㈥ 3．フェイントする→②、㈡ 4．對人防禦する→①②③⑪		70分
	⑩技術を得るための計畫を立てる ○試合を多く得る ○方法を研究したり敎えて貰う ○小研究中研究大研究をなす	1．ボールを多く用いて 2．課外時間の使い方と目的 3．試合を見る(上級生の試合) 1．參考書、先輩、先生について行うように 2．考える活動——力を抜く活動 1．個人研究、特種研究、ゲーム研究を行つた計畫（スケージユール）	○頻數の調査 ○助言指導を受け入れる態度の觀察 ○マーク方法の觀察	ボール6ケ 寫眞參考書規則書解說書 100分
應用	⑪ ○對級試合 ○小試合 ○校內競技	1．特殊な目的をもつた試合 パス頻數 ショツトの頻數 ハンブル頻數 突込み頻數 }の調査によつて意欲を昂揚する	○調査による數をグラフに表はして全体的なものから個人的な能力や位置を判斷する	ナマヘ / A / B / C 50分
	⑫記錄會 ○一定時間中のパス ○一定巨離よりショットする	1．單元の終末について特技の檢定をしておくことが自信をつけたり餘暇利用に價値のあることを示唆する	個人能力のテスト	なまえ m m パス % % ショット 50分

三、本時の學習

1、主限　球を捕えたり投げたりする能力を得ると共に場を構成するはたらきによつて人と人との關係を体得しチームワークの

一三三

一三四

必要を知る。

2、學習過程

		學習事項	學習活動	指導	評價	備考
誘導	体操	体を伸ばす 体を捻る 体を屈げる 柔軟な体操 組体操 跳躍		・大きな運動 ・リズム的になるように ・輕い動き	角度の大きさ 輕捷さ	人員六八名 見學四名 疾病なし 保育四名
主	遊戯	親子あそび	二列の圓を作り曲にのつて走る 途中にて曲目が變るのを合圖に內側のものが逆進行し、小時して笛にて、自分の相手をさがして組み合い指示された場所に早く集る 到着順に入賞をきめる (三回戰行う)	リズムの判斷 速さのある行動	堪能さ	
運		球技 簡易バスケツトボール ①フイルドゴールの球の動きについて話し合う	○正しい捕球 よいパス 得點を得ること }についての考察をする	捕球とミス パストショツトの機會 ミスとショツトの〃 を知らせて球の扱いのむずかしさを考えさせる	捕球とミスの比較をつかむこと (數的處理)	卷尺 ゴールハイ ボール一箇 笛 記錄板 チョーク

學	②概觀	○用具、方法、採點法について話し合う 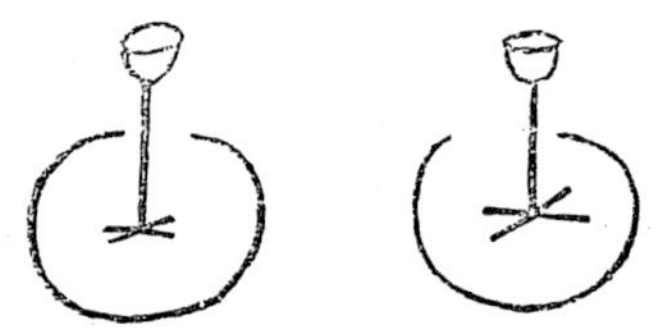	ボールの扱い方が前と變ること 從つて採點も變ること 球の運びを早く工夫すること	意欲をみる	時計
	③ゲームする	3分間試合をする 審判、記錄、觀察、の仕事をする		數的な整理 パス　1111　11 ハズス　11 ショツト　111 ドライ　1111 11 ドリブル　11	
	④研究	パスがうまくいつた理由 うまくいかない理由について話し合う	記錄表により 意見を具体的に語らせ送る人貰う人の關係の重要さを判らせる		
整	体操	体を伸ばす 下肢の屈伸 呼吸運動 (呼吸) 			
理	展開豫想				

四、反省
資　料

三二五

三二六

中學校　職業・家庭科

(一)新制中學校と職業科

(1)學校教育法

第三六條に「中學校における教育については、前條の目的を實現するために、左の各號に掲げる目標の達成に努めなければならない。

1、小學校における教育の目標をなお充分に達成して、國家及び社會の形成者として必要な資質を養うこと、

2、社會に必要な職業についての基礎的な知識と技能、勤勞を重んずる態度及び個性に應じて將來の進路を選擇する能力を養うこと、

3、學校内外における社會的活動を促進し、その感情を正しく導き、公正な判斷力を養うこと」とあつて、この第2項の三つの内容が職業科の直接の根據となるわけである。すなわち職業についての①基礎的な知識と技能、②勤勞を重んずる態度、③個性に應じて將來の進路を選擇する能力、これが中學校における職業科の存在理由であるとともに中學校教育全般にわたつての主要な問題でもあるわけである。

なお上下の關係連絡をみると、小學校教育の具体的な内容を示した一八條3項に「日常生活に必要な衣、食、住、産業等について基礎的な理解と技能を養うこと」として職業教育の萌芽がうかがわれる。又中學校に引きつづき高等學校においては、四二條2項に「社會において果さなければならない使命の自覺に基き、個性に應じて將來の進路を決定させ、一般的な教養を高め專門的な技能に習熟させること」とあつて專門的な技能に習熟させるために、職業的コースによつて高等學校教育が性格づけられている。

(2)アメリカ教育使節團の勸告

日本再建のためには「教育ある頭腦とともに、訓練された手をも必要とする。」……そのためには、、「專ら知能による勞働にたずさわつている人々に對して拂うと同じ尊敬を、道具を手にして働く人々に對しても、また拂うような風潮をつくりあげることが大切である。」

「いろいろ異つた職業的經驗が、十分訓練された教員のもとで與えられなければならない」

以上は勸告案の中の日本教育の目的と内容の中からひろつたものであつて日本教育一般についての勸告ではあるが、職業教育の必要を重視している。

(3)學習指導要領

昭和二十二年に發行された學習指導要領によると、新たに生まれた中學校職業科については、學校教育法第三六條2項の規定を具体化して説明し、一般教育的な面、職業教育的な面、職業指導的な面の三つの任務を明らかにしている。そしてそ

の内容としては、農業、工業、商業、水産、家庭の五つに分類して、それぞれこれらを指導するに必要な學習指導要領によつてその基準を示している。時間の配當も必修として一四〇時間（週四時）、選擇として更に四時間を加えることができるようになつている。

(4)發學一二六一號文部省通牒「中學校における教科と時間數の改正について」

その後二か年の實施の實際にかんがみて二十四年五月二十八日付で「中學校における教科と時間數の改正について」という通牒が出された。これは中學校教育全般に關係あるものではあるが、ことに職業科、家庭科は大きな變化がうかゞえる。すなわち必修の職業科においては家庭以外（農、工、商、水産）の内譯を撤廢したことと、家庭科を職業科から分離して、職業・家庭を同一枠内において共通の時間（一〇五～一四〇）を與えたこと。なお選擇科でも職業・家庭が分離されつゝも同じ枠の中に仲よく同居して一〇五～一四〇の時間を與えられたことである。さらに職業科においては従來の農、工、商、水産というような産業分類的の區分を撤廢して、新たに實際生活を基礎としたなるべく多くの啓發的經驗（トライアウト・試行課程）を得させようとして次の九つの分野をあげている。(イ)栽培、飼育、漁(ロ)食品加工(ハ)事務(ニ)製圖(ホ)機械操作(ヘ)手技工作(ト)調理(チ)保健衛生(リ)その他。これらの實施にあたつては三年間少くとも三分野以上の啓發的經驗を實施して一分野については一年以上にわたることは生徒の他の能力を啓發する機會を奪うものとして避けなければならぬとしている。（但し家庭科の啓發的經驗はその性質にかんがみ一年以上にわたつても差支えない）

㈢中學校における職業・家庭科

新制中學校發足以來職業科については幾多の論議がかわされ、現場實踐者の反省の聲として、中學校職業科の學習については、従來の實業學校や古い實業科の考えでは十分にその要望に應ずることができない、これは中學校にあらゆる職業への希望をもつた生徒が在學しているのでこれらに應ずることができるような學習指導がなさるべきであるという意見が提出されてきた。ことに中學校の時期は、將來自分がどのような職業につくべきかの適性を發見する重要な時期にはいつているので、各種の仕事に當つて自らの適職がどのようなものであるかについての啓發を受けるように學習指導がなされなければならぬとされてきたのである。

このため文部省では更に詳細な學習指導要領の改訂を行うために委員會を設け鋭意研究の結果、職業科と家庭科とを合体させて一つにした職業・家庭科の學習内容の大綱が決定されその要項が二十四年十二月發表されたのである。これは實際的研究の第一歩であつてこの中の考え方は將來への重要な示唆となることであろう。幾多の混亂を經たこの教科もこの要綱によつて漸くその歸結點を見出し近いうちに指導要領の改

三三七

三三八

訂も出版のはこびとなつた。通牒の第一項でこの科の性格は次のように示されている。

(1)性格

1、中學校における職業・家庭科は、實生活に役立つ仕事を中心として、家庭生活・職業生活についての理解を深め、實生活の充實發展をめざして學習するものである。

2、職業・家庭科の仕事は、啓發的經驗の意義をもつとともに、實生活に役立つ知識・技能を養うものである。

3、職業・家庭科の學習内容は地域社會の必要と學校や生徒の實状によつて特色をもつものである。すなわち中學校職業・家庭科では、實生活に役立つ仕事—職業生活、家庭生活に役立つ仕事が中心として學習が構成せられるのである。將來直接自分の職業に役立つ仕事もあろうがそれよりもむしろ一般生活に役立つことを第一目標として、どこまでも基礎的な仕事の技術を中心に人間教育をしていくのである。故に決して或業種の仕事に限られたものではなく廣い範圍にわたるものでなければならない。このなるべく廣い範圍でしかも中學校生徒の身体・精神の發達とよく適合したものとして一二種類の仕事があげられている。（仕事の表參照）

これらの仕事を中心に啓發的經驗を得させ、しかも地域社會の實状によつて特色をもつものであることがこの科のねらいであるがなお要約すれば、働くよろこびと仕事の工夫を身につけさせることとなるであろう。

類	大項目	中項目	小項目	例	技術に關する知識理解
第	栽培	農耕	いね むぎ まめ いも その他	水稲、おかぼ おおむぎ、こむぎ、はだかむぎ だいず、あずき、なんきんまめ じやがいも、さつまいも ちや、あさ、くわ	作物と氣象 作物と土 栽培の方法 作物の繁殖法 作物の品種 肥料 作物の病氣害虫 農具 家庭菜園 庭木、花だん 森林と氣候土地 造林の方法 森林の保護 炭やき法 林産物の利用
		園藝	野菜 果樹 花 その他	トマト、なす、きゆうり、かぼちや、ねぎ、はくさい、だいこん、にんじん、 たまねぎ、ほうれんそう なし、りんご、ぶどう、みかん、かき、もも、くり 草花、花木、庭木 しいたけ	
		造林	育苗 植付 手入れ 薪炭	なら、くぬぎ、まつ、すぎ、ひのき、きり、たけ なら、くぬぎ、まつ、すぎ、ひのき、きり、たけ 下刈り、枝打ち、つるきり まき切り、炭焼き	

第一類	飼育	養畜	家畜、家きん、その他	うし、うま、うさぎ、やぎ、ひつじ、ぶた / にわとり、あひる、七面鳥、小鳥 / みつばち	飼育の方法 / 品種 / 繁殖 / 病氣 / 害虫
		養蠶	蠶	春蠶、夏秋蠶	
	漁	漁	網、釣、その他	地引あみ、さしあみ、定置あみ / 一本釣、はえなわ / うけ、もぐり、たこつぼ、やす、うなぎかき	海洋、氣象 / 漁船、航法 / 水産物の種類 / 漁具と漁法 / 繁殖と保護 / 漁期、漁物
		増殖	魚、貝、海草、その他	こい、きんぎょ、どじょう / はまぐり、かき、あわび / のり、こんぶ、てんぐさ、わかめ、つのまた / えび、すっぽん、食用がえる	
	食品加工	貯藏	乾物、漬物、節、くん製、びん、かん詰、その他	乾燥野菜、乾燥果實、素干(するめ)、煮干(いわし)、燒干(ふな) / 凍干(すけそう)、鹽干(さばひらき) / 鹽漬、ぬか漬、す漬、みそ漬、かす漬、砂糖漬 / さば、いわし / にしん、さんま、いわし、さけ、ぶた / 野菜、果物、ジャム、果汁、ソース、肉 / 生ものゝ貯藏	材料の性質 / 加工品の成分の變化 / 微生物
		加工	穀類、いも類、大豆、茶、油、牛乳、魚、その他	精穀、製粉 / でんぷん / とうふ、なっとう / 綠茶、紅茶 / なたね油、だいず油、ごま油、魚油 / 乳酸飲料、バター、アイスクリーム / ちくわ、さつまあげ、はんぺん、つくだに、そぼろ / かんてん	
		醸造	甘味品、調味品、その他	甘酒、水あめ / みそ、しょうゆ / 鹽から	
第二類	手技工作	手技工作	木工、竹工、金工、皮細工、燒き物、セメント工	ちりとり、ぺん皿、ほうちょうかけ、おもちゃ、小黑板、建築模型、うさぎ箱、本箱、電氣スタンド、額ぶち、とり小屋、温床木枠、立机といす、 / つり竿、つまみ、かきね、竹ぼうき、ふきんかけ、花筒、えもんかけ、うちわ、熊手、網針、ざる、かご / 金あみ、火おこし、煙突、さじ、コップ、火ばし、ネジまわし、はんだづけ、びょう打ちによる修理 / 皮なめし、くつ、袋物、運動用具の修理 / ようじさし、小皿、おもちゃ、茶わんるい、花びん、つぼ / ぶんちん、フレーム、家畜小屋の床、飼料おけ、土間	材料の種類と性質 / 工具および機械の構造と使用法 / 工作法 / 仕上法
			わら細工、印刷、製本、包装、荷造り、なわむすび、その他	なわ、はきもの、むしろ、かます、たわら、たゝみおもて、麥わら、眞田 / 帳面、スクラップブック、アルバム、圖書の修理 / 紙包み、こも包み、ひもかけ、縄かけ、枠ぐみ、箱づめ / かきねむすび、はなむすび、もやいむすび、たてむすび、ひきとけむすび / 貝細工	用紙の規格 / 活字の種類
		紡績染色	糸つむぎ、編み物、染物、その他	わた、うさぎの毛、羊毛 / レースあみ、毛糸あみ、(機械、手編み)、あみすき / 浸染、なつ染、ろう染め、書きぞめ / まわたかけ、製糸	染料の種類 / 纖維と染料 / 媒染劑
		裁縫しゅうし	裁縫、つくろい、ししゅう	長着、羽織、仕事着、襦袢、帶、ワンピース、ブラウス、スカート、ジャケット、下着、洋裁デザイン / 布るい、あみ物るい、ボタン付け、はなおのすげかえ / フランスししゅう、ドロンウォーク、カッテイング、クイルテイング	材料用具の種類性質 / デザイン製作法 / 仕上法、被服の經理
		洗濯手入れ	濕式洗濯、乾式洗濯、しみぬき、仕上げ、手入れ	まる洗い、とき洗い、部分洗い / まる洗い、部分洗い / インク、油、ペンキ、汗、血液、どろ、墨、えのぐ、しょうゆ、果汁、茶、コーヒー等 / 板張り仕上げ、アイロン仕上げ、湯のし仕上げ / ブラシかけ、プレス、敷きのし	水の性質、石けんの鑑別 / 洗たく用具の種類 / 電氣洗たく機 / 電氣脱水機 / 洗たく劑の種類 / 乾燥法
	機械操作	組立	配線、照明器具、電熱器具、通信器	配線、電鈴 / 電氣スタンド、電燈 / 電熱器、電熱温床 / ラヂオ、電話	電氣の性質 / 工具の構造と使用法 / 器械の構造と機能 / 部品の規格
		操作	農業機械、原動機、工作機械、裁縫機械、照明器具	脱穀機、精米機、製粉機、製麵機、製縄機、噴霧器、搾油機 / 發動機、電動機 / 機械のこ、ボール盤、プレーナー、旋盤 / 裁縫ミシン / 航海用燈るい、集魚燈、螢光誘蛾燈	機械の構造 / 取扱いの方法 / 機械の操作
		分解修理	日常生活の器具、工作器具、農業器具、電熱器具、照明器具	自轉車、ポンプ、バリカン、蓄音機、秤、裁縫ミシン / ハンドドリル、自動式ネジまわし / 噴霧器 / アイロン、電氣ごて、電熱器 / 電燈	器具の構造と用途 / 故障の發見 / 油の種類
	製圖	製圖	製圖、グラフ	スケッチ、製圖、寫圖 / 棒グラフ、折線グラフ、扇形グラフ、イソタイプ	用紙、用具、規格 / 線、文字、圖形
		設計	測量、建物設計	鎖測量、平板測量 / 住宅、居間、台所、井戸、排水、風呂場、便所、家畜小屋、庭園、遊び場、花だん、フレーム	測量の方法、測量の器具 / 建築法規 / 建築物

二二九

二三〇

第三類				
	室内装飾、店舗装飾、廣告圖案	家具装飾品の取付け、配置、生花、商品の配置、陳列窓、照明、ポスター、レッテル、商標、廣告	家具の構造及びその扱い方、快い住居、照明の方法、廣告の種類、登録と特許法
文書事務	書類作成	通信文、取引關係書類	案内文、照會文、廣告文、電報文、履歴書、注文書、見積り書、送り状、請求書、領收書、小切手、約束手形、爲替手形、借用證書、契約證書	事務通信文の特質と組立、配給組織と商業の機能、取引條件、通信の機關
	印刷筆記	謄寫、タイプ、速記	謄寫印刷、和文タイプ、英文タイプ、速記	謄寫用具の種類、タイプライターの構造、速記用文字
經營記帳	記帳	日常取引記帳、決算諸表、傳票、その他	小遣い帳、家計簿、現金出納帳、仕入帳、賣上帳、商品有高帳、仕入先元帳、得意先元帳、仕譯帳、總勘定元帳、計算表、棚卸表、損益計算書、貸借對照表、入金傳票、出金傳票、振替傳票、仕入傳票、賣上傳票、物品管理法、勞働日記帳、費用明細帳	取引、仕譯、勘定、帳簿組織、財務諸表、家庭經濟、經營管理と記帳
	經營管理	生産管理、家庭管理、仕入、販賣、保管、金融	仕事の計畫、作付計畫、施肥計畫、道具の管理、原料材料の準備、時間の配分、勞力の配分、仕事の計畫、需要の調査、仕入の調査、注文代金の支拂、販路の調査、廣告宣傳、商品の取扱い、圖書の保管、物品の保管、棚卸處分、物品の輸送、預金、貸付、爲替、投資	企業の形態、勞務の管理、生産手段の管理、作業の管理、家務の計畫と分擔、商品の種類、有價證券、取引所、運送業、倉庫業、金融機關、消費組合
	應接	電話、應對、給仕	電話の受け方、かけ方、取次ぎ、紹介、お客の扱い、お茶の進め方、お使い、食卓給仕	應接心得
計算	珠算、その他の計算器具	珠算、暗算、金錢登録器、計算器、計算尺	加法、減法、乗法、除法、歩合算、利息算、貨幣算、度量衡算、賣買計算	料金規定、期日と期間、爲替相場、租税の種類
調理	調理	主食、副食、菓子類、飲み物	飯、パン類、めん類、いも類、汁物、煮物、焼き物、蒸し物、すの物、和え物、浸し物、揚げ物、いため物、なま物、だんご、まんじゅう、餅菓子、あめ、糖衣、菓子、ビスケット、ようかん、ゼリー、茶類、果汁、清涼飲料	正しい食生活、榮養と食品、調理と消化、獻立、食物經理、燃料、調味料、嗜好品、食事の心得、食事とリクリエーション、調理用具、食器

第四類				
	解体	鳥類、小家畜、魚貝類、その他	にわとり、あひる、小鳥、うさぎ、かつお、こい、うなぎ、たい、あじ、いわし、さば、さめ、はまぐり、さざえ、あわび、いか、えび、食用がえる	材料の種類、うろこ、皮、骨、けん、筋肉の構造、内臓
衛生保育	保健衛生	屋内の害虫および媒介体の驅除、寄生虫驅除、飲料水、家庭看護、婦人衛生	か、はい、ねずみ、のみ、しらみ、南京虫、家だに、検査、服薬、検査、こし水、消毒、吸入、繃帶、止血、傷の手當、應急處置、灌腸、あんま、薬の扱い方、病衣、病人食、病室、手當の仕方	衣食住の衛生、病原菌、寄生虫、排水、飲料水、薬の種類と保存、季節と病氣、家庭看護用品、病氣と食物、思春期の心身
	保育	乳幼兒の世話	授乳、幼兒の食物、着せ方、負い方、抱き方、寝かせ方、遊ばせ方	乳幼兒の發育、榮養、病氣、運動、しつけ方、遊和のみつけ方

(2) 目標

文部省で示された八つの一般目標を整理して七項とし、これを各學年の發達段階におろして、夫々學年目標に連關させたのが次の表である。

一般目標	學年目標 一年	學年目標 二年	學年目標 三年
1、實生活に役立つ仕事をすることの重要さを理解する	1、實生活に役立つ仕事をすることの意義と尊さを理解する	1、實生活に重要な仕事をすることの意義を尊さを理解する	1、實生活に必要な仕事をすることの意義と尊さを理解する
2、實生活に役立つ仕事についての基礎的な知識技能を養う	2、身近かな仕事についての基礎的な知識技能を養う	2、自己の興味や能力に向くと思われる仕事についての基礎的な知識技能を養う	2、自己の將來の生活に關係の深い仕事についての基礎的な知識技能を養う
3、勤勞を重んじ樂しく仕事をする態度を養う	3、仕事に親しみ進んでやる態度を養う	3、仕事に親しみや責任を感じ忍耐強く働く態度を養う	3、將來自己のたずさわる方面の仕事について正しい勤勞の態度を養う
4、仕事を科學的能率的にかつ安全に進めようとする能力を養う	4、仕事を計畫的に進めかつ物を大切に取扱う習慣を養う	4、仕事を能率的にかつ安全に進めていく能力を養う	4、創意工夫によつて仕事を科學的合理的に進める能力を養う

5、協力的な明かるい家庭生活、職業生活のあり方を理解し、その充實向上を圖る態度を養う	5、家庭生活における自分の立場を知り協力していく態度を養う	5、協力的な明かるい職業生活のあり方を理解し望ましい社會を建設していく態度を養う	5、家庭生活職業生活を充實向上してよい家庭人職業人としての態度を養う
6、家庭生活、職業生活についての社會的經濟的な知識理解を養う	6、家庭生活や身近かな職業生活について社會的經濟的意義を理解する	6、家庭生活や職業生活について社會的經濟的情勢を理解する	6、家庭生活、職業生活について社會的經濟的情勢とその相互關係を理解する
7、職業の業態及び性能についての理解を深め個性や環境に應じて將來の進路を選擇する能力を養う	7、廣く仕事を經驗し自己の興味や能力がどの方面に向くかを發見する	7、職業の業態及び性能を理解し、かつ自己の興味や適性を發見し將來の進路への見とおしをもつ能力を養う	7、自己の適性や環境を知り進路を選擇する能力を養う

第一學年においては、四類すべてにわたり、廣い經驗を得させることに重點をおき、主として働くことの倫理的意義をねらっている。

第二學年においては、經驗を次第にせばめ二類にわたって學習するようにし、社會生活を中心に主として仕事の社會的意味を重視している。

第三學年においては、義務教育の枠内においてやゝ專門的に一層仕事の内容をせばめ一類にわたって學習し社會に出る準備として職業生活を中心に主として、働くことの經濟的意義を重視しているのである。

(3) 教育内容

イ、仕事

ロ、技能

ハ、技術に關する知識、理解

ニ、家庭生活、職業生活についての社會的、經濟的な知識理解

以上の四つがこの科の教育内容として取り上げられているが(イ)(ロ)(ハ)はもちろん仕事を中心として仕事と一体となって學習していくことができる。(ニ)は從來職業指導として考えられてきたものがその主なる内容であるが、これもまた仕事と學習を結びつけて、なるべく一体として取扱っていくべきである。

「中學校、高等學校、職業指導の手引」によると職業指導の分野として次の六項をあげている。

1、個性調査

2、職業情報の提供（インフォーメーション）

3、職業訓練過程の選擇（トライアウト）

4、相談

5、進學指導と就職あつ旋

6、補導

一二三

一二四

この中、(2)と(3)が職業家庭科の直接の教育内容となり、他はガイダンスの分野として生徒指導全般の立場から考えられなければならない。

(4) 單元計畫

二十四年十一月の文部省通牒の趣旨に基き、今年度當校においては次の表に示すような單元を構成した。その構成手順としては、一般目標及び學年目標に基き、地域社會の要求、生徒の希望、卒業生の動向、學校の實状、季節や行事、等を考慮しなお他教科ことに社會科、理科、保健体育科、圖工科との充分な連絡の上に、必修三時間、年百二十時間の範圍で一、二、三、年とも男女別コースの單元を設定した。

一年においては生徒の生活に即した身近かな仕事を中心に四類すべてにわたり、廣く淺く學習し、二年三年と進むにつれ地域の實状よりして、男子においては二、三類に、女子においては一、四、類の仕事を中心として、相當きびしい學習を豫想した。なおインフォーメーションはなるべく仕事に關連せしめて取扱うように考えた。

○男子コース單元一覽表

七年 月	七年 單元（時間）	七年 學習事項	八年 月	八年 單元（時間）	八年 學習事項	九年 月	九年 單元（時間）	九年 學習事項
四	1、中學生になって（8）	1、入學のよろこび 2、仕事の計畫 3、記念植樹 4、學校の美化	四	1、郷土の職業（8）	1、二年生になって 2、郷土の特産 3、郷土の産業 4、職業研究	八←四	1、學校生活の改善（52）	1、三年生の計畫 2、便利な本立 3、金物の修理 4、セメントの仕事 5、まとめ
六←四	2、私たちの學級園（25）	1、花だんの設計と經營｛設計、草花の栽培、管理日記、花の札と棚｝ 2、やさいつくり	六←四	2、いろいろの取引（20）	1、快い取引 2、いろ〳〵な取引書類 3、正確な計算 4、金融	一〇←九	2、圓滑な取引（20）	1、取引書類の作成 2、簿記と投資 3、計算の能率化
七←六	3、うさぎの飼育（13）	1、うさぎの飼育計畫 2、うさぎの新舎作 3、うさぎの飼育管理	七←六	3、商品の賣買（20）	1、商品の仕入れと販賣 2、帳簿の整理 3、商品の荷造りと配達	一←一一	3、商店の經營（30）	1、美しい店舖 2、主要簿と補助簿 3、取引と勘定 4、決算諸表
←八	4、家庭への協力（25）	1、家庭生活のあり方 2、病氣の豫防 3、室內の美化	←八	4、商用の機械器具（17）	1、自轉車 2、秤 3、金錢登錄器		4、進路の決	1、個性と職業

月	單元（時間）	學習事項
一〇		4、身ぎれいな支度 5、たのしい食事
二←九	5、秋のやさい (8)	1、秋まきのやさい 2、やさいの貯藏
一←二	6、家庭の工作 (25)	1、台所の器具 2、勉強部屋の調度
三←二	7、家庭生活と職業 (15)	1、身近かな職業 2、興味と個性
時隨	珠算の練習	珠算の基礎的修練

月	單元（時間）	學習事項
九		4、タイプライター 5、その他
一←一〇	5、これからの家具 (40)	1、木工業の現狀 2、いすの設計製圖 3、いすの製作
三←二	6、進路の選擇 (15)	1、職業の研究 2、進路の選擇 3、自己分析
時隨	珠算練習	

月	單元（時間）	學習事項
二	定 (8)	2、選職と進學 3、進學、就職の準備
三	5、職業の安定 (10)	1、職業安定法 2、勞働運動 3、勞働の保護 4、失業にそなえて
時隨	珠算練習	

○女子コース單元一覽表

七年

月	單元（時間）	學習事項
四	1、中學生になつて (8)	1、入學のよろこび 2、仕事の計畫 3、記念の植樹 4、學校の美化
五←四	2、私たちの學級園 (20)	1、花だんの設計と經營 2、野菜つくり（秋） 3、貯藏（秋）
六←五	3、うさぎの世話 (7)	1、うさぎの飼育計畫 2、うさぎの飼育管理
九←六	4、私の衣服 (30)	1、ワンピースドレスの製作 2、身ぎれいな支度
二←一〇	5、快よい住まい (16)	1、住居の清掃と衛生 2、室内の美化
三←二	6、よい食事 (15)	1、たべものと榮養 2、基本調理
三←一	7、幼い家族の世話 (20)	1、上手な世話 2、おもちやの作製 3、おやつ作り 4、あみもの
8	1、一年をかえりみて)4)	1、反省 2、自己分析
時隨	珠算の練習	珠算の基礎的修練

八年

月	單元（時間）	學習事項
四	1、郷土の産業 (8)	1、二年生になつて 2、郷土の特産 3、郷土の産業 4、職業の研究
六←四	2、ツーピースドレス (20)	1、うつくしい身なり 2、ツーピースの製作
九←――六	3、樂しい生活 (30)	1、生活の設計 イ、家計簿 ロ、印刷の練習 ハ、正確迅速な計算練習 2、涼しいお部屋 3、季節と調理
二←九	4、衣がえ (23)	1、夏着物の洗い張り 2、單衣長着の裁縫
二	5、郷土の正月 (5)	1、お正月を間近にひかえて 2、お客様 3、正月料理
二←三	6、暖かい身支度 (18)	1、あみもの 2、スラックスの製法
三←二	7、進路の選擇 (15)	1、職業の研究 2、進路の選擇 3、自己分析
時隨	珠算の練習	

九年

月	單元（時間）	學習事項
七←四	1、被服の計畫 (45)	1、きものしらべ 2、衣類の更生 3、働きよい身なり 4、日常着
一〇←八	2、食生活改善 (20)	1、合理的な食生活 2、學校給食 3、燃料の工夫 4、食品の貯藏
一〇	3、住居の改善 (10)	1、住みよい住居 2、働きよい台所
二	4、よい暮し方 (14)	1、家庭經濟と家庭管理 2、これからの女子 3、正しい交際
一←三	5、正しい保育 (13)	1、保育と榮養 2、離乳食、幼兒食 3、乳幼兒の病氣と豫防 4、乳幼兒服
二	6、進路の決定 (8)	1、個性と職業 2、選職と進學 3、進學就職の準備
三	7、職業の安定 (10)	1、職業安定法 2、勞働運動 3、勞働の保護 4、失業にそなえて
	珠算の練習	

(5) 學習指導案例

○私たちの學級園　一年○組　指導者　○○○○

〔1〕目標

割當てられた自分達の學級園を自ら企畫經營して、春から夏にかけての美しい花だんを作つたり、新鮮な野菜を栽培する樂しい仕事を通して作物栽培の仕方を身につけ、それらの管理に關係して日誌や立札、柵などもつくり、學級園を中心にいろいろの仕事を綜合的に會得して働く喜びを得させる。

1、花だんや野菜畑の設計、經營の仕方を理解する。

2、栽培管理の方法を理解する。

3、管理日誌のつけ方を理解する。

4、農器具の正しい扱い方を會得する。

5、草花の名札や柵をつくることによつて木、竹工の技能を會得する。

6、花や野菜の栽培技能を會得する。

7、勤勞愛好の態度を養う。

〔2〕指導への準備

1、豫備調査

a、生徒の實態

○經驗

・今までにどんな草花や野菜をつくつたことがありますか。

△コスモス(45%)、百日草(41)、チユーリツプ(32)、矢車草(27)、きく(23)、金せん花(23)、水せん(23)、だるま草(20)、ひまわり(20)等主なものでその他、だりや、朝顔、ぼたん、ヒヤシンス、かすみ草、ほうずき、おじぎそう、けいとう

△馬鈴薯(73%)、おな(64)、きゅうり(64)、かぼちゃ(64)、甘藷(59)、とまと(59)、なす(55)、もろこし(41)、ささげ(27)、人じん(18)、大根(18)等主なものでその他、ごぼう、ねぎ、玉ねぎ、えんどう、キャベツ、落花生、すいか、二十日大根、まくわ、きくいも

以上を考察してみると、學校や家庭において相當の經驗をつんでいることがわかるが、戰後の食糧事情等からいつても野菜の方が非常に多く花はコスモスの最高で45%である。

・觀察日記はどんなものをつけたことがありますか。

△もろこし(18%)、さつまいも(9%)、その他、じゃがいも、まめ、わた、かぼちゃ、あさがお、いね、きゅうり

△うさぎ(23%)、にわとり、かいこ、はえ、等、學校でのものが大部分であるが、その數は少く全般には行われていないことがわかる。なお學年別をも調べてみたが、學年がすゝむにつれて、個人的な觀察日誌も幾分見られる。

・謄寫印刷でどんなものをやりましたか。

△研究報告(社會科、國語科、その他)(68%)
文集(55%)
學級新聞(45%)
プログラム(14%)
その他テスト、や係の報告

學校生活の諸部面に利用されていることがわかる。

・木工や竹工でつくったものにどんなものがありますか(學校と家庭と別々に調べたがまとめて次にかゝげる)

△木工……本立(90%)、そり(41%)、ちりとり(36)、状差(23)、本箱(23)、その他、えのぐ箱、鉛筆削の箱、投書箱、バット、ふきんかけ、えもんかけ、ほうちょうかけ、ハブラシかけ、船、ピンポンのラケット、筆立、電氣スタンド、はかり、ラジオの箱

△竹工……竹スキー(70%)、水鐵砲(32)、はたき(23)、紙鐵砲、さじ、はし、花立、筆立、火吹竹、竹馬、笛、よーじ、バッタリ、えもんかけ等

以上生徒の經驗は一應廣く、豊富であるといえよう。これらの經驗をもとに、生徒個々が各仕事に徹していく手がかりが得られることと思う。

○關心

・どんな草花がつくりたいですか。

チューリップ(46%)、水せん(32)、つばき(32)、ぼたん(18)、つゝじ(18)、ダリヤ(18)、きく(18)、コスモス(18)、金せん花(18)、百日草(18)、だるま草、松葉ぼたん、けいとう、ばら、かんな、あじさい、ヒヤシンス、ひまわり、ゆり、あやめ、矢車草等、種類は二十一種もあがっている。一般に調査時期に影響し季節の美しい花が關心深い。

二三七

二三八

・花だんはどんな形がすきですか。

圖による解答は略するが、全体としては方形のものより圓形のものが絶對多數である。中心に大きいものを配して、同心圓式のもの、放射状に三角形と組み合わせたものなど變化に富んだものを希望しているようである。これらの希望をうまく生かして、先を見とおしての草花の配置計畫が重要な指導の問題である。

・つくりたい野菜をかきなさい。

さつまいも(41%)、とまと(41)、じゃがいも(33)、なす(30)、きゅうり(30)、かぼちゃ、おな、もろこし、ほうれんそう、人じん、さゝげ等十一種があがっている。草花にくらべると關心のうすいことがわかる。あがったものは今までの食糧増産的の考えがつよく、作物成長の觀察、管理の楽しさ等には關心が少いようである。

○技能

・農具の種類とその用途をかきなさい。(結果略)
・花や野菜の手入れにはどんなことがありますか。(結果略)
・謄寫印刷をするときの注意にどんなことがありますか。(結果略)
・板に釘を打ちつけるとき、釘の長さは板の厚さの何倍ぐらいが適當ですか。(結果略)

以上を考察してみると、技術知としては、全体として一應あがっているが各個人についての滲透は非常に少い。こまかい技術面についてはわかっているものが少い。技術知を中心に實際面での徹底をはかり眞の身についた技能にしていかなければならない。

b、職業的環境

戰後の食糧事情の急迫期には、空閑地の利用が極度に行われたが最近の食糧事情の緩和とともに家庭菜園も次第に減少して來た。しかし人は忙しい職業生活の反面、家庭でのゆとりが必要であり、草花、庭木などをめで、新鮮な野菜を食膳に供給することによって健全な職業生活・家庭生活が營めるものである。最近市内の状況は花屋も諸方にでき、美しい花がたくさん店頭に飾られ、野菜も季節のものがどしどし供給され市民の需要にこと欠かないようになった。なお又最近街頭に、店のすみに草花や野菜の種子の販賣が多く目につく。

長野市産業別の市民有業者の構成は一位製造工業22%二位農業の16%三位公務團体の14%四位運輸通信業の13%五位商業の12%となっている。農業は市の周邊、ことに東部及び南部に行われ、市街地近郊として極めて集約化されており、又住生地一帯のりんご及び花卉の栽培はなかなか盛んである。戰後漸次果樹園藝・蔬菜園藝等の集約農作物に轉移しつゝある。

2、素材の研究

a、技術

・農具の扱い方、体力のできないところは鍬を使ったり物をか

ついだりするのにとかくき、腕、き、肩だけを使つていた場合が多いがもうこのころになると正しく使うことができなければならない。鍬を使う上に大切な注意としては①鍬の使いみちを誤らぬこと、②使う前には水でぬらしておくこと、③右手前でも左手前でも自由に使えるようにすること、④くわをこじらないこと、⑤使つたあとよく水で洗つて片づけること。

かんなの扱い方、かんなの臺面がよく調整され、刄が十分銳利に正確になつていなければならない削つた材料は完全な平面になつているか、ねじれやそりがないかと確かめなければならない、また使い方を誤ると逆目をおこすことがあるので、材料の木表と木裏を確かめ木裏の場合は本の方から末の方へ、木表は反對の方向から削ることが肝要である。

また木理の方向と斜めにまじわるようにかんなの刄先を傾けて削ると、木理を斜めに切るので逆目を防ぐことができる。

・釘の打ち方。(略)

・贈字の基礎的知識及び技能。(略)

c、資料・施設

・草花、一、二年草と多年草、珠根類と宿根類

・花木
  - 常綠のもの…つばき、じんちようげ、つゝじ等
  - 落葉のもの…れんぎよう、まんさく、もくれん等

・庭木
  - △上木
    - 常綠かつ葉樹
      - 針葉樹…あかまつ、くろまつ、すぎ、ひのき、かや、その他
      - …かし、しい、もち、もつこく、その他
    - 落葉かつ葉樹…いちよう、かえで、あおぎり、プラタナス、その他
  - △下木…ちやほひば、さつき、やつで、はぎ、やまぶき
  - △下草…やぶこうじ、はらん、おもと
  - △地被こうらいしば、りゆうのひげ、ささ、こけ

・花だん、境栽花だん、リボン花だん、ピラミッド花だん、毛せん花だん

・野菜、野菜の必要、種類、栽培法、肥料、病虫害及びその防除法

・學級園、花だんと野菜畑

・花だん…玄關前の畑約16坪、一人平均0.7坪

・野菜畑…附屬小學校、東南のすみの畑、約48坪、一人平均2坪

・本校農場、花だん、溫床、溫室

〔3〕展開

1、學習過程

順序 ＼ 項目	學習活動	教師の指導	評價	時間	備考(準備)
(計畫) 問題把握(全体)	○敎室の美化について前單元で話合つたことを考える ○近ごろの季節のものとしてまちに草花などの種ものを賣り出しているようすを話し合う ○各自の家や、農家などでの春の仕事はどのように行われているか話し合う ◎以上の話合いから自分達も學級園に美しい草花を作つたり、野菜を作る計畫について話合い「私たちの學級園」という單元をきめる	○學校農園の區分廣さ、今年度の計畫などについて話してやる	○話合いの際の關心の程度	←……3……→	
內容の選擇(全体)	○自分達の力で學級園をどのように經營していつたらよいか話合う ・花だんをつくる ・花札や柵をこしらえて管理をよくする ・當番をきめて管理する ・やさいをつくる(ねぎ、いも、まめ)	○生徒に協力して內容をあげる			
目標の設定(全体)	・目標を話合つて決定する				
學習活動の企畫(全体)(グループ)	○仕事の順序、方法、時間等をきめる	○時期の關係で花畑とやさい畑の仕事が重つていくから順序について適當に助言する	○計畫のたて方		

〔作業〕

一、花だんの經營 1、設計 （全体） （グループ）	○花だんにはどのようなものがあるか見たり聞いたりして調べる ○自分達の學級園にはどんな花だんがよいか位置や形を考え、適當なものを話合つてきめる ○季節と草花について調べ學級園に作る草花の種類をきめる	○實用的であるよう助言、修正してやる（畑の位置、形、草花の大きさ、色の調和） ○一、二年生、多年生、草本、木本の草花とそのふやし方について指導する	○設形の仕方 ○花だんの設計圖	3	○中學農業二年用
2、草花の種まき移植 （グループ）	○必要な種子、苗を種物屋から購入する ○計畫にもとずき、畑をおこし、整地して花だんをつくり、種まきをする（又、移植をする）	○商店での賣買のようす、受取書請求書に注意させる ○土の性質 ○農具の種類と用途及びその扱い方 ○整地のし方 ○種のまき方	○農具の扱い方 ○作業の態度	2	○農具
○管理日誌 （全体）	○今後の管理のし方について話合い、當番をきめて水くれとし、觀察記録をとる ○管理日誌の形式を話し合つてきめ、きまつたものを謄寫して日誌帳をつくる	○給水の時期、觀察記録のとり方 ○日誌の内容は簡にして要を得るよう	○記録の仕方 ○觀察の態度 ○管理の技能		○如露
	○謄寫印刷の實習をする	○謄寫の基礎的知識を授け今後クラスの印刷などに役立つようにする	○謄寫印刷の技能	3	○謄寫道具一式
4、花札と柵 （グループ）	○草花の名まえがわかるような、きれいな立を工夫してつくる ○花だんを守るため、きれいな柵をつくる	○札の字が雨などにあつても消えない工夫を考えさせる ○場所の調和を考え竹がきのよいことを指導する	○木竹工の技能	6	○札にする板 ○ペンキ ○鉋、鋸、竹びき鋸、なわ

二四一

二、野菜つくり （全体） （グループ）	○野菜の必要について調べて報告する ○野菜の種類を調べそのおもなものについて話し合う ○作る野菜の種類を話し合つてきめ、畑の計畫をたてる ○計畫にしたがい畑をおこし、うねを立て植付をする ○農具の正しい扱い方を聞いて實習する ○肥料と作物の關係を調べ適當なものを追肥する ○野菜の病虫害にはどんなものがあるか調べてその防除法を實施する ○分擔して野菜畑の管理をする	○春、夏の野菜について話してやる ○畑も遠く隨時觀察もむずかしいのでなるべく手のかゝらぬものを作るよう指導し、ねぎ、まめ、さつまいも、かぼちや類をあげる ○鍬、取扱上たいせつな點を指導する ○肥料の三要素、施す時期について指導する	○働く態度 ○鍬の扱い方	7	○農具 ○たねもの ○鍬 ○肥桶 ひしやく ○噴霧機又は撒粉機 ○消毒薬
〔完結發展〕	○調べたこと、話し合つたことはまとめてかきとめておく。報告をかく ○計畫のとおり作業ができたかどうか話合う ○今後の仕事として ・施肥 ・除草 ・咲いた花を教室や廊下に飾る ・秋になつて種をとる ・畑の整理をする ことなど話合つて實施する	○今後ときどきの管理ができるように指導する	○目標に對する理解 ◎各、作業や觀察のあとではそのときどきに別に用意する用紙に反省を書かせて適性發見の資料とする	1	

二四二

2 連絡（略）

○本時の學習

私たちの學級園、二十五時間中の第七、八時（二時間連續）

○月○日○曜、第○時、一年○組　指導者○○○○

(1) 主眼、前時までの計畫にもとずいて、各グループ分擔の場所を整地し、草花の種子のまきつけや、苗の移植の作業によって美しい花だんをつくる。

(2) 過程

學習事項	様式	學習活動	指導	準備	評價	備考（時間）
本時の計畫	全体	○本時學習の目的仕事の手順等について話し合う	○本時の學習の位置を明確にさせ作業を確實にできるようにする	○草花の種〃苗		←5分→
草花の種まきと移植	グループ	○分擔區の草取り、石拾いをした後、鍬でていねいねいに土をおこす ○土のかたまりをこまかにくだき、平らに整地する。 ○花だんの設計圖にもとずき、輪廓と區切り、他の部分より土を少し高くし芝、石などで土どめをする ○區畫の中へ種まきをする ○本校農場より草花の苗をもらつて來て移植する ○水を充分施す	○土の性質について考えさせる ○なるべく深く耕すようにする ○鍬の扱い方、土の耕し方、ならし方を指導する ○種まき、（かける土は砂がよい。かけすぎないよう、およそ種の三倍の土をかけることを注意する） ○移植のし方の指導 ○移植したあとの日よけ ○水かけの時、土が流れぬよう	くわ ざる すじなわ 移植ごて 如露	○農具の扱い方 ○作業の態度	……75分……→

二四三

學習事項	様式	學習活動	指導	準備	評價	備考（時間）
作業の終績、整理	各自	○用具をそれぞれ手入れして收納する	注意して靜かに如露で給水するよう指導する			←……15分……→
次時の豫定	全体	○作業反省記錄表へ記入する ○本時の作業の反省と次時の豫定を話合う		○作業反省記錄表		←…

二四四

(3) 反省、（作業反省記錄表にもとずいて、本時の作業が手順よくできたか、指導上改善すべき點等について反省する。）

4、反省（略）

△作業反省記錄表の例（生徒各自の自己評價用）

觀點	評價 1	2	3	4	5
1、鍬は、使うまえに水でしめしたか					
2、土の耕し方はどうだつたか					
3、土のかたまりをよくくだくことができたか					
4 耕した土を平らに整地できたか					
5、種のまき方はどうか（間が近すぎたり、深すぎたりはしなかつたか）					
6、移植のし方はどうか					
7、苗の扱い方はよくできたか					
8、水のほどこし方はどうか					
9、使つたあとの農具の手入れやしまい方はよくできたか					

家　庭　科

一、家庭科の意義

終戦後、家事、裁縫がなくなり家庭科が新しく設けられたことから、とかく家庭科を従来の家事、裁縫のように考えられる傾向がみえたが、決してそうではなく、われわれの生活にとって非常に重要な部分を占める家庭生活を、より合理的、能率的に改善し向上させることは、極めて大切なことであり、児童をして家庭内の仕事や家族關係を中心として家庭生活を理解し、それを改善しようとする技能を身につけさせようとの新しい構想で設けられたのが家庭科である。

いうまでもなく家庭は、各人の生活の基盤であり、社會の基盤である。そのことは、平和を愛好し、信頼ある愛情に富んだ豊かな生活を愛する人間の性格を養い育てる源泉であることを意味している。随って、そうした家庭の建設にあたっては、男女共に同一の責任をもっていることは言を俟つまでもないことである。從來は、ともすれば家庭の責任を、より多く婦女子に負わせる傾きがあった。そうした所に眞の民主的信念をもった社會人の誕生のありようはずはない。家族という關係において、日常の生活の中に、男も女も、その一人々々が己の責任を自覺し、互の分野を理解し協力し合って、明かるく楽しい家庭生活を、しかも知的に能率的に建設するということは、現代社會の向上發展の上にたって、われわれに負わされた大きな課題でなければならない。立派な家庭の建設なくして、立派な社會の建設はなく、民主的な家庭の建設なくして、民主社會の生れようはずがない。

自覺的思考の可能になってきた小學校五、六年児童に、家庭生活の重要さを認識させ、家族としての責任を自覺せしめるために、男女共に家庭科を、必須科目として取上げてきたことには、重要な意義がある。

二、家庭科の目標及び内容

1、家庭科の目標

家庭科の教育の全体を通じた目標としては學習指導要領において総目標として

1、家庭において（家族關係によって）自己を成長させまた家庭及び社會の活動に對し自分の受けもつ責任のあることを理解すること
2、家庭生活を幸福にしその充實向上を圖っていく常識と技能とを身につけること
3、家庭人としての生活上の能率と教養とを高めて一層よい活動や奉仕の機會を得るようにすること

というようにのべている。これを更に児童の心身發達の如何とその内容の發展とを考え學年の程度に應じて具体的に考えてみると次のようになる

1、家庭を營むという仕事の理解と性別年令の如何にかゝわら

ず家庭人としての責任ある各自の役割りの自覺
2、家人及び友人との間に好ましい間柄を實現する態度
3、自主的に自分の身のまわりの事に責任をもつ態度
4、食事の支度や食品に興味をもち進んでこれを研究する態度
5、家庭生活に必要な技術の初歩
A、簡單な被服の仕立てと手入れ及び保存の能力
B、家庭の普通の設備や器具を利用したり、よく手入れしたりする能力

國家社會は個々の家庭がより集って形成されているものである。家庭は社會の基本的なもので何人も家庭をはなれた社會生活を營むことが出來ない。平和國家の建設は社會の活動と發展によって行われ、立派な社會人が活躍するためには、夫々の家庭が圓滿に能率的に運營されていなければならない。なぜならば家庭こそは肉体と精神の慰安所であり休養所であるからである。明日の活動の源泉地である家庭に歸っても、榮養をとるものもなく、安眠もできない状態にあるとしたら、それは決して良い家庭ではなく又、よき社會人をも出すことができない。いかにしてよい家庭を建設するかということが大きな目標になってくるのである。

家庭を構成する者は女ばかりではない。男女が協力し、親子兄弟が互に助け合って、より明るく楽しい家庭生活ができるように努力していく所に人生の楽しみがあり、張合いもあるのである。だから家庭の運營を女に一任し、男は家の事にくちばしを入れるものではないというような從來の考え方を一掃する必要がある。男も家庭人として家庭經濟はもとより、子供の世話、庭の仕事、薪わり、家具たてつけの手入れ、はき物の修繕、電氣器具の修理、棚作り、家畜の世話、臺所掃除用具の製作修理に至るまで、時間と体力の許す範圍内において分擔して家庭生活が健全に幸福に營まれるように協力すべきものである。然し今は過渡期であって、新憲法は實施されても現在の男の人達は舊思想の教育を受けてきたし、家庭科などという教科も學習してこなかったのであるから、今すぐに理想的の家庭を作ろうとしても無理であろうが、今小學校で學んでいることもが成長して大人になる頃には家庭科の指導精神が生かされて民主的なよい家庭というものが本當に建設されることを信じている。

立派な社會人を家庭で育て上げるためには、家庭の民主化から始めなければならない。それは決してむずかしい事ではなく、家族一人一人が同じ責任をもつのだという自覺をし、自分の受けもつべき役割を自ら見出して、家庭の夫々にふさわしく分擔し、家族が協力して圓滿な家庭を築き上げ、更によりよく向上させるよう努力する事が望ましいのである。

そして特に小學校としては、子供が家族の一人として子供は子供なりに自分のなすべき仕事を命令されなくとも自發的に受けもつよう、家庭生活への理解を深め、そしてその仕事をなすに當って、無駄な努力を使ったり、誤った方法をして却って大人の迷惑にならないよう、少しでも両親の手傳いができるよう

になればその目的の大半は達せられるのである。更に進んで、将来よい家庭人になるべく、男女共に家庭生活の理想的なあり方を理解し、幼い時から家事に對する知識技能を實地に修めていくことが肝要である。

2、家庭科の内容

家庭科の内容は兒童の興味、活動、心身の發達また可能な將來の活動や社會の要求などを考慮に入れて展開させてある。各學年共この指導内容は單元の形式によってしくまれている。この單元とはそれぞれ一つで完全な研究題目で兒童の興味あるいは活動から論理的に發展し學習の到着點として望ましい確かな結果をもたらすようにまとめたものである。

家庭科の分野には他の教科目にもまさって教科内容を豊かに擴げ改良し、また變化をつける特別に大きな機會が與えられている。それは從來のように調理をしたり、着物を縫うことが上手にできるための手先の器用さ熟練を基本的目的にするのでなく、この基本目的はもっと廣く家庭や家族生活の最もよい型を求めてそれを保っていくことにある。以上のような理由でこの家庭科は最も重要なものである。ここで男女兒共にはじめて家庭生活の重要さ、またそれに對する自分の役割について自覺させられるからである。

更にこどもたちの發達の段階に基づいて學習の系統を考えてみると。

第五學年としては家庭の有能な一員としての自己の役割りを自覺し、その責任を果すように意識させることで主にお手傳いということが中心となって次のようなことが問題になる。

(1)、私のできるお手傳い
(2)、自分の事は自分で
(3)、弟妹のせわ

第六學年としては明るい家庭生活に家族の健康がどんなに必要であるかを知らせることで健康生活ということに中心をおき次のことが問題となる。

(1)、健康なからだ
(2)、食事の用意
(3)、家庭と休養

3、家庭科學習と兒童の發達

第五ないし六年はやがて青年前期に入ろうとしているが、心身の安定はなお保たれて割合に平和な時代である。女兒は身長、体重の發達が男兒をしのぐようになるが、まだこの時代には男女別に取り扱わねばならないほどの相違はでてこない。然しすでに空想的な時代はすぎて現實的なものに關心をもち事實をつきとめて知識をひろめようとする。同時にだんだん社會的となり、一定の秩序に從って行動するようになり、一定の組織における自分の地位を自覺するようになる。これを遊戯についてみると、學令期から女兒に壓倒的に人氣のあったお客様あそび、ままごと、着せかえ、お醫者あそびなどがだんだん少なくなっていく。これは調理や被服や看護などに關する興味がおと

ろえたのではなくて、ようやくこれが現實化されつつあることを物語るといってよい。勤勞においては第一學年からはじまる掃除が庭はき、雑巾がけというように著しい進境を示し、女兒には洗たくや裁縫などもそろそろ現われる。炊事、ごはんたきは四年からあらわれる。

子守は一年からはじまる最も普通的な手傳いの一つであるが興味というよりはいやおうなしの重荷であることが多い。このことは十分心得ておくべきことであり、できるだけ彼等の興味から出發するように、また幼兒の研究を通して人々に仕合せをあたえる態度を學ばせることである。女兒はこの年頃になると何でも早く針をもって物をぬいたくてたまらなく、手指の節肉運動も相當に發達しこまかな運動ができるようになる。

三、家庭科の學習指導

1、單元計畫(別冊參照)

社會科において取上げられる問題は、經驗領域の發展にともない、其の具体的地盤としての家庭からはなれてくる。しかも家庭は兒童の現實生活の基礎場面である。家庭科が他教科との關聯あることは勿論であるが、殊に社會科の單元と緊密な連繫を保ちつつ單元構成をする。次に單元をどう構成していくか、その主な條件を次にあげる。

1、家庭科の目標のいくつかに連關をもつこと。
2、社會的要求を考えること。
3、兒童の能力、經驗、興味を考えること。
4、指導要領を參考にすること。
5、昨年度の經驗を重視すること。
6資料施設、季節、行事も考えること。

以上の六點を綜合的に考慮して單元をつくる。

單元	設定の理由			
單元名				
目標	學習事項	學習活動	他教科との關聯	資料施設
理解 技能 態度				
豫備調査		評價		

設定の理由……選ばれた單元が現代の家庭社會においてどんな課題をもっているかという單元の社會的意義と、それが兒童の現在の生活に深い關係をもち學習する價値が充分にあるという教育的意義とを明確にし、本單元が設定された基本的意義をかく。(さきにあげた構成の六條件參照)

目標……この單元のねらい。何を學習するためにこの單元が選

ばれたかを明らかにし、學習において行われるすべての經驗に一定の實際上の目的を與えるために理解・技能・態度の三面より目標をかゝげる。

尙各目標に即して學習活動を示す。

學習活動及資料施設……右の上に立ち内容の範圍と順序をきめる。内容とは單元の學習が包括する經驗の内容である。それの範圍を限定し、經驗の發展の順序を考慮する。問題の順序が内容發展の順序である。その問題に對應して學習活動をあげる。あげられた學習活動が範圍を示す。その學習活動を有効にする媒介として資料を關係的にあげておく。

豫備調査及び評價……實際指導への手がかりとして、兒童の經驗、能力、興味の三面より調査の觀點をかかげる。

またどれだけ目標に到達できたか、近迫し得たかを理解、技能、態度の觀點より判定の基準を評價の項でかゝげる。

2、學習指導案樣式

一、目　標

本單元の學習のねらいを豫備調査の結果や單元計畫の目標から明確にさせ、次にこれを理解、技能、態度の面から學習内容に照應させながら果すべき學習目標を項目的に列擧する。

二、學習の基盤

豫備調査であり單元計畫を學級に適應させるよう修正する資料ともなる。

(一)兒童の研究

1、經驗……素材と關聯ある家庭生活の兒童の經驗を重點的に明らかにする。

2興味……學習の素材に對する兒童の興味を明らかにする。

3能力……目標に達するために學習に入る前の兒童の能力（理解、技能、態度を含む）を明らかにする。

1、2、3、の結果から全体的の考察が必要である。

(二)家庭生活の研究

1、家庭生活

生活環境としてその學年としての兒童に最も具体的な關係をもつ社會生活につき、學習上必要な事象問題をとり上げて考察する。

2、家庭社會の要求

家庭からそこに生活している兒童へいろ〳〵な要求がなされている。そのこどもへの直接的な要求が何であるか具体的な事項をあげて考える。

3、資料施設

學習の對象となったり、學習に利用できる資料や施設にどんなものがあるか、どんな内容が學習できるかを調べる。また生活の必要から積極的に利用するようその必要や利用の仕方を明かにする。

以上三項目を總括して學習させる適當な内容及び必要な學習活動などを考える。

三、展　開

過　程	學習事項	學習活動	評價の觀點	時間	資料	備考
問題把握						
計畫樹立						
調査研究						
解　決						
發　展						

問題把握……環境設定又は生活經驗の想起發表などによって學習の必要と興味をかんじ問題を把握する段階。

計畫樹立……解決しようとする問題を目的方法（材料、用具手順、場所、設計等）まとめ方、時間などを考えて計畫樹立する段階。

調査研究……計畫にしたがって問題を理解、解決するために、調査研究する段階。

解決……以上によって把握した問題を解決する段階。

發展……日常生活への實踐應用を考える發展の段階。

四、本時の學習

1、本時の主眼……本時のねらいを簡明にしるす。

2、過　程

學習事項	學習活動	樣式	指　導	評　價	時間	備考

3、反　省

3、學習指導案の具体例

「毎日のお手傳い」學習指導案（五年）

一、目　標

學年が改まり何か新しい方向をめざして進もうとしているこの頃のこどもたちは、すでに空想的な時代はすぎて現實的なものに關心をもち、非常に自覺的になってきている。

この期頃になると家庭でも多方面にわたって兒童たちの協力を望んでいる。初めて家庭科の學習をするのに當って家庭の仕事の大体の理解をさせ、多忙な家庭特に母の仕事に積極的なお手傳いができるように導くことはきわめて大切なことである。この意味から今まで家庭の仕事に手を出すことの少い現狀にあるこどもたちに、家庭の清潔美化、食事のお手傳い等に協力させ家庭の一員である自分の位置を理解させて家庭における生活を規律的にし更に裁縫の基礎的能力を育てようとする所に本單元のねらいがある。

	目標	内容
理解	1、立派な家庭は家族の協力でできていること	・お手傳いについて
	2、母が毎日どんなに多くの仕事を處理しているかを理解する	・家中の生活しらべ
	3、清潔の健康に對する理解及び清潔と氣分との關係	・掃除の種類と清掃美北について
	4、食事の手傳について衞生上、能率上考慮すべき点	・食事のお手傳いの仕事の種類 ・食事の手傳いについて衞生上の注意 ・食事のお手傳實習
技能	1、食事の支度、後かたづけ、食器、布巾の扱い方	・食事のお手傳いの實習
	2、台ふきの縫い方	・運針練習、台ふき製作
	3、玉どめ、重ねつぎ、糸ごきの技術	・運針練習 ・台ふき製作
態度	1、自分の分擔する責任感	・お手傳いの實施
	2、食事の手傳いを衞生的能率的に考える	・食事のお手傳いの實習
	3、積極的にお手傳いをする	・お手傳いについて（△記錄△家庭）
	4、雑巾や台ふきの使つたあとの注意	・食事ののお手傳いの實習
	5、研究的で實踐的な態度	・布巾、雑巾、台ふきの使い方の研究 ・雑巾、台ふきの應用製作

二、學習の基盤

(一)兒童の研究

1、經驗　調査年月日　昭二五、四、一〇

調査人員　男二四名　女一九名

A、家庭におけるお手傳いの種類

種類	男	女
辨當箱洗い	4	5
食事の用意(いつも)	5	6
食事の用意(時々やる)	15	12
茶わん洗い	3	3
時々片づける(手傳)	15	14
ごはんたきの手傳い	6	3
米とぎ(時々)	5	7
雑巾がけ	6	3
水くみ	2	1
家畜の世話	2	1
庭そうじ	4	3
便所の掃除	4	4
子守	5	5
お使い	5	5

考察

兒童が家庭の仕事をするのは時々する以外、特定のこどもで僅かである。五年生になつたのであるから時々というのでなくて、もつときちんときめて家庭へ協力させ、規律的な生活をさせるべきである。

B、針を持つて物をぬつたことのあるもの。

男子　12名	女子　18名
ボタンつけ	靴下、たびのつぎ
雑巾つくり	袋つくり
たびのつぎ	お手玉つくり
布ボール作り	手さげ
グローブ、ミットの修理	人形の服
ボーシつぎ	前かけ
	ボタンつけ

考察

大部分針はもつている。この頃になるとこれまで必要になつてやつているが、男女共、指ぬきを使用して正しい方法でやつていたものが一人もいない。正しい方法で指導する必要がある。

2、興　味

お手傳いとしてこれから新しくやろうと思う仕事をあげさせた結果、今までしていた所に全員が三ないし四、五項目も多くあげている。その中に針をつかつて雑巾をぬつたり臺ふきをつくつてそれでお手傳いしていきたいという者が男子に八〇パーセント、女子は全員で、裁縫の面に興味をもつている。尚その仕事を各自どんな風に實行していくか、ということを一兒童の例をあげてみると次のようである。

しごと＼日	4/13	4/14	4/15
庭はき	いつものようにやつたが早くしてきもちがよかつた	すこし長くかかつた	
雑巾がけ	いわれないうちに氣がついてしたのでよかつた	庭はきに時間がかかつたがやつた	
ごはんの用意	ぞうきんがけをしているうちにやられてしまつた	お茶わんを出した	
茶わん洗い	今日から新しいしごとでだれにもやられないうちに早くやつた	今日もいわれたりしないでやつてよかつた	
うさぎのせわ	兄のしごとを今日からこうたいですることにきめた	今日は僕がやつた	
辨當箱洗い	今日から自分で洗うことにきめたので洗つたらくだ	おやつをたべてから洗つた	
其の他	おかいものに行つてきた		

右の表のように形式は各自少しずつは異つても一週毎に出してみてもらうようにして實行するかしないかにかゝわらず全員お手傳いに興味をもつて努力しているようすはわかる。

3、能　力

A、家中で仕事の分擔をし合つたらどんな所がよいか

	男	女
母の仕事が少くなる	18	12
早く出來てしまう	8	9
みんなですするのでたのしい	17	12
家中なかよくなる	1	0
働きよい	3	1
女中さんがあそばれる	1	1
女中さんがいらない	1	0
とてもよい	0	5
母がよろこぶ	2	5

これはこの學習に少し入つてからなので多忙な家庭の仕事に家中が協力することがよいということが大分よくわかつている。これを實踐させるのに如何にしたらよいかゞ問題である。

B、清潔について(清潔週間とか衛生週間とかあるがなぜ設けてあるか)

	男	女
病氣(傳染病)をおこさないため	19	12
美しくするため	22	19
はいをたいじするため	1	3
ボーフラをわかさないため	1	0
しけつたのをふせぐため	3	5

清潔の意義も大分よくわかつている。然しこの問題も前と同じく知識的にはよいが如何にして實踐させ、けいぞく的にさせる必要があるかが重要な問題である。

以上の結果から考えて新しい氣持から出發した兒童たちに是非規律的にお手傳いを考えさせ實踐的に考えることは重要なことである。

二、家庭生活の研究

1、家庭生活

A、家族しらべ

		男	女
祖祖父		0	1
祖祖母		0	1
祖父		0	3
祖母		6	6
父		21	15
母		24	19
兄	1人	10	6
	2人	2	2
	4人	1	0
	5人	0	1
姉	1人	8	5
	2人	3	5
	3人	0	2
弟	1人	8	5
	2人	5	4
	3人	2	0
妹	1人	3	6
	2人	5	1
	3人	0	1
おじ		2	2
おば		0	1
自分		24	19

家族のようすをみると四十三人のこどもに一ような手傳いをさせるように考えるのは無理なことであつて姉が三人もいたり兄が四人、五人もいる家庭では長男、長女の立場より大分かわつてくるはずである。そういう夫々の立場にあつてその一員であることを考えさせてお手傳いさせる必要がある。

B、職業調査

二五三

二五四

	男	女
商業	4	4
會社員	6	4
官吏	3	4
無職	2	2
醫師	2	1
技手	1	0
教員	5	1
坑夫	1	0
師匠	0	1
農業	0	2
	24	19

職業別にみてもさきの場合と同じく個々の立場が異つてくる。商業の家のこどもと會社員のこどもの仕事は變つてくる。その立場を考えてお手傳いさせる必要がある。

C、住居しらべ

	男	女
商店街	6	6
住宅〃	15	11
閑靜地	1	0
農村	2	2

大半は住宅地であるが商店街農村等考える必要がある。

D、生活しらべ(略)

以上の點から考えてみると家事に協力させる場合、兒童一人々々の家庭における位置、それをとりまくもの等を充分に考えてお手傳いさせる必要がある。

2、家庭社會の要求

少しでもお母さんのお手傳いをさせることから今までお手傳いしてきた仕事の他にこれから新しくやつていこうと思う仕事を家で相談して書いて來るようにした結果、各家庭で非常に多方面(兒童の生活調査參照)にわたつてお手傳いを望んでいる。今までの調査の結果から考えても當然五年生としたら家庭で要求しているように家の仕事に協力すべきである。こゝで本單元の目標を果させるために毎日の仕事をきちんときめて、規律的な生活をさせる必要がある。

清潔週間について……四月中旬から全國的な清掃週間で家庭、學校、社會で行われる。こゝで本單元の清掃美化について學習することはきわめて意義がある。大掃除などに今まで手傳つたことのないこどもたちにこゝで、その方法を知ると共に大掃除の意識について知らせる必要がある。家の不潔な場所を如何にしたら清潔にすることができるかを研究しながら、家のそのような面に加わつて協力していくことは必要なことである。

3、資料施設

(1)兒童にもたせる裁縫用具

A、針

イ、縫針……最初の入用の分の木綿縫針一本をもたせる。その長さは兒童の指の長さによつてきめるべきであるが、大体次の程度である。

五學年　一・八糎～三・四糎

六學年　三・二糎～三・六糎

ロ、くけ針……くけ針は使用者によつて長さを考えなければならないが普通縫針より一糎位長いのがよい。

針の糸を通す孔は縫針、くけ針ともに、やゝ細いものが使用に便である。

ハ、待針……待針は記名させるために針頭に厚紙をつけてあるのがよい。

(2) 針さし……方八糎ぐらいのがよい。

(3) 指ぬき……表に凸凹のある革製のものがよい。

(4) 鋏……兒童各自用としては、糸切り用に刄の長さ四〜五糎ぐらいの握り鋏がよい。

(5) へら……角製で長さ十二糎〜十五糎の丸みの部分が布のいたまない程度にうすくなめらかなものがよい。

(6) 糸まき……

(7) 裁縫用具入れ

(8) 運針用布……並巾五〇糎くらいの布

(2) 運針(ぐしぬい)

運針は否みなく流れがなく、針目の完全に揃つているしかも速かなのがねらいである。實物に當つて大切なのは質であつて質は否みの有無と針目の揃い方、流れ針の有無、針目の粗密の四つにわけて考えることができる。

・否　み

A、おどり針……略

B、波　針……略

C、縲　針……略

・針目の揃い方

A、表も裏も不揃い……略

B、表と裏とが不揃い……略

・流れ針……略

・針目の粗密……略

・運針の記錄……略

(3) 臺ふきについて、(以上說明を略す)

イ、臺ふきの必要

ロ、形と大きさ

ハ、圖案とその工夫

ニ、材料と用布

ホ、標のつけ方

ヘ、待針の打ち方

ト、縫い方

チ、使用法の工夫

(4) 食器の種類とその扱い方の研究

(說明を略す)

三、展　開

過程	學習事項	學習活動	評價の觀点	時間	資料	備考
問題把握	1 仕事の分擔	○家中の一日の生活グラフをつくり家庭の仕事の家族の分擔について調査し、表をつくつたのについて話合う。	母の仕事の多いこと	二時間		
	2 お手傳い	○家の仕事は母だ	家族が分擔	三時間		

二五五

過程	學習事項	學習活動	評價の觀点	時間	資料	備考
		けが多くするのでなくて家族が協力しなければならないことを話合う	して仕事をするわけ			
計畫樹立		△現在手傳つてやつている仕事について				
		△新しく手傳うことのできる仕事について				
		●自分たちの手傳うべき仕事について話合う				
		●仕事をした記錄をとることを話合い形式を考える				
調査研究	3 清掃美化 掃除	●掃除の種類とその仕方について話合う		五時間		
		●大きなごみと小さなごみとの取扱いについて衞生上の注意の話合い	清潔と健康について			
		●掃除の能率についての意見の話合い				
		●部屋を美しくする工夫について話合う	清潔と氣分の關係			
	美しい部屋づくり	●きれいに掃除をして美しい部屋をつくつて話合う				
	4 食事のお手傳い	○食事の支度あとかたづけ仕事の種類について話合う	衞生的な食事のお手傳いについて	五時間		
		○食事の仕度やあとかたづけについて衞生上の注意の話合い				
		○食器の清潔、洗い方かたづけ方について話合い特に衞生上の問題として布巾の清潔、乾燥について注意				
實習		●辨當箱を洗う	食器の扱い方について協力して仕事をすること		於家事室 辨當箱 台所の道具各種(食器)	
		●食器布巾の正しい取扱い方の實習				
		●以上のような私たちの手傳うべき仕事を經續していく方法について話合う	お手傳いの實態			
	5 台ふき	●布巾、台ふきの製作の必要について話合う	台ふきの必要なわけ	一四時間	台ふき 雜巾 布巾の標本各種	
標本觀察		●標本をみる				
		●各家庭で使用しているものについてし				

二五六

段階	學習事項	學習活動	指導	時間	備考
		いて話合う			
		自分でつくるものをきめる			
	運針實習	運針實習 △裁縫箱をそろえる △一つ〳〵の道具の使い方を考える △針に糸を通し、針の持ち方、手指の動かし方、布のもち方、糸ごき、姿勢、針目について話合い縫つて見る △いろ〳〵な運針についてその成績について話合う 各自のものについて 友だちのものについて 先生のものについて	運針の技術		裁縫箱 ・運針用布 ・針 ・鋏 ・へら ・指ぬき ・針さし ・糸 ・糸まき
	製作計畫	台ふきの製作計畫をたてる			圖案各種
	製作實習	圖案の用い方を考える			
		布地と厚さと用途によつて考え話合う			
		糸と布との關係			

段階	學習事項	學習活動	指導	時間	備考
		を話し合う			
		標をつけ縫う（はじめの玉とめ、終りの玉どめ、糸の重ねつぎ）	台ふき製作の技術		玉どめ 重ねつぎの標本繪
	使用法の研究	出來上つたものをみてその使用法について、濕布の面から乾布から考え話合う	台ふきの使用法について		
	使用の注意	雜巾や台ふきを使つた後の注意について話合う	台ふきの使用上の注意		
		家庭生活への利用と、雜巾や台ふきできれいにした後の感想を話し合ふ			
	應用	台ふきから應用製作	研究的な態度		
解決	6 生活の反省と實行	今まで考えたり話し合つたりしてきたお手傳いについて實行してみたい点について話合う		一時間	
發表		生活實行表をみて反省し合いこれから一層家庭のお手傳いをしていく点について話し合う	規律的な生活について		

四、本時の學習（第三時）

1、本時の主眼

各自の家庭生活の反省から家の仕事は母だけが多くするのではなくて家庭の仕事の分擔と協力が必要であることを理解させる。

2、過程

學習事項	學習活動	様式	指導	評價	時間	備考
仕事の分擔	家中一日の生活グラフで問題になつた点から家庭内の仕事の處理に對する母の希望要求をきいてきたのを問題として話合う	グループ全体	家族の協力によつて毎日の生活が營まれていることをはつきりさせる	家庭内の仕事の分擔の意義方法について理解できたかを質問紙法によりしらべる	六〇分	
	最もよい仕事の分擔の仕方について話合う	グループ全体	家庭内の仕事の分擔の意義について	家族が分擔して仕事をするわけ		
	私たちに母から要求されている仕事にはどんなものがあるか語合う	全体		自分の家で最もよい分擔の仕方について		

3、反　省

英　語　科

1、英語學習の意義

英語を學ぶということは發音や文法を學び單語を覺え、書物を讀むことや、簡單な作文を稽古することであろうか。その上に聽取や書取や英習字の練習も必要であろうか。更に口頭や筆記の問答練習をしたり、短い英語の Speech をしたり討論をしたりすることも含むか。なお斯うした所謂實用價値を目指した學習以外に英語國民に對する理解を深めるような所謂敎養價値をも狙うべきであろうか。

學習とは心理學者の說に依ると「生活体が經驗によつて變化すること」であると言われる。學習の最終段階はそういう變化が固定して一つの習慣となる狀態である。我々が英語を學ぶということは英語國民の有する言語的習慣を知り、これを自ら反覆經驗することにより日本人として可能なる程度まで正確敏速に讀み書き聽き話す能力を我々の神經系統内に固定することである。單語を幾千か暗記し文法の規則と例外とを覺えただけでは英語を master したことにならない。この點は地理や歷史の學習と趣を異にしているようである。英語を master したとは文法の規則などは意識に上らなくなり、英米人の話が即座にに解り、讀み書きが自由自在になつて初めて言い得ることである。

英語學習の所謂敎養習方面は概して嚴密なる言語學習の問題外にあるといわねばならない。それは寧ろ言語學習の副產物である。英語を理解し驅使する上に必要な風物知識の如きは言語學習の範圍内に屬することは勿論であるで、tennis なる單語が出たら Wimbledon のことにまで話を進めるなどは脫線である。それは英語の先生が敎えて惡いとは言えないが、他にそれよりも大切な問題が澤山ある。

言語を學習するということはよく考えてみると隨分むずかしい仕事である。學校で學ぶだけでは master するところまでは行かない。言語を master するということは比較的の問題で、すぐれた作家と雖も名文から更に名文へと生涯修業を續けるのである。我々英語敎師の場合を考えて見ても二十年或はそれ以上も英語に接しながらも猶英語を日本語なみに驅使する域には遙に達しない。英米人ですら大學に進んでからも英作文の授業を受けるのである。故に外國語として英語を學ぶ際にはそのような高い程度を目標としたのでは、極めて少數の語學的天才を除いて、殆ど全部の者が絕望するより他はない。もう少し低い所に目標を置いてこそ外國語學習ということが成立するのである。

そこでどの程度に標準を置くかということが問題となる。或る人は英米への旅行を志して或る程度の會話能力を望み、或る人は英米の書物を讀む能力を望み、或る人は商業通信に通曉することを望み、或る人は漫然と敎養的知識を望むであろう。そ

の學習者の目標に隨つて學習の標準もほぼ一定して來る譯であるが、目標の定まつていない多數の生徒を集めて敎える中學校などではどこに標準を置いてよいかそう簡單にはきめられない。多數が上級學校へ進むからといつて入學準備のようなことばかりに終始してよいか。日本人としては英米人と接觸することは滅多にないのだからとの理由で耳や口の練習は放棄してもよいか。讀み書きの目的には發音はどうでもよいか。こういつた疑問は英語敎育の門外漢のみならず、敎育者の間にも多少とも懷かれているようである。

これらの疑問を解く爲には結局言語の本質にまで掘り下げて考えなければならない。そして理論として斯々であるべきだという結論を得たとしても、實際上の諸問題の爲に斯々せざるを得ないというような結果になることもあり得る。學校の外國語敎授というものはどうせ斷片的なもので、母國語を習得する時のようには行かない。最も重要であり且つ困難である部分を敎えて、その殘餘は個人々々の努力に任すより他ない。その重要にして困難なる部分を診斷するのが英語敎師の任務である。

2、外國語敎授法の歷史

歐米における中世以後の外國語敎授法史を極めて素描的に述べて見る。歐洲各國で中世に學ばれた外國語は古典語、特にラテン語であつた。當時ラテン語は一種の國際語であつて、これを話したり書いたりすることは紳士の資格の一つと考えられ榮達の條件でもあつた。敎科書として Cicero の作品などが選ばれ、敎授法としては發音や文法などを敎えないで、專ら古典を片端から暗誦させるのであつた。かかる原始的な敎授法にもかかわらず、當時の紳士はラテン語で對談もすれば手紙も認め、また著述もしている。

その後文法上の規則なるものが作られ、ラテン語で書かれた文法書を暗記させる敎授法がはじまつた。これはラテン語で話したり書いたりする目的に對する捷徑として生れたのであつたが、次第にその本來の目的が忘れられ、文法書を學ぶことがラテン語の學習であるかのように考えられるようになつた。かくして數世紀の間ラテン語を學ぶ學生は文法の重荷に苦しんだのであるが、實地に話したり書いたりする方面ではかえつて學力が低下して行つた。しかし敎師の側では「論理的訓練」(logical schooling) の名の下に文法敎授を續けたのである。

文法敎授法に對する革新運動が顯われたのは十七世紀に入つてからである。この革新運動というのは大体から見て文法を棄てて言葉そのものに復れというにある。たとえば1670年オランダで死んだ Johann Amos Comenius はそのラテン語の著書 Didactica (敎授論) の中で「いずれの國語も規則によるよりも實地練習によつて、特に聞くこと、讀むこと、復誦すること、書き寫すこと、筆記および口頭により模倣することによつて學ばねばならない」といつている。彼は外國語敎授において繪畫を利用することを奬勵した最初の學者であるといわれる。

しかしながら文法敎授法は容易にその根强い地盤を讓らなか

つた。1833年 Dr. Kröger なる人は當時ドイツにおける外國語教授の狀態について次のように述べている。「生徒は文法書を與えられ語尾變化や文法上の規則と例外とを暗記せられる。飜譯や自由作文なども課せられる。六七年の學校生活中に外國語學習のために何千時間という名狀し難い苦痛の時間を過す。幾冊かの初等教科書を學び、數人の作家の拔萃文を讀むが、その作文は誤謬多く文体も拙である。歷史家の文も詩人の文もなかなか樂には讀めない。また外國の文化についても殆ど知るところがない。」

この頃からようやく現代語が古典語と相並んで重視されるようになつた。しかしその教師は大抵自から古典語を學んだ通りの方法を現代語教授に應用したもので、教授法にはほとんど見るべき革新がなかつた。若干の新しい方法を提示した人の中に Jean Jacques Jacotot 〔ʒakōto〕(1770—1840) という佛人と James Hamilton (1769—1830) という英人とがあつた。Jacotot の方法は纒まつた作品を教材とし、重要語句を選んで drill を行い暗誦を課し、またその中に現われる文法上の問題を歸納的に取扱うにあつた。この方法は當時の行詰つた語學教授にとつては一つの改革であつたが、教材に難易の段階がなかつたことと、あまりに drill を多くして教材に對する興味を失うに至らしめたこととが欠點であつた。Hamilton の方法は有名な行間逐語譯という全く新しいものであつた。彼の用いた教材は新約聖書の「ヨハネ傳」であつたが、逐語譯という容易な方法によつたために、歐米各國に廣く行われた。ことに獨學者を對象とする通信教授の方法として大成功を博した。ドイツの Langenscheidt 通信教授などがこの例である。

この短い略史においては十九世紀に續出したすべての改革案を詳述することができない。ドイツ人 Ahn や Seiden stücker らは主として商人を對象として話すことと書くことを目的とした實用的な教授法を提案した。Ollendorffの方法もほぼ同樣で、文法形式や規則の練習を目的とする例文を系統的に排列し、かつ會話文を添えた教科書を作つた。彼は六箇月で外國語の讀み方、話し方、書き方を學ぶことができるといつているが、實は若干の斷片的な語句を詰込むだけで大した効果は望めなかつた。Hugo 式と呼ばれる教科書は Ollendorff の大衆版ともいうべき程のものである。Ahn より Ollenaorff 一派に至る改革案は一括してこれを「會話法」(Conversational Method) と呼ぶことができる。この類には「Otto の會話文法」で有名な Gaspy—Otto—Sauer 法があつて、この本は今日でももつとも廣く讀まれている語學獨習書の一つである。文法事項を主として、練習問題、讀み方および會話文を收め國際音標文字による發音標記がなされている點が特徴である。しかしその眞價は賣れ行きに比例するとはいえない。

Gouin (1831—95) の創案になるグアン法または心理法はかなりかわつたものである。Gouin は當時の教授法では、たとえは Jacotot でも Ollendorff でも drill に用いられる文相互

の間には意味上何等連絡がないことを非難し、實生活における事實にもとづいた連絡ある文を一つの Series として◎授すべきことを主張した。たとへば door に關する文の系列は I walk towards the door. I draw near to the door. I get to the door. …I open the door. の如きものである。この教授法はかかる教材の工夫が困難であることおよび發音を輕視していることなどの點に欠陥がある。しかし Swan, Bétis, kron などにより祖述され改良されて一時は相當に行われたものである。

外國語教授法史において革新の祖と仰がれるものは1882年ドイツ人 Viëtor 〔fiːetor〕(1850—1918) が發表した小論文 Der Sprachunterricht muss umkehren! (語學教授は轉向すべし) である。その論旨は語學教授の初めに發音教授を行うべきこと、譯を重視しないこと、理解と同時に發表練習を行なうべきこと、文法を理解した文より歸納的に取扱うべきことなどである。具体的な方法としては、書物を讀む前に耳慣しをすること、教師は飜譯せず難解語句の說明のみを與へること、書物を開いてからは讀み方練習をなし生徒をして飜譯せしめること、また書物を開いたまま內容に關する問答練習を行なうこと、書物を再び閉じて外國語で內容をいわせること、最後に教師の問に對する答をノートに書かせることなどを提案した。

Viëtor の教授法は Reform Method, Phonetic Method Direct M, Imitative M, Analytical M. などと名附け得るような多面的なものである。その中で音聲學の知識を重視し、したがつて正しい發音の學習に貢獻したこと、從來の脈絡を欠いな斷片文を教える方法に代るに讀本中心の興味ある方法を提示したこと、飜譯を理解のテストとして用いるのみで、授業の本体を外國語を聽かせ話させ書かせることに求めたことなどその後の教授法に對して有力な指導原理となつている。

Viëtor の論文が發表される以前に Berlitz Method と呼ばれる教授法が行なわれて相當に成功を博していた。これはドイツ生れの米國人 M.D. Berlitz の考案になり、幼児が言葉を覺える方法に倣い、母國語を使用せずに教えて行く方法である。この方法では教師は教えるべき外國語を自國語とする者に限られ、學級も個人教授もしくは五六名の少數であることを條件としている。そういう特殊なものである上に、發音の方面は他の直接法論者ほど重視しない。またあまりに嚴しく母國語を斥けるゆえに、歐米各國の大都市に數百の Berlitz School が繁昌しているにもかかわらず、方法論としては一般性をもたない。

Henry Sweet (1845—1912) は 1899年に Practical Study of Language を著わしたが、その稿は1877年に書かれ、その要項は1884年に發表されている。これは Viëtor の論文と論旨において共通する部分の多い改革案である。つまり彼も外國語教授は音聲學より出發すべきこと、連絡ある text にそくして教え、文法は背景的位置に置くべきこと、飜譯によらず模倣することと外國語によつて考えることによるべきこと、古い言葉を學ぶ

前に現代の話し言葉を學ぶべきことなどを主張している。Sweet は特に普通の綴字を學ぶ前に發音記號の text に慣れることを主張している。

Otto Jespersenは1901年にデンマーク語でSprogundervisning を著わし、1904年にその英譯 How to Teach a Foreign Language を出している。その他 Felix Franke, Karl Kühn, H. Klinghardt, Leopold Bahlsen なども大体 Viëtor や Sweet と同説を唱えたものである。今日一般に Direct Method と呼ばれるものはこれらの主張を指すものである。

それよりもずつと新しく現われたものは我々のよく知つている Oral Method と米國で盛んな Reading Method とがある。Oral Method は H. E. Palmer の唱えたもので、言語習得の習性を作るために、初歩の數週間はもつぱら耳と口の訓練を行なうことを要求している。この説を擁護する人のうちに印度の Wyatt がある。Reading Method は Coleman の主張にかかるもので外國語學習の第一目的を讀書力の養成に置き、あたかも我々が母國語を讀むと同樣に直讀直解するような讀書力を養なおうとするものである。この方法は最初から外國語の物語を讀ませる点で Oral Method とは正反對である。最初の約三箇月間の目標は良き發音を獲得すること、比較的多くの語彙を覺えること、できるだけ短時間に外國語に對する語感を養いその形式と用法を會得することの三点に置かれる。以上の目標に達するために教室では次の樣な作業が行なわれる。簡單な易しい物語を、發音と表現に注意して讀み聞かせ、次に生徒が教師について一文章または二文章ぐらいずつを朗讀する。初めの數時間の宿題は朗讀練習のみとする。新語の意味は教師より與えて生徒は次回の授業までに覺えて來る。もし出來れば意味を既習の同意語によつて與える。譯は理解に困難と思われる部分のみに要求する。一方理解の程度をテストするような問を發して答えさせる。聽方練習のために物語を讀み聞かせ所々の意味や脈絡などいわせる。時には教室で讀んだものを外國語でいわせて見る。文法は全く附隨的に讀物の理解に必要な事項のみを授ける、この方法を一年間に合計22時間行なつた結果は Coleman によると讀書力養成のためには他の方法に勝ることが證明されたとのことである。また興味の点でも優れていると報告されている。

外國語教授法の今後の動向は Direct Method の完成に進むかそれとも新しい方法を發見するかはもちろん予測すべくもないが、Direct Method には教師のすぐれた學力を必要とする關係上今後教員養成法に改良を加えられない限り、今日以上に行なわれることは困難であろうと思われる。これに反し Reading Method は比較的に容易である。また授業時間數の少い場合にも行ない得ることや學習に興味を繫ぎ易い点でかなり普及しそうである。

× × × ×

教授法に關する新學説は在來のものを改めて新しい方向に轉

換させようとする關係上、とかく反動的に極端から極端へ走り勝ちである。しかし外國語教授という仕事は非常に複雑な過程を含んでいて、今まで左に向いていたものを右に向けたらそれでよいというようなものではない。

今日、日本の英語教育は Oral Method によつて「英語で考える習慣」を養うことを理想としているようである。この理想はまことに結構であるが、これに到達するためには、いろいろな條件がある。教師、生徒、教材、授業時間數、學級の大きさなどの点で一定の條件にかなわないのに無暗に Oral Methodを强行するならば、折角の努力も大抵は徒勞に終ることは明白である。

今や日本の英語教育は Oral Method から脱皮して、一段の飛躍をはかるべき時機に到達していると思う。それは過去に用いられたいろいろな教授法の粋をとつた多面的な教授法の合理化にあると考えられる。新時代の進歩した教授法は單純なOral Method とか Direct Method とかのように教師を縛る方法でなくて、いろいろな人格と教養をもつ教師の自由な活動を可能ならしめるような抱擁力のある教授であると思う。

外國語教授の目標を單なることばの熟練におく時代はもう過ぎ去つている。ことばを通して外國文化を攝取することが外國語を學ぶ最大の目標でなければならない。そういう見地から、與えられた條件のもとに、もつとも能率的に本を讀む力をつける教授法があらわれなければならない。

3、教授法と學習法

教師の側の教授法は學習者の側の學習法に對應する。しかしこの二つは嚴密にいつて、同一物の表と裏の關係ではない。ある種の教授法はある種の學習法を導くことは事實であるが、外國語の學習には教師から教えられることだけでは十分ではない。教えられることよりも、自ら學ぶことの方が、費される時間から見ても、習得される能力の量と質から見ても、一層大きい。それゆえ教室外の學習法は教室内の教授法以上に大切である。

外國語を學習する過程は極めて複雑である。學習者が方法を誤ればとんでもない廻り途をしたり、いたずらに時間と勞力をついやすのみで、所期の目標に到達しなかつたりする。理想的な學習法は廻り途をしない、また時間と勞力を經濟的についやす方法である。古くから「學問に王道なし」(There is no royal road to Learning') といわれる。その意味は、學問をするには誰でも自分で骨を折らなければならない、ということで、近道がない、ということではない。王樣のように手をこまぬいて何の努力もしないでは學問ができない、ということである。自分で骨を折る、努力するというのはすなわち學習することであつて、その學習の方法が一定の目標に對して合理的に立案されると否とで、學習の成果に大いに影響して來る。

教師の任務は教室内の作業だけで全部をなすものではない。教室では學習の指針をあたえ、その足らざる部分を補うことが作業の大部分である。それゆえ學習の問題を考慮に入れない教授が行われたとすると、たといその教授上の技巧が立派であつても、決してよい教授法ではない。技術は下手でも教師に熱意があれば、良い成績をあげることができたということを聞くがそれは學習指導の面で成功したためであろう。

古來、いろいろな教授法が提唱されて來た。また今後もどんどん新しい方法が提唱されるかも知れない。それらの提唱者は自分の教授法こそ最良の方法であると信じて、誇らしげに呼びかけるのが常である。しかし少くとも過去にはそれらは單にその提唱者の單なる空論的な思いつきであつたり、ある特定の教師や學者のみの立場から工夫された、自分達だけの最良の方法に過ぎなかつたことが多い。グアン (Gouin) 法といい、ベルリッツ (Berlitz) 法といい、オレンドルフ (Ollendorff) 法といい、近くは口頭法 (Oral Method), 默讀法 (Silent Reading Method) といい、いずれもその類である。それらの提唱者は自分の教授法をあたかも萬能藥であるかのように宣傳したが、決して教授法だけでは萬能でないことはいうまでもない。教師たる者は常に學習法を念頭に置いて教授法を運營すべきである。

學習法は學習の目的を考慮に入れなければならない。一般國民の教養を高めることを目標とするか、職業技術の一種として會話能力とか、商業通信の能力とか、讀書力の養成とかを目標とするか、などによつて學習の仕方が變るのが當然である。會話には語彙が一千語内外でほぼ用が足りるが、讀書には少くとも三四千語は必要である。しかしその目標が何であろうと、基礎としての訓練に關するかぎりは共通であるというのが、今日の常識である。すなわち聞く、話す、讀む、書く、の基礎訓練は欠いてはならない。そして一箇年なり三箇年なり六箇年なりの課程に應じてたてられる計画が、最もよく目標にかない、將來ひとり立ちしてからも自分で學習をつづけ得るような能力を作つて置かなければならない。學校教育は社會の要求を離れては無意味である。語學は社會にでて役に立たないと人々が嘆くようなことがあつたら、それは學習指導の欠陥に歸すべきである。

多くの社會人にとつてもつとも必要であり、興味に富み、且つ自學自習に適しているのは讀書である。それゆえ讀書力に必要な知識と技術は近代人にとつて欠くことができない。辭書の使用法や速讀の訓練を輕視することは正しい學習指導法とはいえない。初歩には口頭教授法が必要であるが、それは基礎作業として必要なのである。手段として必要なのである。書き方の指導にしても基礎作業としての必要から行われるのである。窮極の目標は讀書力にある。それを本体とした學習指導が計画された課程の中心をなすべきである。

(イ) 話し方の學習

(1) 建築をするには基礎工事が必要である。話し方も建築のようなもので、その基礎工事としては、正しい發音を練習して置かねばならない。發音が間違つていると、自分のいいたいこ

とが相手に通じないことが多い。たとえば「帽子」は「hæt」と發音するのであるが、それを〔ハット〕と日本語の假名の通りにいつたとすると、英米人には全く通じない。またこれを「het」と發音したりすると〔小屋〕のことになる。「帽子を冠つている」といつた積りなのが「小屋を冠つている」という意味になつては滑稽である。一つの音といえどもゆるがせにすることはできない。

いよいよ本工事となると、仕事がいろいろに分れる。初めのうちはたゞ眞似る仕事から進み、少しずつ語句や文のいい方を覺える。それがだんだん進むうちに覺えた語句を應用して、自由に自分の考えを話す練習に進んで行く。この本工事に相當する仕事をもつと詳しく説明して見よう。

(2) 教師の話す英語や讀む英語を眞似ていつて見ること、この時聲を出さないで、心の中でいつて見ることができるようになると一番よい。そうするうちに教師の英語が頭に殘るようになる。

(3) 英語を正しい發音で音讀することも話し方練習の一つである。はじめての文をただ一回音讀した位ではあまり効果はないが、何度も何度も繰返して讀んでいるうちに、讀んだ語句や文が頭の中に殘つて行つてそれが話し方に役立つことが頗る大きい。昔の人は「讀書百遍義自らあらわる」と言つて反覆熟讀することを奬勵した。そういう方法で漢文を自由に驅使できるようになつた漢文の學者は少くない。

(4) 書物などで讀んだ話や、耳から聞いた話について、簡單な問答を行い、讀んで覺えた語句や聞いて覺えた語句を用いた發表の練習をすることは、話し方のよい上達法である。先生についてこの練習をするのが一番よいが、一人でしようと思えば、自分で問の文を作つて見て自分でその答をいつてみるのである。自分で問を作るのがむずかしければ、問いの文を添えた書物を買つて來てやつてもよい。ただしこの練習もただ一回やつただけではあまり効果はない。何度も何度も同じ問に對する答をいつてみて、ほとんど考なくてもすらすらいえるようになるまで練習をつまなければならない。

(5) 自分の力に適したいろいろな英文を暗誦することもすこぶる有効である。文法書に出る文例とか、一口噺とか、名文の一節とか、やさしい英詩とかを暗誦する。こうして覺えた語句は、話しをする時に自然と口にでてくる。またこうして覺えた文の構造は、發表する時の範例ともなつて行くものである。

(6) 英文と日本文と對譯になつているものを利用して、先ず英文を熟讀した上で日本文を見ながら英方をいつて見る練習もなかなか有効である。和文英譯の文例や練習問題はこの練習にはもつとも適當である。だんだん力が増すにつれて、イソップ物語やお伽噺などのような纒つたものに進んで行くとよい。

(7) 英文の中の語句を他の語句でいいかえる練習、すなわちパラフレイズすること (Paraphrasing) も話し方の練習になる。受身の形が用いられていたらそれを能動の形にかえて見

る。間接話法の文があつたら、それを直接話法の文にかえて見る。分詞構造の文は節 (clause) の文に直して見る。

(8) 讀んだ話の要点だけを英語で書いて置いて、あまり原文に拘泥せずに自分で同じような內容の文をいつてみるもよい。この練習には自分の學力よりもよほど低いものを選んだ方がよい。

(9) その他、二三分の演說をやつて見たり、友だちと協定して英語の會話をしたり、英米人と話しをしたりするのも話し方のよい練習法となる。もちろんあんまり間違いだらけの英語でない方がよいが、はじめから完全な英語を話すことは望めない。なるべく大膽にやるがよい。

(ロ) 聞き方の學習

聞き方が上手になるためには單語や熟語や文章を澤山知つていなければならない。單語や熟語や文章の知識は相當豐富であつても、自分の發音が不正確であつたならば、他人の話すことが通じないことがある。自分の發音が正確であつても相手の發音が自分のと違つている場合にもやはりよく通じないことがある。それゆえ理想をいえば、人の話をよく理解するにはその人と同じ發音を自分もできることが必要である。聞いてわかる發音というものは自分も發音できるものだけだといわれている。だから英語の聞き方上達の第一步は英語の發音法を學ぶことからはじまるわけである。

英語の話し方の上達に直接關係の深い學習法を列記して見よう。

(1) 英語の發音法を學ぶこと。一つ一つの母音や子音の發音法はもちろんのことその組合わせ方や、アクセントのつけ方や、調子の上げ下げの方法などのことを學ぶ必要がある。

(2) 他人が話をしたり書物を讀んだりする時に、その話し方や讀み方に注意を向けること。他人が書物を讀む時にも、なるべく聞取りの練習をしているような積りになつて、眼を使わないで意味を理解しようと努めるのである。

(3) 蓄音器で英語のレコードをかけて、立派な英語を聞く練習をすること。同じレコードを幾度も繰返して聞くことは大いに有益である。

(4) ラジオの英語やトーキー映画の英語をなるべく多く聞くこと。これはこの頃では主としてアメリカの英語の練習になるのであるが、直聞直解の練習としては興味と實益とを兼ねたよい學習法である。

(5) 他の人と英語で話し合うこと。これは自分で話す間は話し方の練習になり，他人のいうことを聞く間は聞き方の練習になる。もし英米人と會話をする機會があれば、この練習は一層効果的である。

(6) すでに聞いた話や讀んだ話に基づいた簡單な問答練習を行うこと。これも前項の練習と同樣に話し方の練習を兼ねた聞き方の學習法である。

× × × ×

教室における英語教授の方法としての聽き方、話し方の訓練は問答法 (Question-and-Answer Procedure) によるのが最も實際的である。問答法とは問に對する答を練習することにより、言葉を耳と口を通じて覺えて行くことを目標とする學習法である。

(ハ) 讀み方の學習

讀み方の練習で極めて大切な問題は、意味を無視した讀み方を避けなければならないことである。

意味 ←——→ 發音 ←——→ 文字

文字を見て發音しても、その發音が意味を呼びおこさないような讀み方が行われ易い。在來の飜譯教授法が行うような、讀み方練習から解釋練習に進む方法では、必然的に意味を無視した讀み方を奬勵することになる。そのような結果を予防するため行われる方法の一つは、初步における口頭教授によつて、音と意味とを結びつける習慣を作ることである。いわゆる聞取り (hearing)の練習も同じ効果をもたらす。

また讀んだ後に、書物を離れて內容をいつて見る練習もよい。讀んだ內容について問答するのもよい。一旦意味のわかつたところを繰返し讀むこともよい。そしていつも意味を思い浮かべながら讀むことを奬勵しなければならない。意味を思い浮かべながら讀むには、大きな聲をはりあげてするいわゆる朗讀よりも、聲を低くした默讀に近い讀み方が一層効果的である。

讀み方を正しく流暢にするには、意味をよく理解することと音連結を口にならすことが必要である。入門期にいきなり讀むとすると、新しい單語は綴字を一字ずつ見て判じ繪を解くような讀み方をよぎなくされる。單語連結の新しい組み合わせは、一つ一つの單語を拾いながら讀むことをよぎなくされる。だんだんなれるにつれて、單語も文も一目見ただけで讀めるようになる。讀み方の速度は、一つには讀む際に視線が何箇所に注がれるかによつて、今一つには、音聲器官が調音表象の刺戟にどれだけ自由に應じ得るかによつて、かわつてくるのである。

讀み方をもつとも自然な流暢なものに發達させるためには、まず口頭教授からはいるのが理想的である。その口頭教授は必ずしも問答形式をとらなくてもよい。書物の文句をそのまま聞かせ、そのまま繰返させるだけでも、もしそれが意味を考えさせつつ行われるならば、讀み方への予備練習としての目的は達せられる。しかし口頭教授だけで讀み方が十分にできるようになるとは考えられない。英語の不規則な綴字は我々にとつては讀み方練習上の大きな難關である。文字に注意が惹かれて、とかく意味から離れがちである。この困難にうちかつ方法は、たびたび讀む練習をくりかえす以外にはない。つまり讀み方の上達は忍耐と努力の結果うまれるのである。

讀み方を自然に上達させるには、讀物の難易が適當でなければならない。難易はいわゆる新出語句の數だけで決定するものではない。語句の連り方、既出語句のもつその場合の特殊な意味、文の長さなど、複雑な見地から決定される。

讀み物の難易は直讀直解の能力を發達させるのに重大な關係をもつものである。この能力を發達させるには、むしろ易し過ぎる程度のものを早く讀むことが必要である。しかしあまり易しいものばかりを讀んでいたのでは、語彙を増し、文法知識を加え、思想内容を大きくすることができない。日本人にはなるべく最初の一ヶ年ぐらいはなるべく新出語句を少くして、發音綴字・構文などに主力を注ぐことが、欧米人が外國語を習う場合よりも一層必要である。日本人に適當な讀本第一巻の新出語彙は五百語内外であろう。H.E.Palmer博士は教材中の新出語數と既習語數の理想比率を 1:9 と提唱した。

讀書力と語彙と文法との各々の相關關係についてアメリで實驗した結果が Hagboldt, **L**anguage **L**earning (PP.130—133) に發表されている。それによると讀書力と語彙との係數がもつとも高く 0.82 で、讀書力と文法の係數は 0.77 で、語彙と文法の係數は 0.75 となつている。この統計は常識で判斷できることを裏がきするもので、讀み方には語彙がもつとも大切であり、文法の知識も必要であることを示している。

㈢ 書き方の學習

書き方練習の種類を列擧してみると

(1) もつとも容易な書き方練習は讀み方の教材を利用して、單語をでたらめに排列したものを正しい順にかえさせる方法である。また既習の文の一部分を空白にしておいて欠けた部分を補わせる方法もある。

(2) つぎに容易な書き方練習は讀み方の教材を利用して答えられるような問答形式でなされるものである。教室でよく drill したものを宿題として各自に書かせ、次回に黒板に書かせて生徒同志に誤りを指摘させる方法である。

(3) 讀み方の教材の一部を書き取りの形式で書かせる練習も比較的容易な作業である。少數の文をなるべく頻繁に書き取らせることは、書き方ばかりでなく、聽き方、讀み方などの目的にも役立つ、總合的な價値をもつ練習である。

(4) 讀み方の讀材の一部につき人稱・數・時制などをかえた、いわゆる部分的應用文を書きとらせることは、もう少しむずかしくなるが、興味もあり有益でもある。

(5) 十分消化された語句、構文を用いた全然新しい、いわゆる應用文を書きとつて、實力の進歩の度合を知ることは、生徒にとつて非常に興味深い練習である。

(6) 暗記した散文や詩を、記憶から見て、自分でその誤りを直して見る練習もよい。

(7) 文法事項を直接教授法の形式で編んだ練習問題は、漫然と讀み方の教材の書き取りや書寫で練習するよりも、正確な語法を學ぶ上に有効である。そのような練習をまえに教室で Oral drill を行つておき、宿題として各自に書かせ、次回に黒板で(1)に述べたと同様の形式で十分に訂正することが適當である。訂

二六九

二七〇

正された文をよくおぼえさせることが、正しい語感を植えつけるに大切である。

(8) 母國語から外國語に飜譯する作業（和文英譯）は、その語句・構文がよく消化させたものを用いて行いうる場合は適當である。初年級では新しい文章形式を習つたあとで、たとえば This is… を讀み方、話し方、聞き方を練習してから、それに對する日本語の譯から英文を書かせる作業は直接教授法論者は好まないものであるが、外國語を使うことによつて學習するという一般論の中に含めうる一つの作業である。

(9) 讀み方、聞き方などの形で學んだ材料を自分の言葉で發表する練習はかなり高い程度のものである。この練習も、少くとも慣れるまでは、あらかじめ口頭練習を行つてから書かせるように導くことが望ましい。

(10)課題を與えていわゆる自由作文を課す場合は、生徒の發表語彙が大体二千語に近くなつて、口頭での發表が相當に自由になつている學習者には、適當であるが、未熟な學習者には、いたずらに辭書や文法書の使用を奨勵する結果となつて好ましくない。

4 初歩英語教授の問題

「初めよければ終りよし」という諺もある通り、英語教授のスタートをうまく切ることはその後の學習の能率を高める上に大きな影響をもたらすものである。それゆえに初學年を受持つ教師は、教材の内容こそ易しいがその取扱い方にすぐれた技術を有し、發音や會話にも高度の能力を持つことが必要である。單に譯讀作業だけやればよいといつたような安易な考えから、往往に未資格の教師を下級に配當することが行われるが、それは誤つた方針であるということができる。

初學年における英語教授の最初の目標は、外國語學習上の良い習慣を作ることである。元來言葉は話されることばと書かれた言葉とあるが、そのうち話されることばの方が第二義的のものであるから、初めにことばを話された形で學ばせることが大切である。母國語を讀む習慣をつけられた學生は、外國語を習いはじめて直ちに書かれた言葉に取り組むとすると、耳と口の訓練をおろそかにしがちである。それで外國語の初歩においては、耳と口の訓練を重んじて、外國語學習の正しい習慣を作ることに重點的な努力がなされなければならない。

外國語學習の正しい習慣とは H.E.Palmer 博士の擧げた五つの項目につきている (Palmer. The Five Speech Learning Habits)。その五つの習慣とは

1．耳による觀察(Auditory Observation)
2．口による再現(Oral Reproduction)
3．口ならし(Catenizing)
4．聽覺表象と意味表象との結合(Semanticizing)
5．類推による作文(Compositon by Analogy)

以上の五項目を平たくいえば (1) よく聽く習慣、(2) 聽いた通りの眞似をする習慣、(3) 幾度も反覆して口にならす習慣、

(4)聞いたことばの意味をよく理解する習慣、すなわち音から意味へ、意味から音へと頭を早く働かせる習慣、(5)既習の知識を應用活用する習慣ということになる。

この五つの習慣はなるべく早く作ることが望ましい。それで最初の若干期間は書物を離れて口頭練習を行うのである。その期間は六週間位を適當とする說もあるが、六週間という期間は理論的にも實際的にも根據のあるものではない。一方には、作業に變化をあたえるためにかなり早い時期から書物を讀むことを併行させて行くのがよいという意見もある。初めの六週間だけ專ら口頭練習を行つても、それだけでは永續性のある習慣を作ることは不可能である。それゆえ書物を使いはじめても、毎時間のうちに口頭練習を併行して、習慣の持續につとめなければならない。

入門期の口頭練習はことばを覺えるということよりもむしろ正しい學習の習慣を形作ることに主たる目標を置くべきである。しかし、それにはなるべく系統ある、難易の程度に無理のない教材を提示することの望ましいのはいうまでもない。そしてその教材が教科書を讀みはじめた時に直ちに役立つようなものであるべきだ。ゆえに教師は一定の教案を準備し、また教えた教材の記錄をとつて置くことが便利である。若しこれを怠つたならば、すでに教えた事項とそうでない事項とがわからなくなつてしまい、無駄な繰返しをしたり、必要事項を落したりしがちとなる。

初學年においてもう一つ考えるべき點は、耳と口のはたらきを重視する口頭教授法に對して、目のはたらきを重視する面もあることである。この方法をかりに「視覺教授法」(Visual Method)と呼ぶこととする。この二つは互に他を排斥する方法でなくて、ともに手をとつて進むべきものと考えられる。

視覺教授法として初學年で用いるべき工夫の主なるものを擧げると次の如きものである。

①發言カード、手鏡、發音用掛圖など。
②音と意味の直接連合を助けるための實物、動作、繪など。
③鮮明に印刷された test と挿繪の豊富な教科書。
④文字に進む際に用いるフラッシ・カード(flash card)。
(註―幅十センチメートル長さ一メートルぐらいの帯狀の白紙に讀ませたいと思う文章を筆で鮮明に書いたもので、一瞬間見せて、生徒にその文を讀ませるもの。映畫の「タイトル」式のものである。)
⑤英習字帖または教師が作つた手本。
⑥教師が黒板に書く文字は生徒にとつて常に英習字の手本として役立つよう心がけること。
⑦口頭練習ばかりの期間中にも授業時間の最後の數分を割いて、その日の練習を家庭で思い出せる材料(たとえば活字体の單語と繪、和文、カナ書き發音資料など)を與えること。

上級に進めば、綴字と發音記號が音と直接に連合されるよう

一五一

一五二

に訓練するえとが必要である。また讀み方で文字と意味の直接連合(直讀直解)を容易にする練習も大切である。齊讀ばかり課せられている學級で、全体としてはよく讀めるように見えても、個々の生徒は案外に讀み方が下手なことがある。また齊讀は直讀直解の能力をにぶらせる傾向の强いことも見逃してはならない。

豫習と復習。豫習は入門期に要求することは無理であろう。しかしやがて自分で豫習できるように導くことが、社會の要求に立脚した教育的理論からも、學習能率を高める目的からも大切なことである。生徒は社會に出た瞬間に教師の手から離れなければならない。あとは獨立獨歩である。三箇年で教師の手を離れるものもある。それでもひとりで英語の勉强がつづけられるようにして置いてやる責任が教師にある。それには一人で辭書をひいて意味をとる練習をなるべく多くさせて置かねばならない。

辭書を引くことは生徒には非常に魅力の强いものである。その魅力の多い作業を早く學習の中にとり入れることは賢明な方策である。しかし用いる辭書の種類をよく考えなければならない。初級には初級向の辭書が望ましい。なお讀本教科書には、辭書への豫備として役立つような新出語句をアルファベット順に排列して說明をつけた語彙集(glossary)のあるのが便利である。

音標文字の讀み方練習は辭書を引く作業と併行させて行くのが適當と考えられる。その場合はそらで覺えて書くような練習は不必要である。また音標文字と實際の發音とを一致させるように教師は十分な注意を拂うべきである。

復習は人間の記憶力の本質上絕對に必要である。授業時間中のはじめ四分の一內外を復習にあてて、前教材中の單語の書取り、綴り、前教材の音讀、內容語句などについての英語の問答重要語句の意味などについて、理解の度をテストしてやることを、毎回規則的に行うことが必要である。

家庭での復習は教師の監督から離れ易いが、毎日かならず若干時間をあてて、規則的に行うべきことを十分知らせなければならない。復習のもつとも大切な部分は既習教材の音讀練習である。次に語句の整理、復文練習(日本文に直したものを英語になおす)、暗誦が大切である。

5 學習結果の考査

(1) 考査ということ。ある目標を立てて、ある教材を、ある期間にわたつて指導し學習した結果どれだけの効果があがつたかを調べることは學習する者にとつても又指導する者にとつても必要なことである。このことは考査(evaluation)とも言われ examination ともいわれ、また measurement ともいわれる。

行う時期。週に一度とか月に二度とか、こきざみに行うものと、一學期に一度か二度大きく行うもの。豫告して行うときもあるし、豫告なしに行うこともある。

考査の目標は、日頃の學習と指導の目標と完全に一致してい

なければ意味がない。

(2) 綜合的な方法

(イ)學習態度を見る方法

(a) 教室における學習態度を見る方法

(b) 手のあがりぐあいを見る方法

(c) 教室で聞き話し讀み書く態度を見る方法

(d) 家庭に於ける學習方法見る方法

(e) 生徒の質問によつて考える方法

(ロ)書きものによつて見る方法

(a) ノートを調べる方法

(d) 宿題その他提出物を調べる方法

(c) ノート以外の練習帳を調べる方法

總合的な方法で欠点と考えられることは、(i)個人をはなれて全体的となり、(ii)印象的となり、(iii)主觀的になりがちなことである。

(3) 分析的な方法

(イ)聞き方の能力を考査する方法

(a) 英語をいつてやつてそれに應じた動作をしてもらう方法

(b) 英語をいつてそれをそのまま書き取つてもらう方法

(c) 英語で問を言つてその答を英語で書いてもらう方法

(d) ある長さの一節を言つて、それについて口問筆答をする方法

(c) 英語を言つてその意味を日本語で書いてもらう方法

(ロ)話し方の能力を考査する方法

(a) 英語にいろいろなしるしをつけてもらう方法

(b) 英語でいろいろな問答をする方法

(c) 答をいつてやつて、その問を英語で言つてもらう方法

(d) 自由に問を言つてもらう方法

(e) 自由に話してもらう方法

(ハ)讀み方の能力を考査する方法

(a) ある英文を讀んでもらう方法

(b) ある一節とそれについての問を見せておいてその答をもらう方法

(c) 一部または全部を言いかえてもらう方法(My parents can play tennis. のうちの parents を。同意語ばかりでなく、反意語や類意語など、受身から能動へ、直接話法から間接話法へ)

(c) ある一節をまとめてもらう方法

(e) 英文を和譯してもらう方法

(ニ)書き方の能力を考査する方法

(a) 英語の問を出しそれに英語の答を書いてもらう方法

(b) 不完全な英文を出しておいて足りない所を補つてもらう方法

(c) 型にもとずいていろいろな文を書いてもらう方法

(b) 英文を示しておいて型をいろいろ書きかえてもらう方法

(c) 誤を訂正してもらう方法

(f) 自由に英語で書いてもらう方法

(g) 和文を英譯してもらう方法

(h) 一對のものをたくさん出しておいて、關係のあるものを組み合わせてもらう方法(英語の言語材料についての組合、話の筋についての…内容についての組合せ)

6 参考書及辭書

(1) 辭　書

開　拓　社：新中等英和辭典(開拓社)…生徒用

岩崎　民平：簡約英和辭典(研究社)…生徒用・教師用

岡倉由三郎：新英和大辭典(研究社)…教師用・生徒用

石川林四郎：最新コンサイス英和辭典(三省堂)…生徒用

岩崎　民平：研究社　ポケット英和辭典…生徒用・教師用

齋藤秀三郎：熟語本位　英和中辭典(岩波書店)…教師用

Concise Oxford Dictionary (C.O.D.と略す)…教師用

Pocket Oxford Dictionary (P.O.D.と略す)…教師用

Hornby 他共編　Idiomatic and Syntactic English Dictionary(開拓社)…教師用

Simplified English Dictionary English through English (研究社)…生徒用・教師用

竹原　常太　スタンダード英和辭典(大修館)…生徒用

武信由太郎　新和英大辭典(研究社)…教師用

勝俣銓吉郎　英和活用大辭典(研究社)…教師用

(2) 發音・綴字・抑揚

岩崎　民平：英語・發音と綴字(研究社)

上阪泰次郎：英語音韻論(三省堂)

青木　常雄：英文朗讀法(研究社)

森下　捨己基本的英語表現法(愛育社)

ゲルハード(黒田巍解說)英米發音概說(清水書院)

Tones　An Outline of English Phonetics

Armstrong and Ward : Handbook of English Intonation

H.E.Palmer : English Intonation

岩崎　良三　現代アメリカ英語の用法

アロンシュタイン(齋藤靜譯註)　米語(生態)の研究(白桃書店)

Jones : An English Pronouncing Dictionary

Kenyon & Knott : A Pronouncing Dictionary of American English

(3) 文　法

齋藤秀三郎　實用英文典(開隆堂)

大塚　高信　英文法の知識(三省堂)

〃　　　　英文法ノート(泰文堂)

倉長　眞　高等英文法(愛育堂)

細江　逸記　英文法汎論(泰文堂)

齋藤　靜　英文法概論(白桃書店)

市川　三喜　英語學辭典(研究社)

(4) 英語教育及教授法

岡倉由三郎：英　語　教　育（研究社）
福原鱗太郎：英 語 教 育 論（研究社）
研　究　社：英語教育叢書31巻
〃　　　　　新英語教育講座12巻（刊行中）
青木　常雄：新制中學校・英語英授法（研究社）
小川　芳男：外國語教授法（語學教育研究所編）
礒尾　哲夫：英語教授の理論と實際（教育文化研究會）
黑 田　巍：英語教授論考（金子書房）

(5) そ の 他

齋藤　勇編：英米文學辭典（研究社）
繁野　政瑠：近 代 英 語 法（研究社）
篠田　錦榮：英 國 の 風 物（研究社）

指　導　案

(1) 目　標

その期の生徒の性情・關心・能力等十分考慮した上、更にどの程度まで學習を高めていくか到達點を明らかにしておく、なるべく具体的に Reading: Speaking: Writing: Hearing の各觀點から考察しておく。

(2) 生 徒 の 實 態

當單元の學習に必要な基礎力となる能力や、時には題材內容に關する關心、智識等の程度を調査しておく。

(3) 教 材 の 研 究

a、排列順……教材の內容となる各要素を、どんな順序で學習したらよいか排列しておく。ここで教材の重點も明確になるのである。

b、本文の研究……教材の實体は各課に文字で◎載された本文を言うのでなく言語そのものであることは論をまたないが、本文（挿畫も含めて）は Hearing: Speaking: Reading: Writing の各々の言語活動が生じて來る母体となるものであるから、この意味において本文の研究をして學習を成立させる手がかりを固めておくのである。單語・熟語・發音・イントネーション・語法・構文などについて考察をする。又挿畫等も必要に應じてどう利用するか考えておく。

c、補充すべき絲材……本文の他に補充すべきものが必要であつたら記載しておく。

(4) 評 價 の 計 畫

評價は他の教材に比較して英語科では一層數多く行ひ、併せて學習の整理とか練習にも役立てることが望ましい。問題を課して筆答させる外、常時の觀察が大いに必要である。普通行われている New Type Test をも採用することは勿論であるが、英語科として特別な形のものをあげてみれば、

•文のイントネーションの高低を判別する例。（高低の線を引

二十五

二十六

かせる）

He is a boy、 He went to the office、

Vhen will he come ? Yhe boys are at the school.

•發音符號と綴字と一致させるもの、
•アクセントをつけさせるもの、

英話を英語で理解し發表する問題には、

•左の單語に關係のある右の言葉を線で結ぶ

sweater	gotten from the skin at animals
leather	to write notice.
buletin-board	made from wool.

◦二つの文を關係代名詞をつかつて一つの文にまとめる◦

This is a pen. Ibought it yesterday.
(=This is the pen which I beught yesterday.)

その他、文脈について英文で問い英文で答えさせることなども考えられる上述のものはほんの例に過ぎなく、英語科テストでは種々の樣式が工夫される。

(5) 學 習 の 展 開

以上考察研究してきた教材をいよいよ實際指導面に引きおろして具体的に計畫にとりかかる行程である。

a 指導上の留意點　b 準　備　c 各 lesson の時間配當及主眼　d 當課の指導過程（以上は實例參照）

指導過程では一課又は一單元を通じておおよそ次の行程が考えられる。

a、Introduction……導入的な問答・作業
b、Identification……話の意義の照合・文意の理解
c、Fusion……融合（理解した話を再現したり Drill を重ねてすつかり身につける）

上述の段階は外國語學習では極めて自然な進み方であるが各時間にも、これに似た段階で學習內容に節をつけて各作業の目標をはつきりさせることが大切である。時間のはじめは導入的なことから出發し、理解發表を主として行う段階に進み、次に練習を重ねてその時間の學習事項をしつかり身につけ、その上で明日の學習に發展する準備にとりかかるような行き方をとるのが常道であろう。

a、豫備・導入の段階

毎時この段階では簡單な Greeting に續いて、日常に取材した會話、Dictation. Recitation. 宿題の整理點檢、自己評價を本体とした簡單なテスト、本時の學習計畫等が扱われるべきであろう。Greeting：Daily Conversation の例

T: Good morning, boys and girls. How are you ?
P: Good morning Mr,—. We are well, thank you,and how are you ?
T: Thanks, I am very well, too.
T: How is the weather, today ?
P: It's very fine and warm
T: Is any oue abset ?
T: What did you do yesterbay ?
P: I went to ——. etc.

b、 理解•發表の段階

本時の學習のテーマを扱う。Reading: Writing で本文を理解するに止らず本文を足場としてひろく Speaking: Hearing の面も多角的に學習する。時には生徒が司會することも考えられ、グループ毎に辭書、參考書などによつて學習を進める場合もある。この段階に用いられる Classroom English の例

T: I will ask you to read the part we learned last time. Please read one Paragraph each.
T: ——san(kun,). will you read the first paragraph?
P: Yes. sir …… (Read)
T: Have you any questions ?
P: May I ask you, sir ? What is the meaning of "——" ?
T: Pronounce the last word more clearly.
P: We cannot hear you.
T. or Chairman: Now, let's go on to the next paragraph.
T. or Ch.: I will read twice, so listen to me.
P: Please, read the second line once more.
T: You must read those words in a breath.
T: You may pause here, if you want to.
T: Pronounce the word after "house" once more.
T: Read(Say) after me. Some are reading too slowly. Try to keep up with the others.
T. or P.: Your reading is very good(not good.)
T: Tell me the difference between "tell" and "speak".
T: I think you have learned this word somewhere in this book.
T: Tell me another English word meaning the same……. etc…….

c、 練 習 の 段 階

本時の學習テーマを反復練習して身につける仕事を主に行う。

d、 發 展 の 段 階

本時學習を次へ發展させる足場を固める段階である。家庭學習をどうしたらよいか。次の時間までにどんな準備をしておくか。次の學習をどう計畫するか。その他本教材終結から發展して日常生活にどう生かすか。等について互に研究しあう。

二七七

二七八

〔指導案の實例〕

英語科指導案 （三學年 擔當者、學級、日時）

UNIT One. Relative Pronoun (Text: J.&B. Step 3)

1、 目 標

今まで複文•重文として平易な文は習得して來たが、本教材にはいつてその發展として關係代名詞の用法に習熟するように指導する。

Reading: リーダーに盛られた文から「學校生活の様子」を讀みとり殊に關係代名詞を使用してある箇所の Sentence の讀解に慣れる。

Writing: 關係代名詞をつかつて平易な文を發表する。

Speaking: 語中に關係代名詞を織りこんで話すことに慣れる。

Hearing: 關係代名詞のつかわれた Speach 又は會話を聞きわける。

2、 生 徒 の 實 態

現在の三學年生は昨年まで一週わずか三時間學習し、しかも一年の折は教師その他の都合で往々時間がつぶれ基礎學習にめぐまれなかつた。(I. Q. その他 Standard English Tests の結果は略す)

•當單元に關係ある能力

重文•複文の平易な構文の理解

When (副詞の用法のClause 構成)の含まれる構文を理解するもの……45%

That (接續詞用法)のはいつた構成を理解するもの…… 39%

日記中複文らしいものを使用しているもの………11%

關係代名詞(主格用法 Which) を理解しているもの……23%

關係代名詞 (〃 Who) 〃 〃 ……19%

新教材の辭書しらべをしてあるもの……52%

以上から、基礎力の乏しい割に新教材に對しては關心をもつていること。複文の復習をしなければならぬこと等考察される。

3、 教 材 の 研 究

(1) 排 列 順

a. Which, Who が主格となる場合
b. Which, Whom が目的格となる場合
c. What の用法
d. 目的格の消略
e. 受身が續く場合の關係代名詞の消略
f. 所有格 of which. whose の用法
g. 制限的用法と連續的用法の比較

(2) 本文の研究(Lesson 1 のみ記載し以下略す)

•Words: Phrases

notice (n.) intelligneco, information.
(v.t.) perceive ここでは (n.) を採用
be made of cf. be made from 〔以下略〕

•Pronunciation

ceder 〔si:də〕 日本語式のシーダーにならぬよう强調
bus 〔bʌs〕……bath 〔ba:θ〕 とまざれぬようにする 〔以下略〕

•Intonation

Penci/ls, pap/er, de/sks, blackbo/ard,

and ………hous\es

If we cut down……, we. will……. 未來形に續く敍想法
If you have…, bring…. 命令形に續く敍想法
There is a piece of ground which belongs to us.
He met Betty who had some oak trees.
（上は一般下は人物の場合の主格的用法の關係代名詞 tense の一致に注意） etc.

4、評價の計畫

a. 時間毎又は隔時間に行うもの
•Dictation: 適當な paragraph 出題……Hearing : Writing
•Recitation : （同上特に關係代名詞を含む文）……Speaking
•Question & Anewers （文脈について）……Hearing : Speaking

b. 一課毎に行うもの
•主語用法の who, which をつかつて二文を一つに結ぶ………Reading: Writing.
•目的格用法の二文連結……Reading : Writing.
•省略法（目的格•受身の兩方の場合）關係代名詞（時には be も）消略出來るものを消させたり、又、消略してあるものを復元させたりする…Reading : Writing.
•所有格を用いて二文結合をさせる……Reading : Writing.
•重要構文を含む文の和譯……Reading.
•〃 〃 〃 英譯……Writing.

c. 單元が終了して行うもの
上述の各様式のものを綜合して一時間特設して行う、……H. S. R. W. （考査問題別紙へ作製）

5. 學習の展開

（1）指導上の留意點
•關係代名詞については理論的に理解させる一方例題を多く課し歸納するようにも導く。
•參考書（主に文法書）の使用の指導を念入にする。
•Drill の時間を多くとり遲れた生徒を學年はじめに或程度救つておく。
•生徒司會にも次第に慣れさせる。

（2）準　備
司會生徒との打合せ
辭書參考書の携行（敎師•生徒）

（3）各 Lesson の時間配當及び主眼
Lesson 1.

第一時　今まで學習した Sentence Pattern の習得の考査。
第二時　日記文の口頭發表及び全文の下調べ。
第三時　內容の理解の發表（P.2 6行まで）
第四時　〃 〃 〃 〃 ）P.3 6行まで）
第五時　〃 〃 〃 〃 （P.3 終りまで）
第六時　全課の復習• For Study 及び Drill.
（Lesson 2 以下略記）

（4）當課の指導過程
（第一時 …… 以下略記、例として第三時を揭載する）

UNIT ONE　　Lesson 1　　第三時限　　月、日、

指導順序	學習活動	指導	備考
○Greeting ○日記文の發表 ○書取	Good morning, sir. We are well, thank you……. I was ……. I did ……. Hearing. Writing 各自本を開いてから訂正自己評價する	Good morning ……. How are you ? ……. What did you do yesterday ? Reading (Trees …… If we cut down…….) 三回	一〇分
○前時間の學習事項について質疑 ○內容しらべ（P.11 6行まで） •Reading	二回、二名指名讀 一同の批正 質問　司會者應答 各人の讀方練習 Hearing.	Have you any questions about last lesson ? 敎師の批正 敎師の補說 敎師範讀（二回） I am going to read for you. Listen to me.	司會者當番 三〇分

●難語句の發音	質問　司會者説明	教師補說	グループ學習　辭書使用
●イントネーション	質問　司會者説明	教師補說	
●一齊讀練習	一齊讀み	教師示範 Follow me together	
○語法しらべ	質問，各人話し合い		
●辭書指導	グループで辭書しらべ	教師個別指導，机間巡視	
●各自理解讀	ゆつくりくりかえし讀む	机間巡視……質問に答える	
○Questions & Answers (本文の文脈、内容について	He saw some notiec on the bullein -boad. They plant some yong trees. They are made of ttrees(on wood) Yes, they do. etc.	What did Jack see at his school? What do they do on April 22 ? What are the important parts of your houses made of ? Do treers help us in many ways ? etc.	12 分
○今日の整理	ノート記入 グループ毎に話しあい質疑應答	教師机間巡視個別指導	
○次への計畫	備忘記入	P.3　6行までの下しらべ指示	3 分
○日記文	which. who をつかつて日記文を書いて來る	作業指示	

6、反　省

本時の反省

第四時以下略記

二八一

二八二

自　由　研　究

一、自由研究の特質

㈠自由研究の特設された意義

従来の教育が児童の内的自由を輕視して上からの教授や指導の線が强かつたことは否めない。これでは或る一定目的に徒屬し得る他律的な人間を形成するだけで獨立獨行の自主的な人間形成には役だたないのである。なお方法的に見れば一般概念としての兒童が對象とされ具体的な兒童生活のこと、今日は第二義的に見られていた。

終戰後、この點に深刻な反省が加えられ、それから生れた教育基本法の第一條には眞理と正義を愛し、個人の價値を尊び、自立的精神に充ちた人間像を教育の對象としているのである。これはわが國のたどつた歴史的必然性からも位置づけられるのであつて、舊教育の所産である科學の貧困、自主的にものの本質を極めようとする熱意の不足さなどを思う時、今こそ崇高な眞理を盛つた基本法の具現が期せられなければならない。

兒童は本來最も自由なものである。しかしそれは隱きをかけられない野放しの自由であつて、これのみを重視すれば、かつての兒童中心の氣分教育といわれるものに墮するのである。そこで新教育ではこれら兒童の個性的な要求を社會の要求に照らして意義あり、價値ある座標の上に高めここに生ずる課題解決へと方向づけるのである。それには一齊指導法による上からの教授、指導だけでなく、兒童の個性を尊重し、その自發性（課題解決への衝動）を育ててゆく心づかいがなければならない、すなわち内的自由を持つて積極的に課題解決にたちむかう兒童の育成ということが新教育の目ざす點なのである。

自由研究の本質的な意義はこの新教育の目圖するところと全く軌を一にするものであり、自由研究こそ新教育を具現する最もすぐれた方法のすべてであるがあえて自由研究と銘うつてカリキュラムの中に位置させるには、自我に目ざめ研究課題が持てるという兒童の心理的發達段階を無視するわけにはいかないのであつて、小學校四年から特設される理由がここにあるのである。

㈡教科課程における自由研究の位置

教科過程には①知識の体形から構成されるもの　②經驗の体系から構成されるものとの二種類がある。前者は固定した教材を特定者の意志で論理的に構成し、教師はその代辯者としてそれを兒童生徒に傳達するのであつて、この場合、兒童の興味・經驗・能力は手段に過ぎないのである。即ち知識体系が目的であつて、兒童の個性や創造性は輕視され、兒童の生活は目的への手段として利用されるに止るのであつて、そこは兒童生徒の學習の場として、決して樂園ではあり得なかった。したがって彼等は外的自由を求めて埒を越えようとし、指導者は威力によってこれを壓迫したのであった。ここには自由研究の存在はゆるされなかった。

後者は、それとちがって現段階における生活を重視し、兒童生徒の主体性を立脚點とし、彼等の經驗・興味・能力の綜合的な要求を彼等の生活の場に規正具現して、物の考え方や、行動樣式を体系づけているのである。したがってこの体系は常に具体的、動的で前者のように固定的でない。それゆえに時間的には今、空間的にはここという機會こそ最も重要な學習の場なのである。自由研究はまさにこの經驗の体系からのみ構成されるのである。

二、自由研究の指導の目標

㈠指導目標の一般的規定

わが國の歷史的位置は國内的な諸問題に對する課題とその解決という面と世界史的な動向という面から決定されるべきものであるが、この課題解決のの方向を示すものは教育基本法第一條に盛られてあり、これが學校教育法第二章に展開され更に指導要領一般篇に根を下して一般的に教育實踐の場への適用を指示しているのである。

㈡指導目標の具体的規定

指導要領一般篇をうけて同各科篇に至っては生活の諸相濃度によって各教科に一應分けて目標を示しているのである。學校ではこれをうけて、地域性や教師の經驗または洞察力や兒童の實態に即して、學年の指導目標として具体化されなければならない。

㈢自由研究指導の目標

自由研究の機會を學習内容から分類すれば

イ、既應の學習の反覆練習したい

ロ、各單元學習で生じた疑問や興味をさらに發展して深く究めたい

ハ、特定の問題をとり上げて同好者と共同研究をしたい

という三場合が考えられるであろう。いうまでもなく各科の單元學習においては兒童の個人差は充分考えられて學習が進められるにしても、兒童全体に對してそれぞれの單元學習を行う時間的な限度が予定されている限り、別に自由研究の時間が與えられる方が望ましい。

右のように自由研究の機會と時間が考えられる時、その指導目標にはどんなことがあげられるであろうか。

イ、個性の伸長

いうまでもなく個性は絕對的な獨自性であるがその底には相互に通じあう矛盾を現實に持つものである。心身の發達に應じて主体が確立すればする程、個性は個性として深まるものである。すなわち問題解決の自覺が深まるにつれて個性は明らかになってくるのである。この意味で自由研究は兒童が積極的に問題を把握しこれと取組む

二八三

二八四

學習の發展である限り兒童個々の心性を個性的に伸ばす最もよき機會である。

ロ、自發學習の徹底

從來の學習が他律的な學習であったことは前述した通りで、これを新教育において自發學習に轉換したのであるが各科單元學習が課題解決の方向をとる限り自發學習にまたなければならない。自由研究は兒童個々の意欲がより旺んであるだけに自發學習の徹底が一層期せられる場である。

ハ、研究を繼續する習慣の養う

繼續的な研究をするには ①問題について深く興味を持てること（情緒性の滿足）②計画が体系的に整っていること（科學的な探究）③あくまで仕遂げよう（意志）という三要素のそろう事が必要である。そして①②は問題把握や計画樹立の段階に指導できるが③はあくまでも兒童個々の問題である。この意志の鍛練に自由研究はこの上ない機會である。

ニ、共同學習の經驗を体得する

自由研究は個人的に問題を研究解決する方向をたどるのであるが、われわれ日本人には社會意識や社會的實踐性に欠けたところがあるから、つとめて問題を分擔して共同研究の方法をとるのが望ましいが、自由研究では學級や學年の區別をなくして同好者のクラブ學習、グループ學習が行われ易い構成であるからこのことの指導には適當である。

三、自由研究學習の範圍

各科の單元學習は前述のように兒童の生活について言語生活、社會生活、科學生活等それぞれの濃度偏差によって各科別の單元學習となるのである。この意味からいえば自由研究の學習の範圍は兒童生活の全領域にわたるといえるのである。しかし研究問題がそれぞれの兒童の要求によって特殊的に限定され、學校における諸學習の發展となる時、自ら國語とか社會とかの教科領域の研究問題となるのである。

今後におけるわが國の教育施設・環境設備の充實に伴い學習の範圍はさらに具体的な諸領域にわたり、その突込んだ研究が行わなければならない。

四、指導計画の樹立

㈠兒童の研究問題把握の實態

教師は兒童について平素の累積記錄や希望調査（質問紙法・面接法）によってその實態を把握しなければならない。この實態を土臺にして兒童に自由研究の問題を選ばせるのである。しかしどこまでも兒童の要求にこたえるべきで、研究の自由を强制したり歪曲することを避けなくてはならない。

（第　一　表）

昭和２５年度自由研究志望調査整理表（昭和25、4、5）

調査人員４年〜６年３８６名

研究したいこと	人員
毛筆習字	24
ペン、硬筆習字	5
兒童劇	14
脚本づくり	1
ローマ字	1
英　語	1
漢字の研究	1
いなかのことば研究	1
兒童圖書室での讀書　小計(49)	1
長野市のしらべ（人のうつりかわり、大昔の長野、昔の長野の地圖）	7
一般史、大名の治めた土地、發明發見史、人類の發達	14
一般の地理人口しらべ、日本の河川、交通、	6
見學調査	4
明治――昭和の小學校について	1
グラフ	2
鉛筆の種類　(35)	1
珠　算	7
算數（計算練習 2、加減 1、除算 2、分數 1、暗算等 1）算數　(15)	8
モーター	18
モーターボート	2
電氣シロホン	2
ラジオ	4
電氣機關車	3
幻燈機	4
磁　石	3
電信機	4
電氣のつたわり方	3
自動車	2
蒸氣機關車	2
起重機	2
昆　虫	2
蝶	5
にわとり	2
蟻１、生物１、蠶１、人間１	4
おしば	12
草　花	4
いね	3
自然の觀察２、植物の性質１、あんず１	4
天文（日、月、星）	2
溫　度	2
雪日記	1
かいぼう	3
顯微鏡１、望遠鏡１　(97)	2
笛	3
ハーモニカ	4
木　琴	20
ピアノ	19
バイオリン	4
オルガン	1
合　奏	23
うた	5
合　唱	10
レコード鑑賞	1
作　曲	2
音　樂　(96)	4
ダンス	13
遊戯のつくり方	4
体育１、体操２	3
ドッチボール	3
野　球	8
バスケット	3
水　泳	1
ケットベース	1
ハンドボール	1
スポーツ　(40)	3
寫　生	15
繪 22、（模樣１、クレヨン種類１）	24
紙芝居	16
本箱１、箱２、本立３	6
ヨット２、船１	3
粘土細工	3

二八五

二八六

家つくり1、おもちゃの車1	2
教室道具1、ごみとり1、鉛筆くず入1	3
工　　作　　(75)	3
ぬいもの	10
運　　針	2
洋　　裁	1
あみもの	4
人形つくり	2
料　　理　　(21)	2
ばいきんの染色法	3
病氣の種類1、病氣について1　　(5)	2
※調査人員より多い故は1志望以上記入したためである	人員計 ※433

㈡指導者と研究施設

見童の研究を最もよく發展助長させるには指導者と研究施設が重要な問題である。まず指導者の實力、員數が見童の期待にこたえ得るように整えられなければならない。學校の職員組織もこの點から考慮が拂われるべきであるが現實は省みてまことに程遠い感がある。つぎに施設の点では、研究室、用具、器具、參考書等があげられるのであるが、わが國の現實では理想通りにはとても慾まれない。わが校では普通教室十八・特別教室を十を最大限に活用し、二十三の指導教官が全員これにあたっているのであるが、見童の要求を滿し得ない現状である。

㈢研究組織

四年から六年までの見童をどんな組織にして研究するかという問題になると、つぎの三樣式が考えられる。

イ、學級中心で研究する

ロ、同學年だけで研究する

ハ、學年が複合して研究する

いずれも一長一短があるが、自由研究の目標から考えるとハが安當ではなかろうか。當校では昭和二十二年度には四・五・六年の複合で實施し二十三年度には四年は學年で五・六年は複合で行い、昨二十四年度には四年は一學期だけ學級で實施、二學期から五・六年の中に入って複合で研究された。本年も左表のように見童の希望が多いので昨年のように實施したいと計畫している。

（第二圖）

組織についての希望調査（二五、四、五）調査人員五・六年二五七名

二八七

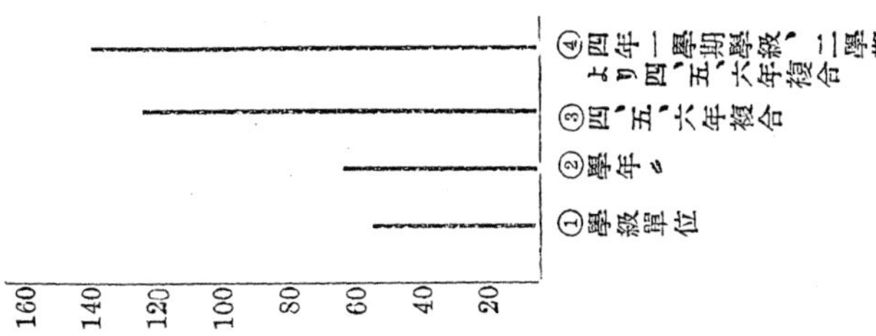

㈣研究の處理

①研究過程においては記錄をたんねんにとり、作品を大事に集積しなければならない。②研究結果においてはつとめて研究發表や展覽をし、作品を分類・整理・保存しなければならない。評價は常に行われて指導の基礎に生かされることが望ましい。

五、本年度の運營

㈠研究組織

イ、第一回見童實態調査（昭和二五、四、五）を行って①組織についての希望　②研究問題把握の實態　③昨年度の反省　④研究期間について資料を得たのである。（第一表および次表參照）

（第三表）

昨年度自由研究の反省のおもなものを抜粋（調査人員五、六年二五七名）

1、お互どうし
○ふざけて邪魔にならぬように
○教え合う

2、先生へおねがい
○先生の數を增して下さい
○もっと自由にやらせて下さい

3、研究のしかた
○研究の時間は一週二時間では少なすぎる
○まじめに研究して終ったら他の班へ自由にかえさせて下さい
○發表の機會を多くして下さい

4、施設用具について
○用紙を學校から自由に與えて下さい
○もっとたくさん研究室がほしい
○道具（工作、ミシン、樂器）を增して下さい
○參考書がたくさんほしい

二八八

（第四圖）

研究期間についての希望調査（二五、四、五）（調査人員五、六年二三七名）

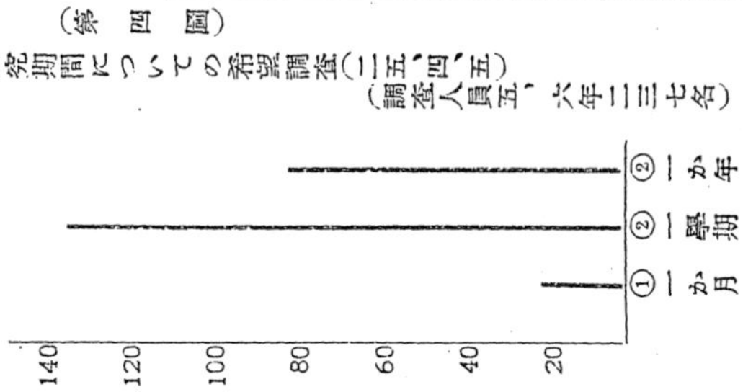

ロ、第二回研究班選擇調査（一四、一九）を行い受持教師が指導を加えた。

ハ、職員擔當班希望調査を行い、職員の第一志望まで調査して見童の研究班と照合し、両者の均衡をはかったのである。

ニ、本年令の研究組織を決定し左表のように落付いたのである。

（第 五 圖 表）

（20. 4. 19） 第二回 研究班選擇調査
調査人員 5. 6年 259名

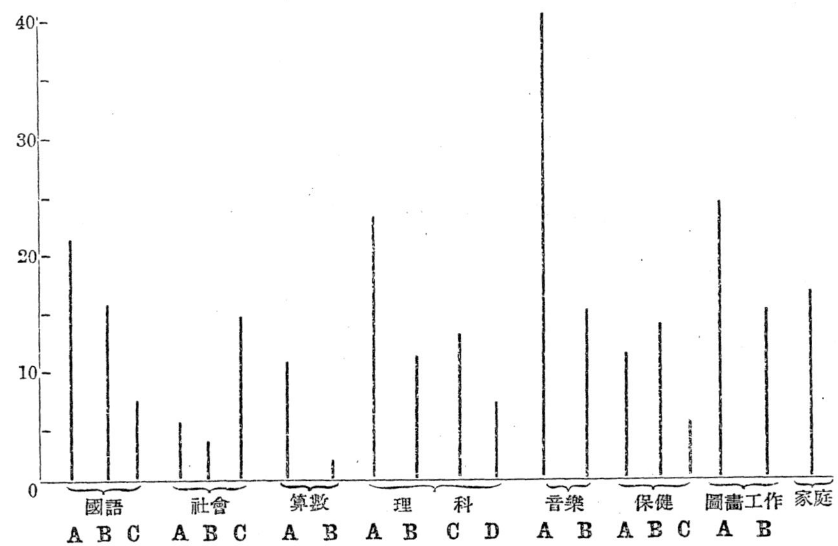

教科	班名	研究内容	研究場所
國語	A	毛筆習字、ペン習字、はかき	六ノ二
國語	B	兒童劇演出の研究、脚本つくり	五ノ二 學藝室
國語	C	ローマ字、英語、作文、作詩	三ノ三
社會	A	長野市についての人口、土地、歴史	二ノ一
社會	B	山脈、河川、交通、都市、人口、地圖	四ノ二
社會	C	大昔のこと、大名時代のこと、土俗的なこと	五ノ一
算数	A	珠算、いろいろな筆算 珠算 筆算	五ノ三 三ノ一
算数	B	いろいろな器具や用具でものをはかる	二ノ二
理科	A	モーター・電信機等電氣についての機械つくり、化學實驗等	理科室
理科	B	昆虫（蝶類）の採集標本づくり、にわとり、うさぎなどの動物の生活しらべ等	〃
理科	C	植物の採集、おしばづくり、ひまわり等の成長しらべ等	〃
理科	D	星座のなまえや位置の觀望等	〃
音樂	A	笛、ハーモニカ、木琴、バイオリン、オルガン、ピアノ、太鼓、水笛、合奏	音樂室
音樂	B	聲樂、作曲、合唱	〃
保健	A	リズム運動、創作活動、体操	講堂
保健	B	野球、ドッチボール、バスケットボール、ラケットベースボール、ハンドベースボール、水泳	運動場 体操場
保健	C	病氣の種類、ばいきん	保健室
圖畫工作	A	寫生、模様、紙芝居	圖畫室
圖畫工作	B	木工、粘土細工、おもちゃつくり、道具つくり	工作室
家庭		和洋裁の初歩、手藝、料理	家庭室

二八九

ホ四年は各級單位で毎週二時間（金曜第五・六時）に行う受持指導。

ヘ五・六年は複合で毎週二時間（水曜第五・六時）に行う。四年受持を除く全職員指導。

ト研究期間の繼續は原則として一學期とし毎學期、班の入れかえをする。

チ研究中は記録カードを使用する。

二九〇

自由研究記録カード　　班　　年　　組　氏名

No.

研究問題					
月日	研究したこと	次に研究したいこと	研究中氣づいたこと	研究場所	指導

No.＿＿＿＿＿

自　由　研　究　　班指導記錄　　指導者

（表）

要項／月日	研究問題	指導事項・研究活動	研究場所時間	評價 ○×△	班・氏名
月 日					
月 日					
月					

（裏）

兒童氏名／月日　年組																								

(二)發表の機會

イ、臨時　自由研究開始前、短時間に、講堂などで行う。

ロ、定時　P・T・A總會、運動會、音樂會、圖工展覽會、自由研究展覽會、學藝會

(三)評價　これは兒童の平素の研究狀態の評價でもあり、家庭通信の資料ともなり、また兒童指導要錄へ記入するに便宜でもある基準的なものをつぎのように二觀点五段階記述尺度に定めた。二つの觀点を取上げたのはややもすると自由研究の結果の完成のみにとらわれて、興味をもちつつ問題を展開していく兒童の研究過程が無視されがちなのでこの点に特に留意したこと、自由研究では研究過程が特に尊重されなければならないと考えたことによる。

觀點	記述尺度				
着想	非常に創意的である	なかなかよい考がうかぶ	いろいろ考えるが鋭いとはいえない	よい考のうかぶことが少い	殆ど自分では考えられない
發展	計畫に從つて深くすすむ	よく發展する	ある程度すすむ	あまり深く進まない	殆ど進まない

(四)學習指導

自由研究においては指導案よりも指導教師の眞理探求の熱意が最も重大である。教師自身が日日念念道を求めてやまぬ時兒童の研究は自ら開け行くであろう。

綜合學習

一、綜合學習の性格

1、綜合學習の必要

綜合學習が低學年兒童にとつてどうして必要であるかということを兒童の必理的な面と兒童の生活とからとりあげて考えてみる。

(1) 兒童の心理的發達

この頃の兒童の特質としてよくあげられることは、次の二つである。

兒童は極めて情緒的であつて興味によつて動く傾向が著しい。大人ように論理的に判斷し行動していくというのでなく情緒的に環境へ反應し、そこから行動が誘發されていくのである。また行動的であつて考えることも行動に伴つて考えるのであつて思惟することより行動の方が先である。次に自己中心的であるということである。意識や生活行動においても自他の區別がはつきりしないものが多く他への配慮が一般的に行われ得ない。ゲームを好み、競爭心の旺盛なことでもわかるように自己中心的傾向が顯著である。

情緒的で行動的なこの頃の兒童の思考は分別して物を考えることをせず未分化的で、全体直觀的であり自分の經驗や行動に即して考え抽象的な思考は不可能である。

(2) 兒童の生活

情緒的で行動的なこの頃の兒童においては生活全体が未分化であつて活動はほとんど遊戯的である。遊びの樣相や性質をもたない兒童の活動は稀である。他からいわれてすることの多い勤勞生活の如きものでもその行われ方は多分に遊戯的である。一般にこの頃の兒童の生活は遊びであるといわれている一日の生活內容を調査したものによると人數の上からも一日の生活の時間量からもこのことがはつきり實證されている。なお調査によつて第一學年某兒童が一日に二十回近くも遊びを變えたことなども知られた。生活が遊戯的であることは、この期の兒童の著しい特質の一つである。

このように兒童の心理的發達からいつても兒童の生活からいつても体系的に分科した教科別學習は不自然であつて無理がある。綜合學習では融合未分化的な兒童の生活實態に即して綜合的に學習させるのである。以上によつて低學年兒童の學習が特に綜合的でなければならない理由があるのである。

2、綜合學習の特質

綜合學習の特質を明らかにするため教科別の學習と比較して考えていくと。

(1) 教科別學習

教科別學習の特色は、指導內容を教科別に組織し、方法としては教科別に時間をたてて指導していくところにある。例えば

國語の教科においては話す・聞く・讀む・書く・つづる・文法といつた範圍を學年に沿つて組織し特定の時間に學習されていくのである。社會・算數・理科・音樂・圖畫工作・体育の各教科が大体このように學習されていくのが教科別學習である。

(2) 綜合學習

綜合學習では、指導の內容も方法も教科別に立てない。時間も何の時間と一定の時間を設定しない。兒童の生活の節々をとらえて、その一節一節にある指導の問題をとりあげて指導內容を組織し、生活の流れ全体をとらえてこれを指導の對象とする。時間的な兒童の生活の流れを節々に區切つて、その一節を方法的に單元として設定し、一まとまりの指導內容をこれにもたせるのである。どんな生活をとりあげるかというと、なるべく豐富な內容をもつ一節を單元としてとりあげるのであつて、例えば兒童の生活によく見られる「ごつこ遊び」は單元にとりあげるによい生活であるが、これに內容をもたせて「お店ごつこ」とし、これに一まとまりの指導內容を組織すると學習に値する適當な單元となるのである。今、この「お店ごつこ」が學習單元として適當である理由について考察し綜合學習がどんな仕方をとるのか說明すると、先ずこの遊びと兒童の生活との關係を考えると、この期の兒童にとつて遊びは生活內容の第一にあげられるものであり、しかもごつこ遊びはこの期の兒童に共通して誰にも行われている模倣遊びであるからこれは極めて自然にさせ得ることが出來る。兒童に多く行われていることはまた誰もがこの遊びに興味をもつていることを示している。この遊びのどこに興味があるかを觀察すると一言でいえば大人のしぐさや言葉をまねるところにあるのであるがこの內容に立入つてみると、お客さんや賣りやさんにあいさつすること値段の高い安いをいつて興ずることまた金錢と品物をやりとりすることなどあげられるがこれらの模倣的なしぐさや言葉のほかに好きなほしいと思う品物が並べられていることや買つたものが一時的でも自分の所有になつたことやお金のたまつた滿足感が得られることなどもこの遊びを自發的積極的にさせる原因となつている。次にこれらの興味や要求に應じ、これを利用して必要な社會生活の內容を理解させたり、能力を身につけたりする上にどれだけの內容を組織し得るか、どれだけ豐富な指導內容を盛り得るかを考えてみるとこの遊び自体のいろいろな活動としてあいさつをはじめ言葉のいいまわしや金勘定、物品の整頓による美化、品物の取扱い、順番を待つこと、相手の氣持を考え思いやることと仲よく賣買し合うことなどあり、これに關連して發展させ得ることとしては玩具、繪本で遊ぶことや貸し借りして仲よく樂しく遊ぶこと玩具使用により機械で物を動かせることや簡單な玩具の構造を知ること玩具や繪本の取扱い方、ちよつとした破損修理、玩具の描画、またこの遊びに關連をもつ歌をうたうこと、表現あそび（ダンス）をすること、玩具や繪本の値段を知つたりお店ごつこの作文や詩をつくること、更に買物のしかたを知りお使いの生活指導ができるなど多面的な指導

内容をこの遊びに組織することができる。こう見てくるとこの遊びを單元としてとりあげることの妥當性が理解できようしその學習がこの遊びの生活の中に行われ得ることが知られる。綜合學習ではこうした自然な日常の遊びをとりあげ、その生活の中に含まれているいろな問題を指導し、生活を生活で學ぶことによつて、更によい遊・生活を構成し生活を高め豐にし、生活能力を擴充していくことを目的としている。教科別による學習と綜合學習と比較してみると両者の特色が明瞭になるとともに低學年兒童にとつてどちらが適切であるかがおのずからわかつてくるものと思われる。

二、學習の內容

1、兒童の生活範圍

學習の內容は兒童の實態と地域社會及び一般社會の要求とからきめられてくるのであるが、兒童の日常の生活がどういう範圍のものであるか、生活を分析してみるとどういう場面に分けることができるか、いろいろなわけ方があるかと思うが次のようにも分けることができると思われる。

①健康生活　②安全生活　③經濟生活　④勤勞生活
⑤交友(交際)生活　⑥情操(美的)生活　⑦餘暇生活

そしてこれらの生活の中にはそれぞれ個人的な面と社會的な面があり、これらの生活を學習することによつて、兒童の生活は高められ生活能力は擴充されていくのであるが、その學習素材となるべきものは次にあげる兒童の經驗興味能力に應じたものでなくてはならない。

2、排列基準

類別＼學年	一年	二年
經驗領域	兒童の家と學校を中心とする身近な社會生活 道德行爲の對象 •自己、家族、友達(學校) •個有名詞知人名地名共に身近なものにあらわれる	△主体的にやゝ領域を擴充する •同 •學校(社會近隣)
興味關心（對象）	•自己中心的で經驗の範圍內を超えない •ごく身邊な事象にのみ關心	
（內容）	•理科的疑問とは製作物(加工植物に多い) •普通名詞の順位は飲食物身体衛生運動遊戲家具日用品 •未分化、自己中心的な傾向が著しい	•狀態を問題にするが極めて直觀的である
能力（問題意識）（考え方）（理解力）（態度）（技能）	•自己的中心、未分化的 •其体的、直觀的 •自己中心的な問題意識の程度を出ない •形式的、他律的 •主觀的、表出的で客觀的表現不可能 •記錄方報はまだ十分できない •ものを測るに感覺的である	•同

3、素材

以上の如く兒童の生活の範圍と經驗領域、興味關心・能力よりきまつてくる素材として、

① 健康生活では身体を清潔にすること、食事の仕方・睡眠病氣豫防・姿勢運動などがあげられ、

② 安全生活では道路のあるき方・遊び方・危險防止・人にめいわくにならないことなど、

③ 經濟生活では買物の仕方・金錢の扱い方勘定・學用品の使い方など、

④ 勤勞生活ではお手傳・お使い・掃除・るすばん・子守など、

⑤ 交友（交際）生活ではお友達との遊び方・遊び道具・あいさつ・ことばづかい・通信・近隣の人に對する態度など

⑥ 情操（美的）生活では身邊の美化・描畫・工作・紙芝居劇・音樂など、

⑦ 餘暇生活ではラヂォをきく・お話會・讀書・つみ草・押花などあげることができ兒童の生活を多面的に高め、豐かにし生活能力を擴充していくことができる。

三、綜合學習の方法

1、學習指導の方法

綜合學習の指導もまた低學年兒童の心理的發達、未分化的生活を考慮の上なされなければならない。以下その主要なものをあげると、

① 情緒的な兒童は推理や反省によつて學ぶことが困難であるから興味によつて行動を誘發し、その行動によつて學ばせるようにする。

② 行動することにより學ぶとともに、自分の經驗を媒介とした具体的理解をとるから抽象的思考をさけ具体的な事物について學ばせる。

③ 現場の指導が最も具体的であるから指導の適切な機會をとらえ機會に即して學習させることが必要となる。徹底して一事に集中し學習することができないから、指導は一年間を通じて適切な機會に繼續的に行われることになる。

④ 他律的形式的な兒童であるたら基本的な生活習慣を形成するのに正しい形に氣づかせ自發性を喚起するとともにこれにならわせていく。

⑤ 一・二年の兒童の行動を自發的にさせることとして大人の賞賛があげられる。賞賛は兒童の學習活動を自發的にする上に大きな原因となる。このほか低學年兒童の活動を自發的とするものとして、指導上注意すべきことは、

興味—新奇なものへの興味・道具機械器具に對する興味・製作の興味・繪畫に對する興味・實演・歌唱の興味など。

成功の快感——成果についての滿足感・結果に對する期待・賞讃

優越感——優越感・敗北感

その他としては必要感・本能的な欲求心・素朴な社會感情（共感・同情）など。

特に低學年でに環境の設定（施設）から自發性の喚起される場

合が多い。情緒的な兒童にとつては環境によつて學習が面白くもなり、嫌にもなるものであるから特にこの點は留意すべきところである。以上は特に低學年において自發學習させていく上に主要なことをあげたのであるがこれを學習活動の實際の場面に工夫し、個々の活動を潑剌たらしめることが必要である。

⑥ 遊戲生活　兒童の生活はほとんど遊戲生活であつてこの期の兒童の生活を特色づけており、兒童の行動はほとんど遊戲的であるから、學習活動の形態もまた遊戲的であることが必要である。學習意識を正面から喚起させていくことよりも遊戲的な習活動の結果が學習となつていることが望ましい。例えばごつこ遊びにおいていろいろの活動を高めていくように、これは指導の上からすれば遊戲の學習化とか學習の遊戲化の面に工夫を要するのである。

2、學習指導の体系

(1) 年指導計畫

學◎指導には系統的な配慮が必要である。一年の兒童に適したものとしてとりあげる內容は、二年、三年と發展してゆく學習內容の全体的考慮を前提としている。この系統的な配慮からきめられてくる內容を兒童や環境の實態に即してその生活の流れに沿い、學習指導が自然に効果的になされるよう一年間を見越してくまれたものが年指導計畫である。

指導計畫には學習指導の機會が考慮されているとともに學習內容が要點的に示されている。そうして實際指導に當りどんな指導をすべきか、單元學習に即して學習指導案を工夫し製作する上に必要な研究の手がかりを示しているものである。年指導計畫の全貌は別冊「綜合學習指導計畫」にゆずりおよその理解を得る爲の便としてここでは一・二年の單元一覽表と、一例としてその中の「十八やおやさん」(第一學年)について計畫されている內容を示しておく。尙「綜合學習指導計畫」の內容については昨年度の實際指導に基き修正すべきところは修正し學習事項、學習活動を展開の順に書き改めていくことになつている。

學習單元一覽表

(一年)

月	單元
四 五 六 七 八九	一、いちねんせい　二、おはなみ　三、えんそく　四、おたんじようかい　五、たねまき　六、せくらべ　七、ねんどあそび　八、まるけんあそび　九、こいのぼり　十、とけいづくり　十一、あめふり　十二、おはなをかざる　十三、かわあそび　十四、たなばた　十五、あさがお　十六、なつやすみ　十七、おべんきやう　十八、やおやさん　十九、むしとり
十 十一 十二 一 二 二	二十、おつきみ　二十一、うんどうかい　二十二、おべんとう　二十三、やまあそび　二十四、のりものごつこ　二十五、おちばあつめ　二十六、おみせごつこ　二十七、おにんぎよう　二十八、おそうじ　二十九、てんらんかい　三十、おてつだい　三十一、かるたとり　三十二、竹スキー　三十三、まめまき　三十四、おどうぐ　三十五、おうち　三十六、ひなまつり　三十七、がくげいかい　三十八、二年生になる

二九七

(二年)

月	單元
四 五 六 七 八九	一、二年生　二、春が來た　三、たねまき　四、おいしやさんごつこ　五、べんきようのおどうぐ　六、なかよし　七、ままごとあそび　八、さかなとり　九、のうじよう　十、水あそび　十一、のりもの　十二、なつやすみ　十三、學校ごつこ　十四、蟲とり花あつめ　十五、あそびどうぐ　十六、おはなしかい
十 十一 十二 一 二 三	十七、十五や　十八、うんどうかい　十九、りんご　二十、いねかり　二十一、大きなたてもの　二十二、おみせ　二十三、たんじようびのおいわい　二十四、こうばん　二十五、かるたつくり　二十六、おしようがつ　二十七、ゆうびんごつこ　二十八、雪あそび　二十九、ごはんどきのしごと　三十、きんじよ　三十一、しようぼう　三十二、がくげいかい

學習單元「十八やおやさん」指導計畫

單元	設定の理由
十八 やおやさん (九月上旬)	此頃になると畑や果樹園にはいろいろの野菜や果物が熟し八百屋にもかざられるようになつて兒童の興味や關心はいよいよ益してくる。しかしこれらのものがどんなにして作られ家庭に配られ入手されるかということについては餘り理解や關心は持つていない。それ故季節の野菜や果物を中心に食物に對する理解關心を一層深めよい態度が養われるようにするのである。

目標	學習事項	學習活動	備考
・季節による食物のちがいがわかる	野菜・果物の展覽話合	◎野菜や果物を教室に展覽する ・野菜や果物について思つたことを發表する ・やおやごつこについての經驗準備など話合う ・野菜、果物を寫生する ・作品のよいところわるいところを話合う ・ごつこあそびに使うお金をつくる ・さいふをつくる ・色をぬる ・お金のかんじようができるように練習する	
・工夫創造するようになる	野菜、果物の描寫 描畫鑑賞		
・工具を使用する力が伸びる	お金やさいふの作製		
・計算能力が高められる	お金のかんじよう		
・唱法や音程が得られる	「りんごと子供」の歌唱	◎もう紙に「りんごとこどもの歌」を書いた繪圖を黒板にはる ・繪圖を見て歌う	
・自分たちは他人の世話になつている	やおや見學に行く話合 種類 ねだん かざり方 生産過程	・やおやさんへ行つて見てくるもの聞いてくるものについて話合う ・見學に行く ・賣つているものを調べる ・ねだんを聞く ・どこからくるか聞く ・見學してきたことについて話合う ・生産過程について話合う	やおや
・工夫創造するようになる	やおやの描畫 鑑賞 展覽	◎やおやの繪を黒板にはる ・やおやの繪をかく ・かかれた作品について批評し合う	
・身のまわりを美しくする		・教室にはる	
・唱法や音程が得られる	「りんごと子供」の歌唱 歌唱・拍子	◎繪圖をはる ・りんごと子供の歌をうたう ・拍子をとつてうたう	

二九八

	やおやさんごっこの準備 ねだん標 お店づくり	・やおやごっこの準備について話合う ・ねだん票をつくる ・看板をつくる ・お店を装飾する ・野菜、果物を並べる	
・買物の仕方や態度が得られる ・算法の理解で得られる ・共同性が得られる ・清潔に關心をもつ	やおやさんごっこ 仕方の話合 ごっこあそび 食べること 感想發表	・やおやさんごっこの仕方について話合う ・やおやさんごっこをしてあそぶ ・かつて來たりんごやなしを分けあつて食べる ・やおやさんごっこのおもしろかつたところ困つたところわるかつたところなど話合う	プリント
・作文力が伸ばされる ・讀書の樂しみがわかる ・讀書のよい態度が得られる	やおやさんごっこの作文 發表 プリント	・やおやさんごっこの作文をかく ・よみ合う ・プリントにしたのをよむ	本校農場
・作物は人々によつて世話されて保護されていること	農場見學	・見てくるものについて話合う ・見學に行く ・見て來たものについて話合う	
・共同性が得られる	學級園の手入	・學級園の手入をする	
・工夫創造するようになる	粘土細工 野菜果物 鑑賞	◎粘土で作つた野菜果物をを見せる ・粘土細工で野菜、果物をつくる ・つくつたものを批評し合う	
・唱法や音程が得られる	「りんごと子供」の歌唱	・りんごと子供の歌をうたう ・お母さんの仕事について話合う	
・家庭では私たちの食物の心配をしてくれることがわかる ・働く態度が得られる	おてつだい	・お母さんの仕事の紙芝居を見る ・家でしているおてつだいについて話合う ・おてつだいがよくできるように話合う	

豫備調査	効果判定
・季節の野菜、果物の種類 ・あそびの種類、人數 ・金錢生活、使用高、所持方法 ・お手傳の種類 ・食物についての依存關係 ・家人の食物に對する要求 ・お手傳に對する要求 ・ごつこあそびに對する要求	・食物の入手過程の理解 ・季節の野菜果物 ・食物の依存關係 ・買物の仕方 ・共同性 ・お手傳の態度 ・讀書力 ・計算力 ・作文力 ・描畫力 ・歌唱　音樂リズム

(2) 學習指導案

學習指導案は實際指導に當つて極めて重要なものであることは言うまでもないが以下その立案方法について要點を明にしておく。尙体系の全貌を明らかにする爲に先に項目的に並べて見ると次の如くである。

一、目　標

目標内容	
理解	
態度	
技能	

二、學習の基盤

㈠ 兒童の研究

① 經　驗

② 興　味

③ 能　力

㈡ 生活環境の研究

㈢ 素材の研究

① 資　料

② 實　踐

三、展　開

㈠ 展開系列・評價・所要時間

第一日			第二日		
學習事項	評價	時間	學習事項	評價	時間
・端緒、					

㈡ 準　備

㈢ 本次の學習

・本次の主眼

學習事項	樣式	學習活動	誘導	評價	備考

・反　省

次に各項目について簡單に説明する。

一、目　標

始めに單元の主眼とするところを簡明に書く。目標は理解態度技能の別に書き各目標に照應してその具体的内容をあげるのである。(具体例參照)

二、學習の基盤

ここでは兒童の實態と生活環境を研究し更に學習に必要なる素材について研究するのである。

㈠ 兒童の研究

① 經　驗

兒童がどんな經驗をしているかその内容がどんなものであるかを明にして、兒童の共通な點はどんなものであるか、問題になる點は何か、大人と子供との異は何であるかなど調査考察する。

② 興　味

單元の學習内容に即して兒童の興味の所在や對象を明にするのである。これにより自發學習の方法的な基礎が得られる。

③ 能　力

學習上兒童の能力の實態をとらえることは極めて大切のことであつて、能力の發達程度を調査考察し指導の基準を考える基礎をつくるのである。

㈡ 生活環境の研究

ここでは兒童の生活環境である地域社會や自然環境の樣相を具体的に知るのであつて、社會環境が兒童にどんな要求をもつているか、當時接している兩親や先生が兒童に對してどんな希望念願をもつているか、兒童の生活周邊から働きかけられているものを知り現在の兒童の問題を知るとともに成長を期待されている兒童の將來にとつて考慮すべき問題をも明かにすることが必要である。

㈢ 素材の研究

ここでは學習させる上に特に研究を要する學習材料施設について研究し、それを如何なる方法で學習させるかを研究するのである。

① 資　料

單元を學習する上に必要となつて來る學習材料施設をあげ、それを研究する。

② 實　踐

あげられた資料を實際指導する場合如何にすべきかを研究しておく。

三、展　開

兒童の興味や關心に即して單元の學習をどう展開させたらよいかを考え學習がスムースに行われるように配慮する。

㈠ 展開系列

端緒構成發展の段階に兒童の興味や關心に即して展開される學習事項評價及びその所要時間を表に書き表すのである。尚各段階の始の學習事項の欄に端緒・構成・發展とそれぞれ記入しておく（具体例參照）この展開系列によつて單元を概觀することが出來るわけである。尚この機會に端緒構成發展の各段階及び評價について説明する。

端　緒

單元學習のいとぐちをつくり多面的な學習内容に興味をもたせ、またここでとらえた事項を今後の學習へ大きく發展させていくようにする段階である。隨つてこの段階ではなるべく多面的學習事項へ興味や關心をもたせ學習活動の足場をつくり、學習への出發を活潑にさせようとするのである。學習意慾を喚起するためには、その意慾を刺戟し學習の方向を指示するための適切な環境構成が必要である。低學年においては興味深い遊びや現場の觀察見學がこの端緒の段階に効果的であつて、それにより多方面への關心を誘發させることができる。

構　成

端緒でとらえられた學習の方向を更によりよい段階へ生活や

三〇一

三〇二

遊びを構成していく段階である。そのためには現段階の能力を更に伸ばすことや未知の世界を開くこと、又これまでの經驗を意識的にしていくことが肝要である。これによつて知識や考え方が啓發されよい態度が得られ技能を身につけるなど、兒童の生活を高め又ゆたかなものにしていくことができるのである。

この段階においても低學年兒童の活動は遊戯的行動的にしくまれるのが効果的である。時には一通りしてきた學習の表現として端緒でしたと同樣な遊びを再びとりあげ内容を充實させることもあり得る。

發　展

兒童が日常關心をもつていること或は大人から問題にされていることなど隨時必要に應じて指導され學習するのであるが、單元の主流をなしているような生活實踐上の問題や習慣形成を要する事項などは、その必要を理解したり内容がわかつた上で、日常の生活へ發展させ今後の生活の傾向性をつくることが必要となる。兒童の生活に出發しよりよき生活の構成をはかつた上更に日常生活において實踐的に自覺し傾向性としては身につける必要のあるものが、この發展の段階においてとりあげられることになる。綜合學習ではこのようにして兒童の生活に端を發しよりよき生活のための理解や働きを得させて生活をたかめまた日常の實踐を有力ならしめるよう學習指導の過程にこれを配慮しているのである。

評　價

綜合學習は兒童の生活に出發しその生活に方向を與え生活を豐かにし能力を身につけようとするのであるから、意圖した指導が兒童の學習として体得されたかどうかの診斷をし、効果をあげ得たか指導法は適切であつたか兒童の反應はどうであつたか、單元が適切であつたかなど反省することは極めて重要なことになる。

ともすればぼやけ勝になる學習の結果をはつきりさせ次の單元指導に資する事は兒童の實情に即した眞の生活の指導となる。

㈡ 準　備

綜合學習では計畫と並んで直接學習のための準備が事の成否に關する重な要件である。準備の主要なこととしては學習環境の構成やこれに關連した學習の遊戯化行動化のための用意である。この方面への工夫努力によつて兒童の學習が興味深く行われ自發活動となることはいうまでもない學習効果もこれによつて大きな影響をうけるのである。

㈢ 本次の學習

ここではこの一日になされる學習指導について研究しておくのである。

●本次の主眼

本次の主眼を簡明にしるして方向を見失わないようにする。

學習事項

兒童の心理に即し必然的に展開するように學習事項を明示す

る。

様　式

如何なる様式によつて學習活動をさせたら適當であるかを明にし、それがどんな形態で行われたらよいかを考える。或樣式が學級全体で行われる場合もありグループで又個人で行われる場合もありその時の仕事の目的によつて考慮されることである相互協力などはこの形態から出てくる問題である。

學習活動

學習活動の研究は指導案研究の山である。これまでの諸研究はここは結集されて兒童の活動を効果的にしなければならない。

學習のための活動としては「話す」「聞く」「見る」「書く」「歌う」「描く」「造型」「演劇」その他種々の活動があるが低學年においては兒童の生活や特質から動的な活動が適しており、それも遊戯的な形態にしくまれることが望ましい。殊にゲームのかたちをとつた活動であると極めて積極的に行われる。兒童の活動は興味によつて連續されることが大きいから、この點を考慮し工夫するといよいよ活潑に行われるのである。また兒童の理解が經驗的具体的に行われることから必要により學習活動の場所を敎室内から野外や工場などの現場へ移すこともだいじなことである。學習における兒童の活動の推移轉換はあらたな必要感や興味關心によるのが自然であるので、前の活動から次の活動への轉換がどのようにして行われるか、また次の活動への推移をスムースにさせるにはどうしたらよいかなどこの活動の展開については考慮すべきことが多い。指導者の意圖した學習が兒童の興味や要求から必然的に行われることそれが眞に學習を生活と一体たらしめる所以であると思われる學習活動の展開についてこのことは特に工夫を要するところであり周到な計畫準備をしなければならない。

學習活動の適否は指導の成否を決しることで極めて重大である。要は兒童の活動がそれぞれの能力や個性に應じて充分に行われることである。

誘　導

兒童の活動を十全にするために適切な誘導を必要とすることはいうまでもない。この誘導の必要は兒童の活動を活潑ならしめその學習に効果あらしめるところである。そのためには指示や説明を與えること環境を構成すること賞賛叱責など暗示したりはげますためいろいろな方法がとられる。これによつて自發活動がうながされ、兒童は積極的に學習するのであるが、興味のおもむくままにする兒童の活動はたまたま無軌道に走りやすく學習の目標から逸脱する恐れがある。興味を中心として兒童の學習が目標を果すためには是非敎師の誘導を必要とする實際指導上の問題としてこの點は特に考慮を要することである。

評　價

學習結果を評價していくのであるが如何なる機會に評價するのが一番適當であるかその機會を記入していくのである。

備　考

特に明記すべき學習の場所や學習の進行豫定時間など記入しておくのである。

以上指導案の大要について説明したのであるが、次に具体例「やおやさん」をあげこの説明の理解を具体的にし具体例がこの説明によつて理解されるように考えたものである。

具　体　例

やおやさん學習指導案　　學年　　組　　氏名

一、目　標

「やおやさん」によつて季節の野菜や果物に關心をよせ食物について理解と關心を深めると共によい遊びをする爲に必要なことを理解し樂しい生活ができるようにし尚之に伴つて生活に必要な多方面の能力がねらるようにする。

	目標	内容
理解	1、家庭では私遊の食物の心配をしていてくれる 2、自分遊は人て世話になつている 3、作物は人々によつて世話され保護されている 4、算法の理解が得られる 5、季節による食物のちがいがわかる	おかあさんやおうちの人々の食事の仕事 野菜や果物の生產及び入手過程 農場の見學、害虫消毒施肥 やおやさんごつこ遊び、買物 野菜、果物
態度	1、共同性かねられる 2、清潔に關心をもつ 3、働く態度が得られる 4、買物の仕方や態度が得られる 5、讀む樂しみが得られる 6、讀む態度が得られる 7、身のまわりを美しくする 8、工夫創造するようになる	やおやごつこ、學級園の共同作業 食物(野菜果物)食事前の手洗 お母さんのおてつだい 上手な買方、挨拶、態度、 兒童の作文、プリント 讀書、衞生(目と使生) 圖畫工作の作品を部屋にかざる 野菜、果物の粘土細工、さいふづくり、描畫、遊び方の工夫
技能	1、計算能力が高められる 2、作整が伸ばされる 3、製作力描畫力が伸ばされる 4、工具を使用する力が伸ばされる 5、讀む力が得られる 6、唱法や音程が得られる	お金をかぞくる やおやさんごつこの作文 野菜果物を粘土でつくる、繪にかく はさみの使い方 作文、プリント 「りんごと子供」の歌

二、學習の基盤

㈠ 兒童の研究

1　經　驗

① 遊びの生活

イ、兒童の行つている遊び

運びの種類	百分比	遊びの程類	百分比	遊びの種類	百分比
賣屋ごつこ	七六	汽車ごつこ	三六	お店ごつこ	四三
ままごとあそび	六三	野球	二五	かくれんぼ	九

右の表より兒童の最も行われているものが賣屋ごつこで本單元で賣屋ごつこをすることは適當である。

ロ、ごつこ遊びの人数

大体家で行われているところは二人、三人、四人が多い。

② 金 錢 生 活

イ、金錢生活の經驗あるものは男六四%。女六六%で多くの兒童が金錢を取扱つている。

ロ、所 持 方 法

所持方法	百分比	所持方法	百分比
袋に入れてもつているもの	二八	紙につゝんでもつているもの	一八
さいふに入れてもつているもの	二二	お金のままでもつているもの	三二

右の表よりお金の所持方法について考えて行くべき問題がある。

ハ、何に使つたか

用途	百分比	用途	百分比	用途	百分比
りんご	六〇	なすー	五三	お米	一四
パン	四〇	きゆうり	二〇	おさかな	一二

季節的な果物が多くやおやさんごつこが適當であることを示している。

③ 勤 勞 生 活

種類	百分比	種類	百分比
お使い	八九	庭はき	三〇
ぞうきんがけ	四三	こもり	二九

お使い、掃除刈が多くお使いには買物と用たしがあり、一年の兒童も買物のお手傳をしている。

④ 衞 生 生 活

食事の時手を洗つているもの七七%で多くの兒童が手を洗つている。

2、興　味

イ、ままごとあそび、賣屋さんごつこは兒童の好んで行う所のものであつてこの興味は賣ること、お金のたまること買うことなどにある。

ロ、お使いに行くことについて調べてみるとその理由として

ほめられるから、おだちんをもらえるから、買つて來てたべられるからなどをあげることができる。

ハ、野菜の好き嫌い

きゆうり	四七%	かぼちや	三二%
じやがいも	三三%	なす	二三%

キャベツ　一九%等を好きなものが多く、ねぎ、人參等を嫌うものが多い。好き嫌いのあるということは食生活上考えて行くべき問題である。

3、能　力

①計 算 力

一〇以下の構成分解は大体でき一〇圓以下の買物は可能である。

三〇五

三〇六

②金 錢 使 用 高

使用高	百分比	使用高	百分比	使用高	百分比
一〇圓	一四	四〇圓	二	八〇圓	四
二〇圓	一〇	五〇圓	三	九〇圓	二
三〇圓	八	六〇圓	二		

三〇圓位までそれ以上の金はあまり扱つていない。

③つり錢がなく買物ができるもの四五%、つり錢があつて買物ができるもの二六%で、つり錢のある買物は餘りしていない。

④買物に行つて

あいさつのできるもの二五%、用件の言えるもの二三%で餘りできずやおやさんごつこをするのにとつて一つの問題となる。

⑤音樂に於ける歌唱、リズム、音程歌い方の上手なもの二〇%、普通四〇%他は餘りよく歌えない。

リズムの正確にとれるもの四〇%他は餘りよくとれない

音程の大体正しいもの七〇%他は正しくない。

⑥描　畫　力

大体形の正しいもの七〇%

⑦道具使用(ハサミ)

大体器用に使えるもの六五%

⑧製　作　力

よくつくれるもの四六%

⑨ねんど細工

形が大体正確なもの六四%

⑩讀字、書字、作文力

イ、讀 字 力(ひらがな)

一〇〇%よめるもの二三%、七〇%以上讀めるもの五五%、五〇%以上よめるもの一六%、五〇%以下のもの六%、特に讀めない字は(へ)(ぬ)と濁音、半濁音である。

ロ、書　字　力

一〇〇%書けるもの五%、七五%以上書けるもの六〇%、五〇%以上書けるもの二二%、五〇%以下のもの一三%でまだ相當書けない兒童もあり作文する上に困難なところもある。特に六人以上書けない字は(へ)(ぬ)(は)(む)(う)(ろ)と半濁音、濁音である。

ハ、作　文　力

主題は主体的構想は羅列事件的行動的であつて、敍述は表出的である。

記述量(字數)

字數	百分比	字數	百分比
一〇―三九	一三	一二〇―一五九	一五
四〇―七九	三〇	一六〇―一九九	六
八〇―一一九	三三	二〇〇―二三九	五

⑪食物についての依存關係
おかあさんを一番として順次お父さん兄さん姉さんとなり。お百姓さん、お米やさんなどを知つている兒童もある。お百姓さん、配給所あたりまでは理解することが可能である。

㈡生活環境の研究

①野菜の入手經路
自家でとれるもの三九%、やおやから買つて來るもの七四%、配給を受けるもの三二%、よそから一三%

②お手傳いに對する要求
お手傳いに對して家人の要求しているものは（しなさい）（早くしなさい）などが多く、勤勞をすることが要求されている。

③食べ物についての要求
洗つて食べなさい八八%、粗末にしない七四%、食べすぎないように五六%、皮をむいて四%、よくかむ二%外へ出て食べない二%

④ごつこ遊びに對する要求
あと始末をよくしないが一番多く順次仲よくしなさい汚さないように色々のものを持出さない、手足を洗う等が要求されて居りこの期の兒童にはあと始末、仲よく遊ぶことなど要求されている。

⑤金錢所持についてはお金をはだかのままもつていく兒童が多くさいふなり、ふくろなり用意する必要がある。

㈢素材の研究

1、資料

•「りんごと子供」のうた
やおやさんにりんごが美しくならべてあるのを子供たちが見て通るところをうたつたもので二拍子の子供のよろこびそうなうたである。

•紙芝居
お母さんの朝起きるから寢るまでの仕事を紙芝居にしたもので、いかにお母さんの仕事がたくさんあるかまたおかあさんのおかげをこうむつているかがわかるようにしたものでこれを見ることによつておのずからお手傳もするようにかかれたものである。

•やおやさんごつこの構成人數
兒童の日常のごつこあそびとにらみ合せて四人一家族とする。

•お店の裝飾
教室以外の一室につくる。美しく色どられた看板をかけテープをはつてきれいなお店とする。

•家のつくり方
家は教室内に机を二つづつくつつけてつくる。バケツ、ほうちようを用意しておく。

•兒童のかいた作文やおやごつこのプリント

三〇七

字を美しく、さしえなどいれて兒童の讀み安いようにすつておく。餘り長い文でない方がよい。二つ位用意しておく。

2、實踐

•りんごと子供のうたの繪圖—音譜のかわりにりんごを美しくかいたもの—を黒板に貼してそれを見ながら歌う。

•紙芝居　本單元もだんだん結りに近くなつて來たところでお母さんの仕事を知るとともに紙芝居をみて樂しむというところから行うのである。

•四人で構成された家族のお父さん、お母さん、兄さんなど兒童の間できめさせ氣持のよい家族とする。

•お店の出入並び方買つて來てからのことなどいろいろ研究し豫め兒童と話合つておく。

•作文のプリントとは兒童のよろこんで讀めるようにはつきりと美しくプリントしておく。一つ作品を長く讀むことはあきるから、二つ位用意しておもしろくかけたところなど話し合うようにする。

三、展開

㈠展開系列　評價　所要時間

第一日 學習事項	評價	時間	第二日 學習事項	評價	時間	第三日 學習事項	評價	時間	第四日 學習事項	評價	時間	等五日 學習事項	評價	時間
•端緒 野菜果物の展覧	發表力	20	やおや見學 話合	今の野菜くだものにはどんなものがあるか	120	やおやおやおやごつこあそび 反省	お友だちとの共同性	120	やおやごつこの作文プリントよみ	プリントのよみ方	30	「りんごと子供」の歌唱	音樂 リズム	40
野菜果物の描畫鑑賞	描畫 鑑賞力	40	やおやの描畫 鑑賞	描畫 鑑賞力	40	やおやごつこの作文	作文力	40	農地見學	作物はだれのおかげで大きくなるか	50	お母さんの仕事の紙芝居	お母さんの仕事の理解	40
•構成 お金さいふづくり	はさみの使い方	100	「りんごと子供の歌」唱	音程 リズム	40				學級園手入	共同性	50	•發展 お手傳の話	お手傳の態度 買物の仕方	40
お金のかんじよう	計算能力 確度速度	40	やおやごつこの準備		30				粘土細工	工夫創造の力	50			
「りんごと子供」の歌唱	音程 リズム	40												

㈡準備

①やおやさんごつこ——野菜果物（大根・さつまいも・人蔘・ねぎ・りんご・梨）
皿・小刀・バケツ・玩具のさいふ・お金・看板・ねだん票

三〇八

(三) ②粘土細工——粘土板・粘土
③作文——兒童の作文プリント
●本次の主眼
本次の學習

野菜果物を展覧し本單元の端緒として兒童にやおやさんごつこあそびの意欲を起させその準備をする。

學習事項	様式	學習活動	誘導	評價	備考
野菜果物の展覧	話合(全体)	●野菜や果物を見て思うところを發表する	やおやさんのまねなどして見せる		二〇分
やおやごつこの話合	話合(全体)	●やおやごつこの經驗について話合う	繪にかいた値段票やお金、さいふなど見せる	發表力	
野菜くだものの描畫鑑賞	話合(全体)	●野菜や果物を寫生する ●お互に見合つてよい點わるい點を話し合う	野菜や果物の繪をみせて兒童の寫生意欲を起す 兒童の作品を三枚位づゝ並べて見せる	描畫力	四〇分
お金づくり	話合(全体)	●やおやごつこに使うお金をつくる	玩具のお金やさいふを見せる		五〇分
財布づくり		●新聞紙でさいふをつくる ●色をぬる		さいふの製作力はさみの使い方	五〇分
	話合	●お金やさいふを見せあつてよいところやいけないところをいいあう			
お金のかんじよよ		●お金のかんじようができるように練習する	やおやごつこをするにはお金のかんじようができなくてはいけないことを話す		四〇分
「りんごと子供」の歌唱	齊唱	●繪圖を見て「りんごと子供」の歌を歌う ●歌詞をよむ ●歌詞の意味を考える ●いくどもうたう	りんごと子供の歌を書いた繪圖を黒板に貼る		四〇分

●反省

三〇九

●本次の學習のところは以上のようであるが參考のため二日以後の案ものせておく

學習事項	様式	學習活動	誘導	評價	備考
やおや見學の準備	話合(全体)	●やおやさんでどんなものをみてくるか話合う	よい見學の態度の約束ならびかた、かざりつけ、しゆるい、ねだん	發表力	二〇分
見學		●見學にいく ●やおやさんでしらべる ●お客さんの様子を見る ●野菜や果物がどこから來たかきく ●歸つて見たこと聞いたことを話合う	生産地をきく		一〇〇分
やおやの繪		●やおやの繪をかく ●批評し合う	三枚づつ黒板にはる 教室に作品をはつて美化する	描畫力	四〇分
「りんごと子供」の歌唱	齊唱	●繪圖を見て歌う ●リズムをとつてうたう	繪圖をはる	リズムのとり方	四〇分
やおやごつこの準備	話合(全体)	●やおやごつこの準備について話合う ●ねだん票をつくる ●看板をつくる ●お店をつくる ●お店を飾る ●野菜果物をならべる	どんな準備がいるか話合わせる		三〇分
やおやごつこ	話合(全体)	●やおやごつこに仕方について話合う ●やおやごつこをしてあそぶ	お店の人、家族、買手などきめさせる	遊びの共同性 ことばづかい	一二〇分
	話合(全体)	●面白かつたことについて話合う ●困つたことについて話合う ●いけなかつたことについて話合う	買物の態度、あいさつ、應對、金錢の計算などについて考えさせる	買物の仕方	

三一〇

りんごや梨を食べる		●買つてきたりんごと梨をわけあつて食べる	洗つて食べること、仲よくたべることを考えさせる	食物のたべかた、清潔	
やおやごつこの作文		●やおやごつこの面白かつたことなど作文にかく ●よみなおす	家の人にわかるようにかかせる	作文力	四〇分
作文のプリント		●プリントしたのをよむ ●感想をいう		讀解力	三〇分
農場見學	話合（全体）	●どんなことを見てくるか話合う ●見學の態度について話合う ●農場を見學する ●季節の野菜を見る ●農場の手入を見る	農場での態度について考えさせる		五〇分
	話合（全体）	●見て來たことを發表する ●野菜の生産過程について話合う			
學級園の手入		●學級園の手入をする	草などむしらせる	共同性	五〇分
粘土細工		●野菜や果物をつくる ●見せ合う	作品を見せる 後始末につき考えさせる	製作力	五〇分
「りんごと子供」の歌唱	齊唱 獨唱	●りんごと子供の歌をうたう ●拍子をとつてうたう ●獨唱する		リズム	四〇分
お母さんの仕事	話合（全体）	●お母さんの仕事について話合う ●お母さんの仕事の紙芝居を見る ●家の人の仕事について考えて見る	紙芝居をしてみせる		四〇分
おてつだい	話合（全体）	●家でするおてつだいについて話合う ●どんなおてつだいがよろこばれるか話合う			四〇分

保健衛生

一、學校における保健衛生の意義

兒童には本能的に保健生活に對する強い要求の芽生えがある。朝は早くめざめ、光にあこがれ、風の中に遊び、清潔を好み、正しい姿勢を保とうと欲し、夜は早く眠りを訴える。のみならず年令の成長に從い、身体並びに環境に對して次第に興味を加えていく。けれども一方兒童の健康に對する關心や、要求はまだ極めて未分化的で体系的な知的根きよをもたず、生活の環境や身体の狀態によつて、容易に變動し、種々のゆがめられた形において發動する場合が少くない。ここに兒童の心理的發達段階にそくして適當な保健衛生上の知識の習得と衛生訓練の實習とによつて健康に對する眞劍な態度を誘致し、各自その健康を自覺せしめると共に、尚不十分な點を外部より養護し、その發育を完成しようとするのが保健衛生の意義である。

二、學校における保健衛生の目的

學校衛生の目的は保健衛生に關する知識の習得と、それが實踐的態度を身につけることによつて兒童生徒の健康を保持増進するとともに健康生活の基礎を確立し、社會の健康生活を改善し向上させようとする能力をやしなうことにある。

兒童生徒の健康を保持増進し、心身共に健全な社會人を育成するには、個人衛生ばかりでなく公衆衛生についても、共々の責任において十分注意を拂い、社會の健康生活に對して強い責任感を持たせるようにしなければならない。それ故、衛生の指導においては、各自の健康の保持増進に役立つような個人衛生について指導を加えると共に、公衆の保健向上に役立つような公衆衛生についても適切な指導を加える必要がある。即ち個人としての衛生と公衆のための衛生について、或は實際指導により、或は知的指導により、現在もまた將來も健康生活が實習できるように指導するのが學校における保健衛生の目的である。

三、學校における保健衛生の目標

學校における保健衛生の目標は學校教育法第二章小學校第十八條に示されているように兒童の生活を、「健康、安全で幸福な生活のために必要な習慣をやしない心身の調和を圖ること」である。

從來の衛生指導は極めて消極的、且つ狹い領域の中にあつたが、現在の小學校教育においてはアメリカの教育使節團から指適されたこともあり、積極的な教育作用としてとりあげられて來たのである。また從來は衛生指導というとかく觀念的な知的指導になりがちでありそれは學校教育の部外でおこなわれる傾向があつた。從つて衛生指導は醫者の手で行はれなければならないように考えられていた。しかし、保健衛生は兒童生徒の具体生活の中に重要な位置をしめているである。そこに學習領域のひろがりと積極的な意味をもたらされる所以がある。經驗カリキュラムを重視していく今日の學習形態にあつては、

1、日常生活における衛生上の常識を豊富にもち。

2、美しい環境にすむことをこのみ。

3、清潔なるものを欲し新鮮なる戸外にあこがれるところの強い健康への良心を身につけさせる。

そうした公民的資質を涵養するのが保健衛生で目標であると同時に、教育の目標でもある。換言すれば

1、健康生活に必要な習慣を養うこと。

2、健康生活に必要な知識を與えること。

3、健康生活に對する正しい態度を養うこと。

でありそれによつて兒童が衛生生活の向上のために働くすぐれた能力を持つように指導することである。

四、衛生教育要綱

衛生教育の實施上特に注意すべき事柄は、大要次の通りである。

1、衛生教育は兒童の知能・情緒の發育の程度に從い順次日常生活に必須な健康原則の概要を學習させることによつて公民としての衛生の大綱を習得練習させ、決して醫學或は疾病に關する專門的知識の斷片を授けるものではない。

2、教育には先ず兒童の健康に對する態度の養成が最も肝要である。健康を得ることは人として第一の重要な事柄であるのみならず社會人としての義務なるゆえんを自覺させ、各自その生命の健康に對して眞劍な態度をもたせる。

3、衛生教育を行う特別の機會と工夫をあげれば次のようなものがある。

(イ) 健康週間その他結核豫防週間・榮養週間・虫歯豫防週間・食品衛生週間・ライ予防日・防疫週間・眼の記念日・寄生虫予防週間・赤十字の日・母の日・安全週間・兒童愛護週間などを利用する。

(ロ) モーニングイスペカションを行う。

(ハ) 衛生標語をかかげてその實行につとめる。

(ニ) 健康賞（賞品なき賞状）をもうけて健康實行者を賞揚する。

(ホ) 毎月の發育測定を行う。身長・体重

(ヘ) 學校給食をする

(ト) 學校・家庭・社會が一体となつて兒童の健康をまもるために、それら關係者の兒童健康協議會または委員のごときをつくる。P・T・A保健部・兒童會保健部・學校保健協議會。

(チ) 健康カード或は健康名簿を作つて健康生活に關する重要事項（身体検査の結果・成長の數字・睡眠・運動・勉强・食事その他健康習慣・不衛生行爲・健康診斷の結果・疾病狀態・家庭の實情）等を記してこれを或は兒童に持參せしめ或は教師父兄がリレーする。

(リ) 体操・体育運動における体育衛生・スポーツ衛生の指導をする。

(ヌ) 他の教科と衛生教育の連絡をとる。社會科・家庭科・理

科

(ル) 衛生教育の研究をひらく。

(ヲ) 新聞・雜誌・パンフレット・幻燈・圖表・ポスター・キネマ・繪本・ラジオ等による衛生材料を活用する。

(ワ) 衛生的童話・童謠・兒童劇・紙芝居を利用する。

(カ) 學校環境を利用する。校舍（清潔・換氣・照明・防暑・防寒方法などについて）食堂・手洗所・便所・ごみ捨場・雨天体操場その他の使用指導（食事・清潔・清掃・運動衛生などについて）保健的施設指導（体育運動器具機械・体力測定などについて）

(ヨ) 保健施設見學（公園・運動場・公設市場・保健所・衛生試驗所・淨水場・下水處理場・醫療機關など）

(タ) 家庭生活の指導（榮養・休息・住宅・睡眠・衣服・交友・勉强その他生活全般）を行う。

以上衛生教育上の特別な機會を記したが要するに保健教育とは兒童生活の全体を衛生的に指導すること、換言すれば兒童をわが子として健康に育つように教育することである。

4、朝禮に行う衛生検査には、頭髮、顔面の清潔・眼・耳・鼻口腔・手足・爪の衛生・衣服・帽子・靴などの清潔・はんかち所持・疾病の發見と治療などであつて、その成績はカードにしるしその後の管理をつづける必要がある。その他兒童の衛生習慣の實行狀態の調査をするならば更に有効である。

5、單なる抽象的健康は多く兒童に理解されず、まだ積極的に理解されることが少ない。健康動作のみちびきかたにはいろいあるが、自身の發育に對する興味はまずその第一といえる。教師は兒童に發育を定期的にレコードせしめ、ときどき增加率をくらべ、とくに自分の過去の記錄と競爭させる。競爭にもちいられる健康要目は發育の數字（特に体重增加）健康習慣の實行狀態・清潔検査記錄・室内溫度記錄とその調節狀態などである。低學年では歯みがき訓練・姿勢遊ぎ・唱歌遊ぎなどがもつとも興味がもたれる。

6、健康教育と諸學科とのれんらくには深く注意しなければならない。諸學科と健康に關するれんらくをいたずらに多くすることはかえつて興味を減ずるものである。有効なるれんらく適切なるれんらくでなくてはならない。要するに教えることにおいて、或は教えなくとも兒童が本來の正しい生活意慾にしたがつて、衛生的に思考し行動するように指導助成するのが衛生教育の根本である。

7、健康訓練はたえずくりかえされて習慣にまで固定されなければならない。そのためには同一事項でも學年が進むにしたがつて新しい課題――おもむき・くふうをもつて兒童に違つた興味をもたせ、たいくつさせないことが肝要である。

8、衛生教育は兒童本來の・性向・德性・情調とむすびつける時に効果が大である。すなわち兒童の良心・好奇心・もほう心・競爭心・所有欲などたくみに利用する。（その實際的方

法については教育者自身最もたくみな工夫を考案することが必要である）

9、衛生教には受持教師のみならず、學校管理者・校長・衛生主任・校醫・養護教諭・家庭のきんみつな協力とれんらくが必要である。なかんずく家庭の母親と教師との協力一致にまつところが最も大きい。

10、衛生訓練において指導者は兒童のなかまの一員となり、みずから身をもつて範例と暗示を與えつゝ兒童のこころみる自然的活動を正しく指導する。できうる限り兒童をしてみずから工夫し、考案をねらせ、うたがいと問題をおこしやすくし、みずから處理する態度をやしなう。

11、衛生教育においても個性の尊重はきわめて大切で、その他指導者は兒童の生活環境の大要を知つておく必要がある。ことに健康に對する態度、衛生習慣をつけることは家庭の保護者とみつせつなれんらくをとらない限り所期の効果をあげることはむずかしい。

12、衛生教育を行うにはそのてほんとなるためにまず教師みずから生徒にしめすべき健康生活の實行者にしてまた健康体でなければならない。

五、公衆衛生及び學校衛生の現狀

1、現在日本の公衆衛生上、重點的に努力すべき問題は結核・性病・寄生虫病・ことに蛔虫の撲滅と急性傳染病豫防である。

2、日本の現在までの結核死亡率は人口一万に對し一八・八の割合（アメリカは四・一の割合）結核が國民死亡の第一位。

3、日本現在の蛔虫卵保有率は平均八四・六一％。

4、日本の兒童生徒の体位の實狀は、明治末期以來しだいに改善され、身長・体重共に年年增加、疾病は減少し、健康度はますます向上する一途をたどつていた。ただわずかに近視・う歯・腺病質などが增す傾向にあつた。この大勢は昭和十二、三年頃までつづき、それが日支事變を機に足ぶみ狀態、やがて昭和十五、六年頃を境に低下の方向へ向い、戰爭の激化と共に急速に低落のカーブを强め、昭和二十一年が最低、それは明治末期、大正初期の平均値と同じ。都市の場合、十年前の昭和十二年と一年の差あり。すなわち身長・体重ともに一年おくれている。その後年年向上し昨年度より殆ど正常になつて來た

六、施設經營を通じての衛生教育

1、當校の施設

○保健室
- 醫務室兼測定室
  - イ、診察、應急處置、豫防處置用器具
  - ロ、應急用藥品、材料
  - ハ、身体檢査、發育測定用機械器具
  - ニ、書籍、掛圖、圖表
  - ホ、帳簿
- 休養室
  - イ、蓐數
  - ロ、寢臺

三一五

○給食室
- 調理室・倉庫
- 釜場…コンクリート

2、當校の實施計劃

別表の計劃に基き、更に月毎に實施計劃を作製して〇營している。

一、目標	二、實施要項	三、運營
1、結核豫防	(1)定期身体檢査	(イ)理學的檢査（視診・聽診・打診・試診・觸診）(ロ)精密檢査（ツ反・血沈・X線・檢溫）(ハ)BCG豫防接種
	(2)月例發育測定	(イ)身長・体重
	(3)健康相談	
	(4)給食	
	(5)衛生教育	(イ)各學級…社會科・体育科・家定科・理科などの關れんに於て指導する。測定グラフ作成…兒童會保健部委員 (ロ)掲示 (ハ)衛生講話・校醫
2、寄生虫驅除	(1)蛔虫驅除	(イ)檢便 (ロ)驅除劑投與 (ハ)學校便所の糞尿を肥料にする場合の注意
	(2)頭髪虱驅除	DDT使用
	(3)衛生教育	(イ)各學級 (ロ)掲示 (ハ)衛生講話・校醫
3、傳染病豫除	(1)種痘	(イ)定期種痘 (ロ)臨時種痘
	(2)チフス豫防ワクチン接種	(イ)定期 (ロ)臨時
	(3)デフテリア豫防ワクチン接種	(イ)定期 (ロ)臨時
	(4)學校便所の豫防的處置	消毒：ケロシン・クレゾール液使用
	(5)手洗及び含嗽の勵行	(イ)教室 (ロ)掲示 (ハ)衛生講話…校醫
	(6)衛生教育	(ニ)家庭におけるねづみ・のみ・蚊類の驅除奬勵
4、給食	(1)配給物資	(イ)PTA保健部員の活動
	(2)加工物資による	仝右
	(3)榮養知識の啓培	(イ)カロリー計算
	(4)食事教育	(イ)學級 (ロ)偏食調査・矯正 (ハ)講話・校醫・その他

三一六

㊂重點的事業計劃

(イ) 學校清潔方法
(ロ) 合理的計劃的給食法
(ハ) 年間保健計劃の樹立（社會的行事、學生別テキスト、敎師用テキスト）
(ニ) 身体檢査結果の處理（虚弱兒、陽轉兒童、異常兒の發見とその對策）
(ホ) 疾病集團發生の豫防とその處置
(ヘ) 基本的指導と機會利用の指導の活潑化
(ト) 缺席兒童、虚弱兒童、軟性兒童の保健的ガイダンス
(チ) モーニングインスペクションの完全實施
(リ) 水、日光の利用、光熱、空氣の利用

(ヌ) 便所、汚水施設、清掃と紙屑、汚物捨場の整備

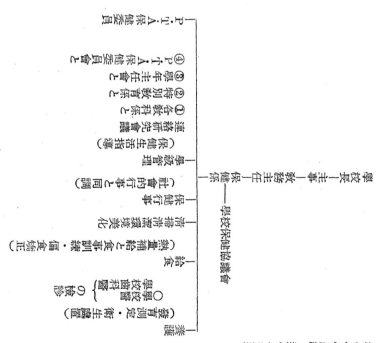

(ル) 遊戯場、運動場、用具施設の整備

(ヲ) 飲用水、作業水、洗場、干物場の整備

3、當校の保健組織と運營一覽表

學校長—主事—教務主任—保健係——學校保健協議會

- 養護（發育測定・衛生處置）
  - ○學校醫・學校歯科醫 の檢診
- 給食（熱量補給と食事訓練・偏食矯正）
- 清掃清潔環境美化
- 保健行事（社會的行事と同調）
- 學級管理（保健生活指導）
- 連絡研究會議
  - ①各教科係と
  - ②特別教育係と
  - ③學年主任會と
  - ④P・T・A保健委員會と
- P・T・A保健委員

三一七

三一八

・身長

學年別	一年		二年		三年		四年		五年		六年	
性別	男	女	男	女	男	女	男	女	男	女	男	女
昭和十五年	一一三、〇	一一〇、八	一一六、八	一一五、〇	一二三、八	一二一、五	一二六、七	一二五、二	一三三、一	一三一、一	一三七、二	一三七、九
〃十六年	一一一、一	一〇九、二	一一六、五	一一五、六	一二三、一	一一九、五	一二七、二	一二五、六	一三三、四	一二九、八	一三五、七	一三五、六
〃十七年	一一一、七	一〇九、一	一一六、三	一一五、六	一二三、九	一二〇、五	一二七、一	一二四、六	一三三、〇	一三〇、四	一三五、八	一三六、六
〃十八年	一一一、四	一〇九、〇	一一六、〇	一一五、六	一二一、二	一一八、六	一二六、四	一二五、三	一三三、六	一二九、六	一三六、一	一三五、一
〃十九年	一一一、〇	一〇九、〇	一一五、八	一一五、七	一二〇、〇	一一八、四	一二五、〇	一二四、〇	一三〇、〇	一二九、〇	一三五、二	一三四、九
〃二十年	一一一、一	一〇八、三	一一一、五	一一一、六	一二〇、〇	一一八、二	一二三、八	一二三、七	一二八、八	一二五、七	一三三、八	一三三、五
〃二十一年	一一一、〇	一〇八、三	一一五、五	一一六、六	一二〇、〇	一一八、三	一二三、八	一二三、七	一二八、八	一二五、七	一三三、八	一三三、五
〃二十二年	一一四、六	一〇七、八	一一三、七	一一三、一	一一七、九	一一六、四	一二一、三	一二一、六	一二五、五	一二七、六	一三三、三	一三〇、八
〃二十三年	一〇九、四	一〇七、九	一一四、八	一一三、〇	一一七、八	一一七、七	一二三、四	一二一、九	一二八、四	一二七、四	一三三、三	一三五、六
〃二十四年	一〇九、八	一〇八、五	一一五、〇	一一三、六	一二〇、九	一一八、九	一二五、二	一二三、九	一二八、四	一二七、四	一三三、三	一三五、六
〃二十五年	一一一、九	一一〇、一	一一五、五	一一四、五	一二一、五	一一九、二	一二六、八	一二四、五	一二九、〇	一三〇、三	一三三、六	一三三、五

・体重

學年別	一年		二年		三年		四年		五年		六年	
性別	男	女	男	女	男	女	男	女	男	女	男	女
昭和十五年	一八、六	一八、〇	一九、八	一九、五	二三、八	二三、〇	二五、〇	二四、二	二七、四	二七、二	三〇、六	三一、九
〃十六年	一八、六	一七、六	一九、九	一九、九	二三、三	二一、八	二五、五	二四、五	二七、六	二七、一	二九、六	三〇、七
〃十七年	一八、七	一七、五	一九、八	一九、七	二三、四	二三、二	二三、二	二三、八	二七、四	二六、三	二九、六	三〇、九
〃十八年	一八、六	一九、九	二〇、二	一九、八	二三、三	二一、一	二四、三	二四、五	二六、八	二五、九	二九、六	二八、八
〃十九年	一八、〇	一七、五	二〇、〇	一九、四	二一、三	二一、二	二三、九	二三、二	二五、八	二四、五	二八、七	二八、六
〃二十年	一七、八	一七、八	一九、九	一九、四	二一、七	二〇、七	二三、三	二六、二	二六、四	二四、六	二八、五	二八、〇
〃二十一年	一七、八	一七、八	一九、九	一九、四	二一、七	二〇、七	二三、三	二六、二	二六、四	二四、六	二八、五	二八、〇
〃二十二年	一七、六	一六、九	一九、二	一九、〇	二〇、三	二〇、〇	二三、一	二三、二	二四、五	二四、六	二九、四	二七、九
〃二十三年	一八、一	一八、四	二〇、五	二〇、六	二二、五	二一、三	二三、六	二三、七	二五、六	二六、三	二八、三	二八、八
〃二十四年	一八、七	一八、一	二〇、七	二〇、一	二二、二	二一、八	二三、九	二三、九	二六、〇	二五、九	二八、一	三〇、二
〃二十五年	一八、九	一七、九	二〇、六	一九、五	二二、四	二二、一	二三、七	二四、一	二六、四	二六、五	二八、六	二八、一

・胸　囲

學年別	性別	昭和十五年	〃十六年	〃十七年	〃十八年	〃十九年	〃二十年	〃二十一年	〃二十二年	〃二十三年	〃二十四年	〃二十五年
一年	男	五四、七	五六、五	五七、四	五七、〇	五六、七	五六、二	五六、三	五四、六	五六、五	五六、一	五六、五
	女	五三、五	五四、四	五五、一	五五、一	五五、〇	五四、二	五四、三	五三、二	五四、八	五四、〇	五四、二
二年	男	五七、二	五七、二	五七、九	五八、三	五七、九	五七、八	五七、九	五九、三	五七、四	五七、四	五七、七
	女	五五、四	五五、九	五七、二	五七、三	五六、九	五六、二	五六、四	五四、六	五五、四	五五、四	五四、〇
三年	男	五九、二	六〇、一	六〇、〇	六〇、〇	五九、二	五八、七	五八、四	五八、三	五八、二	五九、六	五九、七
	女	五七、六	五九、〇	五九、七	五七、八	五七、六	五七、四	五七、七	五六、四	五六、七	五七、二	五七、三
四年	男	六〇、〇	六一、八	六二、一	六一、九	六〇、八	六一、四	六一、四	五八、八	五九、七	六〇、五	五九、六
	女	五八、八	六〇、一	六〇、五	六一、〇	六〇、〇	五八、七	五九、七	五七、六	五七、六	五九、九	五八、九
五年	男	六三、五	六三、五	六三、四	六三、八	六二、七	六三、六	六三、五	六〇、九	六一、四	六二、四	六三、五
	女	六一、五	六二、三	六二、〇	六一、四	六一、〇	六〇、六	六〇、六	六〇、二	六一、一	六〇、四	六一、八
六年	男	六六、〇	六三、四	六五、三	六五、九	六四、九	六六、〇	六六、〇	六三、四	六三、九	六四、〇	六四、三
	女	六六、〇	六五、四	六五、七	六四、三	六三、八	六三、七	六三、七	六一、〇	六三、二	六四、一	六三、〇

(イ)　以上身長・体重・胸囲の變遷は全國都市兒童平均の變遷に比較して低下の差は顯い。

(ロ)　全國平均或は長野縣平均（こゝに農村と比較してみると身長はすぐれているが、体重・胸囲はおとつている。

九、身体檢査及び健康相談

1、身体檢査の教育的意義

(イ)　教育の指導方法確立の基礎としての實態把握

(ロ)　指導効果の檢討と指導方法の反省

(ハ)　兒童生徒自身における自己体力並びに健康狀態の認識

2、身体檢査の種類の方法

(イ)　定期身体檢査と臨時身体檢査

(ロ)　養護教官・教官による發育測定

(ハ)　各種專門の校醫による諸檢査

3、身体檢査の處理と活用

(イ)　本人及び家庭への通知と養護指導

(ロ)　檢査成績の處理と活用

(ハ)　學校としての養護施設の實施計劃

4、健康相談

健康相談は學校醫・養護教官・擔任教官・保護者の四者一体となつて養護の万全を期するために行はれる施設である。

(イ)　方法、毎月下旬、學校保健室において四者立會の下話合の中に行う。

(ロ)　對象兒童

・身体檢査の結果養護要注意外にて虚弱と思はれるもの。

・月例發育測定において体重著しく減少せるもの。

・病氣缺席多きもの。

・ツベルクリン皮内反應陽性轉換せるもの。

・擔任教官或は保護者の觀察により疾病異常の疑をもたれるもの。

一〇、學校衛生上の諸問題

1、新しい學習指導形態と疲勞・夏時間と疲勞・一週五日制と疲勞など今日の問題として、兒童生徒の疲勞は指導上常に考慮されねばならない。疲勞判定には種々の檢査法があるがまず教師の周到な觀察が大切である。

2、虚弱兒童について

・虚弱兒童の意義

第一、(イ)　罹病傾向あるもの

(ロ)　發病のおそれあるもの

(ハ)　疾病恢復期にあるもの

第二、身体的作業能力の劣れるもの

第三、著しき骨骼の發達不良又は著しき榮養不良のもの

・要養護の對象となる兒童

第一、身体虚弱なるもの（前項の範圍）

第二、精神薄弱なるもの

第三、疾病異常を要するもの

(イ)　著しき脊柱不良

(ロ)　著しき肥胖異常

(ハ)　著しき運動機能障碍

(ニ)　弱視

(ホ)　難聽

(ヘ)　結核性疾患

(ト)　著しき慢性心臟病

(チ)　著しきその他疾病異常

3、養護學級・養護學校について

(イ)　要養護の對象となる兒童の養護の適正を期するため學校教育法第七十五條に特殊學級のことが規定されてある。しかし實際において指導者の問題・經費の問題・設備の問題などにより、各學校ともに設置には難點があるが、この方向に進むことが望ましい。

(ロ)　更に要養護兒童をその異常別に集めて收容せる特殊學級がある。難聽學級・吃音學級・弱視學級・色神學級・肢体不自由學級などの養護學級がそれで、治療・矯正・養護一体の教育により、それぞれ養護教育の効果をあげようとする施設である。

(ハ)　養護學校は獨立の學校組織であり、簡單な療法的設備を有し、教育しながら療法・治療・矯正などの養護方面を講ずる醫治と教育と兼ねた施設であり、今長野縣にても一校設置の方向に進みつつある。

4、記録—帳簿—統計—活用の問題

保健衛生養護の施設運営にあたつては、記録をとり統計を作ることが多く、又その必要性が大である。從つて帳簿も多い。これ等の資料を學習指導面に充分活用し衛生教育に有効化するのは指導者の理解と熱意である。

5、家庭との連絡

・學校にて檢査・測定・觀察した記録或は健康狀態を家庭に通知・連絡して協力し、保健の全きを期し、健康の増進につとめることが大切である。連絡方法は手紙・父兄の參觀日・訪問・懇談會・健康相談などあるが、全員必ず連絡されるのは家庭通知による方法である。

・當校の家庭通知について

(イ) 當校兒童の發育狀況
(ロ) 毎月の發育狀況
(ハ) 出席の狀況
(ニ) 定期身体檢査成績及び豫防處置
(ホ) 學校よりの注意事項
(ヘ) 家庭の健康・衛生の狀況觀察
(ト) 學校の健康・衛生の觀察狀況

昭和二十五年七月廿五日印刷
昭和二十五年七月廿五日發行

編輯兼發行者　長野師範學校男子部附屬小・中學校
代表　清水悟朗

印刷者　長野市縣町五二八
中村孝平

印刷所　長野市縣町五二八
第一印刷株式會社

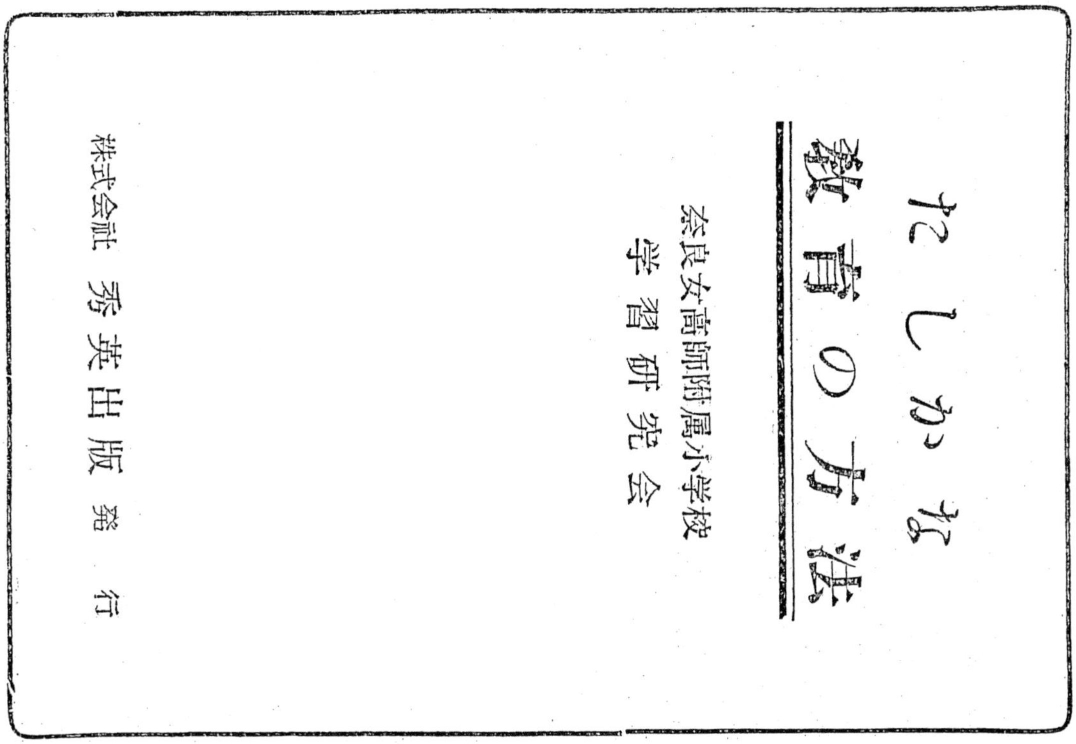
たしかな
教育の方法
奈良女高師附属小学校
学習研究会
株式会社 秀英出版 発行

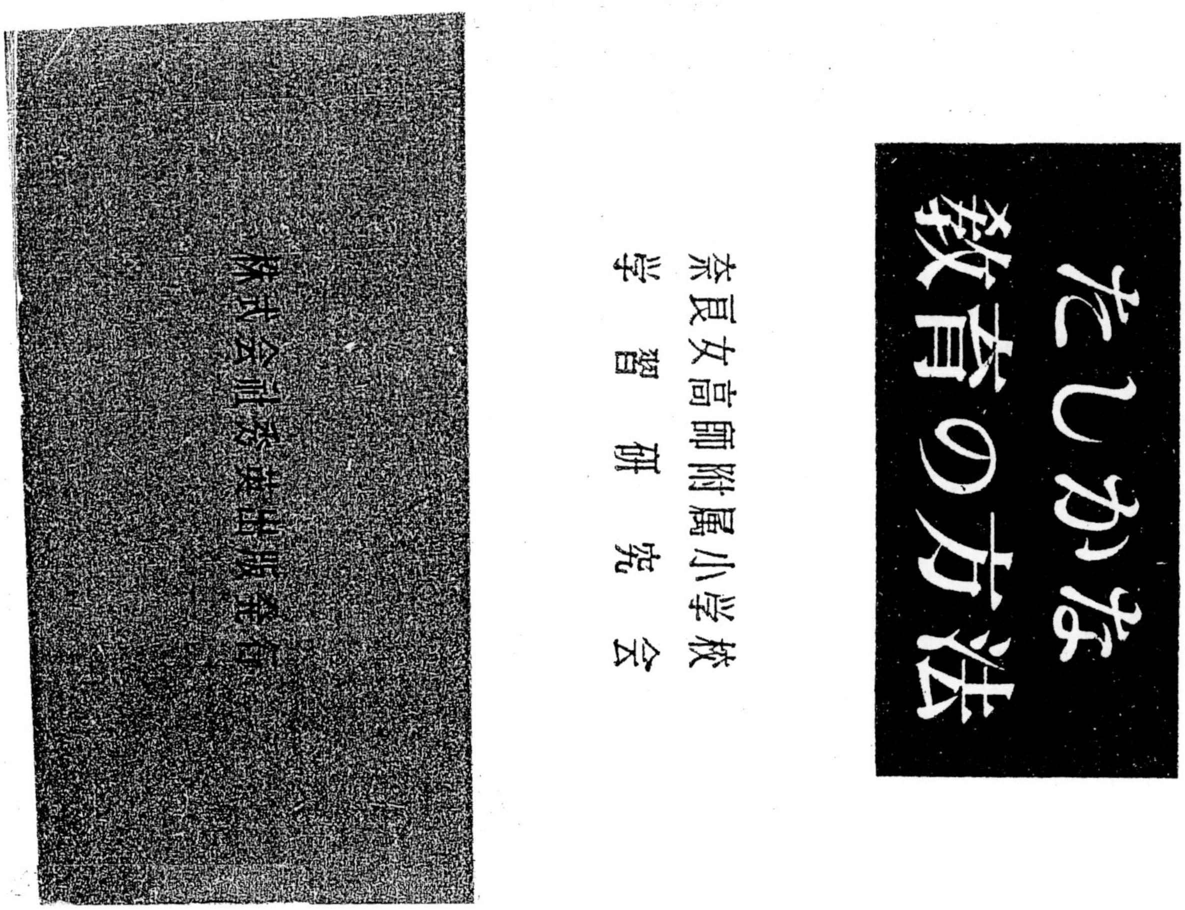
たしかな
教育の方法
奈良女高師附属小学校
学習研究会
株式会社秀英出版発行

あしひきの山河の瀬の鳴るなべに弓月が嶽に雲立ちわたる　（柿本人麿）

悠久なる天地の姿をおもい、進展してやまぬ歴史の動きを考えるとき、私たちのいとなみはあまりにもさゝやかなものにすぎません。しかし、このさゝやかないとなみは、先輩諸同人の根深いねがいをうけつぎ、また廣く各地に奮とうせられる同志諸賢のいとなみにつらなるものであることを、しみじみと知ります。

私たちのいとなみは、子どもたちとその両親の心からの協力により、また校の内外さらに國の内外にさえわたる多くの識者、有志の御教示御支援によって、はぐくまれ、そだてられてきました。

特にこの一箇年間、私たちは文字通り余事を全くすて、寝食を忘れて事に当りましたが、この間、鹿児島縣、島根縣、愛知縣から縣当局、縣教組の深い理解により、各一名の研究教官が派遣され、私たちと事をともにされたことも感激の深いことであります。

こゝに、少しのかざりも、いつわりもなく、私たちのいとなみを御報告し、大方の皆さまに私たち一同の衷心からの御礼を申しあげたいと存じます。

昭和二十三年九月三十日　奈良女子高等師範学校附屬小学校主事　重松鷹泰

同　人

池内房吉（総務部・五年月組）　今井鑑三（総務部）　青木　洋（総務部・四年星組）
笹倉美好（総務部・五年星組）
島津俊一（研究教養部・図画）　高島喜雄（研究教養部・一年星組）　倉富崇人（研究教養部・三年星組）
小笠原ミち雄（児童文化部・一年月組）　前田卓央（児童文化部・音楽）　長岡文雄（児童文化部・二年月組）
中須賀玲子（児童文化部・六年）
細呂木見良（保健体育部・二年星組）　土谷正規（保健体育部・体育）　松本千代栄（保健体育部・ダンス）
上田　文（保健体育部・衛生）
松本武夫（環境整理部・四年月組）　田上　昇（環境整理部・六年）　堀米勢吉（環境整理部・工作）
濱嶋喜男（生産給食部・三年月組）　奥原静子（生産給食部・家庭）　黒田一雄（生産給食部・事務）
久野長松（生産給食部・前三年月組）
勝田さよ（事務）　中野ミサ子（事務）　中村菊江子（事務）
下池　貫（鹿児島県派遣）　柿丸賢吉（島根県派遣）　寺田とし（愛知県派遣）

も　く　じ

たしかな教育の方法

一　私たちのねがい

私たちは、人間らしく生き、人間らしく死にたいと思います。

私たちは、子どもたちを、人間として強い人間にそだてたいと、願つています。

いきいきとした人間、自分で考え、自分で責任をもつて、事をしていく人間が、みちみちることは、新しい日本が、まち望んでいることです。それが、ほんとうの民主主義をなりたたせていく土台であるからです。

私たち教師が、人間らしく生き、人間らしく死ぬことができるためには、いつわりのない、ほんとうに自分たちになつとくのいく教育を実現し、それに身も心も打ち込むことが、できなければなりません。そのような教育を行うためには、私たち教師が、今までの経験を材料にし、自分たちの考えによつて、はつきりとした教育の計画を立てなければなりません。

二

その教育計画は

一、さまざまの教育活動が、互にくいちがったり、効果を消しあったりすることのないように、あらゆる場面、あらゆる機会、あらゆる人の、教育活動に、秩序と統一を與え

二、教育が他の種類の社会の活動ときりはなされたものとならないように、現実の社会生活（特に地域社会の）を進歩させ向上させ、そこに人間らしい生活を実現していこうとする、大きな動き、全体的な活動の、重要な一部分として、教育活動がいとなまれるように、取りはからい

三、教師のいとなむ一つ一つの教育活動が、目標の達成に向かって、どの程度有効にはたらいたか、ということを、周到な実施進度表に照合して、はっきりとさせる、

ことによって、常に私たちをはげまし、私たちに生きがいを感じさせるものであることが必要です。

このような教育計画を立てることは、決してたやすいことではありません。しかし一人一人の教師一つ一つの学校の努力が、次第に総合されて、そのような計画を立てることが、次第にたやすいことになっていかねばならないと思います。

私たち同人の力も、もちろん貧弱です。しかし先人から引きついできた研究の傳統があり、研究学校としての教育界への責任がある上に、私たち自身が眞に身も心も打込んで悔いない教育を打立てたいという熱望が、内に燃えたぎっています。そして、たとえ貧弱であろうとも、借りものでない教育計画を立て、日本の教育実践家のたじろがない前進の礎石になろうと決心いたしました。

教育計画を立てるに当って、まず問題になるのは、教育の目標です。私たちの場合にも、これについてたくさんの論議がかさねられましたが、その結論はきわめて平凡な「人間として强い人間」をつくるという言葉にまとめられてしまいました。もともと、教育の目標は、憲法の前文なり、教育基本法の冒頭なり、あるいは学習指導要領なりに、示されています。しかしそれをほんとうに私たちのものとするためには、やはり十分それを検討し、自分たちになっとくのいくものにしなければなりません。その意味で、「人間として强い人間」という言葉は、私たち同人にとっては深い意味といきいきした魅力を持っています。もちろん私たちは、それを他人におしつけようとは思いませんが、私たちの教育計画を報告するためには、その一應の説明をする必要があると考えます。

民主主義を実現しようとする現代日本の教育では、何よりも、現代的な民主的公民を育てるということが、重んぜられます。その現代的な民主的公民とは、どのようなものであったらよいのでしょうか。現在の日本においては、どのような性質が、とくに明らかでなければならないでしょうか。

私たちは、まず何よりも、自己に誠実な独立した人格であることが必要だと考えております。自己

三　たしかな教育の方法

に誠実であるということは、自分の人間らしい生活をしたいという切実な要求を、はっきりと認め、それを主張することから、はじまります。それは当然、他人の心の中にも、人間らしい生活をしたいという切実な要求があることを、はっきりと認め、その主張を承認することに、つながります。すなわち個人の基本的な人権を確認し主張することであります。それと同時に、自己に誠実であるということは、自己の位置使命能力というものを正しく評価し、卑下もせず尊大にもならず、他人に雷同もせず、頭いて人とちがったことをして得意になろうともせず、すなおな態度で、自分の責任を果たしていくことでもあります。すなわち自分の義務をはたすことに責任を持つということであります。このような、自己に誠実である人は、いうまでもなく、社会正義に敏感であり、権力に屈せず、時流におもねらず、正義の実現につきすすんでいきます。その意味で、真に独立した人格であるということができます。自己に誠実な、独立した人格は、現代日本の民主的公民に、ぜひ必要なものであり、私たちのいう、人間として強い人間の根本であると信じております。

この自己に誠実な独立した人格というものは、二つの支柱によってささえられ、また発展させられていると考えます。その一つは、正しい方法で、自分の、したがって自分たちの、人間らしい生活を実現するのに必要な能力を持っているということです。他の一つは、正しい方法で、自分の、したがって自分たちの、目標を実現することができるという信念です。

人間らしい生活を実現するのに必要な能力というのは、いろいろにいいあらわすことができ、またいろいろに分析することができます。たとえば生活能力といい、また環境に順応しそれを再構成していく能力といい、あるいは障害を発見し、これを克服していく能力ともいえますし、共同生活をいとなんでいく能力ともいえます。この能力は、記憶力とか推理力とかいうような簡単な要素に分けられるかどうかは、はなはだ疑わしいと考えます。それはもっと複雑な、しかも全体的なものであります。そして、その中には、知識とか理解とか、あるいは態度とか特殊な技能とか、いうものが、みな関連するものとして、含まれているべきものです。このような能力があるということは、その人間が人間として強いということであり、独立した人格を支持していく土台に立っているということであります。

そのような能力が高まっていけば、当然、自分の目標を正しい方法によって達成できる、という信念も深くなってきますが、一面各個人の能力というものには、必ず限度があります。まして現在の社会のように、ほとんど誰の意志、誰の能力にもかかわらず、勝手な方向に動いていくように見える社会に住んでいるものにとっては、自分にいろいろな能力がふえ、その能力を十分に発揮していけば、自分たちの目標を、正しい方法で実現できるにちがいないと、確信することが困難になってきます。

六

そうなつては、独立した人格というものも、きわめて皮相的な、かたくななものになつてしまいます。そうならないためには、相たずさえ、相つたえて人間らしい生活を凡ての人のために打ち立てようとしている人間の永遠の努力に目覚め、それに信頼する心がなければなりません。このような歴史的なもの、永遠なものに対する信念があつて、はじめて、人は自己に誠実であり、独立した人格であり得るのだと、考えます。

私たちは、このような意味において、人間として強い人間というものを、教育の目標として考えました。生活創造という、昔からの旗印をすてたのでもありません。伸びて行くこどもという狙いをすてたのでもありません。それを新しい目標の中に位置づけ、包含していつたのです。

私たちは、この目標を、眞に私たちのものとするために、各人で、のぞましいと考えた子どもたちの行動の具体的な記録と、成功したと考えた教育活動の具体的な記録をしゆう集して、それを相互の検討に移そうとしました。しかしこれは、お互の生活が余りに忙しいので、記録が十分にあつまらずうまくいきませんでした。そこで、この目標に照らして、現在自分たちの預つている子どもの姿を、徹底的に検討する話し合いをしました。その結果は、この目標についてのお互の理解を深めた、と同時に、私たち自身の教育に深刻な反省を加えさせられました。その詳細については、申しあげません

が、全く他の学校と同じ悩み同じ苦しみを持つているということが明らかになりました。子どもたちを、古い時代の「から」から脱け出させるはずの新教育が、いつの間にか新教育の「から」の中にいれることになりそうになつていることに、がく然としたのです。「から」にはいつている子どもは、決して人間として強い人間ではありません。「から」をくいやぶつて、新しい生活を切りひらいていく子どもこそ、私たちの願つているものなのです。

私たちは、さらに、その理由を徹底的に究明しました。その結論を簡單にいえば、子どもたちに対して不自然な要求がされているということです。その不自然な要求は、決して学校からだけのものではなく、家庭や外部からのものもあり、また善意と善意のくいちがいからも、生まれてきていたものもあります。

私たちは、このような不自然さを排除して、子どもたちを、人間として強い人間に、そだてあげる教育計画を打ち立てようと決心しました。そこで、この教育計画を立てる手つづきが、問題となりました。目標をもつと具体的目標に分けて示すことと、子どもたちの生活の実態を明らかにすることと、各種の能力を発展させていくための指導上の要訣を明かにすることと、この三つの仕事をどのようにはこんでいくか、という問題です。具体的な目標が示されなければ、生活の実態をどのような点か

七

たしかな教育の方法

ら明らかにするかがきまらず、生活の実態が明らかにならなければ、具体的な目標が定められない。各種能力と具体的目標、生活の実態との関係も同様です。この問題をどう解決するか、熟議の結果、結局、同じ問題を三つの方面から探究していくことになるのであるから、分担し、平行して研究を進めることになりました。この仕事は困難をきわめましたけれども、遂に一定の見通しのつく段階に達し、それを総合して、教育計画の骨幹をつくることになりました。この間のことは、第二章において、報告させていただきます。

どのような教育形態をとるべきかは、この間にだんだんと議論が交わされて、同人一同の意見が一致してきました。その一致点は、次のようなものです。

一、学校は、教職員と子どもと両親とによって、各自の創意を十分に生かしていとなまれる、民主的な社会でなくてはならない。

二、子どもたちは、学校という社会で生活をすることによって、その経験を発展させ、その性格をつくりあげていくべきである。

三、その生活をするということの中には、全身全霊を打ち込み、共同して仕事（遊び）をするという部面がなければならない。この生活では、子どもたちは、自分で目標を決め、その実現のために、あらゆる努力を払う。そして、子どもたちは、自己の能力を増大させ、また自信を得ていく。この共同して仕事（遊び）をするという生活は、子どもたちが、直接にまわりの世界にはたらきかけることであるから、子どもたちに、自然の事物及び社会の事物を、よく理解させることになる。

四、その生活をするということの中には、子どもたちが、自分の身体を作っていく生活と、さまざまの能力を系統的に発展させていく生活とが、ふくまれていなくてはならない。なぜならば、打ち込んで仕事をする生活部面において、人間として強い人間の土台である能力もねられるのであるが、それは決して系統的ではない。だから人間として強い人間をつくるためには、生活にぜひ必要な能力を系統的能率的に発展させる部面が、生活の中になくてはならない。自分の身体を一歩一歩つくっていく生活も、打ち込んだ仕事をするという生活の中に、自然にふくまれてしまうということはあり得ない。

五、その生活をするということの中には、子どもたちが、自分たちの社会を維持し向上させるために奉仕する生活が、ふくまれていなくてはならない。なぜならば、このような生活を通して、子どもたちは、自分の属している社会というものを、はっきりと意識し、自分の立場がわかり、そ

して また、よりのぞましい社会の姿と、それを実現しようとする意志を、確立させるからである。

六、子どもたちの生活環境としての学校は、創造的な活動をうながすような、ゆたかな施設や、いきいきした氣分をかもしだすような設備が、できる限り設けられ、十分に利用されなければならない。また子どもたちは、学校にのみとじこめられることなく、廣い自然や社会の中に、つれ出され、そこでゆたかな生活を與えられなくてはならない。

このような意見にもとづいて、教育計画の具体的内容として

① 教職員の活動組織
② 育友会（ＰＴＡ）の活動組織
③ 子どもたちの活動組織
④ 各学級の子どもたちの打ち込んでする仕事の計画
⑤ 系統的な指導を必要とする各種能力の指導計画
⑥ 環境整備の計画
⑦ 生活時程案

等が、検討され、決定されました。①②③⑥は大体、当時実施のものがそのまゝ承認され、④⑤⑦は全く新たに決定されました。その内容は第三章以下において報告します。

私たちが、奈良プランと称して、新しい教育計画を立てたのは、いうまでもなく、私たちの学校の子どもたちのためであり、また私たち自身のためであります。この教育計画の大要を、わが國の教育界に報告しようとするのは、始めに申したように、日本の教育実践家のたじろがない前進の棄石にするためであります。えらばれた子どもたちに対して、えらばれた教師が、特にめぐまれた環境の下においてのみ、実施し得るような教育計画であるならば、それは数多い教育実践家のふみこえて進む棄石にはなれないでありましよう。

私たちの立て、かつ実施しつゝある教育計画は、ここに報告するものの、数倍乃至十数倍の詳細なものであります。ここには、これを踏石として、教育実践家が、自ら計画を立て、安んじてその計画を実践するのに、ぜひ入用であると思われる資料なり、考え方なりのみを報告することにしました。あえて、たしかな教育の方法と題した所以も、ここにあります。

私たちは、今後も、計画実践の方途や成果を、他の書籍や冊子により、また機関誌「学習研究」を通じて、詳細に報告するとともに、この教育計画を出発点として、よりよい教育計画を打ち立ててい

く決心であります。この際の前進は、実践の経験の厳正な批判を通してのみ行うつもりであります。
思いを同じくする教育実践家が、私たちの報告する、資料なり考え方なり、計画の骨子なりを、践にうつしてみることによって、検討して、きびしい批判を寄せられることを、期待しております。

二　教育計画の立てかた

私たちが、どのようにして教育計画を立てたかの、あらましはすでにのべました。私たちは、はじめから、一定の教育の形を予定して、研究をしたのではありません。むしろ子どもたちのあるがままの姿、その伸びていくすじ道を明らかにして、そこから、子どもたちを、人間として強い人間にそだてあげる教育の形を決めていこうとしたのです。教育計画を立てるための努力の大半は、この仕事に傾注されました。

目標を具体的目標にまで引き下げる仕事と、子どもたちの生活の実態を明らかにする仕事と、各種の能力を発展させる系統的な指導の要訣を明らかにする仕事とを、平行してすすめるために、私たちは甲乙二つの班に分かれました。甲班は直接に子どもたちの生活を調査していこうとし、乙班は学習指導要領を手がかりとして、子どもたちの発達を明らかにしていこうとしたのです。

甲班の仕事は困難をきわめました。大体の考え方はわかっていたがらも、どういうことを追究したらよいかが、ばく然としていたからです。そこで、のぞましい教育の形を発見するためには、どのようなことを調査すべきであるか、ということから出発しました。いくつかの試案が会上にのぼっては、検討を受け、いくたびか却下されながら、ようやくに結論らしいものが形づくられてきましたが、それは大体次のようなものでありました。

一、各種能力の実態をしらべる。知能検査、國語能力調査、算数能力調査、体力調査などがその中にふくまれます。

二、児童の生活の状況をしらべる。一日の生活時間区分の調査、遊びの調査、お手傳の調査、平日や休日に子どもたちのした事がらの調査などがふくまれます。

三、児童の関心、興味をしらべる。児童の既往の経験の調査、関心をもっている事物の調査、学習したいと思う題目の調査などがふくまれます。

四、児童の要求している活動の種類をしらべる。休日や家庭で子どもたちの熱中している活動の調査、学校でしている活動に対する好き嫌いの調査などがふくまれます。

五、児童に対する社会の要求をしらべる。各職域各階層の地域の人たち、両親その他家庭の人たちの児童及び学校に対する要求の調査、地域社会及びわが國の社会の動向の吟味などが、ふくまれます。

このような調査のめやすは漸く立ちましたが、その調査方法となると、また甚だしく困難を感じました。実際の調査では二、三、四、の如きは、全く混淆してしまうからです。まして一定の期間の中にしかも子どもたちの生活の進行を妨げないように、有効な調査を行う、ということは容易なことでありません。同人の協力と、両親の協力とにより、数十回の調査が行われ、各般の資料が集められました。その成果とその解釈とは、すべて同人に発表され、相互に十分の検討を行いました。再調査、再再調査の要求されたものも、少くありません。もちろんこの調査の結果には、私どもの学校にだけ、通用するものもたくさんあります。しかしそのさまざまな調査の成果を総合して、確かめることのできた、子どもたちの関心の発展のしかたは、おそらく全國の子どもたちに、ほぼ同じように通用するものであると信じます。地域により個人により、はやいおそいのちがいは、多少あるにせよ、子どもたちの関心の発展しかたには、ほぼ一定した系統があることがわかりました。私たちの結論が、学習指導要領社会科編(一)に示されている子どもたちの発達の系統と、ほとんど一致していることに、私たちは驚きの眼をみはりました。

子どもたちの関心の発展しかた、これは私たちの教育計画を立てる上の、一つの大きな支柱であり、甲班のあげた最大の成果であります。以下にその要点を報告いたします。

子どもたちの関心というのは、決して子どもたちの見せかけの興味（表面的な興味）を指すのではありません。子どもたちの経験は常に発展し、拡がっていき、深くなっていきます。その経験は無秩序に発展していくのではなく、内外の諸事情に基づき、一定の法則にしたがって拡がっていこう、深まっていこうとします。この経験がある方向に向かって発展していこうとする、その方向が、すなわち関心の方向であります。乗物について子どもたちが関心を示すということは、その方向に向かって子どもたちの経験が発展していかざるを得ないような情勢にあるということであって、一時的に乗物の新奇さに注意を引かれるということではありません。少くとも私たちは、そのような意味において、関心の発展しかたというものを、究明しました。したがって、関心の発展しかたは、子どもたちの経験の発展しかた、あるいは経験領域の発展系統であるといえるのであります。以下学年を追って、これについての成果を報告致します。

第一学年　（質問紙による方法は、ごく少数で、口問と観察によって調査しました。）

一　関心の方向

新しい社会としての学校、やおや・くだものや・日用品店というような物資分配に関する施設についての関心、電車・汽車・自動車・ジープというような乗物、兎・鳥・虫・花・草というような動植物、に対する関心を深くもっています。子どもたちは、ごく身のまわりのものの中に、珍しいもの、ふしぎなもの、見なれないものを発見して、さかんにそれに関心を示し、それにはたらきかけます。

二　関心の対象

前項によって示されていますが、主題を示して、したいことをえらばせた興味調査の結果によると、季節と行事についての関心を強く示しています。しかもそれは遊びと関連して、興味を持たれています。子どもたちの前にあるさまざまの事物はたとえ一枚の木の葉にせよ、一つの果物にせよ、すぐそれと一つになって遊ぶことのできるものであります。その意味で、子どもたちの関心の対象となるものは、身のまわりのさまざまの事物であって、それは浅いけれども廣いものであります。

三　関心の拡がり（空間的な拡がり）

「おべんきょうしてみたいものについて○印をつけなさい」という学習題目についての調査の結果にあらわれた、関心の拡がりは、わかくさ山・あやめ池・いこま山・おく山・だいぶつ・奈良公園・五重の塔・さるさわ池・さほ川・および大阪・京都となっています。これは、子どもたちの学習活動の中心となるものの限界を示していると思われます。子どもたちの環境は、ごく身近な近隣の町や郊外であります。

四　関心のあり方

学校および、家庭と、その近所は、おもな活動の場であり、その中にある事物は、子どもたちにとっては、珍しいものであり、ふしぎなものであり、それになれていないことから、いろいろなあやまちを起しやすいのです。ここで、とくに高い関心を示しているのは、いろいろな動植物や乗物やお店です。たんぼにつれていっても、田植のようすなど見むきもしないで、おたまじゃくしをおいかけたり、花をつんだりします。環境にふれてはじまる子どもたちの学習活動は、主として遊戯です。木の葉も虫も遊び仲間となり、一本の竹が馬になり、一本のつなも電車になります。子どもたちは、身近かな生活環境及びその中のさまざまなものに、主としてあそびを通して、さかんに働きかけ、それについての理解を得、それに慣れることを求めているように見えます。

第二学年

一　関心の方向

「奈良市にあるものを思い出す順にかきなさい」という問題で、子どもたちが記述したものを類別して、関心の高いものから、ならべてみると、おみせ・やおや・くだものやなどの分配に関するものを最高に、学用品・日用品の資源に関するもの、自動車・電車・汽車などの交通、花・草・虫・魚などの動植物、文化遺産、休養娯楽という順になります。このようなものについて、子どもたちが、どういう点について関心を示すかをさぐってみますと、子どもたちは、その機能や構造ということよりは、そこで働いている人の活動とそこにある物品についての関心を深く持ち、そこで働いている人のように、いじってみたい、動かしてみたいという要求をもっています。

子どもたちの学習活動についてみれば、観察したことの模倣、たとえば、お店ごっこ・電車ごっこといったことを好み、絵や文に表現されたものも、活動している人物を中心として、いろいろの事項をかいています。

二　関心の対象

一年と同じように、季節や行事に強い関心を持っていて、それも遊びと関連しての関心です。最も関心の高い分配という中には、さまざまの商店や商人、銀行・ホテル・旅館・高島屋（小百貨店）などがふくまれており、資源という中には、学用品や家具日用品が多く、それとならんで、くだものやお菓子ができています。ただし衣服の類はわりに少数です。動植物も主として身のまわりのものが多く、成長して行くありさまに対してよりは、その姿やその動きに興味があり、小さな友だちというような関心の持ち方のようにうかがわれます。

三　関心の拡がり

「あなたの知っている村や町をかいてください」という調査に、あらわれたところによると、奈良および近郊四四％、関西四四％を示して、かなり廣い範囲に及んでいるように見えますが、そのほとんどが、親類があるとか、旅行で通ってきたとか、いうもので、子どもたちの生活と十分なつながりを持ったものではなく、むしろ学習の対象となりうる限界は、一年と同じく、あやめ池・あやめ山・奈良公園・若草山・五重塔・さるさわ池・さほ川・および京都・大阪・いこま山などであります。したがって関心の中心的なひろがりは、近隣の町や郊外であるということがいえましょう。

四　関心のあり方

身近な生活環境及びその中のさまざまのものに、あそびを主とする活動を通じて、さかんにはたらきかけ、それを理解し、それになれようとすることは、一年の場合と同じですが、一年よりは安定した心持で、家よりは外への関心が強くなり、身近の人たちでも、目立つた活動をしている人たち、すなわちおまわりさんとか郵便やさんなどというものに、目を集中することができてきます。

第二学年

一　関心の方向

一年と同じ調査の結果でみると、自轉車・電車・トラック・自動車・汽車を始め、交通通信の施設や器具を含む交通の項が最も多く、全体の三〇％を示し、次には動植物に対するものが二一％、学用品や家具・衣服・主食物などを含む資源が二〇％を示しています。お店その他分配に関するものは更にその次となり、六％をしめていたにすぎません。

二　関心の対象

興味調査の結果によると、行事に関する興味は急に減つて、わずかにクリスマス・正月・節分・お水取などを残すだけとなります。食物や病氣・天災・事故・迷信などに対しても、強い関心を示しています。生活状況をしらべた調査からも、衣・食・住についての関心が、非常に高いようであります。これは前項の、乘物や動植物や資源によせている関心とつらなつているもので、人間生活の基本的な姿、自己の生命の保全とか衣食住のこと、また廣く動植物が自然環境に順應して生きている姿に、関心を寄せていることを物語っています。乗物の中で自転車が首位を占めていることなども、この間の事情を裏書きしているのではないかと思います。

三 関心の拡がり

知っている村や町の調査では、奈良およびその近郊六四%、関西二一%、中部地方一〇%を示しています。すなわち奈良およびその近郊についての生活が充実してきており、郷土社会についての関心が他のものに比して、最も高い程度を示しているといえます。

四 関心のあり方

郷土社会について全学年中最も高い程度の関心を示し、その環境の中では、ことに生物の自然環境への順應と、自己の生命の保全について強い関心があるといえます。

第四学年

一 関心の方向

奈良市にあるものを思い出す順に書かせた結果によれば、この学年の子どもたちは、学用品・日用品・衣服家具などの資源に関んするものの二三%を最高に、動植物についての一七%、大仏殿・五重塔などの文化遺産一七%というようになっていて、資源や歴史的な事物についての関心が深くなってきています。三年で最も多かった乗物や交通についての関心は第五位の八%となっています。

二 関心の対象

興味調査によると、行事や季節に対する関心は、三年よりも更に減少し、食物に対する関心が高まり、それも主食の方に重点がうつってきています。身のまわりのものに対する意識や注意が高まり、地震や傳染病に対する関心は、三年よりも更に高くなっています。これは自己防衛や自己保全の意識が強くなってきた証左です。したがって衣食住、なかでも住居に対する関心が強くなります。動植物についての関心も三年と同様に高いけれども、三年では動物の方に、四年では植物の方に重点があるのは、対蹠的です。四年の植物に対する関心の中には、栽培に対する興味が強く働いているようです。

学習題目についての調査で「昔の人の話」という題目が、三年の第八位から、第三位に上昇したことも注目に値します。すなわち歴史的関心が、この学年では非常に高まっていくようであります。

三 関心の拡がり

知っている町や村のほか、山とか川とか海とかについて、子どもたちの地理的知識のひろがりを調べた結果によると、奈良及びその近郊は二五%、關西二三%、中國地方一一%、中部地方一〇%、關東地方九%、東北・北海道地方の一四%、その他というようになっています。國外の廣い世界についての關心も三年に比し著しくふえています。この時代の子どもたちの關心は、鄉土社会よりはさらに大きく日本全体、部分的には外國にまで及んでいるといえます。この地理的なひろがりとともに、学習題目選定の理由として、子どもたちがあげたものの中に、昔はどんな家に住んでいたか、どんな食物をたべ、着物をつけていたか、奈良の昔はどんなであつたか、などが知りたいというようなものがかなりあげられていて、三年にくらべて、いちじるしく歷史的な關心のひろがりがみられることは、注目に値します。

四　關心のあり方

三年と同じように、人間及び生物がどのように自然の環境と戰つて、自己の生活を充実しようとしているか、という所に關心がありながら、それが地理的にも歷史的にもひろがつていつて、資源や動植物や生活の歷史、各種の道具の歷史などに、關心が向いている所に、大きな特色があるといえます。「棺おけ」などというものを、思い出すものの中にあげている子どもがあることは、その典型的なあらわれといえましよう。

第五学年

一　關心の方向

東大寺・大佛・五重塔など昔のものを意味する文化遺産に対する關心が、最高の二三%を示し、次に山・川・池などの自然物に対するもの一三%、銀行・旅館・商店・百貨店などの分配に關するもの一一%、休養娯楽に關するもの一一%というようにあらわれてきています。これは奈良市にあるものという制限の下ですから、地域的性質が特に強いと思われます。それにもかかわらず、四年で著しくあらわれてきた歷史的關心がいよいよ強くなつてきているということは、一般的な傾向として認められると思います。

なお以上の内容を詳細に眺めてみると、もう一つの特色が發見されます。文化遺産の中で大佛と五重塔が全体の半分を占めていること、墓とか御陵とか「とうろう」などというものが、あらわれてきたこと、山川池の中ではさるさわ池・若草山・みかさ山で過半数を占めており、黑髮山（進駐軍住宅地）がそれにつづいていること、分配については、旅館・銀行・百貨店で過半数を占め、マーケットがこれにつづいていること。休養娯楽では公園の二八に対し映画館が七二を占め、グランド児童会館がこれにつづいていること、このような事実から、子どもたちの関心が、どのような技術で大佛や塔などをつくったかということ、また発明発見によって作り出された現代の文明の威力はどんなにすばらしいかということ、などに、はっきりと向けられていることがわかります。

二　関心の対象

学習題目による調査でも、地域及び時期の色彩が強く出て、考古学・地震・海・ラジオ・映画・博物館・地球・少年赤十字・音楽会・植物採集・水道というようになっているが、そこでどんなことを学習したいかという所まで、立入って調べてみると、歴史的な関心と、理科的な関心がはっきりと出ています。つまり前学年から引きつづいて、病氣災害などに関する関心が高く、歴史的文化的な関心は、あらゆる自然界についての知的興味と相まって、生活のしかたや、天然資源の開拓や利用の方向に向かっています。

三　関心の拡がり

奈良及び近郊の二五％に対して、関西三七％、中部一三％、関東七％、中國六％となり、郷土より廣い社会への関心を示しています。さらに、この地域的な拡がりは、世界各地方にも及び、歴史的関心の増大と相まって、関心の範囲は、時間的空間的に拡大されていっています。

四　関心のあり方

関心は急に時間的空間的にひろがっていくのみならず、あらゆる自然界に対する著しい知的興味があらわれ、天然資源の開発や利用の進歩、発明発見による生活改善の状況、文明の威力というようなものに、ぐんぐんとひきつけられていきます。読書傾向の調査の結果からみられる、科学ものの読書が急にふえることも、これを裏書しています。

第六学年

一　関心の方向

奈良市にあるものを思い出させた結果では、学用品・家・楽器・家具等の資源が一五％、駅・新聞社・郵便局・電信局等の交通が一三％、五年と同じ内容の文化遺産が一二％、ホテル・百貨店・その他の店をふくむ分配についてのものが一一％、映画・公園などの休養娯楽、学校・博物館などの教育に関するものが、これにつづいています。大きな特色はその間に大きな差がないことです。これは、子どもたちの関心が著しく廣くなってきていることを物語っています。五年と同じように、歴史的関心が著しい上に、文明の諸施設に関心の向かっていることも看取されます。

二 関心の対象

学習題目による調査では、氣候・地震・クリスマス・植物採集・昆虫採集・ラジオ・天体・雑草・調味料・海・考古学・水害・地球・青少年赤十字・東大寺・法隆寺・交通事故の順になっていて、自然科学的興味がきわめて旺盛なこと、廣い國際世界への関心が著しくなっていること、が立証されています。生産に関することへの関心が上位に上ってこないのは、地域社会の特色によるものではないかと思われます。子どもたちに、そのような関心が潜在していることは、奈良市にあるものの調査で、自動車会社・製菓会社・電氣会社・製氷会社・食品工場、等々、ほとんど奈良市にある工場・会社のすべてがあげられていることから知られます。

三 関心の拡がり

知っている町や村の調査では、関西二九％、奈良および近郊二〇％、中部一四％、関東、東北、北海道各一〇％となっており、関心は日本全土に及ぶだけでなく、さらに世界にひろがっています。それは、クリスマスや青少年赤十字への関心からも、はっきりといえます。理科的な興味を伴って周囲の事物や事象のきわめて廣い範囲に、子どもたちの関心が拡がっていることも注目すべきです。

四 関心のあり方

自然界に於ける事物事象に対してはもちろん、社会の制度や施設に対しても、原因結果の理法を、究めていこうとする所に、この学年の子どもたちの関心の特質があるように推定されます。そして、その関心の範囲が、時間的にも、空間的にも、拡がっていく所に、全体としての現代社会の動きに肉迫していく可能性があらわれてきているといえます。したがって現在の世界的な規模の生産の姿それにともなう國際間の通信や交易その他の問題にも、鋭い関心が向いていくのが当然であります。

乙班の仕事は、手がかりがあるのと、分担がはっきりするためとで、根氣を要しましたけれども、比較的順調に進行しました。各科の学習指導要領を精細に吟味し、人間として頭い人間をつくるという目標を各種の教科のねらう能力に具体化し、さらに子どもたちの実態に即してそれを学年別に段階づけ、それを実現するための指導の要訣を究明しました。子どもたちに対する調査はここでも行われました。また甲班の調査結果も大いに活用されました。その成果の骨子は、各種能力指導系統表として親告しております。

甲乙両班の仕事の一應の完結を待って、いよいよ教育の形を決める段階に突入しました。私たちの目標の把握が、現代日本の社会の要請に真実に應えているか、という深刻な反省と、地域社会や家庭からの要請の当否についての周到な検討とをした後に、第一章において報告したような意見をもととして、教育の具体的な形についての予想を話し合い、それを検討しました。

真実の生活をさせることによつて、人間として強い人間をそだてていくためには、その生活に、全身全霊を打ち込んで共同して仕事（遊び）をしていく部面がなければいけません。それが生活の中心になるべきです。私たちはこの生活の部面を「しごと」と呼ぶことにしました。「しごと」といつても、外から課せられるという意味ではなく、子どもたちの内部的な要求に基づくものであることは、当然です。しかもその「しごと」は、私たちののぞむ方向に、子どもたちを育てていく上に、最も有効なものでなければなりません。したがつて、私どもとしては、子どもたちの関心の動向を、はつきりととらえ、適切な「しごと」の計画を立てていく必要があります。「しごと」は、子どもたちがその生活の中で、問題をとらえ、その解決を試みていくことであり、したがつて、はつきりした目あてをもつて、子どもたちが周囲の世界にはたらきかけることであり、社会及び自然の事物事象を、科学的に理解し、その合理的な処理しかたを会得することを含むのが当然であります。それ故に、社会が私たちに要求しているものの中で、社会科及び理科の要求となつてあらわれているものは、恐らくすべて、この「しごと」をするということを通じて充たされるであろうということが、まず予測されました。私たちは、この「しごと」を、子どもたちが、力を合わせ、真に打ち込んでする、具体的なめあてを持つ活動というように考えて、別表のような「しごとの時間」の計画表をつくりました。各学年各学級独自に計画を立てました。その計画は全員によつてきびしく批判されました。ことに、その学年の子どもたちの関心のありかたに、正しく即應しているか、したがつて、真に目標の方向に向かつて、最大の努力をかたむけて、子どもたちの能力（経験）をのばそうとしているかが、検討の焦点になりました。また必然的に「しごと」の中に入つてくる、各種の能力を、どの程度に伸ばす計画であるか、ということも周到に検討されました。たとえば船をつくるというように、学習活動があげてある場合、どんな材料で、どの程度に船をつくるのかということが、工作の指導系統表とどのように一致させてあるか、というような工合でありました。このようにして再三の検討の後に、「しごとの時間」の計画表ができました。各学級とも、本書に記載したものの、何倍もの詳しいものでありますが、これを限られた頁数に圧縮したため、この程度を示すことが十分にできなくなつたのは、甚だ残念であります。たゞ各種能力指導系統表を参照することによつて、その報告しきれぬ所を洞察していただきたいと思います。この検討の結果、私たちの予測は正当であつて、この「しごとの時間」を正しく指導していくことにより、少くとも社会科と理科の目標は十分に達成できるであろうという、共同のみとおしに到着しました。

「しごとの時間」に、子どもたちは、必然的にさまざまの能力を発揮する必要に迫られます。それは最もよい能力発展の機会ですが、自後の生活に必要な各種の能力が、悉くかつ順序よく、そのような機会を与えられるということはのぞめません。無理に「しごとの時間」に、そのような能力を発展させようとすると、子どもたち自身から打ち込んでするという、「しごと」の性質がよわくなっていきます。「しごと」を真に「しごと」としていくためには、かえって自分たちの生活に必要な各種の能力、社会が要求している各種の能力の中、特定のものは、それ自身として系統的に指導する方がよいわけです。さらに人間として强い人間をそだてていくためには、身体を強くしていくということが、きわめて大切です。私たちは、目標に向かって子どもたちのどのような能力をどのようにしてのばして行くべきか、についての計画、即ち各科能力の指導系統表を立てていますから、「しごとの時間」の中で自然に十分伸ばされるものと、そうでないものとをはっきりと区別することができます。この後者をしっかりと身につけさせるため、また身体を通じて、生命力の根源を培う体育を行うために、

「けいこの時間」とよぶ、生活時間をもうけることにしました。子どもたちの持っている能力をはっきりと意識させ、その進歩をしっかりと自覚させることは、子どもたちにとって楽しい、そして自信の高まっていくことです。意外に多くの子どもたちが、それによって活氣づけられていきます。

子どもたちの生活は、主として学級を単位として行われていますが、時にはそれをはなれて、全くの個人として、あるいは一つのグループとして、あるいは学校全体として、生活を楽しみ、生活を反省し、あるいは生活を開拓していくような場面が必要です。これは自分たちの属している社会（家庭・学級・学校・地域社会）をはっきりと意識し、また自己というものを、はっきりと確立していく上に、ぜひなくてはならない生活の部面です。これは課外活動として取扱われていたことが多いのでありますが、私たちは、自由研究の時間の中に、そのような活動が入り込んでくる傾向が强いことを認め、これを「なかよしの時間」とよび、全校集会及び子どもたちの自由な集團活動にあてることにしました。「なかよしの時間」における活動は、仕事の時間から発展してくることもあり、また「しごとの時間」に集中していくこともあると考えています。たとえば学級で傳染病予防対策が研究され立案された場合、その一部を全校に実施したいということになれば、一定の手続きをふんで、「なか

よしの時間」にそれを検討したり実施したりします。また「なかよしの時間」に火災予防のことが取りあげられ、講演や映画があつた場合、それから出発して、学級の「しごと」が決定され遂行されていくこともあり得ます。

「しごと」と、「けいこ」と、「なかよし」の三つの生活の部面は、もともと別のものではなく、一つの全体的生活であることは、いうまでもありません。したがつて互に呼應し、「しごと」を中心に総合されていくと信じます。その時間比率をどのようにするかは、非常にむずかしい問題でありましたが、私たちは従来の経驗と、第一学期間の詳細な記録とを、学習指導要領に示された時間の基準に照合し、第三章に報告するような生活時程を定めました。

以上のようなすじ道を通つて、私たちは漸く、めざす教育計画の骨子を樹立しました。この私たちの歩みを、全國の教育実践家の前進の踏石にして頂くためには、大へんせん越でありますが、次のようなことを御承認ねがえればありがたいと思います。

一、私たちは、平易でしかも確実に目標達成のできる教育方法を確立しようとしています。

二、私たちのした児童の実態調査は、必ずしも各学校について実施する必要がありません。地域の特性を明らかにするための少数の有効な調査以外には、私たちの結論（それは学習指導要領の示すものと一致していました）を利用して頂きたいと思います。

三、各種能力の指導系統究明の仕事も、各学校において苦心される必要はないと思います。私たちの報告する系統表を利用して頂き、それを実際の経驗によつて批判し修正して頂きたいと存じます。

四、私たちの「しごと」の計画表は、私たちの学校、またその各学級限りのものです。私たちが「しごと」の計画を立てた歩みを、十分検討して、各学級教師によつて、新たに「しごと」の計画を立てて頂きたいと思います。作業單元についての難かしい論議に頭をなやますよりは、子どもたちが眞に打込んでいく仕事を考え、それを教師が、子どもたちの経驗発展の方向（関心の発展の方向）に基づいて一定の角度から、指導していくことの方が有効です。

五、「しごと」「けいこ」「なかよし」の三つの生活時間区分の考え方、「しごと」を中心におくやり方は、平凡ではありますが、教育を確実な土台の上におくこととなります。なまえはともあれ、このようなやり方が確かな出発点であります。生活時程の案は各学校の実情に即するよう工夫されるべきです。

六、人間として強い人間をつくる教育は、もちろん生活時間の計画を立てることだけでは、実現できません。その計画を実現していくような、学校全体の姿がつくり出されなければなりません。

このような教育計画の骨子に、どのような肉を付け、どのような血を興え、どのようにこれを生かしていくかについては、あえて要請することもないと思います。私たちの拙い歩みについては、次章においてあわせて、報告いたします。

三　学校のすがた

(一)　明かるいいきごみ

子どもたちは、新しい教育計画のもとに、いきいきと立ちはたらいています。どの子も、どの子もたのしくてたまらないという表情を見せています。この学校の傳統の自由さに、更になにか強いすじがねが入れられ、組織だてられたという感じもします。

同人Aくんのスケッチによって、その明かるく、いきごむすがたをここに写しだしてみたいと思います。

――あすを待つ子ども

「校外学習だ。」と、三日も前から道具を整えて、「ゆうべはうれしくて寝られなかった。」といいながら、まだ開かれぬ朝の校門の前に集まってくる子ども。

わくわくして眠れないような感激をおとなはいつから忘れたのであろうか。あすを待ちきれなくて眠るものは、夜明けを待つ子どもである。子どもにとっては来る日、来る日があたらしいページなのである。

「……勉強がすんで、一度この作文を読んで考えました。今日はほんとうにたのしい生活ができた。あすは又これより、もっともっとよい生活ができるようにといのりながら、もう一度準備をたしかめてから床にはいりました。今日はきっと島へ行った夢を見るだろう。あすの学習が待ちどおしい。」

月曜日

「朝起き、六時三十分。今日は月曜日でもあるし、きのうは勉強がよくできたので、うれしくて早く目がさめてしまった。……朝ごはんはおかゆだった。寒いのでおいしい。からだ中の血管がぽかぽか動きだしたような氣がした。早く学校へ行きたいなあ。七時二十分頃、松原さんが高い声で『ちかちやん。』といって走ってこられた。『ハイ。』私も大きな声で答えた。急いでおべんとうを持って外へ出た。……」これは、五月三十日、三十一日の児童の一日の生活調査の際の、ある女の子の三十ページに及ぶ記録の一節である。

毎日が遠足や運動会のように嬉しくて待ち遠しい。そんな学習を私たちは待ち望んでいたのである。一日の学習は、その日の朝から始まるのでなくて、前日から、いやもっと前の目標が決まった時から、おやつにも、映画にも断ち切られることなく、地下茎のように長く、遊びを越え、夢をくぐって續いているところに、ほんとうに心を傾けた学習は行われる。

――通学の道

今日も薬師寺の塔の上なる一ひらの雲を眺めながらくる子。東大寺の鵄尾の光を中天に見かけてくる子。出勤の人々の流れにまじって、つよい足どりでやってくる子。今日のしごとの場面をあたまの中に写しながら、まなこを輝かせてくる子。友だちと、なにごとかを高い声で語りながら夢中になって歩いてくる子。くもの巣のように四方から集まってくる子どもたちは、季節の香りと、町の姿態を、田んぼのくろから、廣告のびらから、店頭から、おとなの足もとから拾いながら、それぞれの細かい觀察と鋭い批判を投げかけたり、今日の学習に、ゴムマリのように胸をふくらませ、足どりをはずませたりしてやってくる。

門前に何かとり囲んで大騒ぎである。「先生、子猫です。」という。かわいいというにはあまりにいじらしい生まれたばかりの、一くれの目をつむった白い子猫である。もう小箱のくず切れの中に息づいている。「飼うのです。」という。今しがた溝の中から拾って来た子猫で、一匹は死んでいて何年生かの手で葬られ、生き残った一匹である。「ミャオー。」「ミャオー。」「かわいそうに、だが困ったなあ、みんなで世話ができるかね。」声の下から、「もう飼い主がきまっています。」という。……書の給食には四十六人に一匹を加えたミルクが、忘れられず、かわいいかんに入れられてあった……。子どもたちは、社会の生態を抜けめなく、大胆に、大事に、だが正しく、純情にとらえている。五百七十の子どもの朝のひとみは、すばらしい力と、涼しい澄んだえい智と、黒いうるおいに満ちた愛情とで輝いている。すべての子どもの、朝の観察を集めたとしたなら、通学の道すがらのあらゆるものが、生命をもって、いきいきと光るのではあるまいか。

——校門の中の青い風

大きなはしょうのゆらめく門前の通りから、緑の門の格子を透いて、すがすがしい青い風が流れる。校門を越したとたん、明かるく、澄んだ、楽しい学園の空気を感じるとだれもがいう。

満開のやえざくらが散り、さつきがもえ尽し、たいさん木の白い花びらをすいて、金のしべがほろほろとこぼれ、きょうちくとうの花も漸く散って、さるすべりを残したまゝ、玄関にはほんのしばらく花のとぼしい彼岸ごろになると、子どもこそ、色とりどりの花のように、朝の空気の中を元気に動いていく。

「おじさん、おはよう。」門衛のおじさんはうなずく。「あ、先生、おはようございます。」はっと顔を合せたとたんである。どの先生という考慮もしゆん巡もない。問髪を容れず心がことばになって、「おはよう。」と流れ出る。きわめて自然である。遠くからかけてきて、右の手、左の手で、しばらくはもみ合う。しかたのないのは、「先生の荷物を持とう。」という。

「校門をはいると門衛さんが私たちを見て、にっこり笑っていられる。庭の木々の緑がいきいきと目にしみる。さくさくと小砂利が音を立てる。玄関の時計は八時十分である。……下を向いて息を吸っているさつきの花、大空に一せいに何か叫んでいるさつきの花。……昇降口のコンクリートに澄んだ音がひびく。一つ二つ三つ、階段を二段おきにとんで教室にはいった。……」

——自由な朝のひととき

登校後から八時半まで、窓を開いたり、準備をしたりする係の外は、半時間から一時間も子どもたちはたのしい朝の時をすごす。

もうかなり前から、教室から廊下から二十三台のピアノとオルガンが鳴り始めている。二階の角の音楽室から、緑の葉の上に、青い空氣の層の上に、紫の花のように流れてくるのは、チェルニー九番であろうか。門衛所のねむの木に桃色のほお紅のはけのような花の咲いている頃など、黒たいまいのあげはが一つ、三日月の花をくぐり、細かに空をすかしている葉っぱをぬける花の下で、じっと二階を見あげて聞き入っている小さい女の子の姿を見ることがある。

すべり台をすべる一年生の影。てつぼうでは、ぞうげのような二つの足を、にゅうとあげてさかあがりをする子、くつがえったり、ぶらさがったり、てつぼうは子どものえもんざおである。はずんで、氣まぐれで、自由で、ボールは子どもの心である。まりを木の間から投げている子、ドッヂボールに夢中な二組は五六年の男と女。四すみは四組の野球の試合。砂場にとんでしりもちをついてこちらを向いた子。げんめいに追いかけている鬼。理科室前の花だんのコスモスの花にとまったみつばちをみている子。ぽたりと落ちたぎんなんに大きな眼を見張って、いちょうのこずえを仰いでいる子。中庭の金あみの兎に菜っぱをやっている子。あみの小鳥の鳴き声を聞いている子。噴水のひごいをのぞいている子。さてはもう工作室にとびこんでミシンのこをふんでいる子もある。かきかけの地図をひろげてクレヨンをぬっている子もある。静かに読書している子もある。……たのしいそして活動的な朝の図絵である。

——朝の清掃

静かなレコードが鳴り始めた。砂場から中庭から、一年生をのぞいて集まってくる。朝の清掃である。先生も誰もこない前に玄関にほうきを目をつけるのがたのしかったり、一番にバケツに井戸水をくむのがうれしかったり、廊下を端から端までふくのがおもしろかったり、今までは、昼休みの後に清掃の時間が設けてあったのに、いつしか朝の清掃が自発的で楽しそうに行われるので、八時半から三十分を「なかよし」の一つの活動として朝の時間に改めた。そして子どもたちは更に一歩を進めて、学年混成の掃除分担への工夫をしだした。六年から三年まで、どの持場も一家庭班のしくみである。小さいのが掃く、大きいのが水をくむ、ふく、しばらくは戦争のようにいそがしい。清掃のしかたも、分担も、責任も、すべて各班の創意と工夫によるものである。一方、委員室では、学校委員が集まって、さまざまな自治活動の相談が行われる。

——「しごと」のくみかたな

花瓶の小菊の花ゆれが止んで、めいめい教室の座席にかえって行く。

「先生おはようございます。みなさんおはようございます。」日誌を朗読する声。ニュースを発表する子ども、音楽に合せて軽い体操をする学級、季節の観察を報告する班、早くもリーダーが「しごと」の計画を発表している学級、「しごと」の主題のうたが聞えてくる教室、「しごと」の序曲はそれぞれ異った形で始まる。

九時から十時半、或は十一時まで、魂をうちこんだ「しごと」の時間である。計画と創意と協力に満ち、友愛と自由と自主の流れる時間である。

「もしもし、やお屋さんですか。」「少し聞えにくいようですが。」「電話が故障ですから修繕します。」「ちよつと待つてください。」パラフィン紙の破れを修繕しているのは二年の電話ごつこである。

「ふしな織つて、どこにできるのだろう。」「先生に聞いてみようか。」「いやぼくらでしらべよう。」「でも、どこにも書いてないよ。」「百科辞典をさがしてみよう。」「あゝトコナメつて、こんなところにあつた。」

「知多半島からテープを張つてちようだい。」日本地図にテープと土地とを結びつけているのは、陶器の研究の級である。

「長い木の葉はここに集めましよう。お舟にします。平たい葉つぱはお皿にします。」一年生は木の

葉遊びにいそがしい。

「とつん、とつん」家を建てている子ども、集まつて設計図をかいているグループ、屋根のこう配をはかつている学級、一人一人、グループ、グループ、思い思いに動いている。仕事の時間のプロフィルはみんなちがつているが、それぞれ級の主題のもとにすゝめられていく。

——たのしい実地踏査

専科教官の研究日である月曜日は、完全な学級担任の一日で、実地踏査は多くはこの日を選ぶ。

春は佐保川や、般若寺にめだかをもとめ、山吹をさがす。「せなかに卵をつけた虫がいるよ。」「子負虫よ。」「こんな瓦が落ちていました、縄目がついています。」瓦のかけらを持つて来ては先生を困らす者もいる。

原始林の春日山を訪れるのは夏がよい。大和川のそして佐保川のみなもとは、かにとたわむれ、石の間をくゞつて行く巾二十センチの流れに始まつている。たぎの木の香が鼻にしむ。高くたかの影が落ちる。くみの向こうにうぐいすの声がしきりである。

奈良駅ではC五三型の機関車をえがいている子ども、ワムに積み込む仲仕の荷物のけりこみを見て

いるものもある。「かまの蒸氣は、シリンダーにはいり、ピストンをおし、ピストン、ロッドに傳わり、動輪を動かし……」「おじさん、どうして動輪の輪の一ところが、三日月のようにあんなに太いの。」「レールはなぜあんなに工の字のような形をしているの。」機関区のおじさんたちは親切である。一々説明したり、子どもたちが絵をかく間、見張りをしてくれたり、機関車にだき上げてくれたりする。しかしそれでも一番好きなのは、機関車のハンドルを動かして、蒸氣を出したり、汽笛をならしたりすることである。

若草山から大観をほしいまゝにする組、日紡の打綿機をしらべる級、生駒山の天文台に、八木の測候所に、木津の水源地に、笠置の、遠くは宇治の発電所に、京都の動物園に、大阪は新聞社に、化学工場に、学習の領域は半径四十キロにわたり、夏の頃は百キロをも越えてひろがる。

——「けいこ」の時間

十時半（ある日は十一時）から三時半までにかけて、「けいこ」の時間が始まる。ここでは、算数の計算や問題の練習、國語の文章法や書取、音楽・図工・裁縫・体操・ダンスなどの勉强が行われる。正しい技法や公式や練習などが秩序正しく積み重ねられる。「ぶきみなような雑頭の力強さだ。鼠

の中に一人たっている姿だ、『あかあかと陽はつれなくも秋の風』か、いい調子だ。花びんに落ちついた静かな色がほしい。」絵の先生は子供の画面を見つめている。

音楽室からは、風のように流れるハーモニー、はずむピアノの音、五線にまなこを走らせる作曲の練習が行われている。

体育館では、体操服に小麦色の足、ステージの白い壁にほのかに線のシルエット。今二三人の子供が曲に合わせて思い思いのポーズを作っている。「夕焼け」「かっこう」或は速く、或は緩く、フェアリーのように踊り狂う。じっとりと汗に額が光る。

外では青い空からしんしんと降りそそぐ眼い光の無数の分子を浴びて、けんめいの力走である。てつぼうに、とびばこに、强い光をあびて、弾力のある姿勢がとられている。先生の笛の音が、かけるようにひびく。

農園では、うねをつくるもの、たねをまくもの、肥え桶をかついでいるものの姿がちらちらと動く。一方、教室では、ひっそりとしずまった空氣の中に鉛筆の音だけが聞える書き取りのけいこ、はりのあるひとみで、鉛筆の行方をみつめている計算の練習、さては、小魚のように指先を動かしている裁縫のけいこ、汗を流しての板けずりやのこぎり使用のけいこなどがさまざまに行われている。ラ

ジオの放送に耳を傾けている学級もある。

——おひるのサイレン

給食係はいそいで給食室におりて行く。たのしい会食である。食は人間を正直に、あたゝかく接近させる。アルマイトの食器をくばるもの、汁をついでまわるもの。食事が終れば、たのしい童話やレコードの鑑賞、時局のお話なども行われる。

——「なかよし」の活動

火曜木曜は二時半から三時半まで、三年以上、学級を解体して、「なかよし」の活動である。A班は自らの力量と希望に應じて、それぞれの奉仕に参加する。福井地方の震災は、感じ易い子どもの魂を震わせずにはおかなかつた。それは自然的波動でなくて、社会的波動である、社会的感覚の問題である。救恤の方策は異常な熱意を以てたてられた。結局は自らの工夫と労働によつて得た義金を贈ることに話がまとまる。取りあえず借用金〇〇円。それを夏休中の労力を以て返済。これは公安グループの社会活動。しかし常時はすべて学校の奉仕に当る。こわれた帽子かけは、いすの修理は、子どもたちの手によつて行われる。これは整備グループの働き。図書の修理、閲覧の便を工夫する図書グループ。壁新聞や新聞編集に新味を出そうとする新聞グループ。栄養補給に土と汗にまみれる生産グループ。さては体育衛生、美化のグループ。それぞれの創意によつて学校の整備が行われる。

一方・演出・文藝・研究・製作の四部に分かれるB部では、あるいは劇の演出に、舞踊の創作に、紙芝居の製作に、合唱練習に、あるいはじつと空をながめての詩の創作に、理科の実驗や製作に、あるいは写生に、ポスターの図案に、思い思いの個性をきそつている。ことごとく、たのしい学校の現出に、それぞれの力を惜みなく発揮している。

——能力別「けいこ」の時間

水曜日の十一時半から三十分、能力別編成の算数能力練磨が行われる。二年以上学年共通の問題によつてテストされた結果、その所属が決定される。基礎の不確かなものは六年といえども低学年と共に、たしかな能力の練磨をはかる。進歩は伸ばされ、遅れたものは救われる。年齢や学年を越え、しかも、だれも卑下するものもなく、けいべつされる者もなく、一丸となつてそれぞれ自分の力を伸ば

生活時程表

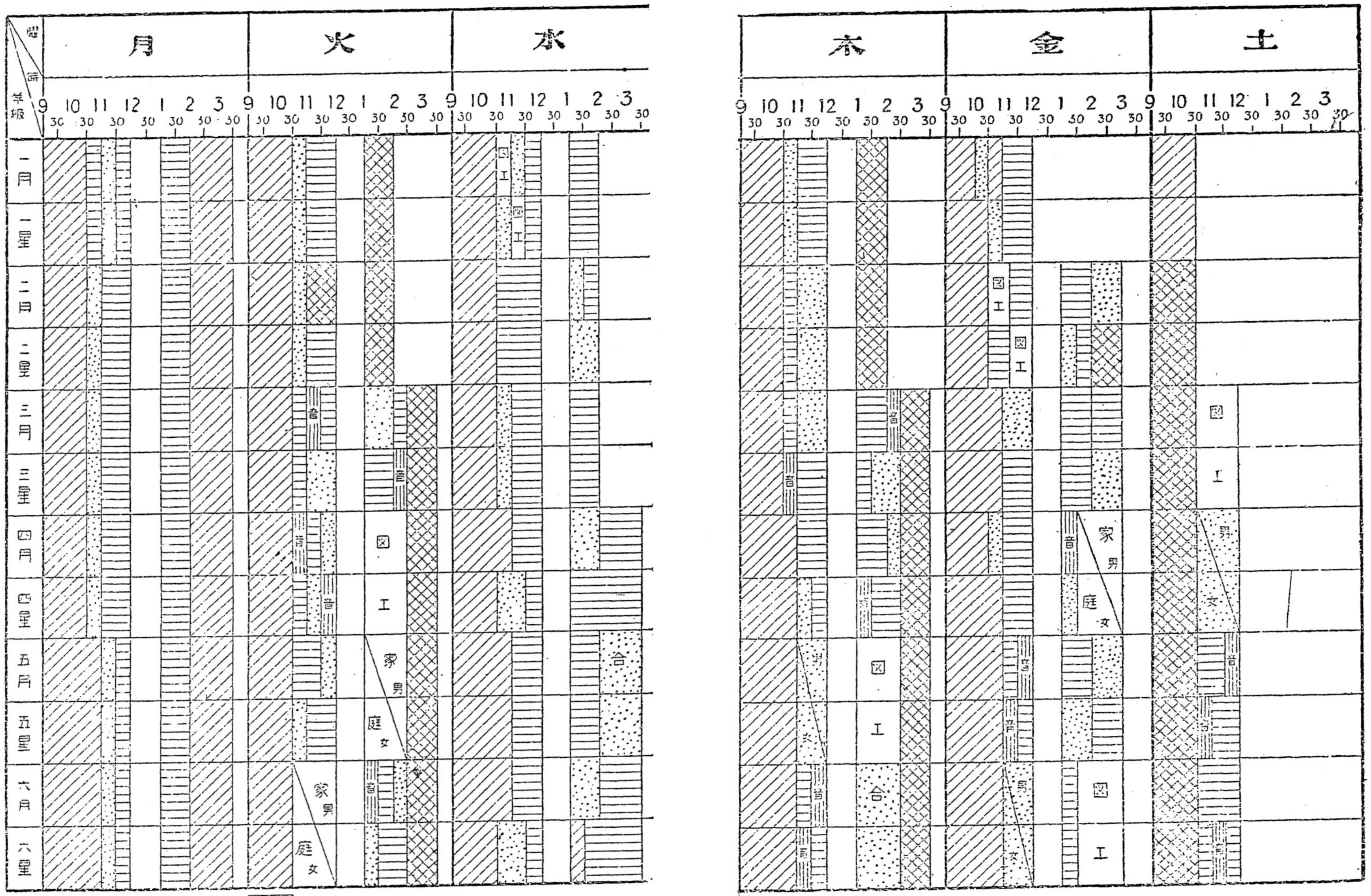

1 しごとの時間
2 けいこの時間 (国語算数) (体育) (音楽) 家庭 (家庭) 図工 (図工)
3 なかよしの時間

放送聴取の時間
1・2年 ---- 10.15～10.30
3 4・5・6年 ---- 10.45～11.00

そうとする一念に燃えあがつている。伸びようとし、また伸びる力を信じている者にとつて、これもまたたのしい、はりのある時間である。

――「なかよし」の半どん

土曜日の学級担任研究日は、専科教官全員指導の「なかよし」活動の半日である。毎日の生活とは、かなり姿をかえた三時間で、「なかよし」の活動と共に、子どもたちには存分光をたのしむ体育日であり、音楽・画工・お話しなどたのしみの多い日でもある。遊びの中に、奉仕の中に、團体の協力、責任、謙譲の社会的精神や友情が養われるのである。子どもたちに新しい半どんの意味がもたらされるのではあるまいか。

――下校のサイレンが鳴る

教室も運動場もあらゆる設備と環境は子どものために奉仕する。精神と肉体との全き働きを終えて、四時のサイレンがなる。教室よ、机よ、木馬よ、またあすまで、さようなら。ポプラの影を長々と残して、子どもの学校は静かないこいにはいる。

（二）　建設への自治

学校は子どもたちにとつて樂しいものでなければなりません。たゞ歯をくいしばつているような、ふんい氣の中からは、眞に強い人間は生まれてきません。苦しみの中にも建設の樂しみがあり、協力の樂しみが味わえるような生活によつてこそ、子どもたちは、社会生活を正しく眺め、それを向上させていく能力と自信とが與えられるのです。みんなで、みんなのために、みんなの学校をつくろう、というねらいは、こゝから生まれてきました。今、子どもたちは、このようなねらいのもとに、学級や学年の区別、男女の区別をのりこえて、自分たちの学校社会建設のため、一しようけんめいになつております。

みんなの学校をつくりあげていくために、子どもたちは、次のような、はげましのことばを與えられています。

一、よいと思うことは、どしどしとしよう。

二、わるいと思つたことは、すぐやめよう。

三、わからないことは、わかるまでしらべよう。

子どもたちが、自発的に、創意にみちた活動をするように、私たちは、さまざまの工夫をしています。私たちの子どもでさえ、戦時中の教育によって、その本来の自発性、創造性を、からの奥深く秘めてしまいました。先生がどう思うだろう、友だちが何というだろう、というような邪念が、さまたげるようです。おおらかな、思いきった子どもをめざしている私どもにとっては、かなり手ごわい障害です。終戦後、子どもたちの創意によって開かれた、談話会（学校自治会）は、その運営に工夫が重ねられ、相当発展しましたが、やはりこの障害に悩まされました。さまざまの決議事項が、どうしても、全体の子どものものとならず、効果をあげるところまで実施されなかったのです。この困難をのりこえて進むために、新しい自治組織が、私たちの間で要望されていました。

それは、子どもたちに対して、新鮮な魅力を持っていることが必要です。古い障壁にまたぶつかるような行き方は避ける方が賢明だからです。

それは、子どもたちの談話会での経験や、学級自治会、自由研究などでの経験を、基礎とすることもでき、それを子どもの社会を建設する意欲や活動へ発展させることもできるものであることが、のぞましいと考えました。

また、それは、私たちの学校にばかり、とじこもったものでなく、したがって附属という特別意識をなくするようなものでありたいとも、考えました。

また、それが、敗戦日本という暗い面にのみ眼をむけさせるものでなく、ひろい国際社会へのつながりを感じさせ、世界の平和への熱意と責任とを、はっきりと持たせ得るようなもの、明かるい希望と正当な誇りとを持たせるようなものでありたいとも考えました。

私たちは、このような考えに基づいて、青少年赤十字の設立を子どもに暗示してみることにしました。先立って、私たちが青少年赤十字の目的組織機能について、十分な検討を試みたことは、いうまでもありません。

青少年赤十字は「一、團員によい公民の意義を十分理解体得させる。二、團員の健康と安全とを保持増進させる。三、團員に郷土社会、國家及び世界に対する奉仕、親善の精神を涵養する。」ということを目的とし、万國赤十字社の独立した一部門として、世界六十四箇國の青少年とつながっているのであります。この國際的つながりの中では、子どもたちは、國際人として平等の取扱いを受けることができるのであります。現在わが國の青少年赤十字は再出発の途上にあり、その形態は固定せず、将来とも、上からの指令によって統制されるような危険のないものであります。

私たちの暗示は、子どもたちによって、非常な悦びを以てむかえられ、開校記念日であり、メーデーであり、赤十字社の記念日でもある、五月一日に、正式に結成され、加入を申込みました。一人五円の登録費は、子どもたちが春休み中に、特別の手伝や仕事によって得たものをあてました。

子どもたちは予め自分たちの相談に基づいて、この日、校内の一木一石、歴史を物語るもの一つ一つを分担して、心をこめて手入れをしました。ちょうど、中庭が新しい設計によって改造されようとしていたので、その中心となるはずの築山に、「こども赤十字の木」という記念樹（まき）を植えました。木や石を手入れする奉仕作業終了後、全校の子どもは、中庭の周囲の教室や廊下に集り、「空は世界へ」の合唱の中に、子どもたちの委員の手によって植樹は終りました。午後委員たちは赤十字支部をおとずれて登録の仕事をおえました。その委員の持ってかえった、新らしい青少年赤十字のマークに、子どもたちは、歓声をあげました。このようにして、子どもたちの自治組織に、新しい息吹がふきこまれました。

新しい自治活動への、全校の子どもたちの意志と意見とをとりまとめ、これを代表し、これを実行にうつすものは、子ども赤十字委員会です。これは各学級の代表、A部B部各グループの代表によって構成されています。委員会は「なかよし」の時間、放課後、朝の清掃時間等に開かれています。委員会事務室として以前の購買部賣店が改修され利用されています。委員室は全く委員たちの創意によって、経営されています。委員室と六年の教室の間には、旧式ながら電話も架設されました。委員会で決まったことは、全校放送や黒板の掲示で、一般に知らせ、火、木の「なかよし」の時間に、各グループで実施されたりします。委員会には、委員長・副委員長・記録係・会計係があって、委員会で互選します。委員会の任期は三箇月であります。

委員会を助け、実際の仕事を処理していくために、週リーダーがあり、毎週金曜日に交代します。リーダーは、各学級の子ども及びA部各グループ五六年生が輪番で、その任に当ります。交代の日には、新旧リーダーが集まって、前週の反省と今週の計画とを立てます。委員会を代表して、委員長が出席して、希望や意見をのべます。教官の週リーダーおよび児童文化部の教官も立会って指導をします。

現在の「こども赤十字」の組織は大別してA部とB部に分かれております。三年以上の各学級とも、その中をこの二部に分けています。A部は主として直接の奉仕に当り、B部は普通に自由研究で行われているような研究的深化を通しての奉仕生活をめざしております。

まずA部は、次のように八グループに分かれて活動しております。

① 公安グループ——学校や家庭での遊び、通行安全、集会等の規律、用具のしまつ等の生活面に目をむけています。今迄に遊びの調査・処理、服装けんさ、雨の日のくらし方、ポスター掲示、遺失物拾失物の調査・処理、震災見舞品のせわ、取引高税印紙回収、旧紙幣集め等の仕事をしてきています。

② 美化グループ——学校の美化に関心をもって働いております。清掃の方法について研究し、家族班組織の立案、普通清掃で手うすになる所の清掃、壁面の美化、清掃用具の配分・修理、特別室の花・植木ばちかざり等の仕事をしてきております。

③ 図書グループ——図書を充実し、みんながうまく利用できる方法を工夫しています。読書室の経営に全責任をもって活動し、現在ある本の種類分け、目録・一覧表つくり、本の番号記入、本の修理、新刊の良書さがし、その注文、本だなの整理、読みやすい読書用机とこしかけの配置、読書室利用のきまりつくり、読書ニュース掲示、毎日の貸出しのせわ等をやってきております。

④ 整備グループ——校内の環境整理に主力を注いでおります。現在までに、ぼうしかけの修理、兎小屋改修、池の水かえ、倉庫の整理、鳥小屋たて、ガラス入れ、中庭のもようがえ、雨もり修理、備品の整理等の仕事をしてきております。

⑤ 衛生グループ——衛生施設の充実、保健衛生思想の普及につとめております。便所の消毒、洗面所の掃除、水のみ用具整備、衛生室の清掃、ワトソン寝台の消毒、衛生ポスター書きとその掲示、薬品あつめとその整理、保健衛生に関する統計表つくり、歯や伝染病に関する展覧会、けが・病人のせわ、身体検査、予防注射、毎日体重測定時のせわ、救急看護法練習等のことをやってきております。

⑥ 体育グループ——みんなが気がるに体育できるように工夫しております。運動場の小石ひろい、土入れ地ならし白線引き、砂場の砂入れらちおこし、プールの管理、運動用具修理、ペンキぬり、簡単な運動用具つくり、体育会のせわ、統計表やニュース掲示等のことをしてきております。

⑦ 生産グループ——給食野菜つくりや、花だん・学校園のせわをしています。花苗うえ、かぼちゃ、きゅうり、豆うえ、麦かり麦すり、稲つくり、じゃがいも掘り、中庭植木の水やり等の仕事をしてきました。

⑧ 新聞グループ——各組の記事を集めて黒板やプリントの新聞にしていきます。黒板新聞は週毎に書きかえ、プリント新聞は月一回発行します。新聞社の人の話を聞いたり、見学したりして参考にし、技術的研究にもつとめております。プリントはPTAや他校にも配布したり交換したりしております。

このA部活動についてはPTAや教師と一貫した組織的なつながりをもつています。（　）の中は子どもたちのグループ番号であります。児童文化部（①②③）、環境整理部（④）、保健体育部（⑤⑥）、生産給食部（⑦）、研究教養部（⑧）であります。教師、PTAにはこの外に総務部がありますが、これは赤十字活動全般の責任をもつ児童文化部とともに委員会を援助します。B部は大きく四グループに分かれて活動します。

① 演出グループ——遊ぎ、音楽、ダンス、体操等の演出面をみがいております。

② 文芸グループ——脚本、作文、童詩一般の創作や文芸読物の研究をしております。

③ 研究グループ——算数、理科、社会科的な面の研究につとめております。

④ 製作グループ——図画、工作、習字、裁縫等の面の製作につとめております。

B部は一期の終りに発表会をもつております。発表会はA部の人々に対する慰問にも考え、又その作品は校外に対しての慰問にも使用されております。

ABの両部は三箇月を一期としてメンバーを交代していきます。したがつて四月からA部にいた者は七月からB部の中で活動しております。グループ選択は自由にし、A部だけはこれに調整をいくらか加えて人員の平均を保つております。

委員会や各グループの活動を、自由な創意にみちたものにするために、私たちは、なお次のような工夫をしています。

委員会に対して、活動資金を興えました。これは育友会の学習諸行事費の一部で五千円でありますが、みんなのために有効なことに使うように、使つたらまた補つてもよいということにしています。また子どもたちが、自分で計画し実施して差支えないという事業の例を、十二項目ほどあげて、説明をしています。小学校の程度の自治活動としては、地域社会への奉仕に余り重点をおくことは、無理になるのでさけています。その点を考慮しつゝ、学校での奉仕から、廣い社会での奉仕に、移つていく方針です。奉仕といつても、それは自分たちの全体に対する奉仕という意味を、明確にさせたいと思います。

「こども赤十字」と名づけて発足した、私たちの子どもの自治活動は、まだ不十分なものであります。けれども、子どもたちは、何かはつらつたるものを感じさせるようになりました。また私たち教師の一人一人と、全校の子どもの一人一人とが、しつかりとむすびつけられてきたように思われます。上級生と下級生の間にも、心が通つてきたようです。三年の子どもが、同じグループの五六年の子どもの簡単な手つだいをして、悦んでいる姿が、ほおえましく見受けられます。

一二年の委員でも、一時間半にも余る委員会の話し合いに、きちんと出席して、その決定事項をノートに書きとめており、先に退席することをすゝめても、承知しません。その気持には心を打たれるものがあります。

(三) 有効な環境

私たちが、人間として強い人間をつくろうとして、各種の方途を考えるたびに、設備の問題につきあたります。仮教室にさえ苦しんでいる戦災学校のことを考えると、私たちが、設備を問題にすることは、申訳のないような感情がします。しかし最小の経費設材をもつて、できる限り有効な教育環境をつくることは、私たちの子どもに対する義務であり、またその方途を研究し実現することは、私たちの学校の責務でもあると思います。

人間として強い人間をつくる上に、最も基本的に重要なことは、強い生命力を培うことで、その強い生命力は、原始的な肉体的な生命力と直結しています。この生命力を維持し発展させるための、保健体育の環境は、最も充実を必要とするものです。奈良は美しい自然に恵まれながら、余り日光を好まない家屋の構造になつています。それだけに、子どもたちを野山につれ出すことが大切であり、ま

た廣い運動場が入用なのですが、私たちの学校の運動場は余りにも狭すぎます。私たちはこれを拡げること、その使用を十分ならしめることに、工夫をこらしています。しかし生活時程にも、仕事の時間を朝の始めにとつていること、少い専科教官の指導を適切に加えていくこと、などによる制約があつて、その完全な利用には、困難があります。狭い運動場を、美しく安全にすること、次第に施設を増すことによつて補おうとしています。一方講堂兼用の体育館も、明かるく美しくしようとしています。明かるい自由なふんい気の中では、子どもたちの活動がかつぱつになるからです。自由に運動具を使用することと、その破損紛失との関係は、まだまだ高いので、子どもたちの自覚に訴えています。

衛生の良習慣をつくる上にも、環境はきわめて重大です。便所・足洗場・手洗場・衛生室・等に着目して、自然に、清潔の習慣をつけようと思つています。手洗場の不足は大きな欠陥になつているので、晝食時に教室で手指の薬品消毒をする計画しています。育友会の保健体育部では「保健衛生のしおり」というものを作つて、家庭にこれを配布し、学校と協力してもらつています。この部では別に保健について児童用副読本(低学年用)の編纂を終り刊行の準備中です。

生活の安全という点からも、古い学校は十分検討が必要です。烈風で倒れる樹木や、急に吹きとぶ

戸や窓ガラス、引きぬかれたまゝになっている廊下の支柱、つぎたしつぎたしてきたそうしている電氣配線、思いがけない所に、安全を脅かすものがひそんでいます。これを片はしからひっぱり出して改めていかなくてはなりません。教職員、両親、子どもの協力によって、その仕事も次第に進んでいます。知らず知らずの中に、子どもたちによいしげきを與え、ものを見たり聞いたり考えたり知ったりすることのできるように、環境を整備しようとすると、掲示物や展覧物の工夫が、必要になってきます。たゞならべればよいというのではなく、私たちの側にしっかりとした意図がなければなりません。ことにその掲示物展覧物が互に呼應しあっていくつかの統一を持つこと、また絶えず交換されて新鮮な感じを持つことが要求されます。しかしこの点は忙しい私たちが焦慮しながら思うようにいかないところです。育友会の児童文化部では、このようなことにも、援助の手をのばしてくれようとしています。

理科の標本や器械も、ともすれば紛失破損をおそれて、嚴重にしまわれすぎる傾きがあります。その種類に應じて、学校内の各所に散在させ、子どもたちの目や手にふれさせる機會を多くしようとしています。兎や小鳥、みつばち、魚などは、なるべく自然に近い姿で、子どもたちに親しませ、また植木や花などにも正しい標識をつけ、雑草の如きも折には陳列して、その名称を知らせようとしています。教官室の近くに子ども用の実験室を設けることも考慮中です。

実際をはなれ、標本や書物だけによって研究をすゝめるということは、非常に危険なことです。しかし、先人の経驗を十分活用するということ、いろいろな角度から物をみることを学ぶということのために、豊富な書物が必要であり、また研究の記録が集積されていくことが必要です。書庫を整備しその活用をはかることにも工夫がされなければなりません。ある学校で校長室に書庫があり、校長先生が、その利用の相談役でもあり、管理者でもあるという例をみせて頂きましたが、私たちも似たようなしくみを考えています。もちろん学級教室なり、読書室で、自由に読める本を、十分に用意することは、考えなければなりません。

教室に机を整然と並べて、先生のお話を聞くということを、標準にして建てた古い校舎では、これを、子どもたちの自由な創造的なかっぱつな生活をする場所にするのに、甚だしい困難を感じます。空間利用には、相当の考慮と努力が必要です。廢物を適当に処分し、使用回数の少いものを、適当な倉庫におさめ、倉庫には大きい棚をつくって、二重に使うようにするなどの工夫が行われました。それでも古い学校には、規格のまちまちな備品がたくさんあって閉口しています。空いている空間はプールに至るまで、利用の方法はないかと檢討されています。ひろげられた空間は、私たちと子どもたもの新しい用途にあてられます。

学校全体とともに学級教室は、子どもに適当した設備や材料やふんい気を持つべきだと思います。そして美しい家庭と同じような、快適さ、便利さ、自然さを持ち、子どもたちをひきつける魅力があるべきだと思います。私どもの学校の校舎の周囲には、美しい築山があり、美しい樹木があります。これは大へん恵まれていることですが、十余年間せん定をしなかったため、大分いたんでおります。こども赤十字発足の日に、私たちも子どもも一しょになって手入れしましたが、この秋は専門家の手によって、大体の手入れをします。中庭も、物おき場と、昔話の苗床になっていましたが、復旧しました。教室や廊下の窓から眺めて、子どもたちはよろこんでいます。写生や観察を楽しめる処にしていくことを、念願しています。校舎の外観は、奈良の風物との調和を考えて、古めかしくなっているままにして、内部を明かるくゆたかにしたいと努力しています。しかし主事室職員室は第二として、まず学級教室と便丁室とを明かるくしようとしました。

学級教室を明かるく美しくするためには、次のような方針を立て、順次に実行しています。

一、子どもたちの成長を促進するような、興味のある材料を豊かにそなえること。この中には教室専用の工作用具一式も含まれています。

二、工作や劇化をする場所、談笑したりする場所も与えること。これは、古い規格の教室ではほとんどできないので、教室外の各室や廊下などを利用することにしています。

三、通風採光保温等の衛生状況をよくすること。これも急には非常に困難なので、漸次実現しようとしています。

四、教室内の装飾は簡素にし、かつ適正にすること。このためには不要の物件を極力除去し、掲示物をむしろ少くし、よく交換するようにつとめています。教室の背面の壁に、テックスを利用した掲示板をつくり、また黒板もぬりかえてみました。

五、教室内の色彩を考えること。子どもたちは色に対しては鋭敏な反応を致します。以前からの色調はごくおだやかな、どちらかといえば不透明なものでありましたが、一年の教室から始めて、どのような色がよいか研究しております。明かるく透明で、しかも余りしげきしない色をえらんで、各所各物に使用してみています。

六、教室内の備品の調和を考えること。ある一隅や、ある側面が、あまりにゴタゴタしたり、重苦しい感じを与えないように、子どもと一しょに考えております。しかし、これも古い学校では、きわめて、むずかしいことです。

学校放送を十分に利用することは、私どもの教育の能率を上げていく上に、有効なことです。しかし、思いのほかに、困難なことです。生活の自然の流れと衝突することがあるからです。けれども予め計画を立てることによって、それをふせぐこととし、各教室に一個ずつの受信機を備えて使用することにしました。職員室にだけ受信装置をおき、他の教室には、拡声器だけをおくやりかたは、故障が多いので、利用が不十分です。この装置は校内の放送用として盛んに利用しています。

子どもたちの環境は、行動の背景のようなものではありません。もっと子どもたちに密接な、子どもたちと一体のものです。それは静止したものではなく、動いていく生活そのものです。だからそれを学校というワクで、外からはっきりと区別してしまうことはできません。またのぞましいことでもありません。地域の自然、地域の社会につながっていっております。私たちは、この意味で廣く校外の環境を子どもたちの環境として、活用することに特に注意しています。

明かるいゆたかな環境をつくるために、私たちは一致して活動をしています。子どもたちも自分たちの生活を自分たちのために、氣持のよい便利なものにしようとして一しょうけんめいです。両親たちも、子どもたちの手におよばないこと、私たちの手の出せないこと、を取りあげて、ぐんぐんと促進してくれています。

（四）教師の姿勢

私どものなかまは、大体において、氣むずかしやです。外からみると、偉らそうに見えたり、ごう慢に見えたり、近寄りがたく見えたり、ばかに懇切に見えたりすることでしょう。だが、ほんとうのところはものごとをいいかげんにしておくことができない、心配性の人間どもにすぎないのです。世俗のことも氣にせずに居られないし、教育の理論も実践もなっとくのいくまでたしかめずにはいられない、心配性の人間なのです。だから、あれやこれやを考えて、どうしても氣むずかしくなるのです。しかしそれだけに、どんなことに対しても、眞面目ですし、責任を持ちます。朝の私たちの集りの時、コーラスをやりますが、本格的のものとなり、やさしいせい唱ですませるということができないのです。

黙々として仕事をつづけていますが、胸中にはさまざまの暗雲が去来しているのです。「どうして郷里の師友とはなれて、このような土地に来ているのか」という疑問も起れば、「自分の欲しているものは、金か名誉か、それとも眞の教育か」「眞の教育ならば、なぜ附属という特殊な学校をえらんだのか」という迷いも浮かんできます。しかしそのような暗雲も、子どもたちの姿を思い浮かべる時に、いつとはなしにぬぐい去られてしまうのです。どうしたらあの子を、またこの子を、頭くそだてていけるかと、思いめぐらすとき、一切の妄念は消えていきます。誰も彼も、子どものこととなると、一しょうけんめいです。かりにも、子どもがだめだとか、うるさいとかいう言葉は、私どもの間では、絶対に聞くことはできません。

えらばれたよい子どもたちだから、教育のしがいもある、という見方もなり立ちます。しかし狭い奈良、非生産的な奈良の町の子どもには、致命的な大きな欠陥もあるのです。新しい時代の息吹きをまともに受けて、生活を切りひらいて行く迫力が、まわりのふんい気に欠乏しているのです。しかし私たちはそれ故にこそ、子どもたちのために、よけい一しょうけんめいになります。ミイラ取りがミイラになる危険をおかしても、私たちの子どもたちを頭くそだてるために、むきになっています。

子どもたちの欠陥を、まざまざとみせつけられることもあります。お互い同志の感情的な衝突もおりにはあります。けれども、ほんとうに打込んだ教育をしたいと思う、同じ思いに、心は併げて、猛烈ながんばりが行われます。どんな無理をしても、全体の仕事の進行を妨げまい、否それを促進しようという熱誠は、私たちに共通です。そのために、時には不人情のようにさえ見えますが、ほんとうはその時は非人情なのです。——子どもの人間を愛し敬うものが、どうして教師の人間を愛し敬わな

いはずがありましょう。

子どもたちは、私たちに親しみ、私たちを信頼しています。人間らしく生き、人間らしく死にたいと思う私たちの心の中には、人間としての子どもたちの魂にふれ、みずからを流露していきたいという共通の願いがあります。

私たちの学校では、めったに子どもたちがどなられるということがありません。しずかにたしなめられることはあっても、叱られたり罰せられたりすることはありません。そのかわり、個人としてほめられたり、賞を興えられたりすることも、まれです。そのためか、子どもたちは、どくうちとくつろいだ気持で教師に話しかけます。時には教師の手をとり、時には教師の顔にふれるほどにして、ほおえみをたたえ、つくろわぬ語調で接しているすがたを見ます。時には、かくれん坊で職員室まで逃げこんでいるすがたさえ見受けられます。

私たちは、子どもたちの人間を認め、これを尊んでいます。一人一人の子どもを、公平に認めています。子どもの一人一人は、自分も認められているのだという安心感を持っています。そして自分がどのようなことを要望し、行動しても、先生は、正しく幸福に導いてくれるのだという信頼を持っています。ある子どもは、音楽に才分を発揮し、ある子どもは、汽車の研究に特技を示し、ある子ども

は工作にうちこみ、ある子どもは星の研究に夢中になっているようなすがたが、随所にみられます。そしてそれらの子どもたちが、たとえ他の才能に欠けるところがあっても、多くの学友に伍して、大いにはばをきかせ、認められていることを、私たちはうれしく思っています。自分の短所に対して、卑屈な考えを抱いたり、自分を劣等視して、ともだちの陰にかくれていたりするような子どもは、皆無です。みな、自分の為すところあるを信じ、また、先生は、自分の長所を伸ばし、正しく導いてくれると信じこんでいます。

私たちは、常に子どもたちと共に在り、子どもたちの願いを素直にきくことにつとめています。そしてその活動的な意欲を満足させ、成功の悦びを味わわせようとしています。子どもたちのわずかなささやきや、かたことに、あるいは、稚拙で、意のたらない文章や絵、またさまざまな行動の中に、かれらの秘められた意志や欲求を探知したいと心がけています。その上、まだ明らかな形を示していない、それらのものを、内面からひきだし、形づくってやろうとしています。これらのことは、子どもたちが、私たちに親しみ、私たちに信頼をよせる所以であろうと思います。子どもたちの意欲を方向づけ、教育的に組織していくことを、私たちは、ひきだすとか育てるとかということの意味であると考えています。

たえず進歩していく子どもたちと共に在るために、私たちは常に自分の感覚を鋭敏にし、自分をみがいていかなくてはならないと痛感しています。それが子どもたちに対する愛情であると信じます。実地指導に、論文に、作品に、指導している子どもの姿について、はげしい相互批判がかわされています。事務打合せをはなれての研究会が、週ごとに行われていくのも、この熱意からであります。私たちが、自己をみがくために、職員組織の中には、研究教養のことを特に考える分担部門があり、各科目の研究組織に拘泥しないで、その時々の問題やその参考資料や機会の提供につとめています。

私たちは、以上のような態度で、子どもたちに接し、その健かな発達をたすけようとしています。「しごと」の時間でも、「けいこ」の時間でも、「なかよし」の時間でも、清掃の場合でも、野外にでていく場合でも人がいても、いなくても、少しもかわりありません。

しごとの時間において、私たちの姿勢は、特にはっきりあらわれてきます。この時間は、子どもたちが特に前面にでてきます。子どもたちの活動の意欲は、方向づけられ、組織され、子どもたちが、ほんとうに打込んでいくからです。それに応じて、私たちの力もねがいも、全面的にあらわれてくるからです。

子どもたちに適切な仕事を導入するために、私たちは、子どもの意欲を呼び覚ますように環境を工夫し、またあらゆるそうした場所へ子どもをつれだします。そして、そのような時と場所とに應じて自由なはたらきかけをさせます。つまり私たちは、解放された時と場所と空氣の中で、子どもたちの意欲をしげきし発動させて、かれらの問題を意識させようとします。「たのしい教室」を工夫したり、展覧会を計画したり、生駒山へ遠足したり、虫とりや花つみに行ったりすることなど、すべてはこの問題解決の活動として、あらわれてきます。こうして取りあげられた活動は、子どもたちにとって、はっきりしためあてを持っています。私たちは、このめあてを「しごとのめあて」とよんでいます。このめあてに向かって、子どもたちは、さまざまの、しかし一定の方向にむかった活動を展開していきます。その活動は、子どもにとっては、たのしむこと、あそぶこと、打込むこと、しごとをすること、というように意識されることでありましょう。しかし、それは、まさに問題解決あるいは問題処理の過程であります。したがって、私たち教師としては、この間にあって、十分な、そして細心な注意と工夫とを持たなければなりません。まず、その学年として、また学級として向かわせようとする指導の大目標を持つことが必要になります。つまり、子どもたちの学習がその場その場で完了され、始終ばらばらとした指導が散発的に行われるのでなく、たとえ一つ一つが完了されたように見えても、それは、見えない糸で結ばれて、網の目のように一つの目標に向かっているように工夫し考慮

いたします。そのために私たちは「しごとの指導計画表」と「各種能力指導系統表」とを揃っていなくてはなりません。これによってその方向と、程度とを常にあたまにおいて進めていくのであります。つまりそれらが針盤となったり尺度となったりするわけです。したがって、子どもたちには、その意欲に発したさまざまな自由な活動を認めてやっていいわけなのであります。

これは、いわば子どもたちに生活を與え、その生活を、望ましい方向に組織していくことであるといえます。この意味で、私たちは、生活の援助者であり組織者であります。私たちは、子どもたちの中に、ほんとうにはいりこんでこの役目をはたします。

このようにして、私たちが子どもの生活を組織化していくとして、その間にはさまざまな、いわゆる「指導」が必要となります。まずかれらの「計画」や「もくろみ」の相談役になってやらなくてはなりません。子ども自身のそれが、極めて妥当であり賢明である場合もあるでしょうし、また修正を要する場合も、全然迷っていて計画の立ちかねる場合もありましょう。私たちは、子どものいうところをよく聞きとって、かれらの志向するところをとらえ、その計画の適不適を考えてやり、ある場合には、問題や「しごと」を見出してやらなければなりません。そしてその解決の方向を示唆してやらなければなりません。

ところが、かれらが方向を見出し、計画にそって活動を開始したとしても、その途上には、幾多の抵抗や障害があります。自由な意欲に発したものには、それがすこぶる多いことが普通です。かれらは、その「壁」に行きあたって途方にくれます。私たちはそれに対して、それをうち破り、のりこえて進む方法を示唆し、勇気を興えてやらなければなりません。すなわち解決や処理の技術を興え、導いてやることです。そればかりでなく、いかに考え、いかに判断すべきであるかも伴ってきましょう。それは時として、双方を苦悩と困惑のふちに投じます。しかしそれをうち破ることによって、かれらも私たちも前進します。すなわち生きた知識や思考や、技術をおのずから身につけることになります。――これは決して作為的なことではありません。真剣な、前進的な生活をする際に当然起ってくる事態であることは、私たちのすでに十分体験しているところであり、またそれによって私たちは次第に賢明となり深い体験者となっていくことも、日々の生活に照しておのずから明らかなところであります。それが生活をきりひらいて進むことであり、創造であるといえます。それで私たちは、子どもたちに、まがいものでない、ほんものの、そして子どもに即した真剣な生活をさせようと考えているのです。生活さながらの形態によって、かれらをきたえ、深めようとしているのです。

はばひろい生活をめざしたり、随時随所に、いきいきと立ちはたらかせようとするのも、みなこの

意味からであります。生きてはたらく力、真の生活力、人間として正しい人間となるための能力――知識や技術をふくめて――は、こうした生活の中で獲得され、練磨されていくものであります。

職員室における私たちの態度も、同じものによって貫かれています。

職員室は、私たちの研究の場であり、執務の場であると共に、憩いの場でもあります。朝のコーラスも、夜の更けるにまかせての研究会も、汗にまみれての研究資料の交換も、能率的な事務の打合せも、雑誌の編集も、また三時すぎのお茶の時間も、みなこの「職員室」の空気の中で行われます。おう盛な活動の源泉であり、同人の人間のふれ合うところでもあります。何度か机の配列を変え、事務的な打合せや研究が行われ易いように事務分担によるグループを作り、またささやかな憩いの場を設け、雑品をできるだけ整理しました。私たちは、私たちの手で、この室を、住みよく経営したいと思っています。ですから、今後、快適に談笑し、伸び伸びと休息もでき、私たちの心のおちつき場所となるような設備を施していきたいものだと望んでいます。

私たちの「職員室」も、主事公員の五箇月を送ったり、猛烈な論争をくり返したりして、ようやくその民主化も板についてきました。主事も、この室に教官と同じ机で、また事務員も相並んで同居し

ていきます。ここではだれでもが、はばかるところなく発言し、提案します。提案は即時にとりあげられ、その可決されたものは、たちまち実行に移されます。

こうした空氣の中で、私たちは六つの部に分かれて協力しています。それは、総務部・研究教養部・児童文化部・環境整理部・保健体育部・生産給食部であります。一々仕事の内容を説明するのを省きますが、このほかに緊要な問題に対しては、委員会が随時編成されます。すべて年齢・閲歴・席次などにとらわれず、適材を適所に推挙し、またみずから希望を申し出ます。今年は、他縣からも三名の研究教官（内地留学による）が一箇年の予定で来校されていますが、すぐに私たちのなかまにとびこんで、私たちと同格で仕事をしてもらつています。

毎週交番のリーダーが二名ずつ配置され、このリーダーが週の一切の運営を司つています。すなわち、子どもの全校的行事や、生活指導はもとより、参観人・来校者の應接、研究会の司会、児童リーダーの指導、その他臨時の事務などを全部受持つています。

しかし私たちは、決して「職員室」にとじこもつているわけではありません。

他に先きだつて、いち早く校内の組合も結成しましたし、一般の学校教職員と同歩調で、教職員組合の運動にも参加します。また各種の文化團体に所属して文化運動にも従つています。

更に、終戦後から本年九月末にいたるまで、数えると一道四〇府縣に亙る、延六〇〇回余の各地出張も行つて、私たちの研究を語り、その主張を述べてもきました。年々の研究会も開催して、研究も実際指導も公開し、また日々全國各地からの参観者を迎えて、学校の実状も見ていただいてもいます。

私たち同人の機関誌「学習研究」も、毎月発行され、私たちの研究や実践報告を載せて、各地へ送られ、子どもの雑誌「伸びて行く」「ひかりのくに」などの編集や監修も行われて、子どもたちの研究や作品も発表されています。

第一軍團から指定されて、奈良縣の実験学校となるや、奈良縣下、並びに第一軍團管下の近畿各府縣の実験学校と協力して研究にあたり、次いで文部省の実験学校に指定されることになつて、一層廣い地域の諸学校と共に、その指定された研究に拍車をかけています。

これは対外的な活動の主なものだけを述べたのでありますが、私たちは、それを誇りがましくいつているのではありません。事実私たちが、まだまだ微力であることは、みずからよくわきまえています。微力なことを知り、かつ、繁忙な生活の中にも敢えてこうしたことに努力している所以は、すべて私たち同人が、各地の教育実践家と手を結び、肩をくんで、わが國の教育文化のために働こうという熱情にほかなりません。

育友会（PTA）は、私たちと全く一心同体で、きわめてかつぱつであり、機動的です。

その特色は、全会員が、各々その所に應じて、事業を分担し、積極的に協力活動をしている点でありましよう。しかもその分担組織や人員配置は、決してあまくだりでできたものではありません。最初、組織の準備的な行動としては、全保護者に対し、学校経営における努力点、育友会結成についての意見や注意、各自の分担希望等にわたつて意見を徴しました。その結果を集約して生まれたのが六つの部であります。これは、かの教官の事務組織と同一であるので重ねて述べませんが、その間の関係は、育友会の六部組織が行われたのに従つて、教官の方の組織を改編したのであつて、いろいろな点で、一体的な活動をするのに都合のいいことはいうまでもありません。この点も特色の一つといえましよう。全会員は、みずからの積極的な申出によつて、六部のいずれかの部に所属しているわけであります。

この組織の運営は、学級別集会が母胎であつて、これは毎月、第一・二週に開かれ、次には、学級における各部の委員（一名ずつ）の参集する六つの委員会が第三週に開かれ、更に第四週目には、各部の委員長と、教官理事（各部一名）とによる理事会が開かれます。従つていろいろな意見は、学級から理事会へ、また理事会から学級へと常に交流しています。

会員の率直な意見をどしどしとりあげていく育友会の活動はかつぱつです。学校側の注文に應じて資金を調達しようという後援会式のいきかたは、いつとなく消え失せてしまいました。ちえを出す人、労力を出す人、資材を持ちよる人、それぞれの力に應じて、学校を、子どもたちの生活を、明かるく、正しく、ゆたかにすることに協力しています。古い奈良の社会に、新しい共同社会がめばえてきたように思われて、希望に充ちています。この育友会と、こども赤十字との連絡も次第に実現する氣配です。

湧きあがるふんい氣に應えて、同窓会もまた面目を改めようとしています。同窓会と育友会との協力は、また新しい何ものかを生むのであろうと期待されます。

私たちは、もちろん特別のしつけの時間を持ちません。それは一切の生活が、人間として強い人間をつくつていくためであり、しつけであるからです。それほど、私たちは、しつけということを重視しているのです。このごろ「自由」ということのはきちがいから、しつけの面が方向を失つたり、乱れたりしていることは、私たちの甚だ遺憾とするところであります。

しつけというものの本質は、子どもたちの自己統制であると考えます。自己を統制できるということとが、人間として強い人間のきわめて重要な要素であることはいうまでもありません。自己統制はもちろん、子どもたちの幸福な、人間らしい生活を維持しようとする生活への理解が深まることによつて発展するものであります。したがつて社会生活の場に生活をさせることによつて、自然に発展するのでありますが、それが正しく有効であるためには、若干の注意が必要であります。

第一に、どの子どもも、学校社会の構成員としてみとめられ、一定の秩序に従つて生活できるという安心感を持つように、配慮しなければなりません。

第二に、どの子どもも、お互同志の間で、それ相当の尊敬を受け、地位が興えられる必要があります。

第三に、どの子どもも、自分のしたことに対して成功の悦びを持たなければなりません。

第四に、どの子どもも、自分の旺盛な活動意欲（身体的及び精神的の）を、正しい方法で満足させることを、経験していかなくてはなりません。

このような配慮は、子どもたちに、自信を興え、自己統制の根拠を興えることになります。私たちの学校では、これらの配慮は、さいわいに、かなり周到に行われています。これは私たち教師の姿勢が、そうさせるのであると思います。

自己統制の中心になるものは、人間としての誠実さであります。元来子どもは、誠実であろうとする要求を、たしかに持つているのであります。これは人間一般についてもいえることであります。しかも、その傾向がさまざまの事情によつてゆがめられて行くのであります。自信を失うこと、自己統制の根拠を失うことも、その原因であります。この本来の要求を十分に伸ばすために、私どもは次のようなことを考えています。

一、打込める仕事を興えて、それに熱中させ、これを中断しない。事実、私たちは、一つのことに熱中している子どもの目の輝きの中に、まじめな表情の中に、清純で誠実なものを認めます。

二、困難を避けず、真正面からそれに打克たせる。子どもたちは、冒険すきで、むしろ坦々たる道を好みません。困難に打向いそれを征服する勇気は、誠実さを支持します。

三、自分で仕事をえらび、あるいは自分でやりがいのある活動をえらぶようにする。いくつかの仕事、あるいは活動の中から、自分のしたいと思うもの、自分がしなければならぬと思うものをえらんでいくことの中に、誠実な心持は、すくすくとのびていきます。

四、適当な休息や睡眠をとらせる。生活には一定のリズムがあります。休息や慰安は、子どもたちに自分をとりかえさせます。睡眠をとつたあとの精神はぬぐわれたようになつて活氣に充ちています。自己をとりかえすことなしには、誠実な心を持ちつづけることは、困難です。

五、ふざけないようにさせる。ふざけたり、茶化したりすることの中には、他人におもねったり、自己の真実をかくしたりする、不純な気持がはたらいています。ほんとうのユーモアを教えて、それと、ふざけたり、茶化したりすることを、区別させたいと思います。

六、物を大切にし、後しまつをきちんとさせる。自己の活動の結末をはっきりとつけることは、自己をはっきりと把握していく上に大事なことです。自己の輪郭がはっきりしなくては、誠実さを保つことはできません。

このような指導は、結局するところ、一人一人の子どもの心の中に、入り込んで行わなくてはなりません。子どもの傾向に應じて、あるものは図画の教師に、あるものは音楽の教師に、またあるものは体育の教師に、特別の指導を委託して、担任教師とともに、そのしつけをしていこうとしています。このような指導を有効にするために、細密に書きこまれた、個性観察の集積記録をも、つくっていこうとしています。

私たちは、私たちの性格や、生活態度が、子どもたちに及ぼす影響の甚大さに、いつも驚き、かつ反省しております。教師の示範は、今も昔も、訓育の大本であることを、痛感しています。

四 「しごと」の指導計画表

子どもたちが、経験を拡め、いろいろの能力をみがき、生活を充実していく活動を、私たちは「しごと」「けいこ」「なかよし」に分けて考えます。これから、子どもたちの生活の中心となっている「しごと」の指導計画表を一年から六年にわたってかかげることにします。この「しごと」の計画表は担当指導者によって、各学年各学級の児童の特性にもとづき、経験や能力の発達に即して立案されたものです。

はじめに、学級の特性や、主題設定の意図など、指導上の要点についてのべ、「しごと」の指導目標中の主な事項についてのべています。

次に主題と「しごとのめあて」と、学習活動展開の要領についてのべています。主題は直接子供に与えるものでなく、教師のためのものであり、子どもたちの主要経験の領域を示したものであります。「しごとのめあて」は、子どもたちが、いろいろの「しごと」をする中で、とりわけ中心となるであろうと思われるものを数項目述べたもので、子どもたちに、端的に把握され、おう盛な活動意欲をよびおこすであろうと思われるものです。この「しごとのめあて」は、学習活動展開の要領の中に前後の学習活動を伴つてあらわれています。学習活動展開の要領の中では〇印をつけた番号の下に記されています。

学習活動展開の要領では、上段に予想されるいろいろな学習活動を述べ、下段には対照番号の下に、その学習活動を指導する上の程度や内容を示しています。いろいろな学習活動は、主題毎に、通し番号をもつていますが、学習活動の自然的な発展の予想に基づいていることをあらわし、使用上あるいは反省の便宜上から考えられたものです。指導の実際に当つては、この配列や方向に若干の移動や変更があることは当然のことでしよう。もつとも、この計画表はこれに数倍する計画の要領ともいえるものであつて、ぎりぎりのところがかき記されていますから、これをいい加減にしようとは考えません。けれども、子どもたちの学習指導の実際に当つて、更に望ましい活動や方向があらわれてくるような場合でもこの計画案を固執して、子どもたちの活動をしばろうとするものではありません。それは、「しごと」本来のたて前に反することでもあります。厳密周当な計画案ではありますが、更にしごと本来のたて前を生かすためのものであります。

私たちは、子どもたちの「しごと」の指導に当つて、「しごと」の指導計画表を手がかりとし、子どもたちが、全力を打ちこんでしている「しごと」をみつめ、子どもたちが、十分に能力を発揮し、いろいろの能力を磨いていくために、目標をはつきりにぎり、目標を具体化している能力指導系統表に基づいて、ぬかりなく、しかも、更により高い能力が発揮できるようにつとめ、本来の目標を達成していくつもりです。

なお、この指導計画表は、昭和二十三年度の各学級の案であつて、これからの経験と研究及び児童の発達によつて書き進められるものであることはいうまでもないことであります。

第一学年月組

一　学習活動の三面

幼い一年生の一人一人が、自ら求めて、しかも心を打ちこむ活動は、「あそび」そのものでありましよう。

〃教師は親、友だちはきようだい。子供が両親と打ちとけて話し、きようだい仲よくする家庭の姿で、積極的な「あそび」の世界をかもしだし、時には個人的に、時には共同で「あそび」をたのしむ。時に正しい生活経験を重ねていく。その生活経験を表現へ――の活動によつてさまざまな能力が高められていく。〃――これが一年生の「じごと」の時間であります。

この「あそび」に連なつて、それぞれの知識や技能が正確なものとして身につけられる「けいこ」の時間がありますが、家庭から学校へのかけ橋であり、「あそび」が活動の中心である一年生の「けいこ」は、「あそび」の精神がその底を流れるものであらせたいと思います。

また「なかよし」の時間も、学校という社会に生活して、幼いながらに上級生の奉仕活動に同化され、なすことをたのしむ「あそび」の延長でありたいと思います。

こうした「あそび」の中で、一人一人を伸ばすためには、人おのおのの特質に即してはぐくむ心が大切であります。また児童一人一人の「しごと」のいとぐちは、それぞれ個性的なものでありますから、その活動は、同じ主題の中にありながら、さまざまの姿となつて展開するでありましょう。

二　主題設定の心

一、たのしい一年生――あこがれの学校へ入学した児童にとつて、学校での生活がいかにあるかということは、かれらの終生を規定するゆえんともなり、現在の生活を高めるためにも大きな影響があります。で、学校生活をたのしむ間に、学校という新しい社会に順應して正しい生活を身につけ、社会人としての能力を身につけることになりましよう。

二、秋をたのしむ――奈良という地に生い立つた児童にとつて、秋の美しさ、さらに、自然の不思議にふれることは、これを味わう感覚的なはたらきを强めるゆえんであり、このことがやがて、すべての物を見る力、考える力、解決する力などへの基礎となるでありましよう。

三、家――家は児童の生活の場であります。この家庭での生活がいかにあるかということは、児童自身の生活意欲をどの方向に向けるかの問題になります。多のこの生活をたのしく正しいものにすると共に、子供ながらにその生活を伐り開いて健かなものとする――これはやがて、家庭社会を理解し、建設する発端となるでありましよう。

たのしい一年生	（四月――七月）

しごとのめあて

○佐保川へ花見に行つて、話しあつたり絵にかいたりする。
○学校のいろいろな道具を使つて仲よく遊ぶ工夫をする。
○身体検査を受けたことをもとにして、お医者ごつこをする。
○遠足して絵と文を書き、紙芝居をつくる。
○いろいろな時計をつくり、どんな時にどんな時計を使つたら都合がよいかを話しあう。
○夏の小さい動物を集め、人に害をする虫をなくする工夫をする。
○水遊びの道具を集めたり作つたりして、仲よく遊ぶ工夫をする。

○夏休みのけいこをして、夏休みにどんなことをしたらよいかを考える。

学習活動の展開	内容・程度
1、座席、下足箱、便所について知り、呼ばれたらはいと答える。	1、学校生活の正しいいとぐちにつく。
2、校内を廻り、花の咲いている木を見つけ、その名を知る。	2、大ぜいいつしよに行動する。
3、帳簿順にならんで、上級生の学習ぶりを見て廻る。	3、列をつくつて歩くことができる。
④、佐保川へ花見に行き、話しあつたり絵にかいたりする。	4、先生や友だちと親しくすることができる。
5、教室内で、仲よく玩具を使つて遊ぶ。（おなげ、かるた、デル	5、数人で仲よく遊び、後かたづけができる。
タ、てつきよう、絵本、お部屋かざり）	6、大ぜいいつしよに遊ぶ仲間にはいる。
6、校庭で、鬼ごつこ、ねことねずみ、かけつこなどをして遊ぶ。	7、学校の道具をたいせつに使う。
⑦、学校の道具を使つて遊び、絵や文にかく。	みんなで相談して順序をきめてする。
大積木、電車ごつこ、輪なげ、ボール遊び、ままごと遊び。	誰とでも個人的に話すことができる。
8、からだを清潔にして身体検査を受ける用意をする。	8、身体検査の目的を知る。
9、係の人やお医者の言われることをよく聞く。絵や文にかく。	9、係の人のことばに従つて行動する。
⑩、からだをよくする工夫をして、「お医者ごつこ」をする。	10、健康上の注意事項を想起して味わう。
11、遠足についての注意を相談してきめ、それを書写する。	11、板書した箇條書きの文を視写する。
12、一列にならんで左側を歩き、珍しいことをたくさん見つける。	12、團体的な歩き方になれる。
13、目的地で楽しく遊び、仲よく食事し、よく後始末して帰る。	13、公共の土地を愛し、自然を楽しむ。
14、早く家に帰つてその日のことを父母に話し、ゆつくり休む。	14、経験を家の人に細かに話す。
⑮、遠足の紙芝居をつくり、学校でも家庭でもみんなに見てもらう。	15、みんなの前で話そうとする。

学習活動の展開	内容・程度
16、起床、就床、食事の時などに時計を見ておいて絵にかく。	18、学習時間の時報によつて行動できる。
17、一日の生活時刻表をつくつてみんながくらべてみる。	時間單位で時計が読め、12までの数字が書
⑱、時計を作つて、どの時計はいつ使うかを話しあう。	ける。一点の周囲の角を目分量で四等分
19、時計についての詩や文を書き、時計のうたを歌う。	し、直角を目分量で二等分する。
20、夏の小さい動物の名を集め、害あるものの益あるものに分ける。	19、リズムをはつきりし、声をそろえて歌う
㉑、「虫とりデー」をして害ある虫をとる工夫をし、とつた虫の数を	21、はえや、のみ、か、しらみなどの健康上
表に書く。——この頃の暑さを寒暖計でみてグラフに記入する。	の害を知つて、驅除に努力する。又、食物
22、病氣を防ぐポスターを作つて、目につきやすいところに貼る。	から病氣にならない工夫をする。
23、水遊びの方法を考え、それぞれ道具を用意する。	23、遊び道具をつくることに興味を持つ。
水でつぽう、しやぼんだま、水車、噴水、笹舟、水泳、噴霧器。	プール使用の約束をきつちり守る。
㉔、仲よく水遊びをし、その楽しさを絵や文にかく。	24、明暗に關心を持ち、色を鮮明にえがく。
25、夏休みの期間を知つて夏休み七曜表を作る。	25、夏休みは何日から何日までかを知る。
㉖、夏休みのすごしかたを話しあつてそのけいこをする。	全体で何日かを知り、一週間は七日で七日
27、夏休みにしたいと思うことを考え、その用意をする。	をたしして次の同じ曜日の日を知る。
28、休み中の行事を相談してきめる。（たなばた、かにとり等）	28、休み中は、すなおに、元氣に過す。

秋をたのしむ　（九月——十二月）

しごとのめあて

○月見の夜のジオラマをつくる。

○野や山を歩いて、草花をとつたり木の実を拾つたりする。

○秋の果物、花、野菜、虫、小鳥などを作って、お店ごっこをする。
○運動会に何をするかをきめてけいこする。
○郊外に遠足して取入れのようすを見、これを紙芝居、絵巻物などにする。
○美しい木の葉を多く集めて、木の葉遊びをする。

学習活動の展開	内容・程度
1、秋の虫をとりに行き、月見の夜をたのしみつつ、虫を飼う。 ②、お月見の供物、花などをつくって月見の夜のジオラマを作る。 3、「おつきさまのへに」を読み、「おつきさま」の歌を歌う。 4、「お月見の夜」「虫とり」について、紙芝居や絵や歌をかく。 ⑤、市の北西田園地、東方山地、南方樹間などを歩き、秋を味わう。 6、その都度、稲、草木の実、秋の果物などを観察採集する。 7、秋の動植物をえがいて、「秋のへに」を作り、文などをかく。 8、お店ごっこをする店をきめて、その店のようすを見に行く。 9、お金や品物を作り、値段をつけなどして用意する。 ⑩、店をつくって、お店ごっこをし、記録する。 11、運動会にどんなことをするかを話しあってきめる。 ⑫、上級生のようすをお手本に、よくおけいこする。 13、運動会の見方や、服装について話しあう。 14、運動会にはよく見、正しく元気に運動し、文や紙芝居を作る。	1、虫のとり方、かい方に心を使う。 2、形を考えて作り、台の紙にはったり、前に釣り下げたりする。立てる工夫もする。 3、歌に発想がつくようになる。 4、虫の形を観察して工夫し絵にかく。 5、秋分頃の気温をはかり、自然をたのしむ。 7、自分の好む表現に心をうちこむ。 8、共同での計画ができ、実践に努める。 9、物の形を正しくするに努め、値段も実際市場を観察して後考えやすくきめる。 10、十までの加減、何十という二位数の加減ができる。数量生活の要点を記録する。 12、よくしようという気持を持ち、おけいこに努力する。

学習活動の展開	内容・程度
15、取入れを見る目的で、遠足の場をきめる。 ⑯、遠足で取入れの道具や取入れの仕方を見て、手傳う。 17、遠足のようすを紙芝居や文にする。 18、かにとりに行った頃の絵を出してその頃の木のようすを思出す。 19、新公園から月日の岩方面に遠足して、紅葉の美しさを見る。 ⑳、美しい木の葉を集めて、木の葉遊びをする。 21、もみじがりのようすを、絵巻物や紙芝居、詩や文にする。 22、二学期にあったことを思い出して楽しかったことについて話しあったり文にしたりする。	15、目的をきめて、遠足する経験を持つ。 16、落ち穂拾いなどのできる手傳いをする。 17、一人でまとまった作品をつくる。 18、作品を繼續に四季の変化を感得する。 19、秋の茶良を十分味わい楽しむ。 20、木の葉の美しさを味わい、共同で集めたり分けたり、飾りにしたりして楽しむ。 22、校外学習遠足、運動会などの生活を想起して秋の移り変りを心にまとめてみる。

冬	（一月——三月）

しごとのめあて

○冬にいるものと夏にいるものとを絵にかいてくらべる。
○お正月の用意をして、仲よくみんなで遊ぶ。
○冬休みにあったことを思い出して、お正月頃の「お客あそび」をする。
○寒い時のよい遊びかたを工夫する。
○家や学校で子供会をして、みんなが楽しくする。
○野や山を歩いて春をさがす。
○学藝会にすることを相談して用意する。
○二年生になる用意をして、春休みにすることを考える。

学習活動の展開	内容・程度
1、七月・九月の濕度グラフにくらべてこの頃の氣温を考える。 2、寒くなつて、家ではどんな用意をしているかを話しあう。 ③、冬にいるものと夏にいるものとを繪にかいてくらべる。 たべもの、たてぐ、きもの、氣温をやわらげるためのしかけ。 4、かぜ、ひび、あかぎれ、しもやけを防ぐ工夫をする。 5、着物しらべ、清潔しらべをする。 6、正月まで幾日殘つているかを數え、正月の用意の相談をする。 かるた、すごろく、たこ、はねつき、などの用意をする。 ⑧、用意したものを使つて仲よく遊ぶ。 9、冬休みにすることを計画し、その用意をする。 10、冬休みの生活や作品について話し会や展覧会をする。 ⑪、お客遊びの道具を揃えて仲よくお客遊びをする。 12、子供会を開いて「正月のうた」「お客遊び」「話」などで樂しむ。 13、この頃の遊びについて繪や文や図などを書く。 ⑭、家での遊びかたについて工夫し、実行について話しあう。 ⑮、学校での遊びについて相談し、注意をまとめ約束をきめる。 16、子供会を計画し、それぞれ何をするかをきめて準備する。 節分や山遊の行事、讀んだ話、つくつた話、げき、遊びなど。	1、氣温が七月・九月に比べて下つたことと、「暑い」「涼しい」「寒い」の感覚と温度とを関係的に知る。 3、比較から疑問が発生的に芽生え、自問自答の態度ができてくる。 4、5、自分の体を自分で守る氣分を起し、それにつとめる。 8、共同の作業に精神を込めることができる。 5、遊ぶ間に数量関係をもとにした問題を発見し、それを解決する。 家庭生活、特に正月の遊びの場にもこれが行われるようになる。 13、プログラムをあらかじめつくつて、練習準備、子供会、反省の順序をふんで、計画生活の形を身につける。 14、屋外の遊びをたのしみ、自然現象に興味を持つた遊びが芽生える。 16、個人的な計画を最後まで仕上げる。

学習活動の展開	内容・程度
⑰、家や学校で子供会を開いて、みんながたのしくする。 18、子供会でよかつたこと、なおしたらよいことなどを話しあう。 19、「立春だ」「春はまだか」と家の周囲や学校の附近で探す。 ⑳、みんなでいつしよに郊外に遠足して春を探す。 見つけた春をもとに、繪や歌、劇にくみたてる。 ㉑、学藝会にすることを相談して用意する。 22、練習してみんなの前で試演し、「よくするように」話しあう。 23、学藝会の見方について話しあい、聞きじようずの体験をつくる。 24、学藝会の樂しさを紙芝居や文、詩などにあらわす。 25、二年生になるまでにすることを相談してきめる。 26、一年生の教室・道具・本などの手入れをし、掃除をよくする。 27、自分の一年間を帳面、作品、出席などで思い返して整理する。 ㉘、りつぱな二年生になる意氣で、休み中の計画をする。	18、子供会についてよしあしを判断し、考えをのべる。 19、自然の変化に関心を持ち、續けて見ようとする氣分を起す。 20、見つけた事実について自分で意義づけをし、劇や想像文を書き、それを発表する。 21、みんなが自分の役について考え、「自分の工夫でよい発表をする」との自覚を持つて事にあたる。 22、「一年生の教室ありがとう」の心持で教室を、「どれだけりつぱになれたか」と自分の一年間の生活を、二年生らしくりつぱにと休み中の計画を、それぞれ一心にする。

第一学年星組

一年の「しごと」の時間は、子どもの一般的な特性と、この学級の子どもの心理や実情に立脚して計画された「あそび」を本体とする指導の時間である。この時間には、常に、環境の構成によつて子どもの興味関心を高め、子どもの本能衝動的な動きの波を利用し、直観や体験を重んじて「あそび」の生活そのものを指導するのである。そして彼等をしてその主要な経験領域内の生活に慣れさせ、その生活を豊かにしていくことを目標とする。特に、

一、あそびの間に、遊戯即学習の世界に眼を開かせ、何らかの問題をとらえる能力を養うこと

二、自らの経験をその場限りのものとせず、積極的自発的にこれを反省整理し発展させ、子どもながらにまとめをつけ、いろいろの形に表現する能力を養うこと

等に重点をおく。更に、われわれは、彼等の活動を見守って、その生活に芽生える人間的生命の萌芽をいち早く認め、これを尊重し培養することに専心しなければならない。そして、自己中心性の強い、情緒の動きのきわめて著しい子どもが多いところから、「けいこ」「なかよし」の時間と相まって、しごとに熱中する態度、友だちと和親し協調する態度、わかるように発表する能力等を養っていくことにつとめる。「けいこ」の時間は、「しごと」の発展としてまた準備としての学習の基礎能力練習の時間であり、「なかよし」の時間は、こども赤十字の精神に則り学級や学校のため共同で奉仕する時間である。こうした方針のもとに、「しごと」の単元を、彼等の経験領域から考えて、「学校」「野や山」「家」の三つとした。その指導目標は次のようである。

学校
- ○学校にある設備や行事によく慣れ、楽しく安全な生活ができるようになること
- ○きまりを守り、友だちどうし親切にし合い、なかよく遊ぶことができるようになること
- ○注意したり整頓したりして学校を美しくし、生活を楽しくすることができるようになること
- ○親や社会のおかげを知り、勉強してよい子になろうと心掛ける事ができるようになること

野や山
- ○動植物には日光や温度や人の保護が必要であることを知り、生物の愛育ができること
- ○衣食住についての社会のおかげや動植物のおかげを感謝することができるようになること
- ○健康の大切さを知り、野山に出て健康を増進しようと心がけることができるようになること
- ○野や山の事物現象をよく観察し、自然に親しむことができるようになること
- ○季節季節によって生活上のいろいろの用意ができるようになること

家
- ○両親が自分らの衣食住の心配をしてくれていることに感謝することができるようになること
- ○家庭の人たちがお互いに助け合っていることを知り、お手伝いができるようになること
- ○家庭の人たちがいろいろの交通機関を使用していることや一人一人の仕事を理解すること
- ○家庭生活を楽しくするために、自分でできるだけのことを進んでするようになること

学　　校	（四月——七月）

しごとのめあて

○佐保川へ花見に行き、いろいろのものを見てきて、絵をかいたりお話をしたりする。
○学校にある玩具や道具をつかって、なかよく遊んだり遊びかたをくふうしたりする。
○たのしい遠足をしてきて、絵ばなしや絵まきをかく。（若草山または奈保山）
○紙でいろいろの時計をつくり、時計にあわせて一日の生活を絵ばなしや紙芝居につくる。
○このごろのくだものを集めて、絵をかいたり切りぬいたりねん土でつくったりする。
○夏がきたので水あそびをしたり、たなばたのおそなえを作ってかざったりする。
○夏休みがちかづいたから、休み中どのようにして毎日をおくるかそのおけいこをする。

学　習　活　動　の　展　開	内　容・程　度
1、学校の中や外を見てまわって、教室への道や靴棚や便所などをおぼえたり、いろいろの場所を知ったりする。	1、先生にごあいさつができる。一人で登校し、身のまわりの始末ができる。
2、先生や友だちと一しょにいろいろのあそびを元氣よくする。また絵をかいたりお話をしたりすきなおしごとを力一ぱいする。	2、先生には氣輕に話すことができる。だまって人の話をきいたり絵をかいたりする。
3、学校にさいている花をみて歌をうたったり絵をかいたりする。	3、見たことの一部が絵や話に表現できる。
④、佐保川へ花見に行ってきて、絵をかいたりお話をしたりする。	4、組別の集合、ならんで行進ができる。
5、学校園へ出て草花つみをし、いろいろのしごとをする。	5、自分の生活が想起再現してまとめられる
⑥、教室や校庭にあるいろいろな玩具や道具を使って、なかよく遊んだり遊びかたをくふうしたり、またおしごとを考えてする。	6、なかよく遊ぶ。文字に表現するため必要なひらがなをよんだり書いたりする。
7、あさがおのたねまきをし、いろいろのおしごとをくふうする。	7、かぞえること、種をまくことができる。
⑧、はじめての遠足に、よくきまりを守って行ってくる。	8、並んで行進、身のまわりの処理ができる
⑨、遠足のお話をしたり、うたや絵話や絵まきをつくったりする。	9、文字と絵とを併用して生活を表現する。
10、中庭の鯉やうさぎにえさをやり、それらを紙でつくったり、うさぎやきんぎょのうたをうたったり、ゆうぎをしたりする。	10、よく観察する。発表意欲、歌唱意欲をもって話したりうたったりする。
11、猿沢池やさぎ池へ行ってきて、いろいろのおしごとをする。	11、共通経験を共同で文にし綴る体験をもつ
⑫、紙でいろいろの時計をつくったり、時計にあわせて朝からばんまでのことを絵ばなしや紙芝居にかいたりする。（時の記念日）	12、時間単位で時計がよめる。時計によって一日の生活をするようになる。
13、学校にある木の葉や草花をとって木の葉あそびをする。	13、草花の名をおぼえ、数の増減に注意する
⑭、この頃のくだものを集めて絵をかき、きり抜き、ねん土でつくる	14、よく観察して写生ができる。
15、この頃のたんぼを見てきていろいろのしごとを考えてする。	15、感じたままを話し、詩に表現する。
16、たのしい水あそびを考え、しゃぼん玉あそび、水でっぽう、プールで水泳ぎなどして、いろいろのおしごとをする。	16、安全に楽しくあそぶ。後かたづけをよくする。衛生に氣をつける。
⑰、水谷川へかにとりに行ってきて水中動物を飼ってみる。	
⑱、たなばたのおそなえを作っておへやにかざり、うたをうたう。	18、線のひき方、紙のきり方、はさみの使い方になれる音のとおり歩ける。
19、花だんの花をみたり、みつばちやその他の虫のしごとを見る。	19、リズム感をゆたかにうたうこと。自分の書いたもの作ったものが説明する。
⑳、夏休み中の毎日の生活を考えてそのおけいこをする。	

野　や　山　（九月——十二月）

しごとのめあて

○虫を取ってきて飼ってみ、虫とり絵本を作ったり、紙で「虫のへに」をつくったりする。
○秋の野山を歩いて木の実や草花や虫をとってきて、いろいろのしごとをくふうしてする。
○よくおけいこをしてたのしく運動会をし、いろいろのしごとをする。
○遠足に出てとり入れの様子を見てきて、紙芝居をつくり、子ども会をする。
○もみじがりに行ったりおちばやどんぐりをひろったりして、木の葉あそび木の実あそびをする。
○冬じたくがどんなにされているかを観察して、冬のものと夏のものとをくらべる。

学習活動の展開	内容・程度
1、夏休み中の作品を出して見せあい、展覧会をする。	1、先生の話を理解してその通り行動できる。
2、作ってきたものや集めてきたものについてお話する。	2、人にわかるようにはっきり話せる。
3、この頃の季節が真夏とちがう点を考え、秋の虫について話合い虫とりの用具を用意したり、いろいろの問題をつくったりする。	3、漢字を必要に應じ習得して使える。加減のかんたんなもんだいをつくる。
④、遠芳が原へ虫とりに行ってきて、取った虫を飼ってみる。	4、自然にしたしみ、生物を愛育できる。
⑤、虫とりの絵本や紙芝居をつくり、紙で「虫のへに」をつくる。	5、共同で紙芝居や工作ができる。
6、お月見のことについていろいろのおしごとをする。	6、音読ができ、文の大すじをつかむ。

7、秋分の日のころ、日の出日の入氣溫などについて話を聞き、秋の天氣について考え、風のことから風車をつくってあそぶ。	7、方位の概念ができ、温度計の見方がわかる。形や線をよくみて描き、またつくる。
⑧、秋の野山を歩いて木の実や草花をとってきてしごとをする。	8、事物現象をよく見てそれを発表できる。
9、秋のたねまきをしたり、秋のくだものをしらべたりする。	9、よくみてそのことを記録する。
⑩、からだを强くするために運動場でいろいろの運動をする。	10、物語的歌詞を動作で表現できる。
11、運動具の絵をかいたり、紙やきびがらでつくったりする。	11、形の立体構成ができる。きまりを守る。
⑫、たのしく運動会をし、いろいろのしごとをくふうしてする。	12、進んでからだを强くする心構をもつ。
13、学校にある木の実をしらべ、とってきて木の実あそびをする。	14、衣食住について社会のおかげを理解する。五線の名、音名をおぼえる。かんたんな劇表現ができるようになる。共同でプログラムをつくりこども会ができる。
⑭、遠足に出てとり入れのようすをみてきたり、お米の配給所をみてきたりして、お米について多くの人の世話になることを考え、紙芝居をつくったり、こども会をしたりする。	
⑮、春日奥山へもみじがりに行き、いろいろの紅葉を観察し、どんぐりをひろってきて、いろいろのしごとを考えてする。	15、色や質によって描く上にくふうする態度がでてくる。ことばのスケッチができる。
16、おちばひろいをしてかずの問題やうたや木の葉もようをつくる	16、百までの数の増減がわかる。
17、鳥の羽をあつめてきていろいろのしごとをくふうする。	17、羽をとばしたりもようを作ったりする。
⑱、佐保山へ行って林や畠や動物の冬じたくをみてきて、まとめて記録したり、人間の冬じたくとくらべたりする。	18、生活をなるたけ具体的に言語表現できる。事物現象を比較して考えることができる。
⑲、冬のものと夏のものとくらべていろいろのしごとをする。	19、生活内容を劇化し演出することができる。
20、お正月が近づいたので、いろいろのしごとを計画し、カルタをつくったり歌をうたったりする。	20、正しい発音を身につける。人の話に対して質問ができる。

家	（一月――三月）

しごとのめあて

○家の人がどんなお仕事をしているかを考えて、そのことを絵本につくる。
○いろいろお店を見てきて、お店ごっこ買物ごっこをする。
○家の中の道具や機械をしらべてその便利さを考え、絵をかいたり紙で作ったりする。
○家の人が利用している乗物について話合い、乗物の絵をかいたり電車ごっこをしたりする。
○おうちや学校でこども会をする。

学習活動の展開	内容・程度
1、お正月のたのしい思い出を話合ったり、うたをうたったり、休中の作品をてんらんしたりする。	1、友だちの話や作品についてわからないことをたずねたり考えをいったりする。
2、お正月になって家の人たちがそれぞれいくつになったかという話合いから家の人の顔の絵やお話をかき発表する。	2、人の前で考えていることをはっきり話すことができる。
③、家の人のお仕事を考えてそのことを絵本につくる。	3、絵本のつくりかたができる。
4、家でのおてつだいや、いろいろのお店へお使いに行ったことをお話にかいて発表し、買物ごっこをけいかくする。	4、いつでも家で簡単なお手傳いができる。
⑤、いろいろのお店をみてきて、組ごとにお店をきめたり、賣るものを紙でつくったりし、お店ごっこ買物ごっこをする。	5、グループで相談し仕事の分担ができる。お友だちのことを考えて助け合う。
6、このことからもんだいを作ったり、歌をつくったりする。	6、かんたんな金銭の計算ができる。
7、家の中のいろいろの道具や機械をしらべてその便利さを考え、絵をかいたり紙でつくったりする。	7、道具や機械の用途やかんたんな構造に着眼して絵や文に表現できる。
8、雪がふったら雪のたまを作ってあそぶ。	8、雪や氷についてよく観察し、もんだいをみつけることができる。
9、霜や氷についてよく観察し、日なたと日かげとをくらべる。	
10、家の人たちの利用している乗物のお話合いをし、乗物の絵をかいたり紙でつくったりする。	10、乗物のいろいろについて知る。話をきいて要点をつかみ要約して発表ができる。
11、電車ごっこをけいかくし、役割をきめてなかよくあそび、いろいろのおしごとをする。	11、自分たちできまりをつくり、なかよくあそぶことができる。
12、電車であやめ池へ遠足をし、紙芝居や劇をつくる。	12、共同で紙芝居や劇がつくりあげられる。
13、校庭に出て木や草の芽をしらべ、春をむかえるお話や歌をかく	13、季節だよりをかきはじめる。
14、おうちや学校でする子ども会をけいかくし、一年のまとめとして、音楽や劇をよくけいこし、たのしく発表会をする。	14、一年のまとめとしていろいろの能力が表現できるようにくふうする。
15、二年生になる用意をする。	15、一年間の作品の整理をする。

第二学年月組

学級の特性

入学当初から総合学習をやってきました。遊びの生活の中に、その生活の創造を目ざして、自己のやむにやまれない欲求を強力に発揮させ、温かい思いやりのある家庭的雰囲氣の中で明かるくのびのびとした社会生活をさせたいと思ってきました。

最初は個々の切実な表現欲にかられたものを主体にした、ばらばらの活動からはいって、次第に学級全体としてまとまった主題の中において、協力して自己を生かした活動ができるようにしてきました。一年の終りには学級社会に対する関心が高まり、大体その中で協力した活動ができるところまできました。しかし二三の子はまだ協力的活動ができずにおります。それだけ幼稚なのですが、個人的には、ぼうぜんとしてなすところを知らないというのでなく、至極自己の問題に意欲をもって熱中していますので、心配せずにいます。後二三箇月もすれば自分からみんなの仲間にはいろうとしてくる見通しがつきますので、あせらず自分の問題に打ちこませながら協力的方面への指導に心がけております。男子の方が優勢でありますので女子の方を氣おくれさせず、もっと高めたいと努力しております。言葉によっての自己表現は全員できております。聞くことはむずかしいことです。十分注意して性格づけたいと思っています。至って身体活動を好み、表現は又肉体を通したものを好みますので、多方的な作業的創造的表現をさせております。子どもたちは絵による表現を特に好みます。

本学年の努力点

一年生の間は、まわりの世界に一應なれさせてきましたが、本学年は特に子どもたちが身近に接して興味をもっている「働く人々」に目を注がせて学習を展開させ、社会人として一歩前進させたいと思います。次の「しごとの時間」の計画は学級の子供の関心と、教師のこの要求によって立案したものであります。一学期は野山で働く人、二学期は町で働く人、三学期は台所に関係して働く人に重点をおいて学習を展開することにしております。

「けいこの時間」は、一年生の時には主題から発展させて随時とってきましたが、この面はたしかなものとするために、もっとやった方がよかったと反省しておりますので、今学年はもっと形式的練習にも力を注いで、この時間を十分活用したいと思います。

二年生から委員やリーダーや、はじめてやる清掃等によって、協力した社会的活動をさかんにしたいと思っております。「なかよしの時間」には、学校への奉仕活動をさせ、学校社会に対する関心を高めるつもりであります。

野山で働く人たち　（四月——七月）

しごとのめあて

○公園で楽しんでいる人々のようすを見にいく。
○新しく兎を飼う。
○お医者さんの仕事を文や絵にかく。
○砂場でアヤメ池までの地図をつくる。
○田うえはどんな順序でやつていくか、お百姓さんの仕事を紙しばいにする。
○やおやの野さいは、どこから旅をしてきたかを絵物語や絵巻物にする。
○長い休みでないとできない仕事を考えてめいめいできめる。

学習活動の展開	内容・程度
1、みんなで新しい教室を楽しい学習ができるようにつくる。	1、教室の設計、掲示、装飾。
2、はじめてやる清掃の上手なやり方を相談して分担をきめる。	2、仕事の内容と人数、用具の使い方。
3、座席、分団、持物、履物、役員等を話しあつてきめる。	3、役員選挙の方法。
4、学級朝の会帰りの会を委員が司会をはじめる。	4、司会の方法、発表討議のしかた。
5、新一年と遊んでやつたり、かざりをつくつてやつたりする。	5、砂遊び、紙工作、仲間に入れ方。
6、佐保川べりに花つみにいく。このようすや、観察したことを文や詩や、観察記録、地図、絵、作曲等にあらわす。	6、春の季節感、櫻のさき方、草花の名前、似ている花、つくし、百姓さんの仕事、蝶や蜂の生活、めだか、蛙の卵。
7、蛙の卵をとつてきて飼い、おたまじやくしの継続観察をする。	
⑧、公園で楽しんでいる人々のようすを見にいく。	8、観光客、紙くずのしまつ、公園で働く人
9、工作で春の公園のようすをつくる。	9、立体構成の紙工作。
10、学校のようすや、上級生の学習のようすを見て文や図にかく。	10、廊下のつき方、特別教室、赤十字活動。
11、学校園や校庭の草木の名をしらべて名札や表をつくる。	11、芽の出方、花のさく季節、種類、本数。
12、へちま、いんげん、朝顔のたねまきをして継続観察をする。	12、まき方、手入れ、発芽実験、比較。
⑬、兎をはじめて飼う。	13、えさの選定、当番制、発育測定、病氣。
14、身体けんさの結果で自分の身体の発育のようすをみる。	14、表のよみ方、病氣の手当、組での位置。
⑮、お医者さんの仕事を文や絵にかく。	15、病院の種類、お医者さんの一日、ごつこ
16、アメリカや國内の友だちや、かわいそうな人に絵や手紙を送る	16、赤十字記念日。
17、アヤメ池に遠足して田畑や、働く人々のようすを文や絵にする	17、交通安全、初夏の平地、百姓、職業者。
⑱、砂場でアヤメ池までの地図をつくる。	18、道順、部落、公共物、電車線、踏切。
19、一日の生活時間を図で表わす。	19、時計のよみ方、生活の規律、時計の歴史
20、蚕やつばめのようすを継続観察する。	20、蚕を飼育、食物、育て方、成長のしかた
21、傳染病の予防ポスター展覧会をする。	21、つゆに流行の理由、種類、病状、予防法
22、つゆにいろいろ変つてくることを観察記録する。	22、雨ふり、カビ、濕度、川水、梅の実。
23、雨ふりのようす、つゆにさく花、活動する動物を詩や文にする。	23、雨音、雨具、かたつむり、あじさい。
㉔、田うえはどんな順序にやつていくか紙しばいにつくる。	24、百姓の働き、服装、牛馬の利用。
25、佐保川の水のようすをしらべて文や絵にかく。	25、増水、土砂のたまり方、流れ方、ダム。
㉖、やおやの野菜はどこから旅をしてきたかを絵物語にする。	26、夏の野菜の種類、やおやと農村の関係。
27、一年間のくだもの暦をつくつて絵図にする。	27、奈良縣の特産、遠い所から来るもの。

28、おかざりや劇をつくつて七夕まつりをする。
29、プールや水車や水鉄ぽうで遊んで、これを文や絵にかく。
30、空の星や雲のことを観察して詩や文や絵にかく。
㉛、長い休みでないとできない仕事を考えて、めいめいできめる。

28、ねん土、紙でくだもの工作、たんざく書。
29、水車や水鉄ぽう工作、水遊び。
30、北極星、北斗七星、天の川、雷雨。
31、生活規律、海水浴、絵日記、採集其他。

町 （九月――十二月）

しごとのめあて

○駅ではたらいている人たちのようすを見にいく。
○虫を飼つて観察日記をかく。
○家から学校までのようすを地図にあらわす。
○「私たちの奈良」というアルバムをつくり赤十字の國内通信にする。
○とり入れのようすを見にいき、村や町ではたらく人たちのようすを絵や文にかく。
○自分の家や学校や村や町ではどんな多じたくをしているか絵や文にする。
○消防署を見学して防火展覧会をする。

学習活動の展開

1、夏休み作品の展覧会をする。
2、夏休みの旅行地、旅行のようすを話したり図にかいたりする。
3、乗物のいろいろを絵にかいたり工作にしたりする。
④、駅で働いている人たちのようすを見にいく。
5、乗物ごつこを、もぎ駅をつくつて運動場でする。
6、虫とりに郊外にでかける。
⑦、虫を飼つて観察日記をかく。
8、秋にさく草花をあつめて絵や文にかく。
9、種子のおもしろい旅のしかたを絵物語や作文にする。
10、秋のたねまきをする。
11、さつまいもほりの文や紙しばいをつくる。
12、家の近所のようすを図にかく。
⑬、家から学校までのようすを地図にかく。
14、学校の附近のようすを図にかく。
15、奈良市の観光地図で家や学校や町の名をみる。
16、それぞれの町の特ちようを文や絵に表わす。
17、町の公共物をみつけて、働いている人のようすをみる。
18、奈良市制五十周年記念行事を絵や文にする。
⑲、「私たちの奈良」というアルバムを國内通信としてつくる。
⑳、とり入れのようすを見にいき、村や町で働く人たちのようすを絵や文にかく。
㉑、自分の家や学校や、町や村ではどんな多じたくをしているか、絵や文にかく。
22、皮膚の衛生、寒冒予防の方法をしらべる。

内容・程度

1、夏休生活の反省、学習成績の鑑賞批評。
2、道順、乗物、時間、旅費、珍らしいもの。
3、名称、使い方、動力、発達のしかた。
4、駅の施設、働く人々の種類、乗客、汽車電車の動き方、荷物輸送、奈良の交通網。
6、秋晴、稲のみのり、虫の種類、秋の草花
7、虫の声、鳴き方、食物、成長、壽命。
8、秋の七草、似た花、花の名前。
9、いのこづち、ぬす人はぎ等、自然の妙味
10、種子によるまきかたのちがい、春まきとの比較、発芽実験、水と日光の必要。
12、13、14、道路、家並、方位、踏切、公共物、目じるしになる場所、みんなの図を総合してつくる私たちの町。
15、自分たちのかいた図と比較。
16、商店街、住宅地、市場等の性格。
17、特に交番、郵便局、配給所。
18、催し物、奈良の名物、昔の奈良。
19、研究の整理、アルバムの作り方、手紙。
20、百姓の仕事の順序、機械や道具の利用法稲の一生、お米のできるまで。
21、部屋、衣服、食物の変化、保温、霜よけの方法。一年間の衣服表。
22、ひび、しもやけ、あかぎれ予防、マスク

学習活動の展開	内容・程度
23、奈良市の火災の統計表をよむ。	23、表のよみ方、原因、季節と時間、損害。
24、火災のようすや原因を絵や文にかく。	24、見た経験、働く人。
25、学校や家庭や町で火災になりやすいところと消火栓を表にする	25、火氣、消火栓の場所、火氣責任者、当直
26、学校で防火避難練習をする。	26、心構、発見時の処置、にげ方、消火法。
27、防火標語やポスターをかく。	27、市の警察とも協力、ポスターの技術。
㉘、消防署を見学して防火展覧会を開く。	28、火災防止、消防に働く人々、その施設。
29、クリスマスやお正月を迎えるじゆんびをする。	29、クリスマスの贈物、楽しい時間のもち方
30、年賀状のけいこをして郵便ごっこをする。	30、謹賀のかき方、郵便の旅。

台所　（一月——三月）

しごとのめあて

○日用品が製作地からどんな旅をして台所までやってくるかを絵巻物、紙しばいにする。
○赤はだ焼のカマを見学にいき、茶わんの作り方や、土のことをしらべて絵や文や図に表わす。
○木炭や薪がどこからどう運ばれ、どんなに使われるか絵物語や紙しばいにする。
○いろいろの時の、いろいろのごちそうをしらべて、どんなにつくられているか絵や文にかく。

学習活動の展開	内容・程度
1、冬休みの作品を見せあつて楽しく話しあう。	1、お正月の生活、今年の希望。
2、家の人たちや、親類や近所の人たちについて文や絵をかく。	2、年齢、家族親類関係、職業、近所の交際
3、日常生活に必要な台所の用具を絵にかく。	3、用具の種類、役目、つかわれている材料。
④、日用品が製作地からどんな旅をして台所までやつてくるかを絵巻物や、紙しばい、すごろく等にあらわす。	4、買いつけの店、製作地から店まで、製作地とそのできるわけ、運ぱんに働く人々。
⑤、赤はだ焼のカマを見学にいき、茶わんの作り方や、土のことをしらべて紙しばいや、文や図にかく。	5、製作の順序、販賣の経路、輸出品、この山で製作される理由、土のでき方。
6、日用品の上手な買い方と取扱い方をけいこする。	6、ねだんと品質の関係、こわれ方。
7、お母さんの台所の仕事のようすを文や絵にかく。	7、お母さんの一日、てつだいのしかた。
8、家で使つているねん料を図にかく。	8、種類わけ、使い方のいろいろ。
⑨、木炭や薪はどこからどう運ばれ、どんなに使われているか、絵物語や紙しばいにする。	9、薪作り、配給所、ねだん、火もち、経済的使い方、運ぱんに働く人々。
10、電氣はどこから家にきて、どう使つているか図にかく。	10、配電会社、配線、電熱器、電氣アイロン
11、石炭、まめ炭、タドン、ガスの使い方、作り方を文や図にかく。	11、使い方のちがい、薪木炭との比較。
12、石炭はどこでどんなにしてとれているか話や絵でしらべる。	12、炭鉱の絵、働く人々、輸送のしかた。
13、ストーブをたいてあたる。	13、たき方、煙ガスの出方、換氣、濕度とり
14、湯をわかして、わき方を観察記録する。	14、沸とう、蒸氣の力、雲雨雪、濕度。
15、山燒のようすを見にいき絵や文をかく。	15、花火会、燒く理由、歴史、年中行事。
16、学藝会をする。	16、脚本作り、役割分担、演出法、招待文。
⑰、いろいろな時の、いろいろのごちそうをしらべてどんなにつくられているかを絵や文にかく。	17、正月、ひな祭、ひがん、秋まつり等一年中のたのしみ、性質と季節とごちそう。
18、春が近づいたことをみつけて文にかく。	18、若草山の色、草木の芽、日射し、氣温。
19、二年生のまとめをする。	19、二年生学習の整理、思い出、進級準備。

第二学年星組

一　「しごと」の時間

農家、私たちの町、体を主題として、公共の爲や、世の中の爲に働く人々とその仕事を調べ、生活のあらゆる部面に於ける相互依存関係を理解し、社会及び社会人に対する理解と感謝の念を深める。

二　「けいこ」の時間

（体育）　成長期の子供にとつて最も必要な、跳躍、懸垂、走等の大筋の活躍を主として、強い子供の強い体を作る。

（音樂）　明かるい子供を育てる情操として主力を注ぎ、譜のよみ方、奏樂の基礎力をも養う。

（國語）　一年生の氣分的表現から、正しい表現の力と、聞く態度の養成につとめる。

（算数）　一年生の数的遊戯から進めて、日常生活や継続観察等に於ける数的処理力と、百までの加減の確度を得させる。

三　「なかよし」の時間

校舎内外の簡單な清掃や美化を行つて、社会協力への意識を與え、又自分たちで劇や誕生会等の樂しい時間を工夫し、一年生を招いたりして、個人の樂しみから、友だちへも樂しみを分けていく。

しごとの指導目標

○　農　　家

1、進級を機会に、二年生としての自覚を培つて、一年生をいたわり、日常生活に必要な品物を有効に使うことや、身のまわりを清潔にしたり、整頓したりする工夫をする。

2、草木の世話をしたり、利用したりしながら、農家の生活を理解し、農業の人間生活に対する重要性、農村と町との相互依存関係、人間と自然との依存関係を理解する。

○　私たちの町

1、日常生活の必要品の製作、分配の経路を調べて、社会の人々の生活上の協力を理解する。

2、手紙を書いて送つたり、受けとつたりして、郵便局の仕事や、通信機関の重要性を理解する。

3、公共の爲や、世の中の爲に働く人々と、その仕事を調べ、生活のあらゆる部面における相互依存関係を理解し、社会及び社会人に対する理解と感謝の念を深める。

4、私たちの町の名所旧跡を訪ねて世界に誇る美観を味わい、観光都市としての性格を理解する。

○ 私たちのからだ

公衆衛生や、厚生施設について理解を深め、健康で安全且つ楽しい生活を自分たちで作る。

農家	（四月——七月）
しごとのめあて ○子供の日（五月五日）に、一年生を招いて、劇や歌をうたう。 ○学校園の種まきや、手入をして、益虫や害虫を調べたり、作物の成長を観察記録したりする。 ○お百姓さんの一日の仕事を調べて、私たちの一日の生活時間表とくらべてみる。	
学習活動の展開	内容・程度
1、役員を選挙し、自分たちですることを決め、清潔や整頓の工夫をする。	1、教室の装飾、整頓、清掃の分担、机の中の整頓。道具。用品・衣服・雨具等の始末。
2、教室の机・腰掛や、自分の持ち物等を調べて、物を長持ちさせる工夫をする。	2、席の位置の表し方。机・腰掛の寸法、紙、鉛筆、帳面、はき物等の使い方とその記録。
3、運動場、教室、廊下、階段等の長さや高さをはかって、模型や絵や文を作り、そのよい使い方を相談する。	3、巻尺使用（米・糎）、実測、目測、歩測の仕方、モード。模型は模型板、砂、ボール紙。
4、身体検査の結果を、去年の表やお友だちの表とくらべ、健康な体を作る方法を考えて、紙芝居に作る。	4、延、グラフの作り方、保健の方法（食物、運動、住所、姿勢、睡眠、清潔等）
⑤、子供の日に一年生を招いて劇や歌をうたう。	5、プログラムの計画、お友だちの招き方。

学習活動の展開	内容・程度
⑥、学校園の種まきや、手入れをして、益虫や害虫を調べたり、作物の成長を観察・記録したりする。	6、畑の面積計算、植付分担、用具の数、種物の株数、成長グラフ。青虫取と飼育観察。
7、家で買う主な食物や、おやつに食べたい食物をあげ、どこで作られ、どうして運ばれてくるか調べる。	7、農民が市場に持ってくる物、町で作られる物、よそから来る物に分類する。
8、あやめ池に遠足に行き、途中の農家のある地域の特徴や、家屋の並び方、家の作りや庭などを調べ、絵や文に作る。	8、計画、地図の見方、町と農村のちがい、庭の広さや構造、主木、飼育動物や植物。
9、附近の農家を見学し、農家の機械や道具、作物の種類、家畜の種類とその有用性を調べ、表や絵にする。	9、麦の刈取、取入の様子。いろいろの機械が使われている事。運搬用及び食用の家畜。
10、歯の展覧会を見たり、歯科医の話をきいたりして、歯磨の必要と食物の正しいかみ方や、食べ方を調べる。	10、歯の磨き方。簡単な消化器系統の知識。歯と体との関係。乳歯と永久歯。
⑪、この頃の日の出、日の入と、お百姓さんの一日の仕事を調べて生活時間表に作り、私たちの一日の生活とくらべる。	11、時間の見方（十分単位）時間計算（半時間単位）、昼と夜の長さ。時間の厳守と尊重。
12、梅雨の天氣を観察して小川の増水や田植の様子を見にいく。	12、雨降りの空模様と日数計算、農夫の労働と牛の労役。梅雨期の衛生。
13、農事試験場を見学して、作物改良の苦心をきき、家庭や、学校園の作物とくらべてみる。	13、豆の蔬菜類、植物の成長と手入れ法。
14、毎日の温度や雨量を記録し、作物と日光、雨、肥料、耕作、土質等の関係を調べる。	14、日の当る所と当らない所。水をやった所とやらない所といった程度の素朴な比較。
15、青果市場を見学して、そこで働いている人々の様子や、どんな野菜や果物が、どこから、どうして運ばれて来るか調べる。	15、青果市場の大きさと構造、働いている人。運搬や取引の様子。
16、根、茎、葉、種子等、植物の食用部分の分類表を作り、人間や	16、主食、野菜、果物等の日常食べたり、見

家畜の食糧食物の展覧会を開く。	たりしている物を、四季別に分ける。学校の兎その他、家畜の世話をして見る。
17、蝿とり競争やボーフラの飼育観察をして、はえや蚊と傳染病の関係を調べ、又夏の食物のふ敗と、その保存方法を工夫する。	17、はえや蚊の集る所と発生地。そのぼく滅法、傳染病の種類。湿氣、かび、日光と食物。
18、七夕祭やお話会をして、本をよんだり、紙芝居を作つたりする。	18、話の情意を解して表現する。
夏休みの計画と準備をする。	19、健康法と長期継続製作物に留意させる。

私たちの町 （九月――十二月）

しごとのめあて

○私たちの町の地図を作つて、公共の建物や、お友だちの家を記入する。
○私たちの町の乗物しらべをする。
○手紙の旅行についての物語や紙芝居を作る。
○家庭や学校で、火事のおこりやすい場所を調べ、ポスターや標語を作る。
○奈良で一番にぎやかな街を調べ、商店街の絵やパノラマを作る。

学習活動の展開	内容・程度
1、夏休の仕事の展覧会や発表会をする。	1、分類別掲示陳列、計画と反省、美点発見
2、いなごとりに行き、稲の害虫と二百十日について調べる。	2、颱風と農家と暦。稲の花と害虫調べ。
3、学校や町に咲いている秋の草を集めて、教室にいけたり、おし葉にしたりする。	3、秋の七草と月見。草の種類と種の散布。
④、私たちの町の地図を作り、公共の建物や友だちの家を記入する。	4、絵地図式表現、始めは画用紙に個人製作次に模造紙に二人乃至三人で共同製作。
5、生駒山へ遠足して、山上から町を眺め、絵や作文にする。	5、鳥かん図、大阪平野と奈良盆地の比較。
6、ケーブルカーの形や構造を調べ、工作をする。	6、動力。ブレーキ。ボール紙で立体工作。
⑦、私たちの町の乗物を調べて、絵や、もけいを作る。	7、乗物の種類、動力。ボール紙や切り紙。
8、電車や汽車の駅を見学して、そこで働いている人々や施設について調べ、絵や文を作る。	8、待合室、切符賣場、改札口、手荷物預所機関庫等、時間表と運賃。
9、私たちの町へ来るお客調べをする。	9、省線及び近鉄駅の降車人数とその種類。
10、人力車の多くいる所や、それに乗る人、行く先等を調べて絵に書いたり、作文にしたりする。	10、台数と運賃、乗るお客の種類。コース。
11、名所や旧跡を調べて、よそから来る人の爲に絵に書いたり、案内文を作つたりする。	11、附近の名所の秋景色を描く。案内文は、この頃の景色や町の様子、名所の説明等。
12、案内文を親せきや、遠いお友だちに発送する。	12、宛名、差出人の書き方。切手の種類とはり方。速達、書留等の区別。
13、郵便局を見学して、そこで働いている人々や、通信の種類を調べ、絵に書いたり、郵便屋さんごつこをしたりする。	13、手紙の書き方、出し方の練習。國語四の「いろいろな相手」をよむ。
⑭、手紙の旅行についての物語や紙芝居を作る。	14、集配人、配達夫等人の苦労を中心とする
15、古切手や古はがきを集めて、模様や工作をする。	15、切手で模様作り。はがきで風車、びん敷
16、この頃町で賣つている冬仕度の品を調べ、どこで作られ、どんな人々の手を通つて、私たちの手に入るか調べ絵や表にする。	16、暖房器具、衣料、食料、燃料、家具等。作る人、運ぶ人、賣る人等とお店の様子。
17、衣料や燃料の種類を調べ、よい使い方を工夫する。	17、季節の着物。燃料の種類。品不足の原因
18、冬の火事について話し合い、消防署を見学する。	18、火事の各種統計。署員の活動と苦労。

	出火の場合の通知法。
⑲、家庭や学校で、火事のおこり易い場所を調べて、火の用心のポスターや標語を作る。	19、台所、暖房装置、ろう電、雑品、煙草の火等。火事に対する処置の仕方。
20、おまわりさんの世話になった経験について話し合い、警察官の仕事を理解する。	20、國語「この町」をよみ、おまわりさんの仕事の種類と、苦労を知る。
㉑、私たちの町で一番にぎやかな通りを調べ、商店街の絵やパノラマを作る。	21、商店の種類、商品の陳列、廣告、店の構造、お客に対する應待の樣子、よい店。
22、大賣出しや、謂引について調べ、物のよい買い方を話合う。	22、客を引く方法。簡單な割引計算。
23、お正月を樂しく有効に過す計画を立てる。	23、遊びの工夫、観察と三学期への準備。

私たちのからだ　（一月——三月）

しごとのめあて

○病院にいろいろの種類のあることを調べて表に作る。

○一年中にとれる食物の表を作り、又その貯藏法を調べる。

学習活動の展開	内容・指導
1、お正月に遊んだ事や、樂しかった事を話し合い、絵や文に作る。	1、正月の行儀作法。近所の人々や、親せきとの交際、年齢計算。遊びにおける數計算
2、自分や家族の一日の仕事を調べ、家や学校を明かるく、樂しくする工夫をする。	2、家族の一日の生活時間表、仕事の種類、(特にお母さんの仕事)、樂しい時間の工夫
3、子供の近所での遊び場について調べ、危險な遊び場所や、危險な遊び方について話し合う。	3、よい友達とよい遊びの工夫。雨の日と戸外での遊び方。團体のよい遊び方と工夫。
4、町にある人々の厚生娯樂や教養機関を調べ、そのよい使い方の絵や文を作る。	4、公園、図書館、映画館、運動場のよい利用法、及びそれらにおける公衆道德。
5、新聞や雑誌の樂しいページを調べ、学級新聞や壁新聞を作る。	5、新聞や雑誌が作られるまで。切抜帳。
6、この頃の寒さで、どんな病氣がはやるかを話し合い、病氣になる原因や予防法について調べる。	6、寒さと欠席者及び原因調べ。ひび切れ、しもやけ、風引き、手当てや処置法。
⑦、病院にいろいろの種類のあることを調べ、病院を見学する。	7、病氣の種類と病院の種類。医者の苦労。
8、寒い期間のよい運動法を考え、皆で実行する。	8、個人運動、團体運動、規則。汗の後始末
9、寒い期間の動物や植物の過し方について調べる。	9、植物の芽の観察、へびや蛙の冬眠。
10、健康である爲には、どんな食物を選んだらよいか調べ、成長の最盛期の子供が毎日食べなければならない食物の表を作る。	10、カロリー表に着色、必要なカロリー量の計算、偏食の矯正。
⑪、一年中にとれる食物の表を作り、家庭における食物の貯藏法の工夫を話し合う。	11、食物の多い時期と少い時期、乾燥、塩づけ、かん詰、冷凍等による貯藏法、復原法
12、町でとれる食物について簡單な献立表を作る。	12、郷土でとれるもの。
13、お水とりの行事の話をきき、この頃の寒さとの関係を調べる。	13、温度の記録と霜や氷の観察。
14、町や学校の年中行事の表や絵巻物を作る。	14、共同で製作する。
15、國語四の「うらしまたろう」や「はごろも」をよみ、自分たちも劇や歌を作って、学藝会に発表する。	15、教科書の作りかえ、日常生活を本にした創作。その劇化、舞台装置の共同製作。
16、二年生の整理や反省と、第三年生への準備をする。	16、ノート、作品の整理、展覧会。

第三学年月組

一　児童の姿

年齢的に見ると、具体的な手足を動かすことに興味を持ち、しばしもじっとしていない。学級意識も漸次明らかになり、共同して遊んだり仕事をすることを好むようになる。その間に、各人の個性もはっきりと出て、けんかをしたり、ひとりぼっちになったりする子供も見受けられる。また好奇心が盛んになってくるけれども、注意力が続かなかったり、問題解決の方法を知らなかったりするために、途中で消えてしまうおそれがある。とにかく移行期としてすこぶる変化に富む時代である。

地域的に見れば、非戦災地であり、観光都市の消費的性格を反映して、食物のすき嫌い、学用品の不経済な使い方のような好ましくない姿も、またのびのびとして人なつこく、自分の意見を率直に発表する望ましい姿も見られる。

二　私のねらい

先ず夢中になれる子供に、何事に対しても反応の弱い子供、受身の子供、これらのくいこみの足りない姿を、子供らしいいきいきとした本然の姿に直して行かねばならぬ。次に互に助け合う子供に、賢くても自分を守ることばかり考えがちの子供、よく批評はするが中に入って実行しようとしない子供、自分のすき勝手に行動して周囲の迷惑に頓着しない子供、これらを学習の相談や、学級の仕事の分担等によって、仲間の者の問題によく注意し、仕事を自主的に選択する態度や、仕事を完成する責任ある態度を身につけてやりたい。また演劇によって情操の陶冶、創造的な表現鑑賞の機会をつかみ、校外学習によって全身的な体力の増進もねらって行きたい。

ひとりびとりのよさが、学級の中に正しい自然な位置を占めるように常に努めたい。

三　「しごと」をきめるにあたって

この頃の子供の興味は、圧倒的に動植物に集中されている。従って出来るだけ四季の自然に親しむ中に、動植物の人間生活に対する寄興を深く考える態度が養われ、自然の人間生活に対する影響も理解することが出来る。春秋及び水中や冬越しの動植物の姿をとりあげた所以である。

夏は水、冬は火、いずれも人間生活の基本的必要をみたすものであり、渡り鳥や落葉に始まる冬越しの生活から発展して、家と着物において、人間の自然への適応を理解することができる。ここで昔の人の生活にふれて行くこともできる。

山や水に関係深い観光都市としても、大阪・京都等との交通運輸の便利な地点としても、郷土奈良の自然的條件と、衣食住の生活様式を理解することができる。また観光客を観察することや、他の地方の子供との通信によつて、更に家と着物において、氣候風土の異つた土地に適應する生活様式を理解することができる。

春の動植物	（四月）
しごとのめあて ○花・虫・小鳥の観察日記を書く。	
学習活動の展開	内容・程度
1、教室をきれいにする。	1、掃除・整頓・掲示・装飾。
2、学級委員や班長を選び、学級の仕事を分担する。また学級のきまりを作つたり、学級日誌をつけ始める。	2、指導者を選んでその下で協力する能力や個性に應じた仕事を進んで行う態度育成。
3、家より学校までの道すじを書き、地図に記入する。	3、友達の家を覚える、距離と方角の測定。
4、学用品・文房具の上手な使い方を工夫する。	4、ノート・クレヨン・鉛筆等の経済的使用
5、季節の予測をしたり、七曜表を作り、行事予定を記入する。	5、研究題目の発見、七曜表の作り方。
6、万葉植物園に行き、春の七草を図に書く。	6、春の七草の特徴を理解する。
7、花に集る虫を調べたり、蜜の出る所を探す。蜂とありの巣を観察し比較する。	7、蝶・あぶ・蜂等と花の相互依存関係を理解し、蜂とありの巣や動作の比較をする。
8、青虫を育てて観察日記を書く。	8、時間の経過によつて変化する事の理解。
9、つばめとすずめの観察日記を書く。	9、巣や運動の比較、渡りの時期に注意。
10、春の種まきをする。	10、南瓜・とうもろこし・胡瓜等。

水	（五月――七月）
しごとのめあて ○佐保川の川すじを歩いて地図に書く。 ○貯水池見学をして、水道が家に運ばれるみちすじの模型を作る。 ○いろいろなものの浮き方をくらべて絵や文にかく。	
学習活動の展開	内容・程度
①、佐保川の川すじを歩いて地図に書く。	1、川の流れ方（水量・方向・速さ）の観察
2、笠置山へ遠足に行き、木津川を見る、岩石・白砂を調べる。	2、浸蝕・運搬・堆積の三作用を理解する。
3、いろいろな橋の形やかけ方を図に書く。	3、橋がなければどんなに困るか考える。
4、帆かけ舟を作る。	4、木工で舟の形を工夫する。
5、市内の池を調べたり、灌漑状況を見る。	5、池や川の利用を理解する。
6、水は何に使われているか表を作る。	6、飲料・洗濯・掃除に水をどれだけ使うか
⑦、貯水池見学をして、水道が家に運ばれる道すじの模型を作る。	7、井戸と比較し水道の便利な事を理解する
8、やつがしら・くわい・たまねぎ等を水栽培する。	8、物差を使用して大きさをはかる。
9、柳・蒲・水竹桃の切り枝を水にさし、根や芽の出方を観察する	9、さし木の切り方を考える。
10、ふさも・うき草・ひるむしろなど水中の植物を観察する。	10、陸上のものと対比する。

11、しじみ・烏貝・たにし等をとって来て水槽に飼う。	11、貝類の習性・生態の面白さにふれる。
⑫、いろいろなものの泳ぎ方をくらべて絵や文にかく。	12、泳ぎ方で分類してみる。
13、梅雨の頃雨水がどこへ流れるか、川の増水を観察する。	13、ふだんの時と川の流れ方を比較する。
14、川の旅を絵巻物にする。	14、川の大きくなる様子、川の働きの理解。
15、耕作のいろいろのしかたや、農具のいろいろを絵にかく。	15、田を耕す馬や牛に親しみを持ち、農具の名を覚える。
16、田植の観察をする。	16、田植が梅雨の頃行われるわけを考える。
17、北海道の三年生に水の研究を知らせながら手紙を書く。	17、未知の人と親しむことができる。
18、伝染病予防のポスターを書く。	18、飲食物による伝染経路に理解を持つ。
19、たまり水・下水のぼうふらたいじや、はえ取り競争をする。	19、ぼうふらや、はえの生態を理解する。
20、相互に衛生検査をする。	20、爪・髪・手足・手拭・ちり紙について。
21、プールの使い方について話し合い、水泳をする。	21、安全で楽しい水泳ができる。
22、水温と気温の比較をする。	22、朝・昼・晩の両者のちがいに注意する。
23、星空を見て、たなばた星や土星を見つける。	23、星に親しみを持つ。
24、たなばたのかざりを作り、楽しい子供会を開く。	24、共同製作の喜びを味う。
25、夏休みの計画をたてる。休み中に木津川へ水泳に行く。	

秋の動植物　（九月——十月）

しごとのめあて

○おしばや昆虫の絵や標本をいろいろな種類にわける。

○いろいろな果物の旅を物語にまとめたり、脚本に作る。

○渡り鳥を見て、どこからどこへ渡るか地図に書く。

学習活動の展開	内容・程度
1、夏休みの作品展覧会を開く。	1、陳列・掲示のしかたを工夫する。
2、万葉植物園の見学をし、秋の七草を図に書く。	2、七草の特徴をとらえる。
3、虫とりに行き、虫かごに入れて観察記録する。	3、なく虫の声を記録。とぶ虫の脚や羽調べ
4、京都の動物園に行く。	4、珍らしい動物に興味を持つ。
⑤、おし葉や昆虫の絵、標本をいろいろな種類にわける。	5、分類のしかたを考える。
6、月のみちかけを図に書き、月見の詩や文を作る。	6、月の明かるさを見る。
⑦、いろいろな果物の旅を物語にまとめたり脚本に作る。	7、果物の産地や輸送について理解を持つ。
8、栗ひろいに行き、栗の形や構造を図に書く。	8、まるいいがのあるわけを考える。
9、生駒山へ遠足に行き、田畑や町を眺める。	9、大和平野の地形を理解する。
10、稲の開花・結実・收穫を見る。いなごとりをする。	10、天候と稲の成育関係を考える。
11、春日山でいろいろな鳥のなき声をきく。天然記念物を見る。	11、なき声の記録、天然記念物の意味理解。
⑫、渡り鳥を見て、どこからどこへ渡るか地図に書く。	12、渡りのわけ、渡り鳥の種類、磁石の使用
13、運動会の計画準備をする。	13、共同して仕事をする態度を養う。
14、「たろう」三「しんたいけんさ」を読む。	14、運動能力のテストと関連して、自己のからだについて意識する。

奈良の町　（十一月――十二月）

しごとのめあて

○奈良公園の模型を作る。
○みやげ店・宿屋の絵地図を書く。
○奈良公園で鹿や鶴やその他の生き物の冬越しの姿を観察記録する。
○火の用心のポスターを書く。

学習活動の展開	内容・程度
1、若草山に上つて奈良市を眺める。	1、丘陵に発達した奈良の町をとらえる。
②、奈良公園の模型を作る。	2、印象を紙や木や土で再現する。
3、みやげ品をあつめて陳列する。	3、みやげ品の分類をし郷土との関係を理解する。
④、みやげ店、宿屋の絵地図を書く。	4、みやげ店や宿屋の分布を理解する。
5、「たろう」六「港への町」を読んで奈良の町とくらべる。	5、観光都市の特色を表にする。
6、市内の道路交通を調査し、どこが頻繁か調べる。	6、主要都市の道幅、交通量の調査をする。
7、省線奈良駅と京終・近鉄奈良駅と油坂駅の見学をする。	7、乗降客、貨物の調査、時刻表、乗車賃。
8、ふみ切りを見学し、「たろう」一「町へ」二「ふみ切りばん」を読む。交通巡査の話を聞く。	8、左側通行、遊び場や乗物にのる注意。
9、乗物の図を書いたり、模型を作つたりする。	9、立体構造と機械の理解。
10、東京の三年生に奈良の町の研究を知らせながら手紙を書く。	10、「奈良のアルバム」にまとめて送る。
11、霜・霜柱・紅葉・落葉・作物の霜よけの有様を観察する。	11、植物の冬越しの姿をとらえる。
12、秋分の頃と比較して、気温・風向・日の出入の変化を書く。	12、冬の天気現象のいろいろの原因を考える。
⑬、奈良公園で、しかやかめやその他の生き物の冬越しの姿を観察する。	13、食物・巣・冬眠・保護色等を理解する。
14、燃料にはどんなものがあるか表にする。暖房用具の絵を書く。	14、家庭での冬の支度はどんなか理解する。
15、火の歴史について本を読み話をきき、絵巻物にする。	15、火が人間にどんなに役立つて来たか理解する。
16、火災の原因をあげて表にし、火の用心のポスターを書く。	16、電熱器やガス使用の注意、火災の恐ろしさを理解する。
17、おんまつりやクリスマスの話をする。	17、古く続いている風習の理解。
18、冬休みの計画をたてる。	

家と着物　（一月――三月）

しごとのめあて

○いろいろの形の家を描いたり模型を作つたりする。
○季節のいろいろな服装をあつめて展覧会をする。

学習活動の展開	内容・程度
1、かべ新聞を作り、冬休みの発表・新年の希望をのせる。	1、係や発行日、編集や掲示方法を工夫する。
2、「たろう」四「おるすばん」を読む。	2、電話・郵便・新聞・ラジオの理解と利用
3、雪だるま作り、雪つり、雪合戦、そりすべりをしたり、たこの製作や編物をする。	3、雪や氷の観察、冬にふさわしい遊びを工夫する。

④、いろいろな形の家を描いたり、模型を作ったりする。
5、南洋や北の國の土人の住居について本を読んだり話をきく。
6、寒さや濕氣を防ぐために家はどうなっているか表を作る。
7、家にある道具の絵を書き、簡單な家具を作る。
⑧、季節のいろいろな服裝をあつめて展覽会をする。
9、糸や布の種類をあつめたり、着物のできるまでを絵巻物にする
10、衣服の上手な着方、汚さないで着る工夫をする。
11、「たろう」五「はくぶつかん」を讀み、博物館を見学する。
12、一年間の自然の変り方、年中行事等のこよみを作る。
13、学藝会を開き、これまでの研究を発表する。

4、田舎と都会・昔と今・奈良の家の特徴。
5、氣候や風土に適する住居を理解する。
6、家の向き、構造、材料等を理解する。
7、家具の保存と簡單な修理ができる。
8、天候や氣候に應じた着物を理解する。
9、紡績・織物・染色・仕立等を理解する。
10、簡單なものの洗濯法、服裝に注意する。
11、博物館の利用を考える。

第三学年星組

一 教育計画の大要

子どもたちのしごと、けいこ、なかよしの時間について、第三学年としての主な留意点をのべます。

1　しごと　しごとの主題は「川と生活」「動植物と自然」「着物と家」とし、それぞれ第一学期、第二学期、第三学期に配しています。これらの主題はそれぞれ、子どもたちのもっている生活の主な領域を示しています。「川と生活」では主に平地の生活、「動植物と自然」では主に山や森の生活、「着物と家」では主として町の生活をもっています。

これらの学習指導にあたっては、調査で明らかとなった、この時代の子どもたちの問題や、関心の焦点となっている「生物の自然への適應」を中核として指導し、子どもたちが、どのように自然環境や郷土社会に順應していったらよいかということに、理解態度能力を高めていこうとしています。

なお、指導に当っては團体的な活動を好み、好奇心が非常におう盛になっていますから、協同して作業をすることをすすめ、好ましい多様な学習活動に導きながら科学的教養の基礎となるように導きます。

2　けいこ　この時代の子どもは、伸びのおくれているものも急速に伸びますし、練習的な学習も又好むところでありますから、能力・技術・理解を高めていくために、「しごと」の中で臨かれることの少なかった事項を、「しごと」と連絡しながら指導していきます。

3　なかよし　この時代になって子どもたちは、一つのことに打ちこんで相当長い間仕事ができるようになりますし、個人的な趣味や技能の伸びもきわだってくるし、奉仕的な活動にも関心を高めてきますから、それをいよいよ伸ばすように指導します。

二　しごとの指導目標

1　川と生活

(1)　川水および水が動物や人間の生活に大きな影響を与えていることを理解し、水の利用がじようずにできる。

(2)　生物に親しみを持ち、生物がよりよい生活の條件を求めて移動していく傾向のあること。

(3)　交通・通信・運輸の方法は、土地の自然的條件に支配されていること。

(4)　各種の交通・通信・運輸に從事している人々の仕事を理解すること。

2　動植物と自然

(1)　動植物には自己防衛の手段が備わつていることを理解して、自分の身体の保全につとめる。

(2)　植物を育てる時に、日光・温度・水分・肥料などを利用し、手入れや保護ができる。

3　家と着物

(1)　人々の生活様式は、その住んでいる土地の自然的條件によつて左右されていること。

(2)　衣料や食物やすまいの自然的條件を考えながら、その保護保全や健康な生活のために工夫すること。

<table>
<tr><th colspan="2">川　と　生　活　　　（四月――七月）</th></tr>
<tr><td colspan="2">しごとのめあて
○川水のはたらきをしらべて、絵や図や文にあらわす。
○いろいろな魚や貝をしらべて、水そく館をつくる。
○いろいろな乗物の絵をあつめて、いろいろな種類にわける。
○石炭の歩の上ばなしを、文や絵や図にかく。</td></tr>
<tr><th>学習活動の展開</th><th>内容・程度</th></tr>
<tr><td>1、教室を整理し、学級内での仕事の分担をきめ、分担した仕事を表にし、予定をたてて実行する。
2、佐保川に行き、春の自然を眺め、川水のはたらきを観察する。
③、川水のはたらきをしらべて、絵や図や文にあらわす。
4、「春の小川」の歌をうたい、川に関した歌曲を鑑賞する。
5、水車を、きびがら・針金・紙・板などを組み合わせて作る。
6、川の上流から下流までを地図で読み、川の旅をかく。
7、旅の物語りを読んで話し合いをする。
8、水道をしらべて、砂場で模型を作る。
9、つゆの雨と洪水について、見たり話を聞いたりして、水のはたらきを絵・図・文であらわす。</td><td>1、壁面利用や教室美化などのような一時的な仕事と永続性のある仕事の分担表を作る
3、実地について観察したことが、一連の絵・図・文であらわすことができる。
4、楽譜が一通りよめる。
5、計画した図面に心を配りながら作る。
6、白地図の上で川の流れをたどり観察したり経験した事項をもとにして川の旅にかく
8、主な機構が模型にあらわれる。
9、資料をとりいれて、絵や図や文の中にまとめる。</td></tr>
</table>

学習活動の展開	内容・程度
10、「いけの雨」の歌を歌う。	10、読譜と共に音高を合わせる事につとめる。
11、水あそびや、水泳をしてたのしみ、水やからだについてしらべたことを文や絵にかく。	11、水になれる。経験にもとづいて水についてかき身体の主な部分について名称を知る。
12、魚貝をとりにいつて飼い、観察したり記録したり、しわけをする。	12、みずから疑問や問題をもつて、それを解決するために観察をつづけ記録をする。
13、「いけのこい」「かい」の歌を歌う。	
⑭、いろいろな魚や貝をしらべて水ぞく館をつくる。	14、海の魚貝についてもしらべ、協同して立体的な大きな水ぞく館をつくる。磁石を使つて、魚を釣ることができるようにする。
15、「金のさかな」の物語りを読む。	15、たのしんで読み通す。
16、川水が、いかだや舟やボートなどを浮かべているようすを絵・図・文にあらわす。	16、働いている人の生活を考えながらかく。
17、いかだや舟やボートの模型を作つて水に浮かべて遊ぶ。	17、身のまわりにある材料を集めて作り、それを使つて遊びながら工夫する。
18、いろいろの乗物について読み物や詩歌を読む。	
⑲、いろいろな乗物の絵をあつめて、いろいろな種類に分ける。	19、土地の自然的條件や動力などに分類する
20、どんな土地に、どんな乗物が使われているかを絵、文にかく。	20、分類してかく。
21、乗物が何の力で動いているかについて表や図や文にかく。	21、分類し、とくに表にかく。
㉒、石炭の身の上ばなしを文や絵や図にかく。	22、石炭についての研究を一連の物語にかく
23、夏休みの計画をする。	23、夏休みの模擬生活をしながら計画する。

動植物と自然 （九月——十二月）

しごとのめあて

○虫を集めて、いろいろの種類にわける。
○種まきをして、記録をとる。
○いろいろの、くだものや、やさいを、くらべる。
○草や木をしらべて、いろいろな種類にわける。
○動物の冬ごもりのようすを、さがす。

学習活動の展開	内容・程度
1、夏休じゆうの研究の発表会や展覧会をする。	1、会の計画ができる。
2、「小さなねじ」の物語を読む。	2、文意にふれて話し合いができる。
3、虫とりにいくために虫かごを修理したり作つたりする。	3、たのしみながら竹製や、布ばりの虫かごの修理ができる。
④、虫を集めて、いろいろの種類にわける。	4、集めた場所・よく似た虫などについて分類ができる。
5、虫を集めたり、いろいろの種類にわける時に、ふしぎだと思つた問題を出し合つて、しらべ、話し合う。	5、観察や実験によつて問題を解決する。
6、ためになつたり害になつたりしている虫・鳥を観察したり読んだり話をきいたりして表や図や絵や文にかく。	6、いろいろの場合から判断する。
7、「山のうた」をうたつたり、「ありとはと」「ありときりぎりす」などのイソップ物語りや、「わたり鳥」の話を読む。	7、部分的に音高をとつて読譜がよめる。物語りの寓意をとらえる。「わたり鳥」が移動するわけを考えて文や絵図にかく。
⑧、種をまいて、記録をとる。	8、鉢と畑に種をまいて生長の記録をとる。
9、日光・温度・水分・肥料・土質・手入れが植物の生育とどんな関係があるかを文・表・絵・図にかく。	9、観察の記録にもとづいて行う。

学習活動の展開

10、かかしの文を読んだり、村まつりの歌をうたう。
⑪、いろいろな、くだものや、やさいをくらべる。
⑫、野外学習をして、草や木をしらべ、いろいろな種類にわける。
13、草や木について、ぎもんに思ったことを出し合って、しらべて話し合いをし、表や文や絵図にかく。
14、「冬のうた」を読み、秋の自然を詩や文にかく。
15、冬の寒さについて、温度・天氣・暦など、しらべたことをまとめて文や図や表にかく。
16、植物の冬のしたくについて絵や文にかく。
⑰、動物の冬ごもりのようすをさがす。
18、動物が役にたっているようすを絵や文にかく。
19、家や世の中の冬じたくを絵や文にかく。
21、國民祝日について話をきいて表にかく。
22、冬休みの計画を話し合う。

内容・程度

11、くだものや、やさいの計量的な比較を中心に、くだものや、やさいの暦などをつくる。
12、ときわ木・らくようじゅ・一年草・多年草の分類ができる。
13、問題解決のために必要な材料が集める。
14、「冬のうた」では読みかたを、詩や文では叙景的叙事的に記述する。
15、継続的な観察に基づいて研究をまとめる。
16、植物の寒さについての適應を考える。
17、子どもたちの経験をまとめて、動物が寒さに対して適應しているようすをさがす。
19、人間の寒さに対する適應をまとめる。
20、九祝日について理解する。
21、みんなの計画を表にする。

着物と家　（一月——三月）

しごとのめあて

○いろいろの着物のきれを集めてはる。
○いろいろの種類の着物を着ている人たちを絵図にかく。
○お人形さんや、お人形さんの、いろいろな着物を作って、きせかえをする。
○私たちの家には、どんな材料が使われているかについてしらべ、絵図や表にかく。
○いろいろな家の絵を集めて、くらべる。
○いろいろな家を作って、あかりをともす。

学習活動の展開

1、お正月に研究したことや遊んだことについて話し合う。
2、一年中に着たいろいろの衣服を絵にかく。
③、いろいろの着物のきれを集めてはる。
4、着物のきれは、どんなものから作られているかを、本を読んだり話をきいたりして、文や絵にかく。
5、おかあさんは、洗濯の時、どんなことに注意されるかを聞いて話し合う。
6、町や郊外を歩いて、人々はどんな着物をきているか、衣料はどのようにして配給されたり、賣買されたりしているかをみる。
⑦、いろいろの種類の着物を着ている人たちを絵図にかく。
8、おかあさんたちは、私たちの着物で、どんなことに困られているかを話し合い、着物の手入れ法やながもちの方法を実行する。
⑨、お人形さんや、お人形さんの、いろいろの衣服を作って、きせかえをする。
10、「冬の朝」の歌を歌ったり、お人形さんの家や家具をつくる。

内容・程度

1、重点的に話す。
2、季節や氣温との関係を考えながら一年中の衣服の絵をかく年間の氣温表を活用する。
3、種類によって分類してはる。
4、産地に及んでは外國との関係にふれる。
5、布地について、干す時についてなど、共通点をとらえて考える。
6、職業や性別によって衣服がちがうこと、交易のようすに注意する。
7、氣温と着物、職業と着物、都会と田舎の着物、性別、老若と着物などの話から。
8、原因をしらべる。実行が續けられる。
9、季節を考え、仕立てきれいに注意する、毛糸のあみものをしょうれいする。
10、紙の構成が計画的・立体的にできる。

⑪、私たちの家には、どんな材料が使われているかについてしらべ表や図や絵にかく。	11、表にまとめてかくことができる。
12、家のたてられるようすをみて絵にかく。	12、順序にしたがつて、何枚もの絵にしあげる。大工・左官など、はたらいている人の仕事に注意して記録にとどめる。
⑬、いろいろな家の絵を集めて、くらべる。	13、原始社会の絵も準備する。家にはいろいろの構造のあるわけを考える。
14、「いどの中」「とけいのうた」の歌をうたう。	
⑮、いろいろな家を作つて、あかりをともす。	15、木や竹や紙などを使つて大きな家を作り電池を使つて、あかりをともす。
16、家のこわれたところをしらべたり、しうぜんをしたり、学校の校庭や校舎をきれいにする。	
17、一年間の研究を集めて展覧会を開き、たのしい会をもよおす。	17、とくに両親を招き、演出もする。
18、春休み、進級について話し合い、教室を移轉する。	18、春休みの計画をたて、表にする。

第四学年月組

本学級「しごとの時間」指導に対しては、今までに養われた、自分の身辺から郷土社会への発展を一層拡充した学習対象を求め、作業的に、実体験を重視した取扱いを行い、時間的空間的に思考を拡め、社会生活の緊密性を把握させることにつとめる。

○主題の目標としては

1 「平地はどのように開けてきたか」においては、すべての事象に、その根源を知ろうとする意欲の高まる時であるから、平地の場を中心として、祖先の生活や開拓者の苦心を知らしめ、太古からの発展につき学習させるとともに、生物についてはその特異性に関心をもたせ、生命のすがたを把握させるにつとめる。

2 「安全で健康な生活をどのようにして保つか」においては、自分の体や、身のまわりのものに対する常識が著しく高まる時であるから、自分の身体機能、主食及び副食物、病氣（特に傳染病）天災事故などについて学習し、安全で健康な生活を確立するようにつとめさせる。

3 「山はどのように開いていくか」においては、主題(1)と同様に、過去的なものに着眼させるとともに、特に未來的なものに留意させ、山地の開いていく様子を学習させ、鉄、石炭、石油等の資源を通して、郷土奈良から、日本全國への関心を深めるようにつとめる。

4 「燃料や燈火はどのように使えばよいか」においては、冬季における関心の高まる時であるから、その使用法を中心として、科学的態度を身につけるようにつとめさせる。

○「しごとの時間」指導方針としては

1 生活圏の拡大するときであるから、郷土を中心とした見学旅行を行い、体験を通して、日本全國に廣く視野をひろめるようにつとめること。

2　現実社会の様相を把握させるために、その発達の径路をたずねて、時間的展開の根拠をさぐり、社会の発展に対する関心を深めるとともに、その発達條件を考えて、将来の動向を察知するように導くこと。

3　実体験を中心として指導を行うとともに、読物、お話、地図、模型、絵画、しゆう集、劇化などの学習によつて、活動性豊かな性格に培い、種々なる能力を多方的につけるとともに、現実と比較して、的確なる把握をさせること。

自然物、自然現象、社会の事物現象などにおいては、見学、製作、実験観察、採集、飼育、栽培などを通して、科学的な態度を養い、生活に科学的根拠を興えるようにつとめる。

学習事項は「けいこの時間」に練習し、反ぷくするとともに、「なかよしの時間」に生活に具現するようにつとめること。

平地はどのように開けてきたか。	（四月――六月）
しごとのめあて ○奈良市役所を見学し、その仕事を図や表にする。	

○池や小川や田畑の動植物の成育のようすをしらべてみる。
○開墾地について、そのようすを絵や文にあらわし、道具、家畜、作物、耕作法などのうつりかわりをしらべる。
○奈良盆地の昔の地図をかいて、村や町の出きたわけを考える。
○奈良附近の工場分布図をかき、その設けられた理由を考える。
○遠足をして、旧道と新道と比べたり、鉄道の通る道すじを図にかいて比べる。

学習活動の展開	内容・程度
1、楽しい学級にするにはどうすればよいかの話合いをして、清潔整頓、装飾、作品展示などの仕事をする。	1、個性を生かした分担、相互連絡、統一ある環境作成、責任をはたす。
2、学級自治会を開いて、組織や運営について決定し、楽しい学級社会を建設する方法を考え、委員、当番、リーダーの業務につく。	2、選挙の仕方。多数決の意義。時間表作成時間と時刻。研究グループ。
⑶、奈良市役所を見学し、その仕事を図や表にする。	3、市区画、歴史、隣区域、地図の記号。
⑷、池小川田畑の生物を継続的に比較観察し、特徴をとらえる。	4、二次元の表の作り方、班別飼育栽培。
5、池小川と田畑の相互関係、農具家畜農家の活動状況を図にする	5、灌漑前灌、一日の能率をしらべる。
6、学校園で麦、豌豆、蚕豆の収穫を行い、反当収量を知る。	6、單位、実収高表、兩積計算ができる。
⑺、開墾地と農事試験場を見学比較し、耕地開拓の状況を絵や文にあらわし、その理由を説明する。	7、開墾地の必要、歴史、苦心、試験場の土壌、肥料、品種、農具、耕作法の改良。
8、将来の耕作法（有畜、電化、機械化）、作付物（作物、蔬菜花卉、果樹）開墾地に関する見識を高める。	8、山林原野耕地の比較、耕地一反の收容人員作物の管理、販賣、市價について。

⑨、奈良盆地の昔の地図をかいて、町や村の出きたわけを考える。	9、地形氣候と聚落との關係。
10、一日の生活必需基本物資を表や圖にかいて、家、村、町のできたわけを考える。	10、衣食と聚落との關係、昔と今の衣食住、渡り鳥、遊牧民の話。
11、日本地図をかき、主なる都市を記入し、その発達の由來をかく	11、地図の書き方、都市の位置名称発達條件
⑫、奈良附近の工場分布図をかき、部類別した図表をつくり、その設けられた理由を考えるとともに、その將來性を檢討する。	12、ドットマップの書き方見方、各種工場の立地條件、食品衣料機械工場の見学。
13、商工館、運送店を見学して、奈良工產品の產額と移出状況、移入品とその額などをしらべ、図や表にして発展の状況を知る。	13、奈良特產品、移出入品の生產販賣地。奈良特產品集め、全國特產品生產地。
14、奈良を消費地（觀光都市）と生產地（工業都市）との両面から比較し、図や表にあらわし、都市景観を把握する。	14、遊覽的都市、宗教的都市、学問的都市、政治的都市、経済的都市の樣相。
⑮、遠足をして旧道と新道とを比べたり、鉄道の通る道すじを図にかいて比べる。	15、町と町の連絡機關、道路や鉄道の開通と町の変化。
16、川と橋、汽車と電車、水路と陸路、トンネルと峠などの開通の話を聞いたり、調べたりして、その動き、発達の樣子を知る。	16、昔の親しらず子しらず、渡し場、關所、鉄道網とその発達。

安全で健康な生活をどのようにして保つか。　（七月——十月）

しごとのめあて

○海水浴に行き、体をきたえ、標本を採集し、海産物の絵図をつくり、海の研究をする。
○夏の食べ物を図や表にかき、栄養素による分類をなし、その製造工程を見学し、貯藏法を実驗調査する。
○落雷、台風、洪水、地震のようすを調べたり、工場作業場、警察を見学して事故防止の方法を聞く。

○身体の骨骼模型や内臟模型を作り、動物を解剖して体の構造生理を明らかにする。
○保健施設の見学をして、医療機関や医療法の利用活用法を理解するとともに、健康保持の習慣をつける。
○運動会を計画して、自治的に練習し、健康增進の効果を挙げる。

学習活動の展開	内容・程度
①、海水浴に行き、体をきたえ、標本を採集し、海産物の絵図をつくり、漁師、漁船の話をきき、歌、文、紙芝居につくる。	1、決定、交渉、指導を自治的にする、海の展覧会をつくる。
2、海、船、水路などの昔の話、貢献した人、將來につき話合う。	2、資料集めの出きること。
③、夏の食べ物を図や表にかき、栄養素による分類をなし、その製造工程を見学し、貯藏法を実驗し、食べ方や貯藏ができる。	3、各種食品工場の見学、食物の腐敗と食品貯藏の実驗、食物防腐の簡單な方法。
4、各種食品の歴史、生產地を調べ、製造実驗をする。	4、米麦果物等の歴史、生產地、醬油しぼり
⑤、落雷、台風、洪水、地震、火事などのようすを調べたり、工場作業場、警察を見学して事故防止の方法をきく。	5、場所、時機、原因、状況、防禦法など、統計の見方、経驗の調査。
6、天文、氣象を観測し、宇宙の活動に興味をいだく。	6、星座を十個理解する、最高最低平均氣温
(7)、身体の骨骼模型や内臟模型を作り、動物を解剖して、体の構造生理を明らかにする。	7、うさぎかえるの解剖、筋肉、骨骼、呼吸器、循環器、消化器の位置、作用。
⑧、保健施設を見学して、医療機関や医療法の利用活用法を知るとともに、健康保持の習慣をつける。	8、病院、保健所、藥局、衛生試驗所の見学日常常備藥、藥草毒草の知識、迷信調査。
9、欠席、傳染病、死亡原因の統計を作り、予防法を理解実践する	9、原因病状予防法、應急処置、食事指導。
10、各自の家、学校、工場の見学をして、保健上考える。	10、採光、換氣、清潔、騒音、暖房。

⑪、運動会を計画して、自治的に練習し、健康増進の効果を挙げる。	11、運動能力向上の調査、運動記録の研究。
12、各種運動とその器官との関係、運動と精神との関係につき話合いをして、合理的運動を行う。	12、運動と仕事の能率、運動と器官の発達。

山はどのように切り開いていくか。　（十一月――十二月）

しごとのめあて

○奈良奥山めぐりをして、道路、原始林、植林、谷川について観察し絵図をつくる。
○五條山に遠足し、赤膚焼工場の見学をして、製造過程を絵図にする。
○鉄、石炭、石油の産地調べをして地図にかき、生産額を統計にする。
○トンネル、ケーブル、索道を見学して、山地が切り開かれていくようすを見る。

学習活動の展開	内容・程度
①、奈良奥山めぐりをして、道路、原始林、植林、谷川について観察し、絵図をつくる。	1、山道と里道との比較、原始林と植樹林、森林の役目、谷川と平地の川。
2、製材所を見学して、材木の用途別利用図や、生産地地図をかく	2、製材の様子、木材運搬、一家屋必要石数
3、全国著名林産地を調査し、地図にあらわす。	3、生産地と消費地、林産物のしらべ。
④、五條山に遠足し、赤膚焼工場の見学をして、製造過程を絵図にし、陶器や磁器の理解を深める。	4、原料、労力、製造過程、燃料、販路、歴史、楽焼作り。
5、全国陶磁器の生産地分布図を作り、売額比較を行い、名器の展覧会を行う。	5、各地の陶磁器の極く平易な見分け方ができる。名工の文。

6、瓦工場、煉瓦工場を見学して、製造過程を絵図にする。	6、陶磁器と焼き方比較セメントと性質比較
⑦、鉄、石炭、石油の生産地図をかき、生産額統計をつくる。	7、年鑑の見方棒グラフ扇形グラフの書き方
8、鉄、石炭、石油の全國消費量と生産額との比較を行う。	8、輸入額、輸入國、今後の工夫。
9、鉄製品の絵図をつくり、その性質にあう使い方ができる。	9、性質、防錆法にあう利用ができる。
10、石炭採掘の絵、幻燈、映画を見たり、炭坑労働者の話をきいたり、それに関する文を読んで、その苦心を理解する。	10、日光、空氣の不足、ガスの危険、重労働の活動、感想文がかける。
11、石炭、石油発見物語、鉄使用の歴史物語をよんだり聞いたりする	11、発明発見は注意、必要から起こる。
12、石炭、石油の利用應用絵図をつくり、その資源の價値を知り、節約させる心をもつ。	12、重要産業としての鉄、石炭。
13、家庭、自動車、汽船等の石油使用量、学校、工場、汽車等の石炭使用量を調べて、図や表にする。	13、トン、ガロンの単位。
⑭、トンネル、ケーブル、索道を見学して、山地が切り開かれていくようすを見て、模型をつくる。	14、施設されたわけ、有名なトンネル、海底トンネル、工事の大略。
15、昔、神社佛閣が山頂奥地に建てられ、最近、登山観光のため山地の開かれつゝあることを知る。	15、白地図に記入、写眞絵葉書集め。

燃料や燈火はどのように使えばよいか。　（一月――二月）

しごとのめあて

○瓦斯会社を見学して、瓦斯製造工程を絵図にし、瓦斯供給量の表や図をかく。
○学校、家庭における暖房方法を比較し、各地の暖房法の話をきき、暖房の工夫をする。

○冬の衣食住を絵や図や表にし、防寒の立場から考える。
○乾電池を作ったり、ローソクを作ったりして、電燈と比較し、経済的使用法になれる。
○電燈会社を見学して、配電状況をきき、家庭までの配電絵図をかく。

学習活動の展開	内容・程度
①、瓦斯会社を見学して、瓦斯製造工程を絵図にする。	1、瓦斯供給量の表、ガス一立方米の原料炭
2、ガスと木炭と電熱との差異を考察し、その使用になれる。	2、火熱の力の比較実験ガス会社立地条件。
3、炭焼業、豆炭、煉炭工場を見て、原料製造販路の絵図をつくる	3、木材乾溜実験、たどん作り。
4、コタツ、電気木炭コタツの長短比較をする。	4、熱量の比較、使用法の比較、危険率。
⑤、各所、各地の暖房法の話や、絵や本を見て、比較して考える。	5、気候と暖房、室と暖房、対流。
6、外国の暖房法につき、絵や写真を集め、話をきき本をよむ。	6、絵巻物作り。
⑦、冬の衣食住を絵や図や表にし、防寒の立場から考える。	7、カロリー、比熱、伝導、輻射の実験。
8、冬季火災の原因を図や表にし、ポスターを書く。	8、いろいろのグラフのかけること。
9、煙突、火吹竹、藁灰、砂、マッチと木炭薪との関係を知る。	9、酸素と燃焼度、発火点。
⑩、乾電池やローソクを作り、火をつけ、電燈と比較する。	10、長所を生かす使用法ができる。
11、家庭学校の配線図をかき、電池や電球の継ぎ方を実験する。	11、数個の電池電球の継ぎ方ができる。
⑫、電燈会社を見学し、配線状況を聞き、配線絵図をかく。	12、電圧と電流、電気量。
13、家庭の電気器具の使用修理をして、材料構造使用法を知る。	13、良導体と不良導体。

第四学年星組

ひわが死んで道路に落ちていたといっては、教室に持ちこんでしとねを作り、枕を與え、小菊をかざり、詩を作り、ひわをいたんでふるさとの親鳥の心を思う。優しい純な心を持ちながら、とび箱の五段はとび越しても、何か人間の迫る力や、扉をおし開くのにもう一おしという力の表れないのは、この土地の生活力の足りなさのせいであろうか、この級にとりわけて強く感じる。

「我」の意識は四年になって、身辺の物象に対する認識のしかたに、身体に対する関心に、自己の人格に対する欲求に、次第に現実化して来たことを調査は物語っている。

自然に対する興味は又社会的にも廣がろうとしているし、歴史的なものへのあこがれをも表している。

しごとの目標

一「奈良」　部分的ではあったが、一年有余の経験は、現実の郷土の社会に対する関心や働きかけの態度や認識を與えたが、ここではわずかでも社会的な情熱や実践力に高めたい。

深く入れば高く大観され、郷土社会の観察を日本的視野の中に求めようとする態度や能力が高められるであろう。更に空間的な廣まりと共に、時間的に過去にさかのぼろうとする興味を養う契機をこの主題はもっている。

二「生活に大切な資源」　郷土の資源と土地と気候、資源と人間の相互関係や、郷土と日本との社会的な依存関係の理解を通して、資源の愛護利用、発明や改良に対する関心や科学的な態度の養成が期待される。郷土にない海への興味や関心がここで与えられ、海への憧れと理解が深められると共に、海を知ることによって山の國奈良縣も正しく理解されるものと思う。

三「便利になった生活」　社会を今と昔、洋の東西に対比するうちに現代文明の理解とこれが利用の技術を与えるだろう。そして歴史は一不断の有名無名の人間の力の集積は人間生活を幸福に導こうとしていること、しかし一方利便は危險をもたらしていること、安全な生活、健康に対する用心や態度、近代的利便は又精神的な健康によって幸福に導かれること、を理解すると共に、物資の活用と資源の不足を補う工夫の態度能力を得させるのに役立つものと思う。

指導の態度

これら三つの主題は、児童の欲求やいろいろの要求のまんなかにそれから生まれたものであるが、それだけその要求相互の矛盾や拮抗が予想される。歴史的時間はできるだけ具体的な物の対比によって、地理的距離はなるだけ瞭い具体的経験によって体得させたい。

計画は即ち予想である。社会的自然的突発現象に対して、或は児童の心的変化と欲求によって、臨機に自在に即應することは、この教育計画を活かす所以のものである。

奈良　（四月――七月）

しごとのめあて

○奈良の町にあるいろいろなものをしらべて地図や模型をつくる。
○平城京の地図を作って今の奈良市とくらべる。
○博物館へ行って祖先の生活をしらべる。
○生駒山へ登って大阪平野と奈良盆地とをくらべて箱庭を作る。

学習活動の展開	内容・程度
1、学年の新しい計画を立て、級の仕事や分担をきめる。	1、自治、責任、学習法、着眼点について。
2、駅に行って乗降客の数を聞き、三條通、東向通に立って奈良にくる人の数をしらべて表にし、人のくるわけを考える。	2、月別乗降客数。万以上の数の取扱い。グラフ化。
3、奈良にどんな建物があるか地図にしるす。	3、歴史的記念物。縣市の役所。
4、奈良の名所や建物について、説明ができるように案内記を作る	4、年代と自分が考えたもののそのねうち。
5、奈良のいろいろな行事をしらべて、こよみや絵巻物につくる。	5、行事についての簡單な説明。
⑥、三條通、東向、餅飯殿の通りをしらべて絵にかき、模型を作る	6、三つの通りの特異性。
7、生活に必要な店や、建物がどこにあるか、しらべて地図に表す	7、分布状態。市街の地区的特徴。
8、明治ころの町について知っている人に話を聞いて報告する。	8、奈良の家のれんじ格子。奈良坂など京街道の道すじの家のようす。
9、昔の平城京を地図でしらべる。	

学習活動の展開	内容程度
10、一條通り二條通りの間、一坊二坊の間を目測、歩測、実測して一区画の大きさをはかる。	10、1km² の実測、歩測のしかた。
⑪、若草山に登って平城京の大きさを眺め、今の奈良市とくらべ、絵にかいたり、平城京の地図をかいて廣さをしらべる。	11、小数の加法、乗法、面積の求め方、1km² 22km² の直観。
12、昔の平城京のできたわけや、そのころのようすを書いた文をよみ、話に聞き、今の奈良とくらべて文にあらわす。	12、かんたんな奈良時代の歴史と文学。
13、大極殿のあとに行ってかわらを捨ってあつめる。	13、昔の遺跡に対する関心をつくる。
⑭、博物館（考古展）に行って大昔の遺物を見て写生し、話を聞いたり、本でよんだりして祖先の生活を話しあう。	14、新石器から鉄器までの遺物のみかたや、大たいの特徴。
⑮、生駒山に登って、春日山を背にした、奈良盆地の北の奈良市を見、尾根傳いに信貴山まで歩いて、大阪平野と大和盆地をみくらべ、どんな所に町や村ができているか話しあう。	15、13km の尾根傳いの行程。傾斜変換地帯や扇状地と聚落。街村。散村。門前町。
16、電車の生駒トンネルや汽車の亀の瀬トンネルが生駒山脈を貫く大阪への通路であること、電車や汽車のなかったころはこの暗峠や十三峠を越えて行ったことを話合う。	16、生駒山脈が青垣山をめぐらせる平城の京を作ったこと、それが却って発展を妨げるもとになったこと。
17、生駒山脈が大阪平野へ急にかたむいていること、大和盆地や大阪平野がどうしてできたか話を聞いて記録する。	17、地球の歴史への興味。
18、奈良盆地の図をかいたり箱庭を作ったりする。	18、單純な初歩的な形。
19、大阪の天象館に行ってプラネタリウムや映画をみて、地球ができたわけや、人間の歴史などを知り感想を文に記す。	19、人間や地球の歴史に対する好奇心をみたす。

学習活動の展開	内容程度
20、観光地としての奈良にかけている所を話し合い、奈良市を盛にするにはどうすればよいかを考え、実行できることを行ってみる。	20、公園をよごさぬ。観光客、参観人に対する態度。

生活に大切な資源　（九月――十二月）

しごとのめあて

○海へ行って船や漁業のありさまを見たり聞いたりして絵や文にあらわす。
○塩田の模型を作ったり、いろいろの魚の絵地図をつくる。
○山に行ってたきぎを作っているところを見たり、炭焼がまを見学して紙しばいに作る。
○今年の米のでき高をしらべたり、米のよくできる所を地図にかいたり、今と昔の農業のようすを比べて図に表す。
○物産館に行ったり、本でよんだり、聞いたりして、奈良縣の産物をしらべて、表や、絵地図に表す。
○博覧会に行っていろいろの資源がどんなに形をかえ、役に立っているかを見学し、絵図に表す。

学習活動の展開	内容程度
1、二見浦の海水浴に行く計画をたてる。	1、駅では時刻や運賃のみかた。見積りの立て方。
2、汽車の窓から途中のようすを観察して記録する。	2、車窓からの観察のしかた。目のつけ方。
3、海水浴をして、潮の満ち干をはかったり、砂浜を見たり、貝拾いをしたり、船に乗って島めぐりをしたり、朝夕の景色を絵や文に作る。	3、潮の干満の速さ。帆船のようす。波の動き。リアス式の鳥羽海岸。妻入りの家。
④、塩の作り方を見て模型を作り、塩が何に使われるかをしらべる	4、砂層かんりゅう式。

5、地図に旅行の道すじや、川、海、町、山脈をしるし、旅行のキロ数や、時間や運賃や速さを汽車と電車と比較して計算する。 6、港に行っていろいろの船や港を見学して、模型を作る。 7、いろいろの船の種類をしらべて、発達を図に表す。 8、航海の話を聞いたり、ロビンソンクルーソーの話をよむ。 9、魚屋に行っていろいろの魚の種類や産地をしらべ、水族館を作ったり、絵地図にかいたり、魚の旅の物語や劇を作って演出する。 10、眞珠貝がどうして養殖されるか御木本幸吉の話をよむ。 11、海のない縣を地図にしるす。海の國の日本が、又山の國であるわけを地図でしらべる。 12、山から何がとれるか、奈良縣の山の資源についてしらべる。 ⑬、山に行って、たきぎ作りや、炭焼がまをみて紙しばいに作る。 14、大和八景や國立公園の絵はがきをあつめて、奈良縣の風光美について話合う。 15、木材が山から切り出され、製材されるようすを絵巻物にかく。 16、私たちの作った稲の一本植え、二本植えの分けつのようすや、みのり方をしらべて、どの植え方がよかったかをきめる。 17、今年の奈良縣や、日本の米の産額をしらべて、米の不足を考える ⑱、米のよくとれる平野を地図にしるす。米は世界のどこにとれて輸入食糧はどこからくるのか話合う。	5、近畿の山脈、川、平野、一二〇キロの概念体得。時速概算、小数の加減。割引運賃と小数の乘法。 6、船の形、内部の機関、浮き、走るわけ。 8、すじをたくみによむ。グループに分れて輪讀する。 9、日常市場にくる魚の種類と特徴や輸送径路を知り、魚の分布を覚える。 10、日本の發明家として御木本氏の苦心をよむ。（五年國語上三二頁） 11、日本の都道府縣、海や海峡、山脈の大要。 12、奈良縣地図で吉野郡の山林の廣大さを知る。 13、炭焼きの手傳いをする。 14、風光美について知る。 15、製材所の見学。 16、七本植えまでのようすと数本について平均を求める。 17、人口と食糧との割合。米のできる大きな平野。小麦と米の産地のちがい。

⑲、今と昔の農業のようすをしらべて図に表す。 20、さつまいもをほりとって、植え方と收穫を比べて記録する。 21、顯微鏡でさつまいものでんぷんそのほかのでんぷんをしらべる ㉒、物産館に行って奈良縣の産物又足りない資源を調べて表に表す ㉓、博覧会に行って資源が形をかえる有様をみて絵や文に表す。	19、唐古や登呂の遺物について比較する。 20、水平、斜、舟形、改良水平ざし各種の良否 21、顯微鏡のみかた。取扱い方。 22、奈良縣物産の分布とそのわけを知る。

便利になった生活　（一月——三月）

しごとのめあて

○動物や植物は冬をどうしてすごしているかしらべて、画や文に表したり、詩やげきにつくる。
○人間はどんなにして冬をすごすか、寒い地方の学校の友だちや、親類に作品や手紙を出して、冬の暮し方をたずねて、自分たちの冬の暮し方とくらべてみる。
○いろいろの火を起す道具を持ちよって、火をおこし、その使い方やわけをしらべる。
○火やだんろの歴史を絵や図にかきあらわす。
○一年間の欠席者をしらべて、図表にあらわし、自分のからだをしらべ、たべ物や衛生について考え、欠席者のないように工夫する。

学習活動の展開	内容・程度
1、氣温をはかり、一年間の温度、天氣の表をまとめて変化を話合う ②、動物や植物は冬をどうしてすごしているか画や文や詩や劇に作る ③、人間はどうして冬をすごすか、寒い地方の学校の友だちや親類	1、各月および一年間の平均氣温、晴雨日数較差をしらべる。 2、理科的観察と文学的叙述。

に作品や手紙を出して冬の暮し方をたずね、自分たちの冬の暮し方と比べてみる。
4、世界の寒い國の暮し方を読んだり、聞いたりして図に表す。
5、スキーの文をよみ、映画を見、スキーや、ペチカの歌を歌う。
⑥、昔の人はどんなに冬を暮したか。着物や、家や、はきもの、かさ、火やだんろが、どんなに発達して来たか、絵巻物や文に表す
7、世界のいろいろの家をしらべて、その土地の氣候や資源や習慣によつてかわつているようすをしらべる。
⑧、いろいろの火の道具を持ちよつて、火をおこし、その使い方やりくつをしらべ、昔の生活とくらべる。
9、便利な道具と危險について考え、注意をする。
10、消防署に行つて火災とその原因をしらべて火の用心に注意する
11、乗物、読物、通信、役所、映画、あかり、病院など今の生活の便利な有様を絵や文に表し、昔とくらべて便利になつた点を考える。
12、便利な生活と人間の健康について話合う。
⑬、一年間の欠席者をしらべて病氣別に図表に示す。
14、病氣の種類や、ばいきんなどの絵をかいて、原因や傳染する道すじをしらべる。
15、自分の脈搏や呼吸、体温についてしらべ、健康手帳にかき入れる
16、食物はどこを通つてどんなになつて行くかしらべて、図に表す
17、からだを養うには、どんな栄養がいるか、どんな食物をたべるとよいか。栄養表やカロリー表をつくり偏食を止める工夫をする。
18、病氣を予防し、なおすのにどんな方法や機械や薬があるか、病院を見学したり、キュリー夫人、野口英世、ジェンナーの話をよむ。
19、劇をし、音楽会をもよおし、たのしい時をすごす。

3、奈良の生活を詩、画、文に表現して手紙を作り遠くの人たちと交際する。着物、かさ、はきもの、家の間取、食物についてきく。
4、エスキモー、もうこ、チベット、北欧の人たちのくらしの話をきく。
5、それぞれの好きなものをえらんで、古代人のくらしから今までの歴史をしらべる。
7、アフリカ(エジプト)の家、シャムの家、ローマ時代の家、北欧の家、もうこの家。
8、電熱、電氣ごたつ、アイロン、ストーブの使い方、しゆうぜん。使用がまちがうと危險のおこることの注意。
10、一年間の火災数、損失を図表に表す。
11、現在の生活機関の発明発達を概観して、文化に幾多の人間のたゆみない努力の堆積のあることを知る。
12、便利な生活は又健康をも失うことがある事を思う。
14、風邪、蛔虫とか普通の病氣の原因と予防傳染病の種類と傳染径路及びその予防法。
15、自分の健康は自分でみつけられる。
16、人体模型や図について。
17、栄養と食品の選択及びそのたべ方。
18、病氣の予防と治療や薬について。
19、肉体の健康と共に精神の健康がある。便利な生活から幸福な生活へ意図する。

第五学年 月 組

一、「しごと」の選択の方針

1 大体において躾としての衛生、体育生活であつたことから前進して、ある程度の知識、理論に裏づけられた衛生、体育生活に向上させる。

2 日本的にまた世界的に学習内容がひろがつていき、濃度を加えていくような主題をとる。

3 天然資源の利用、愛護ということと物資、労務の生産・分配・消費・運輸・交易ということについて、一そうよく発展し、人と自然とのつながり、事物を仲介としての協力、依存の関係、人と人との直接的な人間的在り方などを、より廣くより深くより正当に了解し体験する主題をとる。

以上の方針と児童の興味調査の結果とを勘案して、結局するところ「自分のからだ」「さまざまの土地」「石炭と石油」「共同のたのしみ」という四つの主題をもつことにした。

三、「しごと」の目標

1　自分のからだ

自分のからだについての自覚と体育的意図を積極的に高めてこれを基底とし、体育・衛生に関しての医学的・体育的知識と方法と技術とを統一して、一そう進んだ体育生活と体育的な社会奉仕をする能力を向上させる。

2　さまざまの土地

奈良市をよく知るという学習から発展して、二見・生駒・笠置に遠足し、それぞれの都邑の状況、発達の理由を比較研究、さらに二見では海を、生駒ではケーブルカー、山上からの展望を、笠置では木津川を、主対象として調査研究することに関連して、広い地域の土地のさまざまの姿とその中にいとなまれている生活の実状を考察すると共に人間の本質的根本的な念願を察知することを期待する。これによって児童は、社会学的・地理学的な能力をたかめる。

3　石炭と石油

文明の発達に対して石炭と石油のもつ役割は極めて広く大きい。興味調査に大きな頻数が示されたのは、おそらく最近における家庭生活の不自由が因をなしておることであろうが、ともかく非常に幸いなことである。きっかけとしての問題はよしんば狭小浅薄なものであっても、これまでの学習発展の実状から推して、主題せんたくの方針(3)への期待は可なりのところまで達成されるであろうことは疑えない。なおこの主題によって、雑然とした問題を組織立てたり、研究に必要な物を整備したり、科学的な参考書類を読破したりする能力がたかまることも大きな期待である。

4　共同のたのしみ

これまでに研究したこと、新に自由に研究したことを学級の展覧会と学識会に仕組んで家庭の人人を主賓として迎えて相ともに喜ぶ。これによって児童はリクリエーション的能力をいよいよ向上する。

自分のからだ	（四月――五月上旬）
しごとのめあて ○自分のからだを丈夫にするためにいろいろのことを調べて、それを実行する。 ○からだを丈夫にするポスターを作って、みんなが熱心になるようにする。	

学習活動の展開	内容・程度
①、からだを丈夫にすることについて、どんなことを実行しているか、どんなよい習慣が出来たか、うまくいかないのはどんなことか、医者や先生や家の人から賞められたこと、注意されたことは何か等々、日常の体育生活を反省して話合う。 2、衛生・体育の方面から学校の建物、設備、施設などを研究して各々の趣旨、意義を明らかにする。 3、奈良保健所を見学して話をきく。 4、以上のことから発展して、いろ〳〵の調査や研究を行い、図表を見たり作ったり、室の模様がえをしたり、衛生室や給食室の装備をしたり、頭と手足を使っての学習活動が活潑に行われる。 5、自分に適切な運動、競技とその要領並びに適切な運動量についての指導を受けて、個人的にまたはグループ的に体育する。 ⑥、保健、衛生、体育上、日常実行すべきをかるたに作って低学年教室に送ったり、ポスターを作って掲示したりして、自他の体育生活を向上させる。 7、奈良の病院、医院の所在と診療科目を調べて表に書く。 8、当校児童の病氣、けが、身体状況を統計的に処理して、そこからある意味、結論を発見して、赤十字委員会の問題として提出したり、学校に所見として提出したりする。 9、今後、たえず体育生活を反省する。	2、校舎、教室、体育館、衛生室、給食室、机腰掛、運動器具などに払われている理科的衛生的な考慮。 体重測定、校医檢診、檢便、駆虫剤服用、種痘、諸注射、給食等の行われる理由。 正課体育、課外運動、運動会、競技会、歩行会、衛生講話、実習、映画などの意図。 4、蛔虫その他の体内害虫の発生、はん殖の径路や駆除法。薬物の名称、用い方、所在。種々のワクチンの効能と発明の由来。偏食のよくない理由。日常食品の営養価と食べ方。うがい水の作り方。最も適切な生活時間の作製。衛生室、給食室の設備及び運営法。傳染病の種類、病菌、予防法。 体内機関の構造と機能—消化系統、呼吸系統、じゆんかん系統と生活法など。 8、身体檢査票、児童欠席理由記録簿によって、学級別にまた学校単位で統計をとることによって、統計の仕方や数値の定め方、図表の作り方、意味考察の仕方を学習する。

さまざまの土地	（五月中旬――十月）

しごとのめあて

○奈良のことをもつとよく知る。
○二見町に行つて町の様子や海のことを調べる。
○生駒山に登つて四方の様子を見る、そして山上から見たことを基にして模型を作る。
○笠置町に行つて町の様子を見たり、木津川のはたらきを調べたりする。

学習活動の展開	内容・程度
①、奈良市が戰災にかからなかつたわけを話合い、それと関係ある方面に校外学習をする。 博物館長その他の、古藝術に造詣深い人の話をきく。 2、全市域を巡視し、その実態に基づいて改良策を立て、市役所・警察署の見学の際にうつたえる。 3、奈良市地図を拡大し、各小学校区別に色どり、面積や人口、町勢的特色または視察所感事項を書きこむ。	1、國宝または國宝級として保存されている建物・絵画・佛像・考古学的遺品等を見学鑑賞し、藝術・政治・宗教・風俗・文学に関する寧楽時代の特色、往昔の生活ぶり平城京と奈良發達との関係などに及ぶ。 2、町の明暗、美しゆう、清潔状況、交通往来状況、公設市場の状況、公衆便所など。 4、乘降客の年次・月次統計、出入貨物の種類・量並びに方面など。

4、奈良駅・京終駅・東向駅・油阪駅の実態調査をする。 5、京終地域の特色をとらえ、その理由を考察する。 6、奈良市の性格を奈良公園と関係づけて考察する。 7、奈良市役所、警察署を見学して、これらと市民とのつながりを知り、なお当局と対談して市民としての生活を向上する。	5、製材業、せんい工業、青果取引所、奈良交通会社。東部山間地域並に大和平野東部の町村との直接的の結びつきなど。 7、警察行政の新機構、所署の課別任務、吏員・警官、市会議員、経営費など。
8、二見行きの準備学習をし、それを基にして話合い、遺漏のない計画を作り上げる。 9、旅行の目的を達成するため、また交歓の機会とするために二見小学校のお友達に依頼状を書く。また行って来てからはお礼状を出す。 10、あちらで、現地について二見小学校のお友達のお話を聞き、さらに自由研究として、疑問を解決したり、色々の物を採集したり、研究問題を構成したり、見学したりする。 11、帰校後は、ひきつづき現地学習の整理と関係的発展的な諸問題の研究をする。 12、それらのまとめ、組織立てとして「海の水が急になくなってしまったら、どういうことになるだろう。」という題でディスカッションをする。	8、地図で二見の所在・位置を。交通機関及びそのコースを。沿線の地理を。汽車の時間表で出発・帰着の時刻を。旅費を。委員をえらんで乗車について便宜を計ってもらえるかどうか。旅行上の諸心得など。 9、挨拶や書状の書方や料金。 10、二見町の状況・性格、伊勢湾・波浪・砂浜・岩石・海藻生育・浅瀬・干潮時などの様子。海藻・貝類の採集。海水の味。二見水族館、海女のせん水作業など。
13、生駒行きの準備学習をする。 14、近鉄生駒駅長、宝山寺ケーブルカー駅長、生駒山観測所長に依	15、乗降客統計貨物の種類・量・方面、生駒トンネル開通前後、開通工事状況、ケーブ

頼状を出す。 15、現地でいろいろな話をきいたり、観察したり、話合ったりする。 ・生駒駅で ・宝山寺駅で ・生駒山上で、展望塔で ・生駒観測所で 16、現地学習の整理と関係的発展的問題の研究をする。 17、生駒山上から展望した地域の模型を作る。	ルカーの形態・構造、重量、定員、まき上げる力と限度、綱索の太さ・構造・索引力レールの敷方、勾配度、危険防止の方法、敷設の理由、生駒町の今昔、発達の理由、大阪平野と奈良盆地の聚落分布状況、四方の山脈、大阪湾、木津川、淀川、生駒観測所の使命、諸設備、氣象用語、大阪氣象台との関係、航空燈台の跡など。
18、笠置行きの準備学習をする。 19、笠置駅長に依頼状を出す。 20、笠置町を一巡して町の形態や奈良県東北部奥地との交通的、経済的関係の一斑を察知する。 21、新道から山を登り旧道から下山する。そして新道開通の理由、新旧道の勾配、S字路の理由などを研究する。 22、山めぐりをして、景観を展望したり、史蹟を見学したり、奈良との歴史的関係を考えたりする。 23、笠置温泉について話合い、なお話をきく。 24、木津川原でいろいろのことを見る、考える、楽しむ。 25、現地学習の整理と関係的発展問題の研究をする。	18、とくに、鉄道距離・道路距離・直線距離の比較がとりあげられる。 24、岩石・砂礫の相貌とその理由、水の深浅とその理由。 流水の力――破かい作用、運搬作用、沈澱作用。花崗岩の風化・破かい、木津川にとくに白砂の多い理由、木津川の砂の用いられ方。 流水の方向・洲・流速、木津川の魚族、川に沿うて道路が作られたり、鉄道が敷設されたりする理由、木津川培養の林野状況、水量、水害、堤防、木津川の利用され方。

石炭と石油　（十一月――一月）

しごとのめあて

○石炭と石油について問題を出しあい、それを分担して調べる。

学習活動の展開	内容・程度
①、具体的な研究問題を出しあい、それを分類整理して、はつきりした研究問題に作り上げる。そして個人的に分團的に研究問題を分担する。 2、学習を能率的に展開するために必要な見学場所、標本、図表、統計、参考書などについて相談したり、集めたりする。 3、奈良ガス会社や奈良機関庫を見学して話をきく。 4、ガス使用の道具とその取扱法を調べる。 5、石炭ガスやコークスやたどんを作つてみる。 6、石油ランプの構造を調べる。 7、炭坑見学記や炭坑の地下設備並びに坑夫の活動状況を知り得る映画や解説図を見る。 8、石炭や石油から作り出した物資を集める。 9、石炭の木、石油の木という系統図を作る。 10、関係的に発展して、地球や天体のことも調べる。	1、石炭は何に使われるか、石炭や石油を使つて動く機械、石炭・石油のもと、石炭や石油はどうして出來たか、私どもの家に石炭が自由に來ないわけ。石炭はどこが一番よくとれるか、石油はどうか、なぜ奈良で石炭や石油がとれないか日本の石炭・石油の産がく。どうして奈良まで來るか、石炭はどこへ多く送られるか、石炭や石油の配給ルート、石炭や石油を使い始めたのはいつごろか、石炭や石油のもえるわけ、またよくもえないわけ。石炭の掘り方、石油のとり方、機関車は一日にどれ位の石炭を使うか、石油はどんな害を與えるか、石炭を掘るときの注意、どんな石炭がよい石炭か。ここを掘ると石炭が出る、石油が出るということはどうしてわかるか、炭坑の人々はどんな生活をしているか。石炭や石油になつた動植物の名、またそんな物は何年ほど前に住んでいたか茂つていたか、どういうことからそんなことがわかつたか等々。

共同のたのしみ　（二月――三月）

しごとのめあて

○学級展覧会・学藝会をして、家の人々に見ていただき、また学校のお友達にも見てもらう。

○一箇年のことを反省して、たしかな、まとまつた学習になるように、も一度整理したり補つたりする。

学習活動の要領――展覧品は既成の絵・工作品・図表・地図・解説図・裁縫品など。発表内容は、これまでの研究から選んだもののほかに、多の動植物・人間の多の生活・四季の変化など新に研究したもの。展覧場は自教室、学藝会場は讀書室。一人で何回出てもよい。学藝種目は、げき・紙芝居・人形げき・創作詩歌童話の朗読、二十の扉、話の泉、対話、身振げき、ピヤノ弾奏、合唱など。約三週間準備、会期約四日、家の人は都合のよい日に参観する。行事が終了すると学年末の整理をしたり、学校の学藝会への準備をしたりする。

第五学年单元

一 「しごと」の選択方針

学級のこどもたちは、調査によると、自分たちのからだや健康、天変地変を中心とする自然の事物事象、資源の利用と生産、交通通信、文明の利器、建築歴史、文化遺産、赤十字活動と社会奉仕などには特に強い興味と深い関心を集めている。一方心意の発達段階ではようやくものごとを自覚的・理論的に追求しようとする傾向があらわれる。したがってしごとの経験では、時空的なひろがりをさらに因果的関係においてとらえる必要があろうし、またその経験が身辺の日常事の周辺にとどまっているだけではなく、現在の社会生活の先端にまで直結して、一應のまとまりをもつことがのぞましい。

このようなこどもたちのしごとの基底にある問題として、

世界はどのようにして開けてきたか

わが國の産業はどのようにして発達してきたか

鉄道や通信はどのようにして発達してきたか

の三つを主題としてとりあげた。

二 「しごと」の目標

1 世界はどのようにして開けてきたか。

政治思想の変せん、学術の進歩、國際間の親善方法などの面から、発明発見が世界のくにぐにを結びつけて親しくしたことやこの世の中が相互依存によってなり立っていることを理解するとともに、人間の基本人権を尊重し、生命を愛して健康を増進し、民主生活を実践し、世界平和の実現に努力する。

2 わが國の産業はどのようにして発達してきたか。

基本産業である農業や林業、及び製陶工業の生産様式を通して、発明発見による産業の進歩とその状況や、自然と産業との関係を考察して近代産業文化を理解すると共に、現下の窮困生活が産業の疲弊によることを知り、資源利用、生産増殖につとめ、産業振興、國力恢復に協力する。

3 鉄道や通信はどのようにして発達してきたか。

郵便、電信電話、新聞、ラジオ放送、映画などの方法や機能が発明発見によっていちじるしく進歩発展したことや、それによって世界の距離と時間が短縮し、交わりが密接になったことや厚生慰安が大衆化されたことを理解すると共に、必要に應じて通信機関を利用し、厚生慰安をはかり、生活の能率をあげる。

世界はどのように開けてきたか （四月――七月）

しごとのめあて

〇選挙のようすをみて、そのやり方やわけを考え、組の役員を選挙し、そのきまりをつくる。
〇國別の世界地図をかき、國際間のいろいろな会のきまりやわけをしらべる。
〇学校給食についてしらべ、食事の献立表をつくる。
〇傳染病の予防方法を考え、学校や家の防疫をする。
〇夏休におけるたのしい、正しい学習法をきめる。

学習活動の展開	内容・程度
1、五年生になつたことを自覚し、上級生としてのしごとや、協同生活をしていく上の心がまえを話しあい、作文に書く。 ②、学級の役員をきめて、そのきまりをつくる。 ③、まちの選挙のようすをみにいき、そのやり方、わけを考える。 4、昔と今の政治のしかたをしらべ、表に書く。 5、赤十字社をたずね赤十字のいわれやはたらきをきく。 6、世界の人びとをすくつた人たちの傳記を讀んだり、聞いたりして、それを作文に書いたり、げきにする。 ⑦、外國の写眞、絵葉書を集め、國別の世界地図をかく。 ⑧、國際間のいろいろな会のきまりや、そのわけを考える。 9、外國のことばをあつめたりする。 10、観光課をたずね、まちや國の観光施設をしらべ、理想的な観光都市計画図をかく。 11、日本人や外人の往来を年表にかく。 12、動植物の愛護利用の方法をしらべる。 13、測候所を見学し、氣象や天体のことについて話をきく。 14、かんたんな温度計・晴雨計・風向風力計をつくる。 15、かんたんな写眞機をつくる。 16、あかるい文化住宅の設計図をかき、その模型をつくる。 17、学校給食のわけをしらべ、食事の献立表をつくる。 18、人間のからだの解剖図をかく。 19、顯微鏡をつかつてばいきんをしらべる。 20、衛生課をたずね、まちの保健状況や、衛生施設をしらべる。 ㉑、傳染病の予防法をしらべ、学校や家を防疫する。 22、病院をたずね、医療具、施設、きまりなどをきく。 23、医学的な発明発見を年代図表にかく。 24、夏休みのたのしい、正しい学習法をきめる。 25、夏休の旅行の計画を立てて、実行する。	1―2、学校生活全体に対する建設的、実践的な問題や意見をもつて確実に実行する。学級の係・委員・リーダー・当番を選出し、協力して学校生活を建設する。 2―4、民主的政治の必要、構造、きまり、地方行政機構、國家行政機構、日本の政治のうつりかわりのおおよそがわかる。 5―12、世界の博愛慈善家とその事業、國際連盟、世界労働組合、ユネスコ運動、世界國家、オリンピック大会、外國との交際交歓、世界の國々の位置、地図上の方位、文明人とやばん人、人口密度、世界の人種、などを理解して社会に奉仕し、世界の平和親善に協力する。平均、割合、速度、円周率四捨五入、面積、大きな数の計算。 13―14、つゆの原因、空氣のぼう張、氣圧、雨量、天氣図、氣象の予報警報、特報の信号標、風の成因、太陽と黒点、体積、容積、水平面、鉛直線などの原理、構造の大要がわかり、その製作、観測、測量、算出をする。 15―16、部屋の広さ、建坪、たたみ、光源体、光の進み方、反射屈折、像、焦点、焦点距離、プリズムと物の色、光度、などの理由がわかり、実測や製作ができる。シナリオの創作をして情景を印象的にとらえ、また鮮明に表現する。 17―22、栄養素とカロリー、人体の内部構造と機能、食物の貯蔵、傳染病の種類原因症状媒体、予防法、医学の進歩などのことがわかり健康を自覚的に増進する。

わが國の産業はどのようにして発達してきたか　（九月――十二月）

しごとのめあて

○昔の土器をしらべ、同じようなものをつくる。
○やきものの工場を見学し、やきものをつくる。
○製材所を見学し、その模型をつくる。
○日本と外國との農業のしかたや農機具をくらべて図表にかき、その写眞をあつめる。
○農業についてのきまりをしらべてそのわけを考える。
○奈良駅の出荷、入荷の貨物をしらべ図表をつくる。
○こよみをつくる。

学習活動の展開	内容・程度
1、博物館へいって、昔の土器や石器をみて、その材料、形、種類かざり、出土地、年代などをしらべて絵図にかく。 ②、昔の人は土器をどんなにして作ったかを本でしらべたり、想像して考え、それと同じような土器をつくる。 ③、やきものの工場を見学し、やきものを作る。 4、やきものの工程を図にかき、実物標本をつくる。 5、やきものを作る機械、設備や工場の全景を模型につくる。 6、日本各地のやきものを集め、その種類と産地をしらべて、県別の日本地図にあらわす。	1―7、考古学上の時代の分類、陶土の種類と作り方、地層の成因、風化作用、土壌の成分、酸化と炭化、川の三作用、乾燥と氣温、やきものの形成、焼成、ろくろ、すり、絵具、回轉体のいろいろ、素焼がま、本やきがまの構造と火力、燃料の消費、耐火工焔色と熱度、乾燥による物の収縮、などのことがわかり、必要な計算、製作、創作、演出をする。
7、やきものについての話や物語をきいたり、読んだりして、その感想をかき、それをげきにする。 8、木材伐り出しの山へいき、伐採、運ぱんのようすを図にかく。 ⑨、製材所を見学して、その模型をつくる。 10、木材の集散、用材の途図を統計し、工程図や標本をつくる。 11、わが國の林業地を地図にかき、そのさかんなわけをしらべる。 12、わが國の地勢図や産業図をかく。 13、学校園や秋の田に出て農耕し田園に関する詩やよびかけをする 14、米が台所に配給されるまでの手続きを図表にかく。 ⑮、日本と外國との農業のしかたや農機具をくらべ、その写眞や資料をあつめたり、図表にかいたりする。 ⑯、昔から今までの農業のしかた、きまり、わけをしらべる。 ⑰、奈良駅の貨物ホームにいき、貨物量を調査する。 18、機関庫を見学して機関車、客車貨車などのことをしらべる。 19、日本の交通図をかき、交通運輸の発達を年表にする。 20、寒暖計をつくっていろいろな温度をはかり、グラフにかく。 21、地球の表や中のようすを図にかき、地球の内外におこるいろいろなできごとをしらべ、そのわけを考える。 22、プラネタリュームを見学し、日の出、日没、太陽の高さ、時刻などを図にまとめ、また星座や天体図をかく。	8―10、勾配、斜面、てこ、ころ、軌道、そり、鋸のいろいろ、材木の太さ、用材の厚さ、樹齢、年輪、馬力、荷積量、内接円、外接円などの原理がわかり、それを算出する。 11、林業と氣候の関係をしらべる。 12、主な山脈、山、川、平野、盆地、湖の名と位置がわかり地図上の註記がよめる。 13―16、田畑の面積の実測、予想収穫、実収高表、百分率、歩合の計算、尺貫法容積単位をメートル法単位に換算、世界および日本の食糧事情、供出米配給制度、大小農法集約粗放農、労力、動力、能率、農業やその他の産業の発展と理由、小作と地主、農地改革、耕地整理などのことがわかり将来の日本農業に関心を高める。 17―19、機関車の構造原理、客車貨車の車体構造、速力、牽引力、積載トン数、線路幅員、平行線、運送と貨物の種類方法、鉄道と航路、交通機関の発明発見などの状態、構造、理由がわかり、計算や模造ができる。

学習活動の展開	内容・程度
23、こよみをみて、こよみの上にあらわれたいろいろなことから意味をしらべ、産業や生活との関係を考える。 ㉔、かんたんなこよみをつくる。 25、世界の各地へ旅行する場合の計画をする。 26、人や動植物の越冬法についてしらべる。	21—26、地球の運動、大きさ、形、成因、構造、地震、温泉、日食月食、光の速さ、光年、四季、晝夜、潮汐干満、一年のきめ方、地球上の位置と時刻、地球上の経緯線と角度、方位、陰陽暦、世界暦の原理の大要。

報道や通信はどのようにして発達してきたか　（一月——三月）

しごとのめあて

○昔から今までの報道や通信の方法をしらべ、それを年代表にかく。

学習活動の展開	内容・程度
1、年賀状や手紙を書いて友だちや知人におくる。 2、郵便局を見学し、郵便局のしごと、郵便量、郵便に関するきまりをしらべて統計や図表にあらわす。 3、電話局をたずね、電話局のしごとや、機械設備のようすをしらべ研究文をかく。 4、かんたんな電信機、電話機をつくり、電話げきをする。 5、いろいろな電報文をかく。 ⑥、昔から今までの報道や通信の方法をくらべ、その年代表をかく 7、いろいろな新聞をあつめ、昔の新聞や読みものと今のものとをくらべる。	1、お祝文を書き、版画をほつてする。 2—5、郵便の種類、輸送路、料金、郵便の歴史、切手印紙の種類とその使用、國内、國際通信方法、電信電話機の構造原理などがわかり日数や料金の計算をする。電報をうち、電話をかけることができる。 6、昔の書物、記録法、印刷術、駅傳驛馬、電信、電話、新聞、ラジオ、書物、映画、演藝などに関する通信や娯楽慰安の方法やそれに必要な機関の発明発見が年代順にわかる。
8、新聞の記事をしらべ、その働らきを考え、読み方を研究する。 9、印刷術の進歩についての図や本をみて、年代表をつくる。 10、新聞社を見学し、新聞や文集をつくる。 11、新聞や本のできるまでの順序を図にかき、資料をあつめる。 12、ラジオの番組をしらべ、放送を聞く。 13、ラジオのはたらきを考え、そのきき方を研究する。 14、ラジオの構造をしらべ図にかいたり、かんたんなセットを作る 15、放送局を見学して、放送局のしごと、機具、設備、裝置などを絵図にかき、また放送局の分布図をつくる。 16、学校放送のセットをしらべ、校内放送をする。 17、放送プログラムをつくつて、放送ごつこをする。 18、擬音装置を考えてつくつたり、かんたんな楽器をつくる。 19、映画館にいつて映画をみ、映写機・映写操作などをしらべる。 20、幻燈をつくつて実写する。 21、昔のごらくと今のごらくの方法をくらべて、表にかく。 22、國語「人形げき」を学習して、人形げきをする。 23、理科、算数、國語などのたのしい学習あそびを工夫して発表する。 24、学藝会を計画して発表する。	7 8、新聞、雑誌、書物を正しく選択して、そのよみ方を工夫し、正しく読む。 9—11、新聞社のしごと、印刷機、印刷方法、印刷製本の工程、分業作業と従業員の協力、電送写眞、製紙の工程、大工場の衛生、厚生慰安の施設などのおおよそがわかる。 12—17、ラジオの構造と理由、放送局のしごとと部門、テレビジョン、音波の性質、放送機械の構造、國際通信法などがわかる。ラジオの正しい聞き方をわきまえ、放送セットを調節して放送できる。放送げきの台本がかける。ラジオのかんたんな故障がわかりなおせる。 18、ふえ、こと、たいこをつくる。 19 20、電波や光の性質がわかる。 21、発明発明が娯楽をひろげ、大衆化したことがわかり、時間が上手につかえる。 22—24、げき、ダンス、詩、作文、研究文、お話、作詞作曲、演奏、歌唱などの発表をとおして生活をたのしむ習慣をつける。

第六学年

一 「しごと」の選定にあたつて

私たちの学級は男女共学へのきりかえを契機に、二学級二担任制を実施し、調査にもとづいて機動性のあるグループ別の学級編成を行つてきた。そうして児童は学年の子として、グループの子として、個人として、より廣い豊かな人間関係の中に、個性を伸ばし育てられて來た。「しごとの時間」の計画表が六年として一つであるゆえんもこうした学年経営によるものである。

六年のしごとの主題「私たちの学校」「生産と交易」「電力と生活」「私たちの理想」は児童の経驗領域のひろがり、興味の中心、関心の焦点から生まれた、私たちの学校、お金と私たちの生活、外國の研究、氣候と生活、工場と生産、新聞と雑誌、電氣の研究、私たちの希望を、児童がとらえようとしている角度から見て整頓したものである。その角度というのは、機械動力の発明によつて生まれた機械生産という近代生産形式によつて動いている現代社会を理解することである。私たちは児童に機械生産の発達によつて、世界的規模にまで高められた私たちの生活、それに伴つて起つている生活問題を具体的な事物（現代社会に最も直接的に結ばれていると考えた主題）によつてみつけさせ、考察させようとするものである。

二 「しごと」のねらい

私たちの学校

○近代科学の発達は單に生産活動面のみならず現代社会生活に分業による方法をおし進め、相互依存関係をますます増大させている。私たちの学校社会をよりよくするしごとを通して、分業による協力の原理や方法をとらえ、学校の発展はめいめいの双肩にあることを理解させる。

生産と交易

○機械生産と近代交易によつて、世界的規模にまで高められた私たちの生活の舞台をとらえる。

○第一次産業社会から第二次、第三次産業社会へ進化していく社会の動きを、生産と形式と物資の流通からとらえ、それらが同時に共存している世界の相互依存関係を理解させる。

○発明発見の利用、大量生産にともなつて起る人々の幸不幸のさまざまな社会問題を、具体的な学習の中にとらえる。

電力と生活

○近代生産、近代通信、近代生活に貢献している電氣のはたらきを理解し、それを生活に利用することとができる。

私たちの理想

○児童が切実なものを通して現在の社会の課題とその解決としての将来の生活をえがくことができる。

私たちの学校	（四月――五月）
しごとのめあて ○私たちの学校の実状をしらべて、更に理想の学校を設計し、模型をつくる。 ○学校が先生や父兄や私たちによつて、いかに動かされているかをしらべて、表や絵図をつくる。 ○私たちの生活をもつと楽しく、便利にするいろいろなものを自分たちの手でつくつてみる。	
学習活動の展開	内容・程度
1、学校の歴史をしらべて、主なことがらを表にかく。	1、創立より今日までの沿革を知り、現状をしらべる。
②、校地を測量して、縮尺をきめる。 ③、校舎を測量して、模型をつくる。	2、縮尺は百分の一とし、米單位で小数第一位まで正確に測量する。プールの容積計算
4、いろいろな学校の建築様式をあつめて、私たちの学校のそれとくらべる。	3、簡易測量器具を工夫して、屋根の傾斜を知る校舎の簡単な正面図、平面図、側面図
⑤、私たちの一日の学校生活や子ども赤十字の活動を絵図にする。	がかける厚紙細工による外形模型をつくる（問單位）
⑥、ＰＴＡの活動組織、教官職員の事務分担を表にし、私たちの活動との連絡を明かにする。	4、通風、採光、配置、児童一人あたりの面積等についてしらべる。
⑦、学校生活を楽しく便利にする、標語、ポスター、グラフをつくり工作をする。 ⑧、理想の学校について、意見をのべる。	8、国語「電話」「とり入れまつりの夜」自分の責任を遂行した作文をもとにして話合う理想の学校を絵劇化物語等にあらわす。

生産と交易	（六月――十二月）
しごとのめあて ○大きな地球模型をつくる。 ○私たちの日常生活に必要な物資について、その資源をあつめたり、しらべたりして、分布絵図をつくる。 ○氣候と生産の関係をしらべて、図表や文にあらわす。 ○身のまわりの工業生産品を、その使い道によつて分類し、それがどこでつくられ、どんなに動いているか、実物分布図や、図表にあらわす。 ○今の工業生産の動力や、生産工程をしらべて、昔のそれらとくらべてみる。 ○大工場を見学して、その動いているすがたを見たり、聞いたりして、文や図表にまとめる。 ○いろいろな未利用資源をあつめて、簡易な加工や製造をしてみる。	

学習活動の展開	内容・程度
①、大きな球形をつくり、経線と緯線を入れる。	1、直径一米五十糎の竹かごをつくり、貼紙して球形をつくる。縮尺大さ位置の学習。
2、地図、地球儀をもとに、大陸をかき入れる。	2、地図をつくるいろいろな図法を理解する球面図形と平面図形を比較し研究する。
3、主な山、川、平野をかき入れる。	3、山平野の成因、川のはたらきをしらべる
4、國境をしらべ國名を入れ、日本との歴史的關係の年代表をつくる。	4、國語「外國からきたことば」を手がかりに歴史的交通交易をしらべる。大化改新、遣唐使、朱印船、ペリー、福沢諭吉、國際連盟、國連等。
5、外國を理解するための讀書、写眞あつめ、外國人の觀察をする	
6、大阪プラネタリウムの見学をして感想文をかく。	6、讀書による地球の生いたち、國語「星の光」の学習。見学して話をきき、とくに太陽の影響を深める。（閏年、標準時等）
⑦、生活に必要な鉱物資源をあつめたり、しらべたりして、模型にかき入れたり、分布図をつくる。	7、炭坑油田鉱山の分布をみる。石炭石油鉱物の成因をしらべ、古い時代の生物、地球の内部構造を考える。埋藏量と採掘から、その保存を考える。
8、模型に主な都市をかき入れ、人的資源の分布図をつくる。	8、一方粁の密度を算出して人口分布図を作る人類の分布図を作ってその発達をみる。
⑨、模型に等温線を入れ、雨量図をかく。	9、氣温図雨量図がよめその原因を考察する

	世界を氣温の高低雨量の多少によって氣候区に分類する。日本を氣候的に地方別する
10、棉の栽培をし研究記録をつくる。あわせて生産曆をつくる。	10、よい棉がとれるよう條件をかえて栽培し記録をとる。
⑪、模型に農牧林水産の分布を入れ氣候図とくらべ、人間の營みを知る。	11、氣候が産業に及ぼす力を關係づけてみる寒い國暑い國雪國雨の多い土地風のふく地方の人たちの生産活動を絵にあらわす。
12、測候所、農業試驗場を見学して話をきく。	12、地図をみて道程時間見学事項の計画を立る天氣図による予報をしる日本の氣候と生産についての反省改善の話をきき文にする
13、身の廻りの工業製品を分類して産地をしらべる。	13、分類は一つの立場（使い道）から行うこと
14、生活に必要な製品を自分たちの手でつくり研究記録にまとめる	14、麻棉から布、でんぷんからあめ、油から石鹸つくり等して工業生産の有難さを味わう
⑮、大工場を見学して、その活動や生産組織工場生活を見たり聞いたりして文や図表にする。	15、紡績、造船、新聞社その他近代工場の見学生産工程、人間の働きを図式や絵図にする
⑯、機械動力発明の歴史を讀書によってしらべ、表にかき入れ、生産様式の発達をみる。	16、紡織機汽船汽車蒸氣機關製鋼法発動機電動機等の発明が社会を一変させたことを知り日本の産業革命の理解をする。
⑰、模型に工業地帯を入れ、どんなところにどんな工業が行われているか考察する。	17、工業生産、原始生産その他の分布から、動力資料、原料資材、労力労資、交通等と

学習活動の展開	内容・程度
⑱、模型に主な交通路通信網を入れ、動いている物資について実物をあつめ額をしらべる。	工場生産との関係をみつける。 18、日本の貿易、放出物資、摘発物資、見返り物、円とドル、経済白書、外資導入、インフレ、物價指数についての調、家計簿等
⑲、工業試験場を見学し、未利用資源による生産実験をする。	
20、各國職業別人口をしらべグラフにつくり、日本の將來を考える	20、二桁の概数計算で百分率を算出する。生産様式の変化に順應して生活する人間の生き方をみ、日本の將來を考え各自の生活をきりひらかせる。

電力と生活　（一月——三月）

しごとのめあて

○近代生活に利用されている電氣のさまざまな模型をつくつたり、「電氣の旅」をパノラマに構成したりする。

学習活動の展開	内容・程度
1、宇治川発電所を見学して話をきき、発電所の分布図、発電所から家まで送電される状況を図にする。	1、見学の計画を自分たちでたて、「電力事情」「電氣はどうして起るか」「どんなにして送られるか。」の話をきき、発電所、変電所、電柱のはたらきを知る。
②、電氣が生産・文化・交通・通信・家庭に利用されている姿を絵図物語にする。	2、電氣がはたらいている場面をしらべあげる。利用の帯グラフ、電氣料金の計算をする
3、家庭配線をしらべ、簡單な故障の修理をする。	3、電力計、ヒューズ、ローゼット、コード、ソケット、電球、電熱器のはたらきを知り、ヒューズのとりかえ、コードの接続ができる
4、電磁石を利用した模型をつくり、ラジオをきく。	4、電氣通信の発達を知り、世界がいよいよ狭くなつて來たことを理解する。
5、子ども放送局をつくり校内放送をする。	5、劇音樂朗読等行う。
6、電動機の模型をつくる。	
⑦、「電氣の旅」のパノラマをつくる。	7、上記の学習事項をパノラマに総合する。

私たちの理想　（三月）

しごとのめあて

○私たちの理想や、希望をあらわした、修了記念の文集をつくる。

学習活動の展開	内容・程度
1、世の中についての希望を語る。	1、「こんな世の中にしたい」という主題で、社会観察に立つ自分たちの切実な願望を、文につづる。
⑫、自分の將來の理想を語り、夢をえがく。	2、「こんな人になりたい」「こんな仕事をしたい」「こんな生活をしたい」という主題で、めいめいの將來をいろいろな表現形式

3、私たちの將來を力づける文や詩の學習をする。 ④、修了記念の文集をつくる。 5、恩師へ贈呈發送をする。	に工夫してあらわす。 3、國語「星の光」「そよ風」「みどりの野」「まさに立つべし」「心に太陽をもて」「幸福の國」音樂「船出」「友情」「さらば友よ」などをよんで感想をまとめる。 4、右の學習から生まれた作品を原稿として裝幀、カット、印刷、製本等の技術を知る 5、感謝のことばをつづる。

五　各種能力指導系統表

(一)　言語能力指導の系統

一　國語指導の立場

わたくしたちは、「ことば」の世界にあつて成長します。また「ことば」によつて用を弁じ毎日の生活をみたしております。成育の途上にある兒童の生活と「ことば」の世界もまつたく同樣、ここに兒童の教育と國語指導の立場とは不可分の境にあると申すことができましよう。

「ことば」はまた、その心によつて選びだされ統一づけられてその「はたらき」を發揮し（表現）、これを受取る側（理解）からみれば、「ことば」に心を結びつけて統一あるものとしてその意味をくみとります。こうして、心と「ことば」とはいちまいの紙の裏表をなすということができます。

したがつてわたくしたちは、「ことば」の教育をとおして誠実な公民を導い、國語指導の線上にあつて强い人間を育てあげることに努力しているのであります。

廣い意味の教育の場は、生活技術としての「ことば」をみがく機会となるものでありますが、さらにより高い人間形成への「ことば」の指導があつて、「ことば」の世界はより美しく、よりあたたかく明かるいものとなるでありましよう。

こうして、「けいこ」の内容としての國語面が必要となつてまいります。

二 國語指導の構造

國語指導の内容としては、普通「話すこと」「聞くこと」「つづること」「読むこと」「書くこと」の五つに分けられています。これは日常の言語活動の上から見て当然なことでありますが、この活動をさらに高いものとするために、

話すことの展開としての「演出」

つづることの発展としての「創作」

読むことの深化された「鑑賞」

の三つを取り上げることにいたしました。

以上八つの項は、考え方と記述の便宜の上から設けたもので、これが実践の場にあつては、それぞれ統一された形で高められてまいります。

またこの八つの底には、それぞれに「國語の法則」が流れて客観的なものとなつておりますが、この法則も、さきの八つの項のそれぞれと、時には一本の芯で生活の中で導かれ、時にはほぐされた個の形で「けいこ」の時間にとりあげられることになりましよう。要は、その場その場に生きた実生活の導きと、簡易化して要素を抜き出した能力指導とが車の両輪の形で一体となつた営みであります。

第一学年

表現			理解	
話すこと	つづること	書くこと	聞くこと	読むこと
○必要なことをはっきりという。 ○必要な時には誰にでも話しかける。 ○みんなに話す。 ○話しかけられたら、きっと返事をする。 …………… 演出 ○役割をきめて――ごっこをする。 ○経験したことをもとに紙芝居をつくる。 ○うたや話でみぶり遊びをする。	○経験をそのままに話す(口頭作文) ○経験したことやお話を絵にする。 ○生活を表現した絵に文字を書きくわえる。 ○強い印象や興味深いことがらを短い文にする。 ○絵日記を書く。 ○いろいろな「ことば」をおぼえ、経験したことを文に書く。	○文字を習得することに興味を持つ。 ○筆順や執筆姿勢を正しくする。 ○ひらがなを使いこなす。 ○生活に必要な漢字に興味を持って書く。	○話は終りまで聞く。 ○指示されたとおりに行動する。 ○聞いた話に対して、つけたしや感想を持つ。	○文字に親しんで、知った文字を拾い出して読む。 ○自分の生活経験を短い文の中に見出す。 (経験を語る児童の声を板書したり、プリントにしたりしたものを読む) ○すきな本をたのしみ読む。 ○意味のかたまりとして読みとり、それを声にあらわして読む。

第二学年

表現			理解	
話すこと	つづること	書くこと	聞くこと	読むこと
○よくわかるように話すことにつとめる。 ○みんなと話しあう。 ○話を聞いて意見をいう。 ○大ぜいの前で話をする。 ○聞いたこと、読んだことを話す。 …………… 演出 ○すじのある話を紙芝居にする。 ○演出されたものを見て意見をいう。 ○経験をくみたてて劇にする。	○お話や経験を思い出すまま文に書く。 ○くわしく書くことにつとめる。 ○あいてをきめて、あいてに話す心持で文を書く。 ○文のねらいを考えて、だいじなことを書きあらわすことにつとめる。 ○書いたものを読みかえして誤りがないかを考える。	○美しい字形に興味を持ち、美しい文字を書くことに努力する。 ○かたかな文字を習得する。 ○かたかなとひらがなの特徴を知って表現につとめる。 ○生活に必要な教育漢字を習得して使う。	○話のすじを正しく聞きとる。 ○長い話の要点をつかむ。 ○たいせつな話を聞いたら、その要点を記録する。 ○大ぜいで話を聞く場合に、自分に対して話を聞く心持で聞く。	○はっきり音読することに興味を持つ。 ○長い物語をたのしい心持で読む。 ○読んだ感想を話しあう。 ○読んだ内容を絵にかいたり、紙芝居にしたり、劇にしたりする。 ○読んだ話を改作してみる。

第三学年

表現			理解	
話すこと	つづること	書くこと	聞くこと	読むこと
○進んで話をする。 ○人の話を正しく他の人に傳える。 ○話を聞いてたがいに意見をいいあう。 ○大ぜいの前で、進んで話をする。 演出 ○自分の想像や経験を劇化する。 ○演出されたものについて意見をいい、他の意見にしたがつて劇を改良する。 ○物語を劇化する。 ○話ことばを美しくすることに努力する。	○大事なことの要点を記録する。 ○くわしく記録する。 ○役立つ文を書く。 ○書いた文を役立てる。 創作 ○自分のことばで、自分のとらえたことを書く。 ○強い感興を詩に書く。 ○美しいことに心をひたらせたり、身近なものの中に美しさを発見したりする。 ○強い感興をいろいろなあらわしかたで表現する。	○正しく早く書くことにつとめる。 ○改行や句読点を正しく使う。 ○字義を知つて漢字をつかう。 ○教育漢字を興味的に習得しようとする。	○聞く時と話す時とをわきまえる。 ○こみ入つた話を整理して聞きとる。 ○大ぜいで話を聞く時には、話す人にも他の聞き手にも、その場に應じた礼をつくす。	○正しい音読をする。 ○音読について話しあい、心持のあらわれた美しい読みへと注意しあう。 ○長い文を読けて続む。 ○文を読んで、その結果や要点を話したり書きとつたりする。 鑑賞 ○美しい作品に心をひかれて味わつて読む。 ○美しい作品に目をつけてそこをもとに話しあう。 ○いろいろな美しさの作品にふれる。

第四学年

表現			理解	
話すこと	つづること	書くこと	聞くこと	読むこと
○自分から進んで話す ○話のすぢみちや話の順序をととのえて話す ○正しいことばづかいで話そうと意識する ○感情に流れないで建設的に話す 演出 ○学習や生活の場をみじかなげきにする ○物語を脚色し、脚本を作つて自由に演出する ○話しことばが、美しくおもしろく、はつきりと力強くきこえるように工夫して演出する	○自分でとらえたものを自分のことばでつづる ○氣がるな氣持でぐんぐん長く続けて書く ○推敲の仕方をおぼえる 創作 ○さまざまな感動や印象を形にとらわれないで自由に創作する ○その場の感動や印象を短い文や詩にあらわす ○自然や生活の事物事象を深く観照する態度をうちたてる ○希望や、ゆめを物語にかく	○正しい筆順、ととのつた結体で確実に書く ○正しい姿勢、執筆でかく ○正しいかなづかいで書く ○ローマ字が正しく書ける ○教育漢字を必要に應じて習得する	○話を聞く時の姿勢、態度、礼儀をわきまえる ○聞こうとする意識をもつて最後まで聞く ○話の要点をつかみそれをまとめる ○話の内容を聞きわけ、それについて感想や意見をもつ	○微音読で文意をおおづかみに読みとる ○文についての感想、意見をまとめる ○前後の意味からその場に生きた語義をつかみ、辞書の用い方をおぼえて語いをます ○ローマ字や文をよむ 鑑賞 ○読みものに親しんで読書を楽しみ、長文読破の力をつける ○感情をこめて読みひたり感想をゆたかにする ○表現のすぐれた点をつかみ、ことばの美しさを味わう

第五学年

表現			理解	
話すこと	つづること	書くこと	聞くこと	読むこと
○話すことがらをまとめ興味深く話す ○場所がらや、相手を考え、ふさわしい話題、ことばづかい、音声で話す ○全体の意見がまとまるように話合を進める 演出 ○ことばの動作化、表情化を工夫する ○演出の効果をあげるために、背景、扮装、道具、その他の装置などもかんたんに工夫する	○取題の範囲を拡げる ○題材の内容に即してさまざまな文体でつづる ○推敲を重ね、正しいことばをゆたかにしてことばをみがく ○友だちの作文に対して感想や意見をのべる 創作 ○さまざまな感覚をはたらかせて対象をとらえその実態をうつす ○感動や印象を切りつめて端的鮮明に表現する ○詩、短い文、シナリオ、げきの脚本など種種な表現形式で書く	○一字一字がはなれないで氣脈を通して書く ○漢字とかなが調和するよう美しく書く ○字形がくずれないようにして速書する ○和文やローマ字文をペンで正しく書く ○教育漢字を必要に應じて確実に書く	○話の内容を正しくたしかに聞きとり、それを間違なく傳えて行動する ○人の話しぶりについてそのくせや、上手な点を感じとり、それに対する感想や意見をもち、自分が話すときの参考にする	○默読によって速かに文意をつかむ ○段落に分けて意味をとらえ、文の組立、筋を明らかにし、全文の内容を正しく読みとる ○辞書を有効に用いて語義を的確につかみ、それを活用する 鑑賞 ○感情を移して読み、内心に希望や理想をえがく ○生きた描写、印象的な表現、語調美をさぐり、表現のよさを味わう ○自國の讀物だけでなく、世界の讀物も親しんで讀む

第六学年

表現			理解	
話すこと	つづること	書くこと	聞くこと	読むこと
○標準語で正しく話す ○敬讓語をわきまえ、感じのよい話をする ○誇張や虚飾をさけ、眞実のことばで話す ○司会の方法、会議の形式を知って話をすすめる 演出 ○すぐれた脚本を自分で選び、また自分で創作して生活や人生観を高め深める ○すぐれた演出を鑑賞し、情操をゆたかにし、品位を高める	○技巧に流れないで、実のこもったことばで書く ○題材を多角面からみて構想をまとめる ○実用文をさまざまな表現形式でつづる 創作 ○かりものでない自身のことばで表現する ○ことばのはたらきやいかし方を考えて表現をみがく ○生活の感動や思念を随筆、手記、試論などに表わし、生活や人生観を深める	○紙面の空間、文字の大小、繁簡、布置、調和を工夫して書く ○正しい漢字のくずし方、かなの連續を会得して早く美しく書く ○使用目的、場所、材料によって字体を考案する ○教育漢字の大部分を確実に書く	○話しを聞く、場所、相手、話題に即してその場の空氣が樂しくなるように聞く ○話の順序、組立、語調、声量、表情、品位などの話しぶりやその内容について感想や意見をのべる	○話しぶりと読みぶりとが一致した表現よみをする ○文の意味内容を論理的にとらえ、自分の意見や態度を確立する ○表現を味わって読む ○各種の文体に接し、読みを発展させる 鑑賞 ○文藝作品を通して、自分の思想感情を深め、生活をゆたかにし、人生観をうちたてる ○自分で必要な良書を選び、有効な讀書法を考え、その趣味を高める ○作者の思想や、人格の傾向を知る

(二) 社会科的能力指導の系統

社会科の根底に要求されている能力の指導系統は、非常にむずかしい問題であり、人によっていろいろの見方や、いろいろの角度からの考え方があるであろう。けれども、人間が社会生活を営む場合、人間として强い人間としての自己に対する誠実さ——自己の真実の姿を見きわめる能力が、まず根底に要求せられてくる。日本人においては封建的な社会秩序の外部的な力の支配や、宗教的なものと外部的な力との結合などが障害となつて、この自己に対する誠実さが正しく伸ばされていない。社会科においては、このような能力が要求せられていると思われる。そこで、社会生活相互依存の関係を理解する三つの角度にあわせて、それらの能力を挙げてみる。

一、自己把握の能力
- 自己の切実な要求を認める誠実さ——切実な権利を主張する能力
- 他人の要求の切実さを認める寛容さ——他人の権利を承認する能力
- （無力な個人が全体の進歩に貢献する有力さを認めるすなおな能度）

二、他人と協力する能力
- 他人の主張や立場をみとめる能力——社会正義に対する敏感さ
- 共に働き共に楽しむ能力——寛容な態度を維持する能力
- 誠実な友情を維持し楽しむ能力、正しい礼儀を守る能力
- 批判的に判断する能力

三、自然に適應しこれを利用する能力
- 生命・財産・資源を保護保全する能力、物を生産する能力
- 物を購入し消費する能力——生活を維持する能力

四、社会の各種の機能や施設に順應しそれを有効に生かしていく能力
- 社会の構造や過去を理解する能力、職業を選択しそれで貢献する能力
- 家庭生活を楽しみ、よいものにしていく能力、資源を尊重し開発する能力
- 公衆衛生を重んじ向上する能力、学問を重んじこれに貢献する能力
- 藝術を鑑賞しこれを創作する能力、リクリエーションを楽しみ拡充する能力
- 法律を作りこれを使う能力、政治に参加する能力

五、社会に関する各種の知識を有効に使う能力

この五つは相並ぶものではなく、自己把握の能力が根底であり、各能力互いに重なり合うものであろうが、ここではこうした見方から、各学年に予想される能力の系統を考えてみた。能力には、個人の面からながめて、問題をはつきりとらえる能力、必要な資料をあつめる能力、解決への見通し意見

を立てる能力、他人の見通しと比較しよりよい見通しを立てる能力、実際に解決を試みる能力等が考えられるが、これは他の面にゆずることとして、ここでは共同生活の面からながめた如上の五項に基づいて系統を考え、これを具体的な活動例としていいあらわした。

学年	自己把握の能力	他人と協力する能力	自然に適應しこれを利用する能力	社会の各種の機能や施設に順應しこれを有効に生かす能力	社会に関する各種の知識を有効に使う能力
第一学年	○思つていることを人の前で話すことができる ○友だちの中のしつかりした人やいいことをした人をほめることができる。 ○自分の使つた玩具や道具の後仕末ができる	○弱い者いじめをする人をうつたえ、あやまる子をゆるすことができる ○いつでも一しよにしごとをしたり遊んだりする友だちがある ○玩具や道具を代りあつて使うことができる ○二三人で手分けして仕事ができる ○学校中の先生にあいさつができる	○花などを育てる事ができる ○小さな学用品が買える ○紙鉛筆帳面などの学用品を大切にできる ○季節によつて着物を合うように替えることができる ○動植物を人間は食べ物や衣服にしていることがわかる	○家庭と学校との区別ができる ○家の人たちの樂しみに参加できる ○学校のものと自分のものと区別できる ○たんつぼや便所を正しく使用できる ○音樂をたのしめる ○食後の休息ができる ○きまりを作つてあそぶことができる ○家の人の利用する乗物についてわかる	○教室の坐席の位置を図に示すことができる ○教室の位置を図に示すことができる ○方位（東西南北）がわかつて使える ○その日の天氣や温度がいえる ○先生、あいさつ、おみせ、汽車、電車、たんぼ、ラジオ、火事などのことばがつかえる
第二学年	○一年生の兄や姉としてお世話ができる ○自分の意見をまとめてはつきり人につたえることができる ○自分で計画して勉强ができる	○友だちがわるいことをしていたら忠告できる ○他人の意見をすなおに聞き、その要求をみたしてあげようとする ○いつでも親しい友だちがある ○グループの中で手分けしてしごとができる ○家でお客のはきものをそろえたり座ぶとんをすすめたりできる ○近所の人にあいさつができる	○植物の簡易な栽培ができる ○学用品などを自分で買うことができる ○身のまわりの品物を大切に思つて使うことができる ○季節のうつりかわりや毎日の天氣によつて人々の生活が変ることを理解し、それに合つたあそびやしごとができる	○身近にいるお百姓さん　郵便屋さん　お医者さん、おまわりさん、消防の人、お店の人などの働きがわかる ○家での樂しい時間にはお話や唱歌を進んですることができる ○学校にある物を大切にすることができる ○学校のまわりや家の近所がよごれないように氣をつけることができる ○他人にめいわくにならぬようにして樂しくあそぶことができる	○郷土の地図をみて学校や家や主な建物、地物の位置がわかる ○砂地図で自分の町や村をあらわすことができる ○旅行した所と郷土と結ぶ交通機関についてわかる ○郷土のいろいろなものの地理的位置がわかる ○運動場、文ぼうぐや、病氣、こうばん、えき、トンネル、郵便局、電話、ポスト、てがみ、はがきなどのことばがつかえる
	○自分の力をはつきりとみとめて学級やグループの中で	○友だちの意見をまじめな態度で聞きその内容を察することができる	○菜園の作物やうさぎ等を育てたり、家ちく家きんを保	○自分たちの町や村の主な施設やくらし方がわかる ○近くにある乗物を利用	○自分たちの町や村について、家のたて方、氣温、降水量、産物、産業施設、山、川、交通機関等について知る

第三学年

自分の仕事をみつけることができる
○学級の一員としてのほこりや責任を感じる
○学級の意見を学校の自治委員会などで主張することができる

○友だちの代表者からの報告を、責任者としての敬意をはらつて聞くことができる
○友だちといつでも樂しくあそべる
○困つている友だちを助けようという氣持がある
○長上に對してはていねいなことばづかいで話ができる

護したり学習に利用したりすることができる
○学用品をよく考えて計画的に使うことができる
○自分のからだの具合に應じて食べ物や着物を加減することができる

して一人で遠方へお使いができる
○お手傳いをしたり進んでよいことをしたりして両親をいつも喜ばせている
○近所にある共同のものを大切にすることができる
○音樂をきいたり絵を見たりすることを樂しむことができる
○学級できまりを作つて実行することができる

○自分たちの町や村のかんたんな地図が描ける
○かいちゆう、ばいきん、でんせん病、ちゆうしや、プラットホーム、改札口、バス、タクシー、トラック、しんごう、人道、きけん、船、汽船、鉄道、ほうそう、かべ新聞、百貨店、市場、工場、役場、外國、西洋、おおむかし、などのことばを理解して使える
○明治・大正・昭和の年代がわかる

第四学年

○自分独得の意見をたててこれを主張することができる
○上級学年としての取扱いを要求する
○道理を主張して人からあざむかれない
○危険なことや未経験のことでも、なすべきことであればこれを敢行することができる

○友だちの主張する意見を敬意や同情をもつて聞くことができ、それが正しいか否かの判断をすることができる
○学校で困るとき助け合うことのできる友だちがある
○共同でしごとをすることを樂しむ
○長上に對しては、いつでも正しいあいさつやことばづかいで應待することができる

○作物の栽培や、家ちく家きん、かいこ、魚などの飼育ができる
○大ていの買物のおてつだいができる
○身のまわりの品物を計画的に使うことができる
○困難な場所でもよく考えてうまく利用しあそんだりしごとをしたりすることができる

○自分たちの町や村を中心に昔の施設やくらし方と今のとをくらべることができる
○家庭生活を樂しくするために力に應じた程度のことをくふうしてすることができる
○水や電氣を利用したり大切にする事ができる
○自分の身のまわりの保健や衞生に氣をつけることができる
○一人で駅や郵便局で用を足すことができる
○いつでも歌をうたつたり絵をかいたり詩をつくつたりして樂しむことができる

○自分たちの町や村の地図、日本の地図や指図ができる
○自分たちの町や村の資源物資について知る
○果物などについて、その産地の地形氣候や、創始者の努力などについて知る
○便利、発明、電報、商人、かへい、商店、工業、農業、都市、交通、通信、道路、佛教、政治、祖先などのことばが使える
○奈良てん都、京都てん都、東京てん都などを歴史の目じるしとすることができる
○石器、土器、貝塚、古墳、燒畑法などを理解して太古の生活がわかる

第五学年

○自分の欠点や短所を反省してそれをおぎなう方策を考え実施することができる
○論理を追うて社会のできごとや自然の現象を追求する

○身体的欠陥のある友だちや学習速度のおそい友だちに同情しこれを助けることができる
○グループで話し合つて自分たち独得の意見をまとめあげることができる
○祕密がなく何でも

○身近にある衣食住の資源を保護したり育てたり少しでも利用したりすることができる
○学級に必要なものを購入したり使い方を

○発明や発見のおかげで便利になつてきた日本の社会の施設やくらし方がわかる
○いろいろの職業を理解して自分の適した職業をみつけようという態度を維持することができる
○いろいろの資源を大切

○衣料の資源についてその産地、そこの地形、氣候、歴史、輸送経路、製品について
○動植物資源、水産資源について郷土を中心にした地理的知識
○食糧増産、肥料、植物、習性、トラクター、炊事、調理、食器、相互扶助、組合、貯蔵、見返り物資、[illegible]、肺結核、

学年					
学年	ことができる ○学校全体のことを問題として六年生を助けることができる ○感情の表出に適当な方法をえらぶことができる	話しあえる友だちがある ○お客の應待ができる ○友だちの行動に対して批判的に判断することができる	相談したりすることができる ○自分で小遣帳をつけることができる ○自分の体力増進に氣をつけることができる	にすることができる ○学校の水飲場や便所を進んで清潔にしようとしこれを実施することができる ○一人で図書館や博物館へ行つて勉強することができる ○その場に適当したみんなの慰安の方法をすることができる	患者、銭湯、抵抗力、設備、標語などのことばが使える ○大化の改新、奈良時代、平安時代、鎌倉幕府、室町幕府、江戸幕府、現代などの時代区分ができる ○聖徳太子、中大兄皇子、中臣鎌足、源頼朝、徳川家康、新井白石、杉田玄白、明治天皇の業績がわかる
第六学年	○自分というものを全体として考えることができる ○自分の発展してきたすじ道をたどることができる ○学校全体の問題をとりあげてこれを処理することができる ○ユーモアを解することができる	○学校のきまりを乱すものに対してはきびしく批判したり、身近に起る社会のできごとを社会正義から批判したりすることができる ○先生や親や友だちの意見や立場を理解して寛容な態度をとることができる ○友だちどうしいつまでもその友情をつづけて楽しむことができる ○学校のことを学級全員で相談し手分けをして処理することができる ○学校の来客に対して学校の立場で應待ができる	○衣食住の現状を理解し、これに対する対策を考えることができる ○簡易な衣食住の資源を生産することができる ○家庭の生計を助ける方法を考えたり、必要な場合は実行したりすることができる	○世界中の國々とつながつている自分たちの生活の仕方や、國際的な施設がわかる ○自他の幸福増進のため工夫することができる ○家庭生活を楽しくする方法をくふうして実施することができる ○学校や町や村の公衆衛生につき改善の必要を感じてその対策を考えたり労力奉仕したりすることができる ○学問や藝術の大切さを理解することができ、社会のためになるような大家になることを志して努力することができる ○学校生活の規則を作り、これを使うことができる	○化学工業、機械化した工場、日本の工業地帯について ○印刷工業、製紙工業、パルプの産地 ○水力電氣の送電径路、中部電源地帯と山岳河川、石炭石油の産地と需給状況について ○米麦の需給状況と日本の平野河川について ○日本の氣候と輸送について ○アメリカや其の他の外國との関係について ○歴史、復興、石器時代、氣温氣圧、季節風、熱帶、寒帶、治水、災害、機樂（小機関）輸出、輸入、生産、発達などのことばが使える ○ポルトガル人の来航、キリスト教の傳來、鎖國、ペリー来航、第一次大戰、太平洋戰爭のできごとを理解して、現代生活のうつりかわりをしる

(3) 算数的能力指導の系統

目 標 能 力

目標能力として文部省の学習指導要領には 20 項を挙げてあるが，われわれは次の六大目標に縮約した。

1. 計算能力（数及び計算並びに問題解決を含む）
2. 度量衡及び測定能力

3. 図形・空間能力
4. 図表・統計能力
5. 時間・暦能力
6. 算数的表現能力（数理的に正確簡明に表現する力）

この方がわかりやすく，小学校向きでもあると思うからである。

もつともこれらは，学習指導要領の目標能力と没交渉のものではなく，われわれがめざす上記の能力養成に学習指導要領の目標能力が内容として練りあげられねばならない。

内　容

系統表の内容は，文部省が今度示した新しい基準と，わが校児童の能力調査・発達調査の実態とを考え合わせて，わが校独自のものとして組織立てたものである。もちろん学年的区分は固定的なものでない。

これは，学習活動の系統表と組合わせて見なければ具体的にもならず，また能力表的にもならないのであるから，紙面に制限がなければ是非そうしたかつたのであるが，こんどは残念ながら割愛した。

扱い方

″しごと″の時間に，換言すると各主題のもとに，いろいろな学習活動が展開されていく過程において，児童がその要求を充足し，興味を追求する場合に，能力構成の核になり機縁になるものを，個人的または集団的に把握するからそれをきつかけとして，深く掘り下げさせる指導や練つてやる指導を継続した結果として身につけさせようとするものである。

もつともこの念願・期待・意図は，われわれの学校では，″けいこ″の時間における指導と練習とがあつて，十分なものになるわけである。

学年指導の重点

第一学年

いろいろな場に即しての数量的な関心・興味・意欲が，行動として自由に充足され，しかもそのうちに，素朴ながらも，ゆたかな算数生活が生活されていわゆる算数以前の素地が内容的にも態度的にも築かれていくようにする。

第二学年

1. 数量的な考察と処理の興味を助長して，大胆にはたらきかけていく態度と自分がはたらきかけた数量生活の実態を公開して批正を求める態度とを進める。
2. 計算学習の興味を助長すると共に注意深く計算する習慣を養成する。

第三学年

1. 精確に，また，まちがいのないようにやろうという精神・態度が現われる時であることは測定や計算や図形・空間の学習などを考察的にも処理的にも進歩させる好機であるから，この傾向に乗つて頭と技能とを修練する。
2. 器械的な計算はとくによろこび，これに熱中するようになる時であるから，この傾向を利用して，計算力のちよう達につとめる。

第四学年

1. 二段階の問題学習の機会を多くするように留意し，それを順序正しく根氣强く解決することの興味を養成する。既成の文章問題を解決すること，式を正確にすることに対しても力が用いられる。
2. 空間や図形の観察や性質の究明が，精緻なものになるように誘導することにつとめる。

第五学年

1. 適切な数値決定（測定値・概数・計算の結果など）をなし得るように指導することにつとめる。
2. メートル系の度量衡学習が，量的にも観念的にも，また関係的にも完成するようにつとめる。
3. 図形の性質，えがき方，求積法に関する学習を完成させるようにつとめる。

第六学年

1. 数の個性と数理とを活用して，計算を自由に巧妙に遂行し得るようにする。
2. 尺貫法度量衡を理解させることにつとめる。
3. 各学年とも，常にその基準に照らして算数教育への指導が工夫されるが，とくに本学年は最終学年のことであるから，学校の基準体系に照らして大きく反省されながら完璧な学習への努力がつづけられる。

内容系統

第一学年	
数・計	(1) いろいろな物を数えることに即して，10まで20まで100までの正しい数詞，数え方，書き方，読み方などを学習する。 (2) 物の増減する事実を観察したり，また実際に行つたり，群をなす物をいろいろな角度（色・形・大

算・問題	きさ・位置など）から分けてみたり，集めてみたりすることに即して，数の合成・分解を行い，10まで20までの数を抽象的に考え得るようになつていく。 (3) 作業による数の合成・分解を行つて，簡單な具体的な問題を解決する。しかし抽象数の計算は原則としてまだしない。
測定	多い少い，長い短い，高い低い，遠い近いなど全体的判断はするが，計器を用いて測ることはまだしない。
図形・空間	身のまわりの動植物，卑近な自然現象，学習用具，遊び道具などについて具体的な空間や形の印象を形成して行き，それに対しての名称も多くこれまでに用いなれた言葉の範囲で與えられる。ひがし・にし・みなみ・きた・しかく・ましかく・ながしかく・さんかく・まる・よこ・たて・かどなど。
其他	時計の見方（時・事） ごぜん・ごご 七曜の名，月の名

第二学年	
数	(1) 100までの数の成立ち。(2) 100まで正しく数えること，唱えること，書くこと，読むこと。(3) 数え方（1ずつ・5ずつ・10ずつ）
計	(1) 10の範囲の寄算・引算。(2) 基数に基数を足して11以上18以下となる寄算とその逆の引算。(3) 十何と何との寄算（12+7　14+6　4+13）及びその逆の引算（20−15　18−4　15−3）　(4) 何十何と

算	何とを足してくり上がらぬ寄算（54+4　6+32）　(5)　何十何と何とを足してくり上がる寄算（54+8　6+27）　(6)　何十何と何十何を足してくり上がらぬ寄算とその逆の引算（24+35　87−34） (7)　何十何に何十何を足してくり上がる寄算とその逆の引算（24+76　35+28　87−29　100−64）
問題解決	(1)　加法の一段階の問題。 ○みんなでいくらかと考える場合　○あわせていくらかと考える場合 (2)　減法の一段階の問題 ○殘りを求める場合　○ちがいを求める場合 (3)　式の意味がわかつて來て，だんだん書けるようになる。
度量衡・測定	(1)　メートル・センチメートルを單位にして，長さや距離を測る。 (2)　端下を処理して，大体何メートル・何センチメートルとする。 (3)　1 m=100 cm であること。　(4) m・cm の略字。 (5)　巻尺や竹尺を用いる。(6)　歩測をする。
図形・空間	(1)　正方形の物，矩形の物を見つけたり，豆細工や切抜きで正方形や矩形を作つたりして，正方形・矩形の観念を具体的に把握する。 (2)　矩形の紙から正方形の紙を切りとる。 (3)　形の名としては，ま四角・長四角を用いる。角・辺などの言葉はまだ知らない。
図表	いろいろの遊びや調べの記録表・調査表として，一次元の表を書く。
時	(1)　七曜の名と一週は七日であること。

間・暦	(2)　五分單位で時計を見る。 (3)　何時間・何時間半という時間を数える。

第　三　学　年	
数	(1)　千までの数の成立ち。(2) 千まで正しく数えること。唱えること，書くこと，読むこと。
計算	(1)　乘法九九　(2)　基数×基数　(3)　等式に数を入れる——5×□=45　□×3×18　(4)何百何十と何十との寄算—540+30　40+320　540+80　40+370など　(5)何百何十と何十何との寄算—360+43　230+72　45+560　32+270など　(6)　何百何十と何百何十との寄算—330+250　430+270　540+280など　(7)何百何十から何十を引く—810−50　540−80など　(8)　千または何百何十から何百何十を引く——1000−560　760−280　など　(9)　筆算の寄算と引算——二項のものが主で三項のもある。くり上りやくり下りは一回の場合，二回の場合がある。
問題解決	(1)　加法の一段階——前学年のもののほかに，初の数量を求めるものが加わる。　(2)　減法の一段階——前学年のもののほかに次の場合がある。 ○減つた数を求めるもの　○補加した数または補加すべき数を求めるもの　○補加数と現在数とを知つて初の数を求めるもの　○全体と部分とを知つて他の部分を求めるもの　(3)　乘法の一段階——普通の場合，百の範囲。
度量	(1)　リツトル・デシリツトルを單位にして種々の容器の容量を測る。 (2)　1 l=10dl であること。(3)　l・dl の略字。　(4)　容器の目測。

衡・測定	(5) キログラム單位で收穫物などの重さを測る。 (6) kg の略字。 (7) 端下を処理して，大体，何リツトル・何デシリツトル・何キログラムとする。 (8) ますやはかりの取扱い方。 (9) 長さや距離の目測。
図形・空間	(1) 磁石を用いて東西南北を正確に知る。 (2) 三角形に種々あること—実質を重んじ名称にこだわらない。 (3) 三角定木の角や辺の大きさ。 (4) 正三角形や菱形のえがき方。 (5) 時計の文字板を作つたり，土俵を作つたりして円を書く（素朴な方法による） (6) 角・直角・円・中心・さしわたし・辺・対角線の観念。
図表	(1) 一次元の表（物價表や買物表など） (2) 棒グラフ (3) 生活時間の区切りを直線上に表わす。
時間・暦	(1) 時刻・時間の区別 (2) 1日＝24時 1時＝60分 (3) 各月の日数 (4) 1年は12カ月，365日または366日 (5) 日数や時間の数え方——何日より何日まで，または，何日より何日目。

第　四　学　年	
数	(1) 一万までの数の成立ち。 (2) 一万までの数の唱え方，書き方，読み方 (3) 一万までの数の具体的な認識。 (4) 小数の観念，唱え方，書き方，読み方——第二位まで。 (5) 名数の小数（帶小数）的記法。 (6) 概数の観念。 (7) 第一義においての分数の観念，書き方，読み方，單位分数の観念。
	(1) 小数の寄算，引算（簡單なものは暗算。筆算では，くり上がり・くり下りとも一・二回のものがある。） (2) 整数の掛算・割算（次のもの）

計算	○二位数×基数——くり上がらぬ（42×2）部分積の十位の和がくり上がらぬ（34×5 75×3）部分積の十位の和が丁度10になる（27×4 67×6）部分積の十位の和がくり上る（87×6 48×7） ○三位数×基数——くり上がらぬ（230×3 234×2 804×4）部分積の和が百位でくり上がるもの（580×7）とくり上がらぬもの（240×3） ○二位数÷基数——商一位で割切れるものと余りのあるもの（54÷6 56÷6）商が二位数で割切れるもの（57÷3 84÷2） ○三位数÷基数（856÷4 252÷7）——割切れる場合と余りのある場合，短除法でやる。各桁別々に割切れるものもある。） (3) 括弧のある式の計算。(4) 加減と乗(除)の組合わされた式の計算・順序。
問題解決	(1) 二段階の問題 ○加減 ○加乗 ○減乗 ○加除 ○減除など。 (2) 速度の問題 (3) 風袋中味の問題 (4) 間隔を定める問題。
度量衡・測定	(1) ひろ，指幅，歩幅で長さや距離を測る。(2) キロメートルを單位にして距離を測る。(3) ミリメートルを單位にして長さを測る。(4) グラムを單位にして重さを測る。(5) 1km＝1000 m 1 cm＝10 mm 1kg＝1000g
図形・空間	(1) 八方位と距離（学校を中心としてのおもな建物や山など） (2) 直方体（箱）の展開図。(3) 正方形，矩形の面積（教室の縮図や実面積） (4) m^2・cm^2 (5) 直線距離 (6) コンパス・分度器 (7) 基準角（90・60・45・30）の大きさ。

図表	(1) 折線グラフ（氣温，体温など） (2) 二次元の表（身長，体重など）
時間・暦	(1) 時間表の書き方。（小数と混乱せぬように） (2) 春分，夏至，秋分，多至，八十八夜，二百十日の素朴的な意味と日数計算。

第　五　学　年	
数	(1) 整数1億までの命数法，種々の記数法。 (2) 小数第三位まで。 (3) 第二義においての分数の観念。
計算	(1) 整数の掛算・割算の一般的なものを筆算でする。 (6) 零を処理して有効数字だけの掛算・割算をする。 (3) 処数の掛算・割算（但し乘数・除数は整数である） (4) 同分母分数の寄算・引算（分母が24以内のものを主とする） (5) 分数の掛算・割算（但し乘数・除数は整数である） (6) 珠算の寄算。(7) 割算の余りの処理法（余りとしておく，分数の形にする） (8) 四捨五人。(9) ある数量の$\frac{n}{m}$を求める（具体的に考えて分数の掛算としない。 (10) 整数割算の分数化——普通分数または假分数に。 (11) 小数の分数，分数の小数化。 (12) 等値分数—— $\frac{1}{2}=\frac{2}{4}=\frac{5}{10}$など（分数の分母・分子に同じ数を掛けても，また分母・分子を同じ数で割つても分数の値はかわらぬこと）

問題解決	(1) 乘除の二段階。 (2) 求積の問題。 (3) 平均・百分率・歩合。 (4) 郵便料・ガス料・電氣料。 (5) 統計図表の考案。
度量衡測定	(1) 水 1cc の重さ。 (2) 1 a=100m² (3) 1 ha=100 a (4) 1 l=1000 cm³ (5) 1 m³=1000 l=1 kl (6) k m² (7) 何々 km²と何 km 平方。
図形・空間	(1) 地図上の方位 (2) 平面図形のえがき方，基本的な性質・面積（但し円は六年） (3) 立方体，直方体の観察（稜や面の平行関係や垂直関係） (4) 立方体，直方体の体積・容積。 (5) 内法，間口，奥行。 (6) 水平面，鉛直線 (7) 一点のまわりの角 (8) 中心角 (9) 地図から直線距離や実際の面積を求める。
図表	(1) 円グラフ。 (2) 棒グラフ，折線グラフ，円グラフの特色。 (3) 統計表——数値のとらえ方，指標のとり方，年次及びその段階，波線の意味など。
時間・暦	(1) 一定の形式によつてする時間の寄算・引算。 (2) 競技のタイムや脈膊などを秒單位で測る。 (3) 1分=60秒。 (4) 春分，夏至，秋分，多至の意味を深める。

第　六　学　年	
数	(1) 大数の具体的認識 (2) 小数は分母が10，100，1000等である特殊な分数であること。 (3) 分数で比を表わす。

計算	(1) 異分母分数の寄算，引算。 (2) 小数を掛ける掛算。 (3) 小数で割る割算。 (4) 分数を掛ける掛算。 (5) 分数で割る割算。 (6) 珠算の引算。 (7) 交換，結合，配合配分法測の活用。 (8) 数を合理的に分解しまたは結合して簡明に取扱う。 (9) 分数・小数の特色を生かして取扱う。
問題解決	(1) 度量衡の換算問題。 (2) 簡単な比，連比，比例の問題。 (3) 人口密度や縮図面積。 (4) 延数に関する問題。
度量衡・測定	(1) 尺貫法の單位関係と実際的な量の観念。 1 間＝6 尺　1 尺≒30 cm　1 間≒1.8 m 1 石＝10斗　1 斗＝10升　1 升＝10合　1 升≒1.8 l 1 貫＝1000匁　1 斤＝160匁　4 貫＝15kg 1 町＝10段　1 段＝10畝　1 畝＝30歩(坪)　1 畝≒1 a (2) メートル法單位の横の関係。 1 l――1000 cm^3――1 kg　1 kl――1 m^3――1 t (3) 間接測定（計器を直接に使用することの出來ない場合） 紙一枚の厚さや，けご一匹の重さなど。 (4) 複雑な図形の面積を方眼の数によつて測る。 (5) 地図上で，まがつた道のりを測る。
図形・空間	(1) 相似三角形の性質とその應用｝相似の條件 (2) 直方体や円とうの相似形｝相似の條件 (3) 円の直径・半径・周・面積・円周率 (4) 位置決定の條件（方向と距離） (5) 対称形・回轉体 (6) 勾配
図表	(1) 正方形グラフ　(2) 帯グラフ（矩形グラフ） (3) 尺貫法とメートル法の換算グラフ――長さ，枡目，重さ。
時間・暦	(1) 閏年を置くわけ，ある閏年を省くわけ。 (2) 経度，地方時，標準時。 (3) 日本と欧米諸都市との時刻対照。

(四) 自然科学的能力指導の系統

理科では、自然界の事物現象を科学的に観察、考察、処理する能力を養い、真理を見出し創造する態度をじゆん致し、科学の原理と應用に関する知識を理解することを目的としている。

これらの能力や態度を一層精細に列記すると、

1　考える能力としては、比較観察する能力、関係的に見る能力、事実をありのまゝに見る能力、数量的に見る能力、問題をつかむ能力、直覚的に判断する能力、分析的綜合的に判断する能力、推論する能力、すじ道の通つた考え方をする能力、実験を企画する能力、結果を予想する能力、工夫する能力、普遍化する能力、事実や原理を應用する能力、新しいものごとを考える能力、

2　技術的能力としては、飼育栽培する能力、愛育する能力、機械器具を使う能力、玩具や模型を作る能力、量をはかる能力、健康を保持増進する能力、危険から身を守る能力、継続観察する能力、資料を集める能力、分類する能力、整理整頓する能力、図表をつくる能力、科学読物を読む能力、記録する能力、要点を把握する能力、

3　科学的態度としては、自然に親しむ態度、生物を愛育する態度、科学作品に興味をもつ態度、環境に興味をもつ態度、正確に行動する態度、愼重に行動する態度、眞理を求める態度、道理にしたがい守る態度、みずから究明する態度、未知のものを探らうとする態度、新しい考えをとり入れる態度、根氣よくしとげる態度、迷信を事実によつて正す態度、専門家の意見を聞く態度、相互に協力して研究する態度、

これらの能力や態度の学年指導目標を略述すると、

1　第一学年においては、児童に密接な関係をもつ身辺の自然物を、五感を通して綜合的に観察させ、自然に親しむ態度を養う。

2　第二学年においては、児童の環境の事物現象を、総合的に継続観察させて、自然の変化に興味をもつ態度を養う。

3　第三学年においては、児童に興味をもつものを、飼育、栽培、制作、採集等させて、継続的数量的に観察させ、自然物人工物に対し、科学的学習意欲の向上をはかる。

4　第四学年においては、自然の事物現象の中で、その代表的なものを実驗観察考察させ、科学的能力や科学的態度の基礎を養う。

5　第五学年においては、自然界の事物現象を、多方的、関係的、分析的、に観察考察させ、科学的に究明する態度を養う。

6　第六学年においては、児童の生活事象を、実生活との関連、利用更生の立場より実驗観察させ、研究的態度を養う。

学年	観察考察の能力	技術的能力	科学的態度
第一学年	1、自然の中につれ出し、遊ばせつつ観察させ、その疑問に答えてやるようにする。 2、多くの感覚器官に訴えて事物をありのまゝに見させ、部分的、断片的にでもとらえさせる。 3、事物と名称の正しい結合をはかるよう、事物によつて名称を指導する。 4、思考をしいる事なく、直覚的想像的なとらえ方を助長する。 5、知的な観察考察のみにとどめず知情意一体の綜合的学習に導く。 6、観察に際しては、一二着眼点を附加してその深化をはかる。 7、自然物を利用して面白い遊びをさせたり、工夫させたりする。	1、教師の示範を中心として飼育栽培の仕方を見させる。 2、教師の説明を中心として、自然物で、摸物や玩具をつくり、技術力を養う。 3、いろいろの絵を思うまゝにかゝせて観察力を養う。 4、自然のいろいろのものを集めて色や形や使いみちで分ける。 5、自然物を観察しながら、数や形に関心をもたせる。 6、絵や写真を集めて、整理することに興味をもたせる。	1、野外でいろいろのものを見ることをよろこぶようにする。 2、生きものを自分と同じなかまと考えるようにする。 3、土いじり、花いじり、遊びなどをよろこぶようにする。 4、製作品の形、色、はたらきがまずくとも、最後までしとげるようにする。 5、いろいろのものを集めることに面白味をいだくようにする。 6、じつと物をみつめる態度をやしなう。 7、思つたことをそのまゝ言えるようにする。

学年	観察考察の能力	技術的能力	科学的態度
第二学年	1、環境のあらゆる事物現象をとらえて、綜合的に継続観察させ、四季の移りかわりに興味をもつ能力を養う。 2、前学年の部分的よりやゝ全体的に、断片的よりやゝ順序よく見るように導く。 3、異なる類や種族の二つを比較させ、その特徴をとらえるようにする。 4、問題解決に必要な条件を、観察している事実の中から、拾い出させるようにする。 5、これにた物や事はないかと類似の事実をあげさせるようにする。 6、事実の詳細なことをありのまゝに手落なく見させるようにする。 7、いろいろな疑問をなるべくたくさん挙げさせるようにする。	1、季節の移りかわりを絵や文章にして、表現するようにする。 2、教師の示範によつて児童に飼育栽培させ、その方法の初歩的指導をする。 3、いつ芽が出るか、いつ花が咲くかと、関心をもつて継続して見させるように導く。 4、継続的に見たことを、変化のまゝ記録したり、図表にかいたりする仕方を指導する。 5、観察事項を内から、外から、時間経過にしたがつて、整理し、記録し、発表するように導く。 6、材料や方法をかえて製作させる。 7、示範によつて製作させ、製作品の鑑賞をさせて作品を向上させる。 8、事物を数量的な立場から見る態度を養う。	1、時日の推移が、自然の変化をきたしていることに、興味をもつ態度を養う。 2、飼育栽培の手入をさせて、生命あるもののよろこびにひたらせ、生物愛護の念を養う。 3、自然物からの製作に興味をもつ態度を養う。 4、生物を現地現場で、観察し、研究する態度を養う。 5、簡単な一つの事物を根気よく見ていく態度を養う。 6、いろいろのものを集めることに興味をもたせ、整理していく態度を養う。

<table>
<tr><th>学年</th><th>観察考察の能力</th><th>技術的能力</th><th>科学的態度</th></tr>
<tr><td>第三学年</td><td>1、四季の変化を予測的に、計画的に観察させて、各季節の特徴を捉えるようにする。
2、生物を順序正しく、全体的に、大観させて、その特質特徴をとらえるようにする。
3、事物現象の初めから、終りまでの経過を抜け目なく忠実に順序正しく観察させる。
4、いろいろの疑問を発表させる。そのわけを探り求めるために、より精しく、より廣く、より深く観察させる。
5、疑問解決の條件や、類似の事実を、なるべく多く挙げさせて考察の能力を養う。
6、同じ仲間の間で、異なる事実を見出させるよう観察させる。
7、一條件変化による比較観察する</td><td>1、四季の特徴を整理して、その要点を把握するようにする。
2、前学年までの飼育栽培の方法を反省させて、独力飼育栽培するように導く。
3、機能に合致した玩具を作ったり働きに合致した道具の使い方をする能力を養う。
4、事実の推移、時間の経過に伴う記録の仕方を養う。
5、量的に見る能力を養い、量を中心とした考察をする態度を養い、量的の記録をするよう導く。
6、図、表、文の一体的記録の基礎を養う。</td><td>1、簡單な証明検証実験をするようにして、眞理を求める態度を養う
2、些少なことでも、新しいものを見出そうとする欲求をたかめ、新発見のよろこびを味わわせる。
3、独力究明せんとする强い意志を養うと共に、協同学習の素地を培う。
4、簡單な記録、観察、測定、製作等のことをあくまでしとげる忍耐心を養う。
5、飼育、栽培、計量、実験において、おちついて、ていねいに物事をする態度を養う。
6、玩具や模型に興味をもたせ、技術的にはまずくとも、それを製作しようとする態度を養う。</td></tr>
</table>

<table>
<tr><th>学年</th><th>観察考察の能力</th><th>技術的能力</th><th>科学的態度</th></tr>
<tr><td>第四学年</td><td>1、生物の中で、その代表的なものを飼育栽培して、その習性、生態の比較観察を行う。
2、自然現象、製作物について、機能、構造、利用等の面に立脚した有機的観察をさせる。
3、実験観察の順序や方法、用具の使用法、結果の処理等実験観察の基礎を養う。
4、あくまで事実について研究する習慣と、順序や系統を考え、要点をとらえる見方の指導をする。
5、研究結果の整理、実験の精細な観察をさせ、原理発見の端緒を得させる指導をする。
6、経験結果や実験結果の帰納から第一義的原理法則を見出し、これを廣く深く創造発展させて、科学的推理思考に導く。</td><td>1、実験の器具機械を使う能力を練習的にねり、その向上をはかる。
2、要点を把握し、一條件を抽出して実験に移す能力を養う。
3、健康を保持増進する能力を養う
4、実験資料や、観察材料を集め、それを要領よく整理分類する能力を養う。
5、製作に際し、一條件を変化したものをつくり、比較観察に資す。
6、時間的経過、場所的差異を明らかにする採集、蒐集の方法を指導し、考察に使する能力を養う。
7、原理法則発見のため、考察するに容易な記録の仕方を指導する。
8、科学読物に近ずき、その要点を捉える能力を養う。</td><td>1、生態と形態との関係、習性と形態との関係、動物と植物との関係、生物相互生物と自然との関係を学習させ、自然の妙味を感得させるようにする。
2、何回も正確に実験し、これを整理して、眞理を求める愼重なる態度を養う。
3、事実を有機的に根氣よく観察して、正しい自然観をもつようにする。
4、科学読物に親しみ、合理的生活を追求し、健康を保持増進する態度を養う。
5、共同研究、分團研究の態度を養う。</td></tr>
</table>

学年	観察考察の能力	技術的能力	科学的態度
第五学年	1、種々の異なる生物の要領よき見方を指導し、生物研究の一般的方法を会得させる。 2、生物が外囲に適應して、生命維持をはかつていることを明らかにするよう、個体と外界を一体的に観察する能力を養う。 3、生物を人生と関係深き、利用、應用、防禦の両から考察させる。 4、物象については、経験を整理し実験を秩序だて、論理的考察を行わせるよう導く。 5、機械器具は簡單な原理法則の應用であることに興味をもたせ、進んで工夫する能力を養う。 6、事物現象の要点をとらえ、自発的、計画的、分析的、部分的な実験観察を行い、多面的考察を整理して結論を導くようにする。	1、一條件を要素的に抽出し、考察しうるよう飼育栽培する能力を養う。 2、機能、構造、作用を理解した使用法をする能力を養う。 3、機能、構造、作用理解のための玩具や模型製作の能力を養う。 4、考察、観察に資するため、形態生態、習性の類似なものを採集する能力を養う。 5、論理的思考を助けるための表解記録を行わせる能力を養う。 6、科学読物から進んで、実験観察製作、採集、飼育栽培に向う能力を養う。	1、生物の生き方、環境に対する順應を明らかにして、正しい生物観人生観を養う。 2、新しい考えや、やり方を生活の中にとり入れるようにする。 3、見学などをして、なるべく専門家の意見を聞く態度を養う。 4、衣食住に関した迷信を打破し、健康増進の習慣を養う。 5、話や読物をう呑みにせず、これを自己の実験観察によつて、確認し、未知のものを探ろうとする態度を養う。

学年	観察考察の能力	技術的能力	科学的態度
第六学年	1、自然物、自然現象、人工物を発生的立場で実験観察し、その歴史、発達の苦心を探り、発明発見の素地を培う。 2、質的変化の実験観察を通して精細な観察を行う。 3、考察の結果得た原理法則をさらに多くの事実に検証して、確信あるものとする。 4、推測の結果を吟味する方法を児童自身に工夫させ、より廣く深い正確な実験観察をさせる。 5、現代文明機関については、その原理的なものとの繋がりを密にして、観察思考の飛躍を除去する。 6、微細なもの、遠大なものに対する関心を深め、経験事実の整理をはかるとともに、科学的機械器具による観察になれる。	1、科学史、発明発見史、科学者傳記をよみ、その要点を把握する。 2、量的変化を度量衡によつて計る能力をたかめるとともに、質的変化を見る能力を養う。 3、事実や原理を生活に應用するに至る能力を養う。 4、現代文明機関の図や表を集めたり、書いたりする能力を養う。また、それらのものからうける危険をのがれる方法を考える。 5、傳染病、災害などから、身体を守る能力を養う。	1、自然物、自然現象、人工物の発展史をさぐり、科学的功績の偉大さを感得させる。 2、事実を重んじ、経験を尊び、合理的生活を堅持する態度を養う。 3、研究方法を体得させ、自由研究を行わせ、科学的態度の助長をはかる。 4、実生活への利用更生の立場から事物現象を観察し、生活改善の態度を養う。 5、現代文明機関については根氣よく、未知のものを探ろうとする態度を養う。

(五) 音楽的能力指導の系統

目　標

生命に内在する本能的な歌唱意欲を開発して、生活の中に音楽愛好心を育て、音楽美を感受・表現し得るあらゆる音楽的能力を養い、人間性の中に音楽的な情操を豊かにする。

指導の態度——音楽科に於ける綜合指導の内容

一　音楽的感覚の綜合

音楽を構成する形式上の要素はリズム・旋律・和声の三つであり、更にその上に音楽を色彩づけるものは音色であるが、これらのものは相互に深いつながりをもつて、一つのもの即ち音楽を形成している。したがつて音楽的な感覚として分析されるリズム感・旋律感・和音感・音色感の練習も個々のものとしてでなく、常に有機的に綜合的に行われなければならない。

二　四つの活動の綜合

音楽活動は創作・歌唱・器楽・鑑賞の四つの活動に分類されるが、それらの活動の根本になるエネルギーは歌う心であるから、魂のバイブレイションである歌う心を中心として、四つの活動を綜合的に指導する。それが又子供の世界における音楽の在り方であり、音楽的個性を見出す足場となつて、一人残らず音楽を好きにすることができる。

三　音楽と他の生活活動との綜合

子供の世界には生活から遊離した音楽はない。歌うことが即ち生活なのである。凡ての学習も亦生活である。したがつて他の学習の中にも音楽があり、学校・家庭を問わず一般生活の中にも、本能のリズム的躍動としての音楽がある。かゝる意味から廣く生活に生きた音楽として指導する。

四　情操への綜合

音楽美に感應するものは、主として磨かれた心情の作用であるが、音楽美の裏面には音構成の自然法則があり、又それを直接感受する感覚は聴覚であるから、音楽的情操を豊かに育てるためには、基礎的に感覚の練習が必要であり、又音楽を理解するための知性の育成が大切である。なお音楽美にふれる最初の意識作用は興味が中心であるから、低学年では音楽的興味を育てることも重要なことである。

單純な興味より情操へ高めるためには、その過程に於いて感覚や知識を養わなければならないし、更にこれらのものが綜合的に織られて深い音楽的情操が次第に育つてゆく。

第一学年

感覚	リズム感	(a)リズムを直感的に感じたり、身体的に表現する (b)拍子は四分の二拍子を主とする (c)一拍をはっきり刻むリズム
	和音・音高感	(a)新和音はドミソ・ドファラ・シレソ (b)行動と結んで判別記憶させる (c)ピアノの和音で支え、音高正しく分散して歌う
	音色感 音色	(a)様々の音色をきく興味を養う (b)楽器は生活の近辺にあるもの、特に打楽器をきき、名前を知る (c)種々の玩具のききわけ遊び
	音色感 発声	(a)正しくらくな姿勢で、子供らしく自然に歌う (b)和音の分散唱で声の出し方を併せ指導する (c)音域は一点ハ音より二点ハ音位
知識	楽典	(a)五線は五つの線ト音記号は門番さん等の名前で呼ぶ (b)音の名称は主として、五線上のものを絶対的に記憶する (c)五指読練習
	歴史等	
活動	歌唱	(a)リズムを主とし、明快・単純で直接感覚に訴えて興味をよぶ内容のもの (b)聴唱により音楽的な感覚を養う (c)行進・遊戯・劇等の中で動的に扱う
	器楽	(a)リズム合奏を主とする (b)家庭の玩具や、手作りの簡単な打ち物を合せる (c)ことばで十分歌つた曲を合奏する
	創作	(a)歌詞自由唱 教師が歌詞を与えて、楽器を用いず、児童に思い思いの旋律を口ずさませる 歌い易く面白い旋律は教師が楽譜にとつて、後の機会にも歌う
	鑑賞	(a)歌唱教材と同様リズムの明確・単純な内容のもの (b)テンポは比較的速いもの、行進曲風又は舞曲風のもの (c)擬音を用いて直接興味をよぶもの
	態度	(a)自己中心の時代であるから、上手・下手を氣にせず、一人で歌つたり、ひいたりする機会を多くもつ (b)数人又は多勢で合わせて歌う氣持

第二学年

感覚	リズム感	(a)前学年の着眼の程度を高め、一層明瞭なるリズム感の養成に力める (b)四分の二拍子を主とする (c)一拍の平等分割リズム
	和音・音高感	(a)新和音はミソド・ファラド・レソシ (b)前学年の和音及び新和音の抽出唱を徹底する (c)ハ調長音階の調子感
	音色感 音色	(a)音色生活を廣め様々の音色をきく興味を養う (b)美しい音と、不快な音色とのきゝわけ
	音色感 発声	(a)さけび声にならぬよう、歌う時格別緊張しない (b)は行・ら行等の子音の発音 (c)音域は一点ハ音より二点ニ音位
知識	楽典	(a)間の音名を絶対的に記憶する (b)線及び間の音名を反射的にとなえるまで練習する (c)前学年と同様遊戯的な名称を用いる
	歴史等	
活動	歌唱	(a)歌曲の内容・指導の要領は前学年とほぼ同じ (b)歌唱の中に音樂的興味を育て、基礎的な感覚を次第に磨く (c)諸要素を正しく合せて歌う
	器楽	(a)ほぼ前学年と同じ (b)打楽器の基礎的な奏法を身体運動と併せて練習する (c)リズムの一致する快感を味う
	創作	(a)旋律誘導唱 教師が初め短い旋律（樂譜にかいて一・二小節）を歌えば、兒童はそれを受けて、思い思いの旋律をのばせて歌う練習
	鑑賞	(a)曲の内容は前学年とほゞ同じ (b)聴覚によつて受けるリズムの快さを、同時に身体の動きを伴つて全身的に感受する
	態度	(a)合せて歌つたり、ひいたりする心構えを育て、協調による音樂的秩序の快さを味わわせる (b)スター的存在を作らず、一人一人に自信をもたせる

第三学年

感覚	リズム感	(a)二拍子と四拍子を身体的に、そのちがいを感得させる (b)視・聴覚の一体的把握 (c)一拍の平等分割リズム
	和音・音高感	(a)新和音はレ♯ファラ (b)抽出唱を重んじハ長調の終止形合唱を行う (c)ト調長音階の調子感
	音色感（音色）	(a)打つ樂器・つるの樂器・吹く樂器の音色を判別する (b)音色の配合美 (c)美的な音色を判別して美感覚を養う
	音色感（発声）	(a)正しい姿勢をやや分解的に指導する (b)大きい声より先ず小さくても美しい声 (c)音域は二点ホ音までのばす
知識	樂典	(a)視唱練習と併せて樂譜上の諸記号の意味と名称を教える。名称は概念としてでなく、内容を直感するよう模擬的に、たての線・一うちの如く
	歴史等	(a)人物中心に、東西の有名音樂家の樂しく、美しい物がたりをきかせる
活動	歌唱	(a)旋律的に豊かな曲を加え、二・三部の輪唱・合唱を試みる (b)音樂的な興味を育てることを主とするが、歌唱の初歩的技術を増し、歌う喜びを次第に深めてゆく
	器樂	(a)リズミックな曲の上に、旋律的にも美しいもの (b)したがつて樂器も旋律を奏し得る樂器を多く加える (c)鍵盤樂器の奏法の一齊指導開始
	創作	(a)旋律補綴練習 一連の旋律の中途を空白にし、兒童は空白部を歌いながら、自由に旋律を創作して補い綴る練習をいう この学年では主として四小節即ち一樂句を用いる
	鑑賞	(a)リズムの明快な上に旋律的にも美しいもの (b)音色の明瞭なる樂器を組み合わせたものをきいて、比較判別する
	態度	(a)器樂指導と連絡し、たとえメロデーだけでも伴奏できる子供を多く育て、子供たち自身でひき、歌う習慣を養つてゆく

第四学年

感覚	リズム感	(a)三拍子感を確実にし、二拍子と三拍子のちがいを感覚的に明瞭に把握する (b)複合時長と、分割時長の観念を明確にする
	和音・音高感	(a)新和音はファ♭シレ (b)ヘ長調の終止形合唱 (c)第一・二学年和音記憶の徹底 (d)ヘ調長音階の調子感
	音色感（音色）	(a)各種金管樂器の音色・名称を教える (b)主として打樂器により音色の配合美を味わわせる
	音色感（発声）	(a)自然な安定した姿勢と自然な発声の関係につき、正しい理解をもち、よい声を出そうとする態度を養う (b)音域は小字ロ音より二点ヘ音位
知識	樂典	(a)前学年と同様の名称を用い、読譜練習と併せて理解の徹底をはかる (b)音階の名称と意味をしらせる
	歴史等	(a)手近かな樂器、例えばピアノ、オルガン、バイオリン、等、三味線等の生い立ちを簡単にしらせ、樂器に対する興味と関心をもたせる
活動	歌唱	(a)リズミックな曲の他、心情的なものを増す (b)二・三部の合唱・輪唱を行い、和声的表現の喜びを味う
	器樂	(a)前学年とほゞ同様 (b)簡易吹奏樂器をなるべく各種用い、リズムと旋律の一体的調和の妙を味わわせる
	創作	(a)旋律的五線読練習 旋律になるように五線を指して歌う練習 (b)旋律補綴練習は八小節 (c)終止形分散練習 終止形を作る和音を分散して旋律を作る練習、四小節を用いる
	鑑賞	(a)心情的な、メロデックな内容 (b)リズム・メロデーに乗つて歌いながらきく態度 (c)感想についての話し合い
	態度	(a)音樂の学習係をクラスより選び、なるべく子供たちの希望と計画によつて学習してゆく (b)教師が計画に参加しない学級音樂会をこの学年より始める

第五学年

領域	項目		内容
感覚	リズム感		(a)六拍子感の練習を重んじ、且つ各種拍子感を関係的に把握させる (b)各種の分割リズムを一連の旋律の中に視・聴一体的に把握させる
感覚	和音・音高感		(a)新和音は♯ドミラ (b)ニ長調の終止形合唱 (c)既習和音の同時合唱 (d)ニ調長音階の調子感
感覚	音色感	音色	(a)各種木管樂器の音色・名称をしらせる (b)管樂器の中、金・木の音色をきゝわける (c)吹奏樂器を加えた配合美
感覚	音色感	発声	(a)正しい呼吸の方法 (b)自然なのどと開放された声、特に高音をらくに (c)量より先ず質 (d)音域は小字ロ音より二点♯ヘ音位
知識	樂典		(a)名称は從來の模擬的なものより、漸次公約規定の名称におきかえてゆく (b)樂譜上に現れる大小の記号に注意し理解する態度
知識	歴史等		(a)民謡を中心に、世界の音樂の特性を簡單に話し、民族性と音樂の関係をしらせる (b)著名作曲家・演奏家の生いたちをしらせる
活動	歌唱		(a)情緒を歌う曲を加える (b)合唱・輪唱の技術をねる (c)表情豊かな表現を重んじ、レガートとスタッカート唱法を練習する
活動	器樂		(a)和声的に豊かな曲を選ぶ (b)リズムの配合美の他音色の配合美を味わう (c)独奏樂器の指導を重視する
活動	創作		(a)旋律発展練習 與えられた旋律の一部を受けて旋律をのばす練習 (b)終止形発展分散練習 前学年の四小節を八小節に発展し、分散する練習
活動	鑑賞		(a)情緒豊かな内容 (b)曲想のうつりかわりから形式のきゝとり方を指導する 二部・三部・変奏曲・組曲等
活動	態度		(a)数人集れば何処でも歌い出すような雰囲氣をはぐくむ (b)歌い方の相互批判を行い、子供たちの力で一曲を仕上げる (c)生活の凡ゆる機会に音樂を求める態度

三一二

第六学年

領域	項目		内容
感覚	リズム感		(a)八分の六拍子を二拍子として感得させる (b)三連音・切分音を視・聴一体的に把握・理解させる (c)各種リズムの一連的把握
感覚	和音・音高感		(a)新和音はソbシbミ (b)変ロ長調の終止形合唱 (c)変ロ調長音階の調子感 (d)絶対的・相対的両面の音高感
感覚	音色感	音色	(a)各種絃樂器の音色・名称をしらせる (b)打・吹・絃各種樂器の音色の判別及び配合美を味う (c)音色の美意識を深める
感覚	音色感	発声	(a)自然で安定した姿勢より呼吸法と発声の関係 (b)高音と低音の声色の統一 (c)質より量へ (d)音域は二点ト音まで練習する
知識	樂典		(a)前学年の程度を廣め低音部譜表・大譜表・切分音・三連音符その他創作に必要なる初歩理論を知らせる
知識	歴史等		(a)音樂の発生と、古典より現代までの音樂史の概略を時代的に知らせる
活動	歌唱		(a)音樂的に内容の深いものゝ表現力をのばせる (b)読譜は初見を重んじ、且つ合唱もパート練習をなるべく省き同時合唱の態度を養う
活動	器樂		(a)前学年とほゞ同様 (b)リズム・旋律・ハーモニーの一体的表現の喜びを味わう (c)歌曲の伴奏は概ね兒童にまかせる
活動	創作		(a)旋律発展練習は十六小節の二部分形式を用いる (b)終止形発展分散練習 分散の逆の理により、旋律に和声をつける練習をする (c)二声樂曲の創作も試みる又簡單なピアノの曲を作る
活動	鑑賞		(a)内容的に深いものへ次第に入つてゆく (b)構成上の各種の要素を分析し、且つ綜合的にきく態度を養う (c)形式はソナタ形式の概略まで進む
活動	態度		(a)自主的に音樂美を求める心情と態度を養う (b)教師がいなくとも中断されない学習態度を一人一人に養う (c)グループによる分担学習

三一三

(六) 図画的能力指導の系統

一 目　標

(1) 科学的で、Realistic な、研究的実践的な心性、態度、能力を作る。

日本人は、真に視覚的に物を見ない、直ぐ概念としての言語で表現して、無限の眼によって捉え得る要素を観ることを中絶する。このことが、言語の立派さだけで動かされる心性を作る。

そして、真に自己の実証に立つ自己の判断に捉う所の自我の確立をはばんでいる。

そして、科学的な能力や創造的な能力の発芽を不可能にしていた点も頗る多い。

(2) 創造的、開発的心性の養成

(3) 具体的、実際的な活動性の助長

(4) 藝術心の啓培

(5) 発表力の養成

(6) 技術力の養成

二 記述の説明

(1) この案の特徴は、指導の欄を類のない程に委しくした所にある。従来指画については、極めて簡単に、記憶画、写生画、想像画、等の説明がされていたが、これでは、児童の、如何なる能力を指導すればよいのかその重点がはっきりしない。そして今一つ、そこには児童の能力の発展に適應しつゝ指導する造型科としての内容の、発展的な系列が示されない。この二点が明確に示されてはじめて、確かで、わかり易い図画科の学習指導の方法がつかまれると思う。

(2) 記述した指導のポイントは、児童の能力の実際上の発展、興味の萠芽、また、指導しなければならない必要性、指導できる、という可能性、等様々な角度から拾い上げてある。そしてそのすべては、結局、指導しなければならない所のポイントであると思うのである。

(3) 低学年に於いて配当したものも、爾後六年、中学にまで各学年、引つゞいて指導し、観察されなければならない。だから、指導の関係は、累積的に多くなるわけである。

これは、他教科でも同様であるけれども、図画科等では、殊にその必要が強いのである。

例えば、構図について、画用紙を縦にするか、横のものにするか、ということを考えることは一年生でも、専門家にとつても、並々ならぬ重大考慮を拂うべきことがらであることは、少しも変らないのである。

(4)　印刷の関係で項目を無理に二者合一したり、記述を省略した項目がある。

省略したものは、「製図」(六年までに、展開図、等角投影、斜投影＝立面に対するものと、平面に対するもの、投影図法、を一通り総る)「色彩」(大体文部省の要領に等しい)「図案」等である。

其他に、「描画」の中に十項目として(模写)を入れてあるのであるが、これも省略のやむない状態である。秀れた作品の模写は、鑑賞の最も力強い方法の一つであって、そのために、特に「鑑賞」の項目をおくこともしなかった程である。

模写の弊害は、模写の精神的態度の如何によるので、それは、模写する人間や、指導者の態度の問題である。そして、模写にも無数の方法が考えられるので、一々実物と見まがう様なものを考える必要はない。油絵を、鉛筆の数本の線によって捉えられる要素だけを写しても、立派な模写であり、秀れた学習ができるものである。

年学／項目	描画					形態	絵の周辺
	態度	構図	空間表現形式	着彩と材料	視覚的修練		
第一学年	(a)描くことに積極的なよろこびをもつように。(b)画面にとり入れるものを考える時に、自然をみつめ想い出して考えるように。(c)作品を、友人や肉親教師に示したり、贈ったりしてよろこぶ。	(a)画用紙の縦横を、対象や自分の意図によって決定する態度。結果の如何よりもそれによって、内容を構図的に反省する指導である。(b)画面での対象の大きさを考える。(c)位置も素朴な意味で考えようとする。(d)物の形は、見た形よりも概念的な意味で考える。指導は、やはり具体的な、見た形によって行う。(e)明度差の強い画と、そうでないものを比較鑑賞させる。	(a)一年初期では、立体的な自然を、平面に表現する約廿羅程の形式をみせる。それに、いきなり透視図的な表現を要求したりしてはならない。	(a)対象の色や質によって、輪郭線の色やその有無を工夫しようとすることができる。	(a)教室の中や自然を描くとき、どんなものがあるかを話させたり、ノートに記入させたりすることによって、自己の観察によってなそうとする態度を作る。(b)対象の諸要素の中で大小高低長短の関係を正しく表現しようとさせる。	(a)直角構成のもの(机・壁)などのものを、学校や、家庭でさがすこと。(b)植物や、投げ出したマッチの軸等にあるリズムを観察する。(c)たのしい形の、小石、花びら、葉、実などを集め、分類したりする。	(a)描く楽しさや、友人と共に描くたのしさ、など描く楽しさを生活の中に浮出させる様にする。詩や文をよむことなども、その良い方法である。(b)クレヨンのロウの性質などを意識させる。そのにおい、熱に対して、水に対して、等々。

項目		第　学　年
描画	態度	(a)前学年よりも、努力的な作品を作る様になる。稍大きな画面にも充実感をもつものを描ける (b)前学年に同じ。 (c)本項も前学年(c)に同じ。
	構図	(a)主題を強調する目的で、どの位置に、どんな大きさに表現すればよいかを考える態度ができる。 (b)主題を描く意図を、一層明確に、強くするためには、他にどんなものを、どんなに描けばよいかを考える態度をもつことができる その結果は、どうあろうとも、その態度が大切なのである。
	空間表現形式	(a)客観的な正しさはないが一般に、家や箱などの側面を描き表わそうとする。これは奥行きに対する観察と表現意欲の表われで、空間表現の上での一進歩である。
	着彩と材料	(a)対象の質や色によって、輪郭線の有無や色を決定する能力が、前学年より一層妥当性を高める。 (b)創り出しなどによって、質や、充実感を追究しはじめる。 (c)墨、水彩、色紙などを用い、またその混用もできる。
	視覚的修練	(a)中心より放射する十数本の線をかき、それに番号を附けて、対象物の或る線の傾斜度を対照的に決定できる。 (b)自然の中の葉の緑、幹の色などの相互的差を見る。 (c)視覚的修練の立場から、全学年にクロッキーをやらせる。
形態		(a)円、三角形（球も円として）のものを自然、学校、家庭でさがさせる。 (b)前学年(b)項のものを線や点で描く。 (c)前学年(c)項をつゞける。
絵の周辺		(a)画面を楽しくする様なものが、よくとり入れられている作品（アンリ・ルッソウのものなど）をその意味から鑑賞する。 (b)紙の表裏について明確な知識をもたせる。

項目		第三学年
描画	態度	(a)作品を対象と比較して、その写実性や美を反省する。 (b)内容興味や概念的表現の興味から、視覚的な興味と表現に移る。 (c)一、二学年(c)項の興味が校内の装飾やポスターとして用いる関心にまで拡大される。
	構図	(a)画面外にはみ出したものや、画面外にあるものを暗示的に表現する。画面が外への拡がりをもつことの第一歩で大切な萌芽である。 (b)画面中の、明るく淡い部分と、暗く濃い部分の対比的な分轄を考える。（明度には、対象の上の光によるものと、色によるものとあることを明確にする）明度の配分のできていない画面は薄弱であること。 (c)画面での大きさと位置の考慮の大切なこと。 (d)形の表現では、物の基本的構造と、大まかな傾斜やくせ等を要求できる。
	空間表現形式	(a)厳密さはないが概念的に透視的表現ができる様になる。眼より高い奥行きの線は向うほど下り、下のものは上る。という程度で、これを徐々に、一つの中心を定めて、そこから科学的に測定、表現してゆく様に指導する機会をねらう。
	着彩と材料	(a)画用紙の質と、表現意図によって、鉛筆の硬軟の質を選んでゆく (b)墨、水彩、クレヨン、色紙の様々な組合はせによる使用の効果を意図的に行い、また興味をもつことができる。
	視覚的修練	(a)つぼや植物の葉、樹の幹等の線で、直線、内曲線、外曲線などの組合わせをみることによって、表現や、観察の記憶を明確にする。 無数の要素をもつ対象を、要点を示さないで「よく見よ」と要求することは意味がない。
形態		(a)学用品、日用品等の大きさと形を人体の大きさ、機能と関連させて理解する。 (b)屋根の傾斜度を、材料や氣象の変化と関連的に理解させる。 (c)形集め 球、球の部分、長球、平球、卵形のものを集める。
絵の周辺		(a)科学的な眼で、鋭く自然を観察した作家と作品について鑑賞 （ダヴインチや應挙や、秀れた作家のスケッチ等） (b)クレヨンとクレパスの質的な差と、それを生かすための技法上の差を意識させる。

年学 項目	描画					形態	絵の周辺
	態度	構図	空間表現形式	色彩と材料	視覚的修練		
第四学年	(a)前学年(a)に同じ。 (b)精密さ、正確さを求める。 (c)画面に或る統一感を要求する様になる。これは、形、構図、色、着彩技法、等さまざまの要素の上に表われる。散まんであつたり、ゴタゴタしたりすることを気にする。	(a)大根を描くのは、家の台所や、野道、八百屋等において描くことが生活的であることを理解する。Realisticな態度の表われ。 (b)画面における位置づけを、意味の説明でなく、眼に来る感じによつて考える態度も指導できる。 (c)前学年の(b)以下(d)までをこゝに継続する。 特に前学年(b)の理解を、こゝでは、素描、日本画、洋画の特質と結合して指導する。	(a)前学年(a)に同じ。	(a)対象の質的変化に従つて、表現上、着彩技法の変化を、かなり妥当に考えることができる。	(a)線の重なりや切れ方を対象に見ることによつて、線による立体表現ができる。それを前学年の、直線、内曲線、外曲線に注目することと合わせて線描することを、常に数多く行うことによつて、視覚的能力態度と表現力を高める。五六年も。	(a)前学年の屋根の学習に引つゞき、材料と形態の関係を簡単な生活用具について (b)動きやリズムのはつきりしたものを、線描によつて特徴的に捉える。 (c)円柱、直方体を、自然や生活の中に探し、機能的に理解する。	(a)画家の、技法上の苦心の実に大きいこと。質感の表現、材料についての苦心等。

年学 項目	描画					形態	絵の周辺
	態度	構図	空間表現形式	色彩と材料	視覚的修練		
第五学年	(五六年共通) (a)鋭く正しい観察態度を深める。同時に表現の自由と適確さを伸ばさねばならぬ (b)対象の細部にまで観察し表現する追究性が急昇する (c)対象を、色や形等の要素によつて、大づかみに表現できる。大づかみな表現は(六年に続く)	(a)画面の主な形式が、円の反覆、直角構成、縦の平行線や横の平行線、直線的や曲線的、等々如何なる形式を美の形式とするかを考えることができる。 (b)対象を眺める位置や角度を工夫して、新鮮な美しさを見出すことができる。 (c)絵の場合に、形とは、画面での位置、大きさ、その物の形の三者が要求され、明度では、前学年に記した三者が要求されることを、はつきりと理解して、描画の際、その理解が生かされる様に努力できること。	(a)透視的な遠近法に一應のまとまりを見せるが、それはまだ厳密な意味での正しさを要求するのには、少し早い。それを要求すると、他の色調や、筆触の美しさ、伸びやかさを殺す[illegible]の負担になる場合がある。	(a)対象により材料や技法を決定し、またその逆も行う。(工作においては、主として用の立場から、この形が考えられるが、図画科では、純感覚的な修練として行う)軟かく、目の細かい紙があつて、不透明な水絵具の使用法を試みる如きである。	(a)前学年に引きつゞき同様の学習を行う。樹木の枝、つぼ、山等について、一層の速度と、正確さを要求し、また、暫く対象を観察した後、見ないで描くこと等を行い、観察の鋭さと、記憶力を強めて、視覚的態度と能力を深める。	(a)服装について、気候、経済、美感等の関係的考察。 (b)はきものについて右の如き学習(つとめて世界各民族にわたる) (c)前学年(c)項の学習から、抽象的な、リズム、動きを表現する様な作品を描いてみる。 (d)複合体を基本形に分解。	(a)Realisticな態度の作家や画の鑑賞、(レンブラント等につき) (b)簡単な絵の歴史 ・始原的な生活記録や呪願 ・宗教画 ・装飾画 ・自己探求と表現 ・宣伝として ・商品として 等の作画の動機と作品について学ぶ。

学年＼項目	描画：態度	描画：構図	描画：空間表現形式	描画：着彩と材料	描画：視覚的修練	形態	絵の周辺
第六学年	対象を綿密に観察し、その多様な要素の中から、一つのものを取り表現するので漠然と概然性を捉えることではない。 (d)内容と形式の一致を表す。表現内容や情調と、構図、色調等が、ふさわしく一致するように考える態度である。	(a)五年の(a)の内容を拡大した意味で、画面に表現する美の形式を、自然から意識的に抽出し、決定する。 (b)画面の中での各部の色調技法、明度、線、粗密の対比的な変化を、美の要素の一つとして味わい、表現することができる。 (c)前学年(c)を引きつづき指導し、同時に、対象における光も、画面では色によって表現されるので、陰影もあいまいな暗さでなく、積極的に画面の美的構成に働く所の色として表現されなければならないことを理解させることが大切である。	(a)前学年にまとまりかけた透視的遠近表現に、厳密な客観性を与える。対象に一中心を定め、凡ての線を、その一点に対する時の水平線を基準として定めることを学習させる。	(a)表現内容に即して、材料をえらび、着彩技法を決定することを、適確に意図的に行うことが作画に当っての基本的な、真実な態度の第一歩であることを徹底させる。多くはこれが習慣的に、また便宜的、無計画になされている。	(a)前学年(a)を引きつづき徹底してゆく。	(a)複合体を基本形に分解しまたはその逆を行い、用と美の方面より考究する。 (b)前学年(c)の継続学習	(a)絵画が如何に科学に負うているか。 ・材料の科学 ・透視図理論 ・光学理論 ・種々の基礎的な芸術理論 ・構図理論等 (b)生活と絵画 例 徳川時代 ・宮廷―土佐 ・大名―狩野 ・士族―南画 ・町民―浮世絵 (c)絵具の科学

(七) 工作的能力指導の系統

工作は、道具に関することのように考えられがちである。単に手を使うことのように思われる。即ち、頭より手の方が工作の原動力のように思われている。手は、人間にとっても、他の動物にとっても大切なやくめをしていることはたしかである。しかし、手や指だけの工作では、あまりにも原始的であることに気がつくのである。手は、道具を生んだのであるが、道具は改良を重ねて最近のように進歩してきている。道具は更に、機械の発明のけいきとなった。近代文明は、この機械の発展にともなって生成したものとも思われる。機械は、人間の手をはなれて仕事をする特質をもっている。人間の手は、スイッチ一つおせばよいのである。機械の重要さを考えると、手はどの程度の価値をもっているかということが問題になる。

手から道具にかわり、更に機械に発展してきたのは、何の力であろうかと考えてみるに、それは人間の力である。人間の頭をつかったのである。頭と手の両方のはたらきによって工作が発展の過程をたどったのであると思う。

では、頭と手との運り方は、どうであろうか。先ず、物を作るには、豊かな自由な構想力が頭の中になければならない。構想力は、感覚力と創作力によって常に新らしさをもつものと思う。児童は、具体的には、着想と計画力とによってこれをあらわすことができる。次に構想力を實現する形成力がなければならない。構想と形成が結びついて、精神を自由にはたらかすことによって、自由の領域がひろまり、自由な創造活動が生まれてくる。このように、手足を動かしながら、物を作っていると無心になる。この間に、人間はよくなってゆく。又、工作は、材料を必要とするので、その種類あるいは質感について関心をもたなければならない。材料の使用は、当然、立体構成又は空間構成をいみする。表現は、児童の生活をとおして、具体的直観的に物を把握し、更に、抽象化する能力によって進展するものと思う。又、一面には、物のはたらきとして機能的見地から考えてみることものがしてはならないことである。そのほか、作業の技術や態度をあげて次の表のように工作指導の要項としたのである。

学年的目標をかんたんにあげてみるなら次のようである。

一年　○ 作ることの喜びを味わわせる　○ 単純で感じのあらわれる作品をだす
二年　○ 大きくゆったりと表現する　○ 実感表現をする
三年　○ 立体的に表現する　○ 造形美、心情美に関心をもつ

四年　○ 共同して大作を試みる　○ 精神的な美しさを創作的に表現する
五年　○ 機能的構成に注意をもつ　○ 各種材料の利用を工夫する
六年　○ 分解的表現と造形物に対する創作的研究心をもつ　○ 実用物と模型については、機能的見地から研究する

要項		第一学年	第二学年
空間構成	立体的形態的	○描画してそれを切りぬく ○ちぎり紙をはりつける ○積木などを使つて遊ぶ ○草木などの自然物を使つて遊ぶ ○砂遊びをして模型を作る ○粘土で物の單的な形を表現する	○描画して切りぬき、のりしろ又は折りまげにて立てる 正面背面感を表わす ○平面形又は立体を組合せて物を作る ○自然物の利用範囲を廣める ○粘土などで実感にとんだものができる ○誰にもわかる作り方
機能的能力	作る・操作	○物をせいとんしたり、配置を考えて装飾する ○飾るものを作る ○飾つたり、作つたりしながら遊ぶ ○物をうんぱんする ○物を動かしたり、見たりして遊ぶ	○自然物、人工物の簡単な模型ができる ○物の静的姿をとらえる ○物や作品を見たり、動かしたりしながら互に遊ぶ ○動くものと動かないものとの区別がつく ○上級生が使うのを見たり手傳つたりして喜ぶ
質	対比	○質のちがつたものを小範囲ではあるが区別することができる ○同質のものを集めることができる ○物をならべて美しく配置する ○見たものについてかんたんに表現できる	○質のちがつたものを見わけることができる ○それを形や色によつて表現する ○質のちがつたものを区別して集めすきなように組合せる ○実感をだすために質をえらぶことに関心をもつ
	生かす	○加工を必要としないものを使つて質を素朴ではあるが生かすことができる ○質とは関係なく物に意味をあたえる ○加工が易いか困難か、人間にとつてきけんであるか安全であるかの区別がつく	○そのまゝ使えるものをえらぶ ○目的を充足するためにかんたんな手近かなものをさがす ○かんたんな加工をして生かすことを工夫する
	材料	○粘土でかんたんな丸作りをする、又、手、指先の使い方をする ○色紙、中厚紙を主として、ちぎる、きる、折る、のりつけ、はる、などができる ○木などは素材のまゝ利用する	○粘土でかんたんな丸作りをする ○如実感をだす ○物と似るように作る ○紙は中厚紙を主とする、きる、はる、折る ○紙は着色して美しくする ○色彩について基本的に知る ○木その他についても関心をもつ
作業態度	計画性	○指示をうけて材料をそろえる ○作りたいものを指導されてえらぶ ○感じの新らしいものを表現する ○作つたものは見たり、使つたりして大切にたのしむ ○仕事の順序が単的にできる	○作るものについて記憶を新たにする ○材料用具を忘れないように注意する ○自分でせいとんができる ○前に作つたものと今作つているものと次に作るものとが何かの関係をもつように進歩がみえる
	用具使用	○用具を忘れないで用意ができる ○安全に大切に静かに使う ○用具のせいとんができる ○物を加工するときに手指によるか道具によるかの区別がつく ○ものさし、はさみの使い方	○ものさし、はさみの使い方が前より上手にできる ○用具を大切に使いせいとんをする ○材料によつてどの用具を使えばよいかを区別して有りあわせに代用しないで用具の正しい使い方をする
着想	目的・用具・材料	○実際に見たものについて考える ○いろいろな豊かな材料から着想を得て用具や目的を考える ○目的を指示されて材料用具を考えるのは第二である ○直観的に物をはあくすることができる	○見たものの中から作品になるものとならないものとの区別により、よい題をえらぶことができる ○記憶力をよく表出することができる ○材料のおもしろさから作る欲求をおこし目的道具を定める

第三学年
○描画、切ぬき、折りまげによって正面背面側面感をつくる（立体） ○展開図をかきはじめる ○簡単な加工をほどこして数個を組合せて物を作る 他人と共同して作る ○物と物との結合ができる。又つり合いを考える
○前よりやゝ正確な模型ができる ○物の動的姿をとらえることができる ○形や色や物のはたらきに注意しながら作る ○使い方、見方がやゝ上手になる ○簡単なものを使って物のはたらきのよしあしの区別がつく
○かたい、ざらざら、すべすべなどの質感を表現的に気がつく ○可能の程度に加工して美しくする ○質又は工作法の難易により加工の程度がちがうことをやってみながら考える ○ガラスの所はセロハンを使うなど利用がきく
○材料が目的に合うかどうかを区別することができる ○加工を簡単にするため材料を選択する ○簡単な加工ができる ○形によって質が生きるよりはたらきによって質を生かす（竹でも木でも用にすることができるように）
○粘土で直線曲線の凡その区別ができる ○質感をあらわす ○よく物と似るように作る時に指先の使用を知る ○紙は中厚紙を主とし展開図をはじめる ○木その他のものは補助的に利用し簡単な加工組合せする
○新らしさをもつ作品を次々と考える ○材料用具はできるだけ自分で用意する ○一つのものができ上るまでの凡その時間を見当することができる ○共同して大がかりな仕事をする
○ものさし、はさみ、小刀、定木、コンパス、分度器、きり、くいきり、ペンチ、ヤットコ、のこぎり、などをそれぞれ使うべき材料を考えて正しく使える ○かんたんな手入れもできる
○見聞したものの中で自分に最も適したものをえらぶ ○想像力を豊かにする ○作る題目を定めることが第一でそれによって材料用具を考える ○第二は材料の種類が豊富であること ○作るものを上手に決定すること

第四学年
○展開図のかき方が正確に有利にできる ○立体を組合せてより複雑なものを作る ○寸法の正確を必要とするものができる ○動的ポーズを立体化する ○彫塑は道具を使ってやゝ細かい部分ができる
○動くものは動くように実物に合せて作る ○使いみちによって便利に作り方を考える ○物のはたらきをたしかめながら見たり作ったりする ○このものはどういうはたらきがすぐれているかを考えながら使う
○特質を生活と関係づける 色や形を男女により好みがあることを気づく ○実物の大小軽重などを考えて不合理にならないようにする ○質のちがったものを使うときその適否を注意してみる
○その物が目的に合うかどうかの区別が明瞭になる ○目的に合せようといろいろ考える ○どんなものでも利用できるように加工したり組合せたりしてみる ○目的に合わないものと気がついたらその特質を生かすこと
○粘土では物の基本形をさがしてみる。そのほか接合法、水の合せ方、浮彫り、用具の利用ができる ○紙では厚紙を主とし組合せの必要を知る ○豊富な内容をもち動的美的にすゝむ ○木竹の利用もかんたんにする
○計画がやゝ系統的にできる ○共同して大きなものを作る ○仕事の技術を高めるようにめんみつに考える ○仕事が大作になって長期にわたってもつゞけて常に新らしい感覚をもって作ってゆく
○主な用具はものさし、はさみ、小刀、定木、コンパス、分度器、きり、くいきり、ペンチ、ヤットコ、金づち、くぎ抜き、のこぎり、 緊結材料 塗料 ○小刀のとぎ方と用具の上手な使い方
○見聞したものを更に抽象して考察し表出する ○記憶、想像を一体化する ○見たものはそのまゝ表現するのでなく一たん自分の頭をとうして美しく表出する ○目的物を第一として次に材料用具を考える

第五学年

○実用物や実験の模型を作ることが多いがその形、接合法を正確にする
○数種の立体を組合せて新たなものを作る
○材料の利用範囲をひろめる
○木などの立体自身に工作する
○凹凸形式をとり入れる

○電車、舟などの動くものは材料も適当なものを使い科学的に研究しながら作る
○物の用途によつて材料をえらび形をそれに適するように考案できる
○操作し、実験し、たしかめながら使う
○成人の使うものにも関心をもつ

○質からくる感じを生活とてらし合せて暖かい、寒い、動的静的など区別することができてそれによつて美しく構成できる
○質による用途を区別する
○色や形が質と一そう調和をもつてとりあつかうことができる

○物を目的性に合わすには加工技術を必要とするそれで実用物、装飾品などによつて物の特質を生かすことに工夫が必要である
○物の特質に合わないものでも工夫して利用の方法を考える（草木の利用など）

○粘土では、線と面との区別、動的ポーズの表現、掘り取り、すかし彫り、焼成法をする
○紙は補助的に使う
○木では、木取る、切る、削る、あなあけ、接合塗装
○金では、切る、まげる、のばす、みがく、接合をする

○計画を自分で記入し実施の後に反省し、計画のたて方をまちがいないようにする
○計画と実施の比較ができる
○仕事の計画は研究したものを実際に作る過程を予想してかくことが第一である

○主な用具は前年に使用のほかにねじまわし、スパナ、やすり、かんな、曲尺、スコヤ、のみ、はんだこて、などである。
○用具の手入双物のとぎ方、用具の使い方、砥石を平らにすりへらして双物をとぐのに便利にする

○よい作品は模作する次に模作を脱して創作することができる
○優れた着想ができるように研究を深めることができる
○各種の道具を知つてそれを使つて作る目的と材料を考える
○道具のいろいろなのを知ること

第六学年

○物の分解、結合に関したことができる（標本模型、機械）
○平面—立体—平面—立体の立体構成ができる
○木、竹、粘土などの特質をよく利用して彫塑的工作をする
○彫塑は如実感、質感、立体感をねらいとして作る

○動く理由、実用性を明らかにして研究的に製作する
○よりよいはたらきを出すために工夫して作る
○操作、実験見ることにより各種の構成機能理由をたしかめる
○生産と技術を考える
○簡単な機械を使つて工作する

○美、用、質の一方にかたよることなく各要素を生かして構成する
○特に生活と機能的見地から美しいもの便利なもの堅実なものを作る
○実用性と美的見地と便利性からみて組合せを合理的に考える（ガラス窓と紙しようじ等）

○材料の各種を社会一般の人工物とてらして利用法が通用できるようになる
○各質の生きる方法を考える（木、ガラス糸など）どんなところにどの位の範囲に使われるか
○加工の如何によつて材料の利用範囲の廣いことを知る

○粘土で作るとき形に注意する現寸拡大、縮小など
○粘土の利用範囲を調べる
○紙材の利用法を多量生産、工藝生産の面から考えてみる
○木金工は、前年より技術的に進歩し手ぎわよくなる
○自然物の特種加工法

○計画が一般社会に通用できるようにする（製図など）
○計画に忠実に仕事をする
○前後の見とうしのつく計画を考える
○自発的に共力的に仕事ができるように又計画と実施が一致するようにする

○用具は前年と同じものの他に簡単な動力機械糸鋸機丸鋸機ろくろ、その他金工用などに使用することがのぞましい
○用具の小修理
○機械をみがく
○用具が多くなるがよくせいとんができる

○新考案を常に試みその実現をはかる
○考えと実行を一致させるまで努力する
○発明創作心を起し優れたものを考えだす
○道具が完備しているところから材料目的を考えて製作欲をおこすことが多い

(六) 家庭科的能力指導の系統

私たちにとつて、最もなつかしく、また生活の力づよい基盤となる家庭を、ゆたかな、たのしい、合理的なものとする立場から、次の点を考えます。

(一) 家庭生活の間に生じてくる、さまざまな事象や仕事を、科学的、研究的、実際的に、たのしんで処理していく能力や態度

(二) 家庭生活を、うるおいのある、しかも秩序的なものにしていく心がけや能力

(三) 社会と共に動いていく家庭を建設する態度や能力

(一)では、積極的に環境の中にとびこみ、自分なりに処理していくことにたのしみを見出していく態度や、また雑件の多い家庭生活を能率よくさばいて、ゆとりを見出していく態度を養うことが大切であると思います。(二)では、さまざまな能力を家庭生活に生かしていき、なお家庭の幸福な、美しい秩序を維持していくしつけを望みます。(三)では、せまい封建的な家にとじこもらず、ひろい視野に立つた社会組織としての進歩的な家庭へと向かわせたいと思います。

第一・二・三学年の間に

衣生活を営む能力 製作実習	衣生活を営む能力 知識	食生活を営む能力	住生活を営む能力	礼儀正しい生活を営む能力	其の他必要な能力
○家の人の靴みがきを受持つ、 ○ハンカチや靴下の洗濯 ○編物 弁当袋 マフラー 紐等 ○脱いだ衣服はブラシをかけて洋服かけにかけるか畳んで決つた場所におく。 ○襞や折目のある服の寝おし	○洋服や着物の着方 ○氣候によつて衣服の着方を調節 ○季節の衣服の色々 ○衣服を汚さない工夫 ○汚れた衣服は着換えて洗濯してもらう ○織物の種類や原料、布の名前を知る	○清潔に食事の用意や後片附けをするには、御膳立て、食器洗いなど ○食器の種類や使い方を知る ○普通の食品の名前と果物を知る ○季節の食品を知る ○子供達が活動・生長する為に大切な食品を知る ○年中行事と食物 ○給食の意味をよく理解する ○お弁当は自分で詰める	○庭やお部屋の掃除の仕方 ○掃除道具の種類、よい使い方としまい方 ○家の中を美しくする工夫 花や絵・手工品を飾る、要らない物を片附け整とん ○家具の役目、使用法、家の中での配置の観察 ○色々な小箱を作り学校や家の机の抽出しの中や遊び道具の箱の中を整理してみる	○氣軽い挨拶をする お早う、行つて参ります、只今帰りました、行つていらつしやい、お帰りなさい、お休みなさい、いただきます、ご馳走さま ○正しい姿勢 ○お辞儀の仕方 座礼・立礼・会釈 ○来客の取次、もてなし方、茶菓 ○他家に行く時、行つた時の心得 ○音楽会、学藝会等における心得 ○返事	○幼い時から家族の人々に大変世話になつている事を知り、皆で一緒に楽しむ為に工夫する ○起床・食事・帰宅の時間を守る ○老人は敬い、親切にすべき事を知る ○老人を喜ばす工夫 ○幼い者達の世話をする 子守の仕方 ○お使いの仕方 ○るすばんの仕方

第四学年

◎手縫い手法の習得
運針
机ふき
ハンカチ
マスク
前かけ
糸屑入れ
手さげ袋
裁縫の道具
◎スナップや釦のつけ方
◎刺しゅう基礎
よだれかけ
花瓶敷

〔註、四年以上の表中◎印を頭に附したものは衣生活中で男子にも要求する能力である〕

○自分達の体格を知る
○よい身なり
整容
◎衣服の仕末
手入
○洋服や着物の種類やよい着方
着方の順序
○どんな時にはどんな服装をするか
○昔の人の衣生活を知る

○郷土食の色々を調べ合う
○食べ物に関係した奈良の名産を知る
○昔の人の食べた食品を知る
○調理に使用する燃料の種類や上手な使い方
○温い食事
燃料の使用実習を兼ねて味噌汁作り
○穀物や調味品の目方と量の関係
○私達の健康と魚や果物の役目を知る
○主食のいろいろを知る

○家の中全体をいつもきれいにしておく工夫
一週間の掃除場所の分担をきめグラフを作り、学級で実施してみる
○昔の家の研究
○私たちの生活と家の役目
○各自の家の間取を調べ合い家として是非必要な場所を知る
○家における危険防止策の考察
○部屋の暖房と燃料について
○あかりの採り方
○火の用心の重要さ

○日本の家屋の中で快く過す為の心得
戸障子のあけたてたち振まい
○上手にお辞儀をするけいこ
○祖先の方々のおまつりについての心得
○長上に対する態度
言葉づかい
○日本の祝祭日を知る
○手紙の書き方
〔遠方の友達や親るいの人と交る〕

○わが家の家族関係親戚関係を理解する
○わが家の職業が世の中の為にどんなに役立っているかの理解
○近隣の家や人に対する態度
迷惑にならないように心がけるための話合、ラジオを大きくかけすぎたり、早朝や夜更にさわいだりせぬ等
○家族全部のだんらんの工夫
歌を歌う、音楽をきく、ダンスをする、トランプ等

第五学年

○着物の作り方
肌じゅばん
中裁単衣
長着
○ねまきや下着
ズロース
スリップ
シャツ
○ねまきや下着等の洗濯
○小布の利用
〔共同製作をもする〕
テーブルかけ、
クッション
おもちゃ

◎洋服はどんな形の布が組合されてできているか
◎私達の洋服にはどの位の布が要るか
◎織物の原料
組織・性質
大いさの規格を知る
◎寝具類の取り扱い種類
日光に干す
汚れやすい場所にカバーを用いて清潔に

○身体の構造、機能を知る。殊に消化吸収はいせつ作用について
○食品の栄養価を知る
○日々の食事を参考にして簡単な献立をたててみる。
○給食の意味を理解する
○家でしている種々の料理法を観察する
○むしいも、御飯たきの実習
○清潔な調理をする工夫
○台所用品の使方、手入、修繕

○家庭菜園や畠の経営について一年の計画を研究し、実習する
○家の周りや庭を美しく便利にする工夫
ゴミや汚物の処理
物干し場の位置や構造、草木を植える等
○各自の家庭の台所をしらべ、使いよい台所を考える
○便所を私たちの手で少しでも衛生的にする工夫

○外國の日常礼法を知る
○訪問をする時の心得
○乗物内・車内・途上で大声で話をしない
○公園等公共の場所は汚したり損ったりせぬ様殊に心得る

○乳幼児の世話をする
私たちとの相違
成長の仕方
食物や衣服
よい玩具・製作
子守の注意
○老人を敬い助ける
私たちとの相違
老人から聞いた昔の話や体験談の話合い
老人向の衣服食物
老人を喜ばせる為の工夫
○休日のすごし方
○平日の自分の日課表をつくって守る工夫をする

第六学年					
◎ミシンの取り扱い 構造・手入 使用法・基礎練習（雑巾さし） ワンピースの作成 ○大裁女物単衣長着 ◎補綴 ○編物 セーター ソックス ○自分の衣服の枚数を表にし経営を計画実習する	○洋服の美しさ 体格・個性とデザイン 色彩と調和 機能の美等 ○和服と洋服との比較 ○四季の推移と装い ○衣服を新調する場合の心得 ○家庭における一年間の衣服経営を観察大綱を知る	○良い食品の見分け方及び買い方 ○保存食をつくる。 梅干・漬物・ジャムや佃煮の瓶詰等 ○学校給食の実際を観察し給食を自分たちで作ってみる ○共同炊事の特色を知る ○楽しい茶の一時の用意 パン及び菓子つくり、お茶の入れ方 ○世界の國々の食生活の習慣や日常食について知る	○世界の國々の住宅と氣候との関係や構造を知る ○わが家で最も人が使用する時間が長い部屋を調べ合い住み易い部屋の條件を知る ○住宅の手入にはどんなことがあるだろうか、其のための心得 畳替え、屋根や壁のペンキ塗り、障子張り、植木の手入、壁、ふすまの破損修理等	○儀式に列する時の心得 ○簡単な饗應の際の心得 ○快い交りを結ぶ爲の日常の注意 ・常に明るい態度である事 ・人の失敗を笑わない ・約束を守る ・人の好意は素直に受ける	○家ではどのようにお金が使われているか、収入・支出支出の分類、予算決算等を知る ○小遣い帳をつけてみる ○予遣いの使い方を計画する ○貯金の必要 ○お金の上手な使い方をしらべる ○家庭の仕事を能率高く処理する工夫計画をたて、時間を守り、数理的に仕事を行う 一日の生活時間を表にして反省検討 ○家庭生活の價値

(九) 身体的能力指導の系統

私たちの体育における働きは、凡ゆる人に健康を得させ、強さや柔かさや美しさを得させ、不健康な障害を取除いて、弱い者も強くしてやろうとする所に見ることができます。そしてこの働きは教育活動の重要な一面だと考えられます。何故なら、教育が「全人」を対象とする限り教育は、身心両面にわたって陶冶されなければならないからであります。

又私たちはこれとは別に、体育によって人間の行為に現れる精神的なものを教育しようとしています。

そして事実体育によって人間を明朗にし、敢行力をつけ、思いやりのあるものにした経験をもっています。

元来一定の態度や習慣の形成は、常に身体的行動を通じて、その行動の様式を一定の慣習に向かって形づけることであり、一生けんめいにやる態度もかっぱつな動作も身体的活動を通して形成されるものであります。

人が人間らしくなければならない人格的なものも、必ず身体的なものを通して作られてはじめて本物になります。即ち実践を通さなければなりません。

この場合体育は他の如何なる場合よりも一層即時に身によつて行うことを要求することができるという点で好都合であります。身体から心の形成をするのです。と同じく、体育においては心の最も端的なものを見つけることができます。行動をみて心を知ることができます。児童の運動する中の色々な反応が最も素直な心であると注意してみていくのであります。体育の重要な意義の一つがこゝにあるといえます。

又身体及びその活動を、美的な表現と見る要素も当然看過できません。そして美の表現体としての身体、表現技法としての身体機能は藝術性を要求されてきます。

スポーツを楽しみスポーツを愛好することは、人間の社会に理想と愛情を抱かせ、この愛は廣く人類愛に拡がりいく萌芽であります。

以上の様に、体育は身体の教育の一面と共に、人間に倫理性・科学性・藝術性・宗教性を現し、人間生活を文化的に強め高め深めていくものであります。

かくして体育することによつて、よりよく生き抜かせるのであります。

私たちは行動する以外には人生を見出せないものです。私たちが指導する姿は児童の行動を直視して

その中から自己と人間の姿を発見していくことでありましょう。

子どもたちは又一つの運動をすることによつて、純粋な体育的な感動や態度を生活し、それがひいてはこの複雑困難な実人生に対する理想と愛情と生き抜く力を培うことになるのであります。

かくの如く体育をおし進める為には、人間が本質的に持つている素朴なもの——これは力も性格も含めたもの、そして従来は確かに軽視されていたもの——を、じつと見つめ、それを引き出し、それを強くするのでなくてはならないと思います。

これは人間性の始原的な生命であつて、体育の活動が喜びに満ちているのはこの素朴なものの自由の解放であることに原因していると思われます。

それに今日、再建途上にあるわが国を強くする道は、一に、日本人一人一人が他人の力を借りずに働き抜くことであります。働く力の基礎としての体力と、恐れる所なく自己の所信に突き進む体育者の勇氣を、今こそ培わねばなりません。体育を通じてこれを子どもたちに培おうとするのであります。

そして体育の本質を前記の如く考えるが故に、体育の場は喜びに満ち希望にあふれるのであります。

子どもたちが若あゆのような元氣さを獲得し、友情にみちて、お互いの生活を深く発展させてくれ

ることを思いながら以上の立場に立って体育の目標を次の五項目に定めてみました。

一、健康教育と衛生環境とを充実させることによって、健康的な習慣と態度、衛生に関する知識を涵養し、身体並びに諸機能の正常な発育発達を促進すること。

二、体操・遊戯・球技・ダンス・水泳などの練習によって、基礎的な技術と能力の獲得と、いつ如何なる場合に直面しても、最も適当した身体の活動をなし得る技術と能力を発達させること。

三、積極的に各運動に参加し、その中に含まれる困難性を克服することによって、そこから生まれてくる表現力、自信力を進め、特に状況の分析力、要素の発見観察力、判断力と遂行力、並びに指導力を発達させること。

四、自発的に諸運動を行うことによって体育運動の廣い興味と熟練を得させ、よりよい社会的性格と態度とを育成すること。

五、班別指導と個別指導を有効に生かした健康訓練や運動練習によって、良い姿勢の形成と身体の欠陥除去に努め、個性的発達に留意すること。

以上の体育の目標は、対象である児童の発育発達の程度によってそれぞれ学年的・段階的な目標として相当具体的な姿で示されねばなりません。そしてこの目標からは、たやすく必要と思われる教材群

を発見することができます。第一表がそれであります。次にこれと選択された教材群が如何なる意味を持ち、如何に発展し、又如何に進められるべきか、即ち教材に含まれる能力の系統を明らかにすることは、指導の上で大切なことがらであります。

これは過去や現在の児童の実態調査の集計による基礎、基礎的な実験観察による可能範囲の決定、各種の経験等から生み出されるものであって一應一般的とはいえ、私たちが指導をする時の直接目安となるものであります。そこで、体育活動の内容を柔軟性・器機器具使用運動能力・個人遊戯・團体遊戯・リズミカル運動・個人的基本能力の六つの項目に分けてその各々について、学年的な発展の系統と、その学年として、当然到達するのがよいと思われる指標について考えました。第二表がそれであります。

（第一表）

第一学年

目標

生活の変化からくる各種の制限を緩和するよう養護に特に力を注ぎ健康第一主義で進む。

1、全身機能をおう盛にする運動で、兒童の心の窮屈さを解放する愉快な活動を與える。

2、身体的能力からみれば、局所的運動は却つて苦痛で、総合的で全身を自由に活動でき、学級兒童が同時に行い得るような興味深い運動を選択する。

3、教材としては、自然運動（生活運動）を中心とし、音樂の伴う模倣遊戲・説話遊戲等を多く取り入れ、その他の色々な運動もすべて遊戲の形式で與える。

4、一日に必要な運動時間は四―五時間である。

中心教材群

春（四・五月）

㈠物まね遊び（のびあがり大人と子供、ピストン等）
㈡器械遊び（低鉄棒につかまる、振つて前に下りる等）
㈢各種の遊戲（かけつこ、鬼遊び、旗取競走等）
㈣球遊び（球運び、キックボール、球投げ、球並べ等）
㈤リズム遊び
㈥体育知識（良い遊びをする―運動具の名前使用上の注意について）

夏（六・七・八月）

㈠物まね遊び（風車、ボートこぎ、シーソー等）
㈡器械遊び（棒登り、鉄棒の各種マットで轉ぶ）
㈢各種の遊戲（川跳競走日月遊び、折り返し等）
㈣球送り、球並べの遊び
㈤リズム遊び
㈥水遊び（水中行進、並びつこ等）

秋（九・十・十一月）

㈠物まね遊び（よこばい、兎とび、けんとび等）
㈡器械遊び（鉄棒の遊び、肋木腰掛円木の遊び等）
㈢各種の遊戲（鬼遊び、けん跳び、リレー等）
㈣大球送り紅白球入の遊び
㈤リズム遊び
㈥体育知識（元氣よくやろう―かつぱつと粗暴、野外で遊ぶ）

冬（十二・一・二・三月）

㈠物まね遊び（後の人を見る等）
㈡器械遊び（マットで轉ぶ、とびこし等）
㈢各種の遊戲（鬼遊び、汽車ごつこ等）
㈣リズム遊び

第二学年

目標

学習活動を解放し、心身の自然的発育を助長して不良姿勢の予防につとめ、健康第一主義で進む。

1、闘争、狩猟、競走、追逃、模倣等の本能的な欲求を満足させるような総合的な運動を選び、全身の機能をおう盛にする。

2、想像、自己中心的傾向が減少し、現実に対する欲求が出てくる時期で、運動調整能力を助長するような運動、初歩の團体的精神を助成する簡單なゲームが適当している。

3、一般身体的訓練普遍的生長発達の原則に立つて教材を各方面から選択し系統的に配列取扱をする

4、一日に必要な運動時間は四―五時間である。

中心教材群

春（四・五月）

㈠物まね遊び（おすもうさん、ポンプ飛行機等）
㈡器械遊び（鉄棒遊び、マット遊び、棒登り等）
㈢各種遊戲（かけつこ、リレー、川跳競走等）
㈣球遊び（球並べ球送り）
㈤リズム遊び
㈥体育知識（よい遊びを正しくやる）

夏（六・七・八月）

㈠物まね遊び（ボートこぎ水泳ぎボールけり等）
㈡器械遊び（鉄棒遊びマット上で轉ぶとびこし）
㈢各種の遊戲（段とび、けけ鬼、回旋リレー等）
㈣球遊び
㈤リズム遊び
㈥水遊び（水中行進、水かけ遊び、鬼遊び）
㈦体育知識（健康と運動―屋外運動と日光）

秋（九・十・十一月）

㈠物まね遊び（前後屈、シーソー等）
㈡器械遊び（鉄棒に足かけさか上がり、棒登り、前轉とびこしとび上がり下り）
㈢各種遊戲（リレー鬼遊び）
㈣リズム遊び
㈤球遊び（紅白追入、球あて遊び）
㈥体育知識（規則に従う―遊戲とルール）

冬（十二・一・二・三月）

㈠物まね遊び（胸の伸展体前後屈、側屈側轉）
㈡器械遊び（とび上がり下り、とび越し、前轉）
㈢各種遊戲（縄跳び、けんとび乗物ごつこ）
㈣ボールけり遊び
㈤リズム遊び

第三学年	
目標	中心教材群
自然運動を中心とする健康第一主義からやゝ鍛錬味を加えて心身の自然的発育を助成し、社会的な品性を養い、團体生活の基礎を作る。 1、運動調整能力が向上するから、やゝ高い程度の技術運動も可能となり、かつぱつな持続運動も採用される。 2、自己中心的傾向は減退して社会的存在となり、一方冒険的で自己の現実を知ろうとする即ち自主性と英雄的独占性から行動するし、競争心理のぼつ発と共に、遊戯を通しての訓練は本学年の重点である。 3、一部の運動に偏り易い学年的な性格がある。各種各様の運動を経験させて能力の向上をはかる。 4、一日に必要な運動時間は四—五時間である。	春（四・五月） (一)徒手体操（脚、腕、頸、胸、体側、跳躍等全身の修練） (二)器械体操（鉄棒—逆上り脚懸上がり、前轉横轉、とび上がり下り） (三)各種遊戯（競走、リレー跡追い、鬼遊び等） (四)球技（対列フット、送球競争） (五)リズム運動 (六)体育知識（規律生活と健康）
	夏（六・七・八月） (一)徒手体操（結合の程度を工夫） (二)器械体操（鉄棒—とび上がり、とび越し、とび上がり下り） (三)各種遊戯（幅とび競争球あて等） (四)球技（ベースボール遊び等） (五)リズム運動 (六)水泳（沈み方浮き方立ち方水泳心得面かがり） (七)体育知識（團体遊戯とチームワーク）
	秋（九・十・十一月） (一)徒手体操（斜前屈等） (二)器械体操（鉄棒—前廻り下り、足かけ廻り等、マット上の前轉横轉とび越し） (三)各種遊戯（競走リレー、片足リレー、高跳競争等） (四)球技（フットベースボール、ドッヂボール遊び） (五)リズム運動 (六)体育知識（運動会について）
	冬（十二・一・二・三月） (一)徒手体操（伏臥、仰臥等） (二)器械体操（とび上がり下り、とび越し、前轉横轉） (三)各種遊戯（跡追い、押し出し遊び、場所取り、縄とび、鬼遊び等） (四)球技（フットボール遊び、ドッヂボール遊び） (五)体育知識（規則に従うこと—遊戯とルール）

第四学年	
目標	中心教材群
相当鍛錬を加えて社会性を促す團体遊戯と、個人的競争の運動により、個人の能力を伸ばし体育の精神的な効果を発揮する。 1、身心の発達の顕著な時期であり、器用急速等の性能を發揮する運動を好み、一方、優越感が強くなる時であるから競争的要素の多い、活ぱつで持続的な遊戯が與えられるべきである。 2、個人的力量を発揮する特色をもつから、自己の能力を明らかにするような種目を指導する。 3、團体に属する欲求と、熟練獲得の容易性により、やゝ組織化された團体遊戯に親しませる。 4、一日に必要な運動時間は四時間である。	春（四・五月） (一)徒手体操（脚、腕、頸、胸、体側、胴体、跳躍等で全身修練） (二)器械体操（逆上り懸垂跳上がり前轉、横轉、跳上下） (三)各種遊戯（競走リレー、引合、鬼遊び等） (四)球技（フットベースボール、対列フットボール） (五)リズム運動 (六)体育知識（健康の意義と健康日課）
	夏（六・七・八月） (一)徒手体操（前倒等の運動による背筋強化） (二)器械体操（脚懸け上がり、とび越し、跳上下） (三)各種遊戯（高跳、幅跳球投げ、ドリブルリレー） (四)球技（ベースボール遊び） (五)リズム運動 (六)水泳（呼吸法、犬かき泳ぎ、各種遊戯） (七)体育知識（健康になるには）
	秋（九・十・十一月） (一)徒手体操（側倒等に側筋の強化をはかる） (二)器械体操（脚懸回轉、とび越し、前轉、横轉） (三)各種遊戯（跳越しリレー綱越しボール等） (四)球技（円形、方形ドッヂボール） (五)リズム運動 (六)体育知識（スポーツマンシップ遊戯競技とルール）
	冬（十二・一・二・三月） (一)徒手体操（側臥等） (二)器械体操（跳上下とび越し、前轉、横轉） (三)各種遊戯（跡追い、鬼遊び、旗とり、縄とび等） (四)球技（フットボール遊び、ドッヂボール等） (五)リズム運動 (六)体育知識（体操の話—身体臓器の三大本能）

第五学年

目標
兒童期中最も愉快な活動に堪え得る時期であるから、次第に鍛錬主義の指導をして体育の精神的効果を愈々發揮させ、眞に体育運動に対する興味を喚起する。 1、身体的発育は特に急速で、強靭さも増す。特に女子において甚しい。活動も非常に充実するから能力向上巧緻力支配力の養成に注意し、一方姿勢の形成が大切である。 2、感情強く、競争心極めておう盛、群居本能強固、記憶盛んで協同心も発達するから組織的な團体遊戯が最もよい。 3、体育を通じて性格の陶冶をする最も効果ある時期である。 4、一日に必要な運動時間は四時間である。

季節	中心教材群
春（四・五月）	㈠徒手体操（全身に亙る運動を四年より進める） ㈡器械体操（逆上がり脚懸け上がり振り跳び跳上下） ㈢各種遊戯（競走リレー、鬼遊び、跳越し競走） ㈣球技（ゴールハイ、壁テニス等） ㈤ダンス（リズム運動と表現） ㈥体育知識（体力測定、運動実行上の注意）
夏（六・七・八月）	㈠徒手体操（脊柱を正しく強くする留意） ㈡器械体操（前轉後轉、とび越し、とび上がり下り） ㈢各種遊戯（高跳、球投げ、キャッチボール、すもう等） ㈣球技（ソフトボール、少年ベースボール等） ㈤ダンス（表現） ㈥水泳（平泳ぎ、横泳ぎとび込み、心得等） ㈦体育知識（過度の運動の害、オリムピック水上競技）
秋（九・十・十一月）	㈠徒手体操（後倒や回旋の練習を中心に） ㈡器械体操（腕立て回轉、とび越し） ㈢各種遊戯（競走、リレー走幅跳、跳び越しリレー） ㈣球技（ドッヂボール、ワンアウトボール、キャプテンボール） ㈤ダンス（リズムと表現） ㈥体育知識（スポーツマンシップ）
冬（十二・一・二・三月）	㈠徒手体操（既習の徹底した練習を中心に） ㈡器械体操（とび上がり下りとび越し腕立轉回） ㈢各種遊戯（縄跳、馬のり遊び、長距離競走等） ㈣球技（ポートボール、少年フットボール） ㈤ダンス（リズムと表現） ㈥体育知識（各種の身体機能の測定と意義）

第六学年

目標
兒童の完成期である身体発達上の改革期としての考慮を拂いつゝ、大いに鍛錬的に指導し、体育による精神の昂揚、社会的性格の涵養につとめ、各種運動を自発的に行い、体育の眞の興味と趣味を養う。 1、男女の身体的特徴が現れ、運動は男子が鍛錬的なものを多く課すに比し、女子は律動運動を進める。 2、身体は強い運動に耐え團体意識発達し、競争心強く、高度の能力を発揮出來る團体的遊戯がよい。 3、姿勢形成上重要な時期である。制限された姿勢にも耐え得るし、分解的部分的指導も活用する。 4、一日に必要な運動時間は四時間である。

季節	中心教材群
春（四・五月）	㈠徒手体操（全身に亙る運動から柔軟度リズムの基礎訓練をする） ㈡器械体操（振り跳び、け上がり、腕立轉回、跳上下） ㈢各種遊戯（競走、跳び越し競走、リレー幅跳等） ㈣球技（順送球、送球競争、少年バレーボール） ㈤ダンス（リズム運動と表現） ㈥体育知識（体育の生活題材と練習法）
夏（六・七・八月）	㈠徒手体操（脊柱を中心とする正常な強化） ㈡器械体操（倒立跳び越し、跳上下、け上がり） ㈢各種遊戯（すもう高跳キャッチボール球投げ） ㈣球技（ソフトボール、少年ベースボール、キャプテンボール） ㈤水泳（速泳、跳び込み潜水、心得と講話） ㈥体育知識（運動と呼吸循環、神経系）
秋（九・一〇・十一月）	㈠徒手体操（隊運動、倒運動の習熟） ㈡器械体操（け上がり、側轉、腕立轉回、とびこし等） ㈢各種遊戯（競走リレーすもう幅跳とび越しリレー） ㈣球技（ポートボール、ワンアウトボール、少年ハンドボール） ㈤ダンス（リズム運動と表現） ㈥体育知識（競技会、チームワークの道徳的意義）
冬（十二・一・二・三月）	㈠徒手体操（自分の身体に合つた体操の実行） ㈡器械体操（とび上がり下りとび越し腕立轉回） ㈢各種遊戯（縄跳び、子取り鬼、長距離競走、馬のり遊び、押し合い等） ㈣球技（フットボール、少年バスケットボール） ㈤ダンス（リズムと表現） ㈥体育知識（わが國民の運動不精、新日本建設とスポーツ）

（第二表）

	第一学年
柔軟性	一、柔軟性を得る体操はすべて物眞似連想等による表現とし音樂と一体的に行う 二、赤ん坊の身体のやわらかさと自分の身体のやわらかさとをくらべる 三、腕を伸ばして各方向に挙げられる 四、体の後屈運動や肩胛骨を動かす運動の强いものはやらない方がよい
器械器具使用運動能力	器械器具に一回でも多くふれさせ馴れさせることを重点とする 一、肋木あそび 自由登降。片手をはなして止る。横に移動する 二、滑り台あそび 足の裏をつけずに滑る 順序よく待つ。上で押し合わない 三、攀登あそび 自由に登降する 四、低鉄棒あそび ぶらさがり。足かけ、 五、腰掛あそび 扱い方、上る。下りる 六、平均台あそび 落ちないように渡る
個人遊戯	一、闘爭狩猟競走本能的な欲求を満足させるような個人遊戯を多くする 二、なるべく徒手の遊戯をする 三、模倣傾向が強いから自然物等の模倣遊戯を沢山やる 四、勝負は、特にはつきりとした方法をとる 五、運動用具の名前をおぼえ簡單に使い方を知る 六、調子に合わせて、跳ぶ動くあそびやかけつこは特に必要である 七、一氣にかける走距離は五〇米以内が適当 八、平素自由にやつている遊びを採用する
團体遊戯	一、個人遊戯で経験した運動を受継ぎの形にしたものをやる ○引継ぎ方 ○よく見て應援 二、ボール送り競爭のようなものをやる ○渡す人をよくみて渡す ○誰からもらつたかを知りしつかりつかむ ○きめられた場所をよく守る
運動（リズミカル）	ダンスの系統案参照
個人的基本能力	一、單独の錬成は不可能であるが走力跳力投力が共にのびるように工夫指導する 二、歩行力　四粁 自然歩速度基準 一分間一五九 歩幅　五五糎 三、基本姿勢を実践を通して知らせる

	第二学年
柔軟性	一、柔軟性を得る体操は物眞似連想による表現とし音樂と一体的に行う 二、腕脚頭椎胸椎腰椎の屈つている時伸びている時のちがいを体得する 三、脚をのばして各方向にあげられる 四、脚を側に廣く開いても倒れない 五、色々なリズムで腕や脚の運動が出來る 六、体後屈や肩胛骨を動かす運動の强いものはやらない方がよい
器械器具使用運動能力	器械器具に馴れ親んで使うようになる 一、肋木遊び—二段三段とんで登降。両手両足同時に登降。とび降り 二、攀登遊び—自由に登降 三、低鉄棒遊び—鉄棒上に何とかして上る。安全に着地する（後前） 四、腰掛遊び—置き方。各方向へとび下り。とび越し 五、平均台遊び—早く渡る。落し合う 六、跳箱遊び—上にあがり砂場に下りる 七、マット遊び—前にころぶ
個人遊戯	一、自然的本能的な個人遊戯を多く採用する 二、なるべく徒手の遊戯をするが、軽いものの運搬は好んでやり適当である。 三、平素の自由遊びを取入れる 四、遊戯のし方についてのきまりをよく守る 五、特に勝負のはつきりしたものをやる 六、整列法順番の待ち方應援法等の基礎訓練を正しく体得 六、野卑な言動乱暴な行爲をしない 八、走運動の距離は大体五〇米内外が適当である
團体遊戯	一、個人遊戯でやつた運動の引継競走 ○定つた場所で引継 ○走るための目標設定 ○よく見て應援 ○引継の練習 二、球送り競爭等 ○正しく渡す ○みんなが一生懸命になる ○正しく受取る ○あわてない ○整頓間隔を正しくする
運動（リズミカル）	ダンスの系統案参照
個人的基本能力	一、時に測定して力を見る 五〇米走 一〇秒二 立幅跳 一米五三 投力—手が痛まないで遠くへ 二、歩行力六粁自然歩速度基準 一分間歩数 一五〇 歩幅五八糎 三、正しい基本姿勢がしつかりとれる

第三学年	
柔軟性	一、柔軟な身体が立派な身体の基礎であることを心得る 二、身体を修練する順序をおぼえる 三、脊柱が生理的彎曲をなして固定する時だから正しい運動でよい刺戟を與える 四、直立体前屈して両手で足頸がにぎれる 五、腕上挙した際上膊が耳より後にくる 六、胸の伸展の正しい要領を知る 七、頭が各方向に大きく動かせる 八、音樂と一体的にやるようにつとめる
器械器具使用運動能力	運動調整能力が発達し体操的にできる 一、肋木遊び—競爭して登降。ぶら下がり 二、攀登遊び—調子よく登降する 三、低鉄棒運動—懸垂跳上がり。逆上がり脚懸け上がり。脚懸け回轉が出來る 四、平均台遊び—走つて渡る落し合う 五、跳箱遊び—跳上がり跳下りる低学年用を跳越せる（縦横共） 六、マット遊び—助走して前轉。マットに臥して右左に轉ぶ
個人遊戯	一、個人遊戯を中心に團体遊戯を相当多く加える 二、規則のやゝ複雑なものの自己統制を発達させる競爭的なもの 三、遊戯の服装や身体條件に注意する 四、さわがないでやれる 五、規約は簡單なものから次第に工夫して作るよう導く 六、遊戯の準備及び整理は自分達でできる 七、体力的個別性に考慮を拂う 八、適当な走距離は六〇米程度
團体遊戯	一、各種のリレー ○引継方法の色々 ○規約を考える ○協力組の表彰 ○團體遊戯の訓練 ○距離四〇—五〇米 二、球技 ○本能に根ざした簡單なチームゲームで個人の力が明らかなものがよい ○簡單な規約を作り練習と共に生み出させる ○パス、キャッチの方法を一應正しく ○規約を守る○乱暴しない○ボールを独占しない
リズミカル運動	ダンスの系統案参照
個人的基本能力	一、標準を與えて能力向上に努めさせる 五〇米走　九秒八 百米走　二〇秒八 高跳　腰から胸の高 幅跳　立　一六〇糎 走　一八三糎 スポンジボール投　二三米 バスケットボール投　七・八米 懸垂屈腕　一—二回 二、歩行力　八粁 自然歩速度基準 一分間歩数一四六 歩幅　六〇糎 三、姿勢を正す時間、運動前後の姿勢

第四学年	
柔軟性	一、身体柔軟性の意義 自分に適当な体操 二、背筋腹筋を強化する運動が必要 三、脊柱固定化に対する適切な処置 四、運動の準備として体操が價値のある事 五、直立体前屈して前額部が脚につく 六、運動の緊張と解緊の区別がはつきりとやれる 七、伸びやかさが出る 八、腕を側に開き直側より三〇度以上後方にくる 九、側屈を正しい要領でできる
器械器具使用運動能力	うんと力をつける 一、肋木遊び—ぶら下つて膝の屈伸 二、なるべく早く登攀 三、雲梯梁木渡り—注意深く順序よく 四、低鉄棒運動—懸垂跳上がり五回以上。腕立回轉ができる 五、跳箱運動—跳び上がり下り 片足踏切　高二〇糎 両足踏切　高八〇糎 跳越し 開脚縦　高六〇糎 閉脚横　高四〇糎 前轉　高四〇糎上 六、マット運動—手をつかずに前轉
個人遊戯	一、次第に個人遊戯が減り團体遊戯が増す 二、個人の能力のよく現れるものをとる 三、相手に迷惑しない 四、規約をよく守る共に自分たちで規約を生み出す 五、使用する遊戯用具の準備整理は正しく自分達でやれ。 六、男女は仲よく遊戯できる 七、運動用服装の整備 八、適当な走距離八〇米程度
團体遊戯	一、各種のリレー ○一般的な方法に近づけつゝ初歩指導 ○全体の一人としての働く自覚 ○距離五〇—六〇米 ○相当複雑なものも経驗 二、球技 ○個人の力のよく現れるチームゲーム ○規約を各種の原則から組織的に ○團体競技時の訓練 ○投球の各種 ○全員がボールを扱える工夫 ○ボールを大切にする習慣
リズミカル運動	ダンスの系統案参照
個人的基本能力	一、思う存分の能力を発揮させ向上させる 五〇米走　九秒二 百米走　一八秒五 高跳　胸から肩 立幅跳　一、七米 走幅跳　二、七五米 スポンジボール投　一八米 バスケットボール投　一〇、一米 懸垂屈腕　二—三回 二、測定法—幅跳 三、歩行力　十一粁 自然歩速度基準 一分間歩数一三九 歩幅　六一糎 四、運動前後運動中の姿勢を正しくする

第五学年

柔軟性	一、柔軟性の必要と体操の價値を知り自分に適した体操を実行する 二、各部の筋肉を強化するような運動方法 三、運動の準備と整理運動の正しいやり方を知り常に実行する 四、正しく側屈し手尖が足頭にくる 五、片足を前に振り上げ足が頭より上にあがる 六、しなやかさが出る 七、幇助し合い倒立する 八、支頭倒立が出來る 九、倒立から前に倒れ腹を上に太鼓橋を作る 一〇開脚体後屈して上挙の手が腰より低くなる
器械器具使用運動能力	陶冶効果を発揮する 一、攀登しなるべく手だけで登降できる 二、低鉄棒運動ー懸垂跳上がり一〇回以上 振り跳びで身長以上遠くへとぶ。四年迄のものが膝を伸ばしてできる 三、跳箱運動ー跳び上がり下り 片足踏切　高三〇糎 両足踏切　高一米 開脚跳越し　七〇糎 閉脚跳越し　五〇糎 前轉　高五〇糎の上 四、マット運動ー向うに手をついて、手をつかず後轉ができる
個人遊戯	一、團体遊戯を中心とし個人遊戯を加味する 二、目標を與え一方測定を多くする 三、正しく競技する基礎訓練を深める 四、用具の整理整頓は勿論簡単な修理も出來るようにする 五、適当な走距離は百米程度 長距離六〇〇米程度 六、各種の技術能力が著しく伸びる時であるから個人の競技も十分熟練させる
團体遊戯	一、各種のリレー ○個人競技と連絡して程度を高める ○全体の力を如何に結集するか考える 二、距離六〇ー七〇米 三、球技 ○組織的なチームゲームがよい ○規約の設定ー程度を高める ○審判の補助になる ○各自の持場を守つて働く ○基本練習を取入れる ○すぐ試合に入らない ○ボールを大切に取扱う
リズミカル運動	ダンスの系統案参照
個人的基本能力	一、一生涯の能力の基礎を築く時である 五〇米走　男九秒〇（女九秒一） 百米走　男一七秒二（女一七秒八） 走高跳　男九五糎（女九〇糎） 立幅跳　男一、八〇米（女一、七二米） 走幅跳　男三、二二米（女二、八米） スポンジボール投　男二八米（女二〇米） バスケットボール投　男一五、〇米（女一二、一米） 懸垂屈腕　男三ー四回（女一ー二回） 二、測定法ー投力懸垂 三、歩行力ー十五粁 自然歩速度ー基準 一分間歩数一三七 歩幅　六六糎 四、端正な姿勢が保てる、運動姿勢が美しくなる

第六学年

柔軟性	一、柔軟性の意義と体操の使命を知り自分に適した体操を実行 二、筋力の増強を図る 三、仰臥して脚を頭の後に持ち上げ床上に足尖をつける 四、脚を側に挙げ水平より高くあがる 五、脚を前後又側に順次大きく開き大腿部が床につく 六、各運動の準備整理運動としてよりよい考慮をする 七、倒立ができる 八、支頭倒立から前に倒れて足尖を床につけて立つ
器械器具使用運動能力	強度の身体支配力決断力調整力を強める 一、攀登ー手で早く 二、低鉄棒ー簡単な連続ができる 逆上りー脚かけ上がり跳び上がりー腕立回轉け上がりができる 三、高鉄棒運動ー跳びつく。振つてとび下りる。逆上がり脚懸け上がりができる 四、跳箱運動ー跳び上がり下り 片足踏切高三〇糎 両足踏切〃一米 開脚跳越し八〇糎 閉脚跳越し六〇糎 前轉　六〇糎上 五、マット運動ー倒立して前轉。側轉。腕立轉回ができる
個人遊戯	一、團体遊戯を中心とし個人遊戯を加味する程度 二、自己の能力を知り自発的に練習するように導く 三、障害の防止に留意させる 四、用具の準備整理は勿論簡単な修理を見つけて行う 五、適当な走距離一〇〇米程度 長距離八〇〇米程度
團体遊戯	一、各種リレー ○専門的指導も挿入 ○團体の一員としての姿を考え良くさせる 二、距離七〇ー八〇米 三、球技 ○協力的組織的なチームゲームがよい ○規約の設定ー一般の規約との比較 ○審判が出來る ○試合中作戦時間を與える ○自分達でチームを作り課外に練習する ○各自の持場を守る方法の工夫 ○ボールの保管取扱手入が出來る
リズミカル運動	ダンスの系統案参照
個人的基本能力	一、兒童期の完成として能力向上を強力に進めるべきである 五〇米走　男八、八秒（女九、〇秒） 百米走　男一七、〇秒（女一七、五秒） 走高跳　男一米（女〇、九米） 立幅跳　男二、九（女二、八） 走幅跳　男三、五（女三、二） スポンジボール投　男三八米（女三〇米） バスケットボール投　男一八米（女一五米） 懸垂屈膝　男三ー四回（女二回） 二、測定法ー走高走力 三、歩行力ー一八粁自然歩速度規準ー一分間歩数一三四歩幅六九糎 四、端正な姿勢が常に保たれ運動姿勢も美しさを加える

（10）衛生的能力指導の系統

月	項目	指導の内容（第一・二学年）
四	健康日課	一日の日課表を與えてそれを知らせ実行させる（家を出てから帰る迄の学校生活を主とする）
	衛生しらべ	衛生実態調査と指導の出発の発見（顔歯手爪耳頸の清潔、ハンカチはな紙・入浴・その他）
	姿勢	㈠静止時の姿勢（直立椅生睡眠書写読書食事）　㈡運動時の姿勢（歩行時の姿勢）
五	身体の清潔	㈠どんな時に身体を清潔にするか（○毎朝顔頭耳を洗う○食前用便後○外出後口すすぎ手足洗い○就寝前口手足を洗う）㈡身体を清潔にする方法（○手足の洗い方○爪の切り方○歯の磨き方○うがいのし方○顔の洗い方○鼻汁のかみ方○入浴のし方○頭髪の手入）
	傷害の防止	㈠どんな時に注意するか　㈡防止の方法
六	歯	㈠永久歯の保護（○身体強健○歯牙歯齦の清潔○歯磨）㈡うしの原因と予防（歯科医）
	皮膚の摩擦	摩擦の習慣をつける（徒手摩擦・乾布摩擦・感冒と凍傷と摩擦）
	夏の衛生	梅雨期の衛生について知らせ特に疫痢について教える（未熟な果物・食べすぎ・身体を冷さない）
七	休養睡眠	㈠どんな時休養睡眠をしなければならないか（運動後、休憩時の使い方、食後、夜、午睡）㈡休養睡眠の方法（定つた時間・夜の睡眠のし方・午睡のし方・休養のし方・休憩のし方）
九	眼	㈠眼を大切にすること（こすらない・異物・爪）㈡トラホームの予防（専用品・手顔の清潔）
	耳鼻咽喉	㈠時に耳そうじをする　㈡声と咽喉との関係簡単に　㈢うがいのし方
一〇	運動	㈠仲良く遊ぶ　㈡戸外で　㈢運動用具の使い方　㈣良い遊び悪い遊び　㈤過労
	空氣と日光	㈠室内の空氣　㈡新鮮な空氣

月	項目	指導の内容
一一	食事	㈠正しい食事のし方㈡食前の手洗㈢食べ方㈣かみ方㈤好き嫌いなく㈥定量を食べる㈦食後に口をすすぐ㈧作法
	衣服	㈠衣服や持物の清潔㈡着衣のし方㈢ぬれた衣服を着ない㈣薄着の習慣
一二	冬の衛生	㈠鼻呼吸㈡うがい㈢マスク㈣深呼吸㈤清い空氣㈥ひゞしもやけあかぎれ㈦どうする㈧予防法
	大そうじ	㈠部屋、下駄箱、共同備品の整理整頓　㈡すすはきの手傳い（二年）
一	住居	㈠部屋の清掃のし方（○窓を開け○掃除用具の後始末○掃除後手洗口すすぎ）㈡部屋の中の空氣㈢戸外で遊ぶわけ㈣中と外とで衣服の着脱をやる
	感冒	㈠感冒はうつる㈡人込の中はマスク㈢患者に近よらない㈣人にうつさない、せきをする時には口へハンカチを当てゝする
二	はいせつ	㈠便通は一日一回　排尿は一日数回あること　㈡はいせつ後の清潔　㈢便所の正しい使い方（定つた場所に足を置く・よごさない・戸じまりを正しく）
	寄生虫	㈠寄生虫が害毒を及ぼすこと　㈡月に一回は駆虫薬を服用する
三	健康反省	一年間の健康をふりかえつてみて次後の計画の資料にさせる（○教えられたように健康実践をやつたか、○病氣をしたか　○どんなに健康になつたか　○これから特に氣をつけてやらねばならないことは何か）

第三・四学年

月	項目	指導の内容
四	健康日課 身体の測定 姿勢	正しい生活をさせるため日課表を作らせ実行させる（実行案・反省・実行者の表彰） ㈠自分の身体を知ること㈡体重計への上り方下り方㈢健康と体重との関係㈣継続的測定㈤用具 ㈠正常姿勢（静止時、歩行時、走行時）㈡姿勢と脊柱　㈢姿勢と机腰掛
五	身体の清潔 傷害の防止	㈠身体を清潔にする方法（石けんの使い方・たおるの使い方・頸部） ㈠父母から離れて遊びたがる注意を要す　㈡傷害防止の必要（傷害と生命・事故の原因・傷害の手当・学校家庭社会に於ける事故防止に協力する）
六	歯 皮膚の鍛錬	㈠歯牙の保護（毀損の防止等）㈡歯を大丈夫にするには（食物の好嫌なし、よくかむ、熱いもの冷いもの、早期発見、むしばの原因） 毎日実行の習慣をつける（乾布摩擦）
七	休養睡眠	㈠睡眠の衛生（仰臥腹あて、寝具）㈡熟睡すること（夕食控目、食後楽しく、寝具暗い室）
九	眼 耳鼻咽喉	㈠眼を大切にする（○光線明るさ○異物は涙で出す○洗眼の方法）（四年）　㈡近視の予防（身体の強健・眼の過労・作業姿勢・作業時の採光） ㈠守る為には（耳に水の入らない様に、鼻腔は清潔に、悪くなると必ず医者へ）　㈡ジフテリヤについて（どうして入る・どんなになる・どんなにすれば）
10	運動 空氣と日光	㈠一日一回必ず戸外運動を習慣とする　㈡運動服装の整備　㈢各種の遊び　㈣立派な歩行　㈤体力とは　㈥測定と反省 ㈠人間と空氣日光との関係　㈡登山海水浴はなぜよいか　㈢深呼吸の價値と実行方法
十一	食事 衣服	㈠私たちの食物と栄養分㈡生きて働く爲の栄養分㈢食物の選択㈣菓子の間食は不可㈤偏食の害 ㈠衣服の洗濯をさせる㈡運動作業に適應した衣服㈢薄着の訓練㈣汗の処置㈤蚤虱の駆除㈥作法
十二	冬の衛生 感冒 大そうじ	㈠部屋の暖房について㈡呼吸器の衛生（鼻呼吸、マスク、うがい、深呼吸の励行） ㈠感冒の予防（原因、かかつた時の注意）㈡頸巻外套はなるべく用いない㈢毛糸類肌着は不可 ㈠学校のすすはらいについて考えて実行する
一	住居 結核 看護法及び救急処置	㈠住居の掃除のし方（学校家庭道路）㈡掃除用具の使い方と保存法　㈢住宅の美化　㈣空氣日光、水、土の必要について　㈤上水下水の清潔　㈥特に不潔な場所の清潔法（便所、下水溝、炊事場、塵捨場等） ㈠ツベルクリン反應検査について　㈡BCGについて　㈢結核とはどんな病氣か ㈠看護法（○体温の測り方○藥ののませ方○病室の心得） ㈡救急処置（○止血○火傷○鼻血） ㈢消毒法（○過酸化水素水○クレゾール石けん液○アルコール○マーキュロクローム）
二	はいせつ 寄生虫	㈠排便が健康に大切なことを知らしめる　㈡便通をよくする方法を知る　㈢公衆便所の使い方 ㈠検便について　㈡野菜の清潔と消毒について　㈢ふん便の処理について
三	健康反省	一年間の健康生活を反省させ次後の計画の資料にさせる （○衛生実践事項の反省　○身体教育状況の反省　○体力向上状況の反省）

第五・六学年

月	項目	指導の内容
四	健康日課	㈠健康のための日課を作らせてより正しく合理生活を実践させる ㈡身体検査その他により自己の体位を自覚させ本年度の努力点を確立する
	身体の測定	㈠身長・胸囲の測定法を知らせる ㈡身長体重胸囲の関係と体力的意義 ㈢発育と健康との関係 ㈣測定用具の知識と取扱い ㈤発育規準 ㈥記録と活用法 ㈦握力肺活量 ㈧自己発育健康の認識
	姿勢	㈠姿勢と健康との関係について ㈡不良姿勢の矯正法 ㈢職業と姿勢について ㈣姿勢と能率 ㈤姿勢と品位について
五	身体の清潔	㈠四年迄の分は習慣になつている ㈡身体清潔の必要についてしらべる
	傷害の防止	㈠学級学校家庭で危険な個所をしらべ除く ㈡危害を予想して幼少者をいたわる ㈢けがの場合はどうするかについて色々心得ておく
六	歯	㈠歯牙の構造とむしばの症状 ㈡早期発見の処置
	皮膚の摩擦	㈠毎朝乾布又は濕布で摩擦する ㈡皮膚鍛錬と感冒との関係
	夏の衛生	㈠清潔と傳染病 ㈡食物と傳染病 ㈢環境の清潔と傳染病 ㈣急性傳染病の種類と主な症状 ㈤法定傳染病・学校傳染病について ㈥免疫 ㈦ワクチン法・接種法・殺菌法・血液型・輸血
七	休養睡眠	㈠休養睡眠の必要（疲労曲線・睡眠と学習・不眠症） ㈡睡眠の正しい習慣をつける
九	眼	㈠正常視力の保持法 ㈡トラホーム結膜炎の症状と治療法 ㈢近視の予防
	耳鼻咽喉	㈠鼻呼吸がなぜよいか ㈡他人の使用物と自分の使用物 ㈢マスクの使用 ㈣うがいの励行
一〇	運動	㈠運動を楽しむようになる ㈡衣服の調節 ㈢各種の運動を実施する ㈣自己体力の自覚
	救急処置	㈠創傷の手当 ㈡骨折・脱臼 捻挫の処置 ㈢繃帯角巾の使い方

月	項目	指導の内容
	空氣と日光	大いに有効に利用する習慣をつける
	食事	㈠食器の取扱い方㈡調理と清潔 ㈢炊事場に蝿などがこないようにする ㈣栄養の知識を持つ（栄養とは・食物と消化・栄養素・栄養量）
二	衣服	㈠衣服の除塵と洗濯日乾法 ㈡運動と衣服 ㈢衣服の清潔と身体の清潔
三	冬の衛生	㈠呼吸器の衛生の自分 ㈡團体生活における呼吸器の衛生心得 ㈢唾痰の処置 ㈣清掃法
	結核	㈠健康診断について ㈡結核患者について ㈢家庭に結核患者のある場合 ㈣早期発見法の予防 ㈤日本と結核 ㈥学童と結核 ㈦治療施設
一	住居	㈠住居の選定 ㈡住居の目的歴史変遷 ㈢我が國の住居問題
	看護法及び救急処置	㈠看護法（○病床○便秘と下痢○氷枕と氷嚢○せきしやつくり発汗○脈膊呼吸の測り方○浣腸○嘔吐） ㈡救急処置（○螫傷○咬傷の手当○日射病熱射病○頭痛発熱○歯痛○腹痛○脳貧血） ㈢止血法 ㈣消毒法 ㈤患者の運搬）
二	はいせつ	㈠はいせつの生理について知り今迄おぼえたことを実行する（尿の成分便通の意義）
	寄生虫	㈠寄生虫病と感染径路 ㈡寄生虫の駆除法 ㈢保菌者の検便
三	健康反省	一年間の健康生活の反省をさせ自己の身体的自覚に立つ將來への覚悟をさせる

(二) ダンス能力指導の系統

強い人間をつくるためには、かならず通すべき多くのコースがあります。その中でも殊に特色をもつてある一つのコースがダンスであると思います。ダンスの、全心身をあげての活動によつて、気軽に宇宙のリズムにとけこませる性格、あくまで人間をはだかにして、はだかの中に三昧の境地を育てはぐくむ性格、それらがもたらす素朴で力強く、且つ普遍性をもつ美しい性格などは、確かに現代の文化財の異色ある存在です。一方、文化が進めば進むほど、ある意味では人間は粧いをこらし、「かもしれ」をかぶつて閉じこもつています。その人間に対してあたえられたるダンスの意味は、人間を育てていく過程の中では着目すべき問題であると思います。しかし現在の教育の場では、まだこの意味が確認されていません。これは例えば計算能力のように、組織系統も比較的見通しやすく、結果の判断のつけやすい種類のものとちがつて、その効果の面さえも、子供の生活のあるやなきやの変化の中に眼をそそいでいかなければわからないほどの性質のものですから、よほどの理解と熱情のある多くの教育者の力を得なければ、健全な発達はむずかしいと思います。こうした混とんの現状の中に、ともかくも一應の見通しをつけてみました。先ず、ダンス指導の目標を、次の四つの能力に凝集します。

(1) リズミカルに動く身体能力を得させる
(2) 知的、感覚的な観賞能力を得させる
(3) 個性的、創造的な表現能力を得させる
(4) とけこみ、うちこみ、たのしむ生活態度を得させる

これらの能力を選んだについては、次のような考えに基づいています。

(1) リズミカルに動く身体能力について　　リズミカルな動きは人間活動の基盤であり、人間の感覚の源泉です。科学がどんなに進歩しても、最後は人間の感覚の問題にかえつてきます。この意味では、リズミカルな感覚を育てることそれだけで、人間を進化し、文明を推進することができます。ダンスでは、この感覚をもち、この動きのできる身体が素材となつて表現の世界が展開されるのです。

(2) 知的、感覚的な観賞能力について　　外界の動きに接してそれを自分自身のことのように受容して観る態度は、いずれの場にあつても得させたい性格の一つです。自然の実態の真実な受容から科学も芸術も出発します。特に身体という强烈なものを素材にしているダンスでは、正しい発達はこの能力の如何にかゝつていると思います。

(3)　個性的、創造的な表現能力について　　全身活動をもってする個性的、創造的なはたらきには他のはたらきの面に比して特色があります。こゝでは誰でもがもつともとけこみやすく、こだわらない氣持で創作的活動ができます。またこゝでは子供の、内的活動が集約されて表出されます。このようにこだわらないで氣軽に、しかも自分の眞実なものが吐露できることは強い人間として大切な性格だと思います。

(4)　とけこみ、うちこみ、たのしむ生活態度について　　リズムは無意識に人をひきいれ、無意識に人をうちこませます。その中では調和を体得します。万人共通に共鳴し、樂しみます。こうしたダンスの素朴ではあるが力強い特質を強調して、階級も虚飾もかなぐりすてた強いはだかの人間、素朴な人間性に対する信仰を得させ、人間の生き方の根抵となるものを培いたいと思います。

	身体能力	表現能力	観賞能力	生活態度
第一学年	1、音の長短、強弱、速度の変化を中核にして、いろいろの遊びができる ◉音にはずれずに歩くことができる ◉音のとおりに足踏ができる。 ◉漸強漸弱のあそびや、アクセントのあそびができる ◉漸急漸緩ができる 2、スキップ、ギャロップ、ランニングなどの活動的で素朴な運動群の遊びができる 3、全身を活動的に動かすことができる	1、生活環境から、具体的な動きをもつものを選んで模倣ができる ◉動物、作業、乗物、遊び、等 2、物語的な遊びができる ◉体験、空想 3、作品、民踊（この年齢ではゲームをさす）を樂しんでできる ◉リズムのたのしみ ◉友だちといつしよのたのしみ	1、友だちの動きに關心をもつ 2、人のじやまをしない	1、リズミカルな動きをよろこぶ 2、友だちと仲よくすることができる 3、生活の中にリズミカルな遊びをとりいれている

第二学年	
身体能力	1、音の長短、强弱、高低、速度の変化及びその結合を中核にして、いろいろの遊びができる ◎音にはずれず歩走ができる ◎音のとおりに足踏ができる ◎アクセントにのつて、身振りの遊びができる （全身の動きでアクセントを表わす） 2、活動的で素朴な運動群で各方向に動き、身体を種種にあやつれる 3、先生の動きを直観的にとらえる遊びができる
表現能力	1、生活環境から具体的な動きをもつものを選んで、模倣ができる 2、模倣の身振りに、いろいろ工夫をこらすことができる 3、歌曲にあわせて、思うように踊ることができる 4、作品、民踊を樂しんで踊ることができる
観賞能力	1、人の動きをしづかに見ていることができる 2、動きの要素を直観的にとらえて、すぐ自分の身体にうつすことができる 3、よいものを見つけだすことができる
生活態度	1、リズミカルな動きをよろこぶ 2、友だちと仲よくできる 3、力をだしきつて活動できる 4、生活の中にリズミカルな遊びをとりいれる

第三学年	
身体能力	1、音の長短、强弱、高低、速度の変化及びその結合を中核にしてする遊びを感覚的であると同時に、理解して動くことができる ◎音の長短 ◎拍子、二、三、四、 2、体感に訴えてよい動きを見つけるような、動きの創意工夫ができる ◎スキップでとびながら、腕のよい動きをもとめる ◎回轉の調子をしる 3、先生の動きを直観的にとらえ、鋭敏に反應することができる
表現能力	1、体驗を生かし、または実態を観察して、素朴であるが、ほんとうの動きを表わそうとする 2、空想をいかして、思うように表わすことができる 3、こだわらず、氣軽に動きに表わすことができる 4、協力して工夫することができる ◎二人——三人 5、樂曲・歌曲によつて、動きを考えることができる 6、作品、民踊を樂しんで、踊ることができる
観賞能力	1、よい表現、動きを直観できる 2、人の動きを凡そよみとることができる 3、人に雷同せず、自分でしつかりと観ることができる 4、観ることを好む
生活態度	1、リズミカルな動きにとけこんでいる 2、友だちと協力してすることができる 3、氣持を集中して、何にでもあたることができる 4、生活の中にリズミカルな遊びをとりいれている

第四学年

身体能力	1、身体支配の自由性が拡大し、美しい動きの基礎ができる ◎動きのけいこができる（十の練習課程） ◎前、後に直進できる ◎軽快にできる ◎左右が平等に動くことができる ◎力いっぱい動ける 2、動きを直観的にとらえて鋭敏に反應することができる 3、身体の支配について、よい動きを見つけようと、工夫することができる
表現能力	1、体験をいかし、または実態を観察して動きをとらえることができる 2、空想をいかして、表現することができる 3、即興的に表現できる 4、題材を数多く豊かにとらえることができる 5、協同して表現を工夫することができる 6、樂曲、歌曲によつて、ややまとまりある表現をすることができる 7、他の人の作品も正確にとらえて踊ることができる 8、民踊を樂しんで、その中にとけきつて踊ることができる
観賞能力	1、よい表現や動きを直観できる 2、人の動きをよみとることができる 3、よく記憶ができる 4、氣持を集中して観ることができる 5、いたずらに言葉に表わして批判しない
生活態度	1、リズミカルな動きの雰囲氣にとけこんで樂しくできる 2、友だちと協力してできる 3、美しいもの、眞実なものを積極的にもとめる 4、生活の中に、樂しみとして入りこんでいる

第五学年

身体能力	1、表現意欲に適應する身体の動きができる ◎軽快に身体が支配できる ◎柔軟性をもつている ◎前、後、側にまつすぐ進める ◎新しい動きに対してすぐ反應して動くことができる ◎動きのアクセントが体現できる ◎左右が平等に動くことができる 2、身体の支配だけでなく、場の支配も考えられる 3、民踊と関連して、各種のステップができる
表現能力	1、体験を生かし、または、実態を観察して動きをとらえることができる 2、動きの中に、感情をとらえ、表わすことができる 3、幻想を表わすことができる 4、即興的、重点的に表わすことができる 5、樂曲、歌曲に助成されて作品的なまとまりある表現ができる 6、民踊を樂しく踊ることができる 7、表現の参考として、よい作品を自分のものとして踊ることができる
観賞能力	1、ひろい角度に観賞眼がはたらく ◎身体の動き ◎作品の表わし方 ◎観賞の態度、等 2、氣持を集中して観ることができる 3、新しく、以前に自分の経驗範囲になかつたことに接した時、観念的でなく、視覚的、直観的に、素直にうけいれることができる
生活態度	1、踊る愉悦の中に、うちこんでできる能力を身につける 2、協同の動きに、調和を感じ、責任を感じる 3、全能力をお互の中に表出しての活動の中で、親しみ、はげまし、いたわりあえる

第六学年	身体能力	表現能力	観賞能力	生活態度
	1、表現意欲に適應する身体の動きができる ◎軽快な子供らしい動きを保ちつつ、成人のような滑らかな動きができる ◎緊張と解緊ができる ◎はやい速度の回轉ができる ◎円を正しく描いてあるける ◎前、後、側のどの方向にも動ける 2、動きの目的と特質を理解して動ける	1、体験を生かし、または実際を観察して動きをとらえることができる 2、動きの中に、感情をとらえて表わすことができる 3、各自その創意性を働かして表現できる 4、一人一人の表現だけでなく、群の中の一人として調和し、とけこんで踊ることが出来る 5、そのものになりきって表現することができる 6、ほゞ作品として、まとまりのある表現もできる 7、作品、民踊もよく自分のものにして踊ることができる	1、ひろい角度に観賞眼がはたらく。 ◎表現題材の選択 ◎表現の内容と形式 ◎身体の動き ◎場の動き ◎作品の性格 ◎伴奏音楽 ◎衣裳、照明、其他 ◎表現態度、等 2、氣持の集中が持續しとけこんで觀ることができる 3、自分としての観方と他の人の観方を素直にうけいれる態度をもつ 4、知的理解ができる	1、踊る愉悦の中に、雰囲氣にとけこみ、氣持を集中し、うちこんでできる能力を身につける 2、他のよさを知り、受けいれると共に、他によって動かされない自分のものをもっている 3、楽しみとして生活の中に滲透し、ひろく生活全般の中に、何らかの形で生かしていく。

あとがき

読後感

青木誠四郎

すべてのわたくし達の実践計画は、そこに必然性をもっていなくてはならない。誰がこういったからとか、何の本にこうあったからとかいうことで、それを盲目的に模倣することの愚は、いうに及ばないことであろう。ことに教育においては、それが子供の再び繰返すことなき貴い時間を、愚かな模倣のために失わせることは、罪悪でさえある。十分な反省と検討とによる必然性の追究と、その確実な見透しとを欠いてはならないところである。

こゝに見る奈良の計画についても、わたくし達には、この心構えがまず求められる。奈良の子供達の眼は輝いている、子供の子供らしい美しい動きを見て、わたくしは眼がしらのあつくなるのを覚えた。これは、わたくしがこの計画と実践との大きい効果として、この眼でたしかめ、この耳ではっきりさせたことである。しかしこの案はまだそういった一般的な感じのほかに、確かな効果判定の結果をもっていない。それはこれから確かめられていくことであろう。けれどもたとえ効果判定によって確かめられたとしても、それは奈良の学校とその先生方とを土台にしてできたもので、すべての学校で、このまゝのことをすれば結果があがるというのではない。学校のある地域の実情、子供の生活、先生方の素養といつたものの異なるところには、その必然性と確かな見透しの異なるものがあるべきである。それを反省し吟味しないでこの計画案を見ることは、甚だ危険だといわなくてはならない。

いま、わが國の教育界は、誰がこういつた、どこでどうやつた、アメリカではこうだと、その根拠を明らかにすることなく、自分の力を省みることなく、根のない浮き草のような軽い流行にとらわれているように見える。読者はこの報告について、確かな足どりで自らの経驗への反省と、そのもつ必然性についてのしつかりした吟味をくわえていくことが大切である。そして、わたくし達は、それぞれに相應しい、子供たちのための計画をもつようにしたいものである。いさゝかこの書をよまれる人人の心がまえについて、平生感じているところから愚言をかきつけてみた。（昭和二十四年一月）

読後感
——NとF——

石山脩平

この本を読んで、まず感じたことは、「よくこなれている、身についている、いかにも教育の本らしい」ということである。内容がすべて子どもの生活の立場から考えられ表現せられていることである。わたくしなどは、つねに教育の問題を話したり書いたりしているのであるが、つねに考え方や表わし方が、事がら自体からはなれたり、それを切りきざんでしまつたり、ゆがめたりするような氣がする。たとえばカリキュラムの問題にしても、中心学習とか周辺学習とかいつて、一應は事がらの分類を明らかにしたつもりでも、ほんとうに子どもの生活にあてはめてみると、中心とか周辺とかの空間的概念では、とらえられぬものを見出すのである。基礎学習が「もと」になる能力をのばすことであるとしても、何が「もと」であるか、單元学習そのものこそ「もと」であつて、言語能力や計算能力などは、單元の中にふくまれたり、單元から派生してきたり、單元の中にかえつていつたりするものであることを考えると、どちらが「もと」であるかと問いかえしたくなるのである。このように、わたくしどもが、事がらの考え方や表わし方に困つたり迷つたり誤つたりするのは、要するに、事がら自体を、もつとまともにすなおに取りあつかわねばならぬことを教えるものだと思う。教育の場合では、何よりも「のびつゝある子ども」の「いのち」の「いとなみ」を、まともにすなおにとらえることである。

「しごと」と「けいこ」と「なかよし」とから成りたつている子どもの生活——それらを通じて「頭

い人間」にまで育てようとするこのプランに、わたくしが「いかにも教育らしい」教育を感ずるのは、実は、教育のことを専門に考える役目の自分が、自分に対してあきたらぬ気持を、この本がよく充たしてくれるからである。

子どもの立場に直結していることから当然に出てくる長所として、「子どもの生活」の実態の支柱と見られる関心の調査が、こまかに、しかも具体的におこなわれていることに、わたくしは敬服する。

それからまた近ごろのカリキュラムで一ばん問題とされている「実力」の低下という誤解または不要に対し、わたくしなどが、いわゆる「ミニマム・エッセンシャルス」の立場から、「単元要素」とか「能力」とかの名において重視している方面を、この本では「各種能力の指導系統表」として、よく調べ、よく表わしている。学習指導要領の分析と子どもの実態への結びつきとによって、この能力指導系統を立てられた手順も、今のところ穏当だと思う。「今のところ」という意味は、やがては、学習指導要領の内容そのものが、子どもの実態に即して吟味され、改編されねばならぬからである。

能力指導系統は、「しごと」の学習の活動展開と、その程度、内容を裏づけるものであり、これによって「たしかな教育」ができるわけである。しかしこの場合の裏づけが、この本の執筆者の頭の中

でおこなわれていて、本そのものの上では一見したところ、漠然としているようである。福沢プランのように、要素に番号までつけて、それが学習活動のどこで養われるかを明かにしようとするほど几帳面でなくとも、とにかく「しごと」の指導計画表が、能力指導系統表に「基づいて」立てられているという、その「基づきかた」を一そうはっきりと示すことが望ましいのである。これによって「たしかな教育」の「たしかさ」が一そうたしかめられることになるであろう。この本を一読して、わたくしの頭には、奈良女高師附小の子どもの「生態」（生活実態）が、かすかながらも、可なり特色をもって、浮んでくる。それをたとえば福沢村小学校の子どもの生態と対比するとき、これらNとFとの特色は、相互にますますあざやかさを加える。Nは社会の子どもであるが、Fは社会の子どもである。Nは、なるほど家庭の子どもであり、学校の子どもであり、若草山や東大寺や自動車会社や製氷工場に関心を抱く地域社会の子どもである。しかしその子どもたちは、いわば子ども自身の側から、これらの社会を見たり考えたり調べたり、これらの社会に協力したりしているのであって、社会の側から子どもたちに何を要求し、子どもたちに何をさせているかが、はっきりわからない。そこでは子どもがクローズアップされて、社会はその背景に、しかも子どもに対して受け身になって、ひかえているに過ぎない。

Fにおいては事態はむしろ逆である。学校へくる前に、すでに草を何貫目か刈らされる子ども。帰宅すれば子守りやお使いや田畑の手つだいや牛の世話などが待っている子ども。常会の話題には、部落の道の掃除やよそのうちの仕事の手つだいや、遊び場所での注意などを、真けんに取りあげる子ども。このようにしてFには社会の側からの要求と、これに圧されたり、しばられたりしながらも、たくましくこれに應じ、これをマスターしていこうとする子どもの態勢とが、ありありと浮んでいる。

Nは社会にありながらも、子ども自身の生活を主体的に保ちつらぬきうる立場におかれている。Fは、社会にからみつかれ、大人も子どもも一しよになつて、家を、部落を、村を成しているその社会の成員である。Nにとつて社会はあまく、やさしく、遠くから見守つていてくれる。こちらから進んで取り組まないかぎり、向うからは、のしかゝつてこない。Fにとつて社会は、きびしく、さしせまつている。こちらだけのわがまゝをゆるさないで、向うから、いどみかゝつてくる。

ひとしく「社会の子ども」といつたり、「地域社会と学校」といつたりしても、その場合の重みのかゝりかたの、ちがいから、具体的な生態が異なつてくる。そこにこそ、ほんとうの地域社会学校が成立するのである。もしFがNの世界に行つたとしたら、はじめの間は、まことにしあわせな自分を感ずるであろうが、やがて間もなく、土の香りをしたい、質実できびしいが、身についたF村にかえりたくなるであろう。同様にNがFの世界に行つたとしたら、しばらくは牛の世話も草刈りの子守りも、めずらしくおもしろく感ずるであろうが、数日にしてそこの生活に堪えかね、なじまれた家と、えらばれたなかまの学校とにかえつてくるであろう。郷愁はだれにもある。いかなる土地、いかなる社会が、そのひとのふるさとであるか――それは過去の運命が決定する。しかし運命と取り組んで、どこまで未来の理想を実現するかは、自己の努力とこれを助成する教育の領域である。「強く生きる人間」をめざす「たしかな教育」は、NとFとに名をかりて、わたくしがこゝに提起した問題を、真けんに考えてみなくてはなるまいと思う。

一つの感想と期待

梅根　悟

私はまだ奈良の子供たちの生活振りをしみじみと見たことがない。私が師範学校に入つたのは大正八年で丁度木下竹次先生が奈良の主事になられた年だろうと思う。そんなわけで私は師範の生徒の頃から奈良の話をよく聞かされていたし、その後奈良の合科学習についてはいつも大きな関心を持つていた一人だが、一度ゆつくり見学したいと思いながらいまだにその機会を得ないでいる。

ただこの間一寸立ちよつて重松主事のあとについて学校をずつと一まわり歩いてまわつた。ただそれだけである。そのあとも一度学校に立ちよつたが、その時は子供の様子を見ることは出来なかつた。しかしその代りに清水甚吾氏と共に奈良の長い間の重鎮であつた河野伊三郎氏に会つていろいろ思い出話を聞かせてもらつて興味深いものがあつた。

そんなわけで私は木下先生時代、即ち合科学習時代の奈良も実際には知らないし、今日の奈良もよく知らない。従つて昔の奈良と今のそれがどうちがうかもよく知らない。だが一体根本的に言つてどこがちがうのか、原理的に言つて昔の合科学習と今の新教育とどこがどうちがうのか。世間では昔の合科学習と今の綜合カリキュラムはちがうと考えている人が多いようであるが、果してそう言い得るかどうか。少くとも奈良の合科学習の場合、木下先生の理論や当時の精鋭訓導諸氏の実践と、今日の新教育との間にどれだけのちがいがあるか、これは甚だ疑問である。それは木下先生の書かれたものを見、訓導諸氏の実際案を見ればうなずける疑問だと思う。

この疑問を立ち入つて解明してみることは今の私のテーマではないが、私は初めに奈良を訪れた時、具坂重松主事が、木下先生という人はえらい人で僕が考えること、やろうと思うことは何でもちやんと考えつくしやりつくしておられる、こゝには新しいものはない、というようなことを言つたのを

聞いて感心したし、二度目に行つた時、河野氏から、今日本でやつていることはみんな木下先生が考えられ、僕たちが一部実行しまだこれから実行しようと考えていたことばかりで、たゞ言葉がちがつているだけです、と申されたのを聞いて、単なる老人の自慢話だなどという気は毛頭しなかつた。私も実はそんな気がしていたからであろう。

日本の新教育運動は全くの新出発ではなくして再出発であり、復活である。もちろん大正時代のそれと今日のそれとはいろいろちがつているにちがいないが、それは発展であり、修正であつて同一線上の前進であると言つていいであろう。

私は何も回顧趣味をふりまわし、伝統主義を説く積りはないが、今の日本の新教育運動を全くの野蛮人が突然文明の利器に接したものであるかのように考えて自らを卑下しているかに見える人たちがある様な気がして、もつと自分を知るがいい、というような苦言を呈したい気持をもつている。

そんな意味で奈良の人たちが木下時代の伝統の上に立つて着実に自分たちの道を、じつくりと、自信をもつて歩んでいられる様子を非常に心強く思つているのである。これが私の奈良の学校、つまり木下先生たちの、そして重松兄たちの小学校についての私の一つの感想と期待である。

経験の記録

勝田守一

ほんとうのことをいうと、奈良の女高師の附属というのは、女性的な「文化的な」学校だと私は思っていた。だから私は畏友重松君が妙なところへ行ったものだと思わないわけにはいかなかった。重松主事から、「おれの学校」を見てくれ、という再三の招きに應じて、私はほんとうに不用意に奈良を訪れた。そこでの第一印象は、やはり靜かな、古都的な女性的なということだった。しかし、やがてお目にかかることのできた先生方から、私は、異常な情熱と愛情というようなものの雰囲氣が発散していることに氣がついた。私はそこで、机上の兵学者が、実地の劍法家にたゝかれるような目にあった。先生方には毛頭そんなおつもりはなかったろう。だが、もともとへぼ兵学者である私は、眞劍というものの切れ味がどんなものであるかを、肝に銘ずる機会を與えられたのである。

こゝに、この学校の研究と実践の記録がまとめられた。これは愛情と情熱とそして眞劍の記録である。私は、短い期間であるが、この記録の原型がみごとに生きて活動しているのをこの目で見たのである。その断片的な私の経験は、文字になった記録を通じて拡大され、全体の像を復原させてくれる。これはだれに負うべき仕事なのか。もちろん一重松の負うべきものではなかろう。これはこの学校のすべての人たちの力でできたのだということは、私にはよくわかる。この学校は、古くからいわばよき経験を持っているところだからだ。しかし、その経験とそれから現在の学校のすべての力を結集させたのは重松君という人の仕事である。情熱と愛情とがのびのびと自然に発散し、工夫が一つに結晶するということは、普通のことではない。重松君がどんな才能を持っているかは知らないが、この普通のことでないことをしとげるという仕事は重松君のものに違いない。

こゝには、衒学的なものは少しもない。すべては、自分たちの問題に当面して、それをどう解決したらよいかという内的欲求からの工夫である。しかも、その問題は、長い間の教育的経験をもとにして、もう一歩進もうとするところに生じたものだということもわかる。この計画と実践の記録から学ぼうとするものは、まず自分たちの問題の所在を自覚することがたいせつだ。これは青写眞ではない。私は日本に「奈良女高師附属型」などという悪派が生まれないことを望みたい。だから、「しごと」とか「けいこ」とかいう概念を、学びとろうとする先生方がこれを自身の経験に飜訳されることを望むが、これをアメリカのプロジェクトとかドリルとかというような概念に再飜訳をしたり、あるいはこの教科課程はアメリカのどのようなコーア・カリキュラムの型に属すかなどというむだなせんさくをされないように望みたい。「しごと」と「けいこ」、これはもうりつぱな自分たちの経験の中から結晶した概念である。そして、この概念を正確に理解するためには、この記録の忠実な研究と、自身の経験の反省だけが必要だろう。それほど、これは血が通っている。（一九四九・一・一九）

読後感

坂元彦太郎

こゝには、たしかに奈良のにおいがしている。あしびの花が咲き、わかい鹿がはね、古いいらかの線が青い空に消える、あの奈良。そして、そこに三十年の間、積みかさねてきた「なら」の附属の足どりが、たしかにこゝにつゞいている。强い風があまりあたらない桃源境における、たのしいいろいろな試み。鬼面人をおびやかすようなかわいげではなく、よかれあしかれ、角のまるい、実践の中に自分をなげいれてきた「奈良」。こうした「奈良」が、新らしい姿のよそおいで、にこにことおちついて、この本の中からのぞいている。

この、なつかしいにおいに、私は、今から十年も前のこと、すぐ近くの縣ではたらいていた頃の氣持ちを自状せずにはおられない。その頃、新教育の鬼みたいであつた私は、この「奈良」のにおいに、同行の同志としての親しさとともに、そのにおいに何かしらもの足りない反ぱつを感じたものであつた。それには、若かつた私の、負けん氣が一番大きなもとになつていたことも、今はもう否定しないが、とにかく、こういう「奈良女高師附屬」（この七字を「なら」とよむのである）が、新らしいいでたちでいきおいづいているのを、あたゝかいなみだで心から歓迎するまでに、私も年をとつたことを書きそえておこう。

この「奈良」の教育の実際について、私はものをいう資格はない。というのは、実際の奈良を、私は全くこの一年ほど見ていないから。率直にいえば、総戰後一年たたないときに見た「奈良」は、いたましいほどおちぶれていた。それから一年たつた「奈良」には、見ちがえるようなあかるさがあつたが、まだはつきりした方向をつかんではいなかつたと、思う。それ以後、私は、奈良のこどもたちと、その中にある先生方の姿には接しない。しかし、この本を通じてうかゞわれる現況は、楽しいりつぱなものになつているのではないか、と思われるのである。

新らしい教育課程を運営することは、その文字どおりに、実際のいとなみが問題なのであつて、日本だけに流行している、ある特別な学校のおそろしいほど大規模な構造をもつた「案」の印刷物は、第一義的には、全く日常的なそれぞれの学級学校でのいとなみに裏づけられ、その「象徴」としていつわりがない場合に、はじめて、ねうちのあるものとなる。しかし、第二義的ではあるが、それが、他の学校の教育課程の改善に弾力的な刺戟をあたえる場合には、りつぱな存在の理由をもつ。國家と先驅的な学校以外には、教育課程のことを考える機関が全く欠けているわが國では、そういう一つの学校が大担に提示する案がいくつか存することも、意味のあることである。

だが、実際の運営の少くとも「象徴」であることと、他人への弾力的な刺戟となること、この二つのことが具わつていない、いくつかの、「案」の印刷物が、かなしいかな、はんらんしている。

多くの質実な、しかしいろいろな点で十分には惠まれていない、善良な教師たちに、いたずらな不安ともがきとをまきおこしたり、近づくことができないとの絶望におとしいれたりすることのないよう、書きしるされてほしいものである。

こうした点で、本書が、私がねがつているものに、相当近い所まで達していることを、私は心からよろこびたいのである。読んでいると何だか、全くこの通りに実際にやつているように、思われてくるのは、ほんとにそうなんだからであろう。少くとも戰術的にでも、本書はその点で成功している。これは、多年の「奈良」の経驗と傳統がものをいつているのであろう。理くつをいわないで、自分たちの「角（かど）のまるい」実践で書きつゞる、ということは、あたりまえのことでありながら、おそろしいほどの「理論」と「調査」との基礎なくしてはものをいつてはならない、といつたこの方面に首をつつこんだ人々の「通念」から抜けていることはうれしいことである。

こうした本書のよさは、別のことばでいうと、教育実際家の立場で、問題がとりあげられ、解決されていることにある。いつも、実際家としての立場を失わず、それに誇りをもち、その優越した立場をもつて処理していることである。「理論」や「調査」が有用であり必要であることはいうまでもないが、それで割り切れる分野は人間生活の全体にくらべれば狭いものであることだけを考えても、教育実際家が積み重ねた経驗、それにもとづく健全な良識、それにたつた直覚的な判断のはたらきをおろそかに考えてはならない。教育実際家にとつては、その経驗的な良識をいつも柔軟に生長させながらそれを拠り所として行動することが第一義であつて、「理論」や「調査」はそれを補正し助長するための補助手段である。「奈良」がこのことを、少しも無理にきばらないで、もちつゞけていくことを、私は心から祈るものである。

もう一ぺん、いいかえるならば、本書のよさの一は、「奈良」は自分自身の中に、理論的な指導者も、実践的な先驅者をも、あわせもつていて、（それがいつもこゝの傳統である）その両面のいずれかを欠いているような学校とは、ちがつていることからくる。借物をしたり、負けん氣を出したりすることは、そうしなくてもいい環境と実力とをもつていることである。右顧左べんしなくてもいい、さらに、右顧左べんしていないぞと力味かえることも不必要な、位置と人材とを具えていることであり、歴史と実質とにもとづくおちついた安定感がものをいっている。

しかし、先に私があげた「弾力的な制裁」として、善良な多数の教師に、それぞれ有意義な反響をひきおこすことができるか、どうか。他の類書にくらべ、他の豪壮な「案」にくらべれば、すっとこの点においてもすぐれていると思うが、私はまだ少しく疑問に思っている。ことばが平明であるが、わかりやすいことばを使ったことが、一種の寓話的な不明瞭さをひきおこしていることもあるように思われる。「しごと」「あけいこ」「なかよし」のような、こどもとのたのしい「寓話的」な用語法は、まことにほほえましいものであるが、それだけに適確に学習のそれぞれの相を描き出すことは困難ではないか、と思われる。大仰な漢語や訳語、あるいは原語をつかう一般の風習への一つの反動として、私自身の中にもそうしたものが動こうとしていることは否定しないが、これにも、危険があることを戒めねばならないように、思う。

さらに、むしろ、これは読者への要望になるのではあるが、こうした企てや実際が意味のあることであることを十分知っていただくとともに、これをそのまゝに実行しなくてもいいのであり、外にいろいろなやり方があるということを素直に信じることである。直ちに、こうした営みがやることので

きない背景をもつ、教師たちには、決して、これが強いられてはならないであろう。「弾力ある制裁」として、柔軟性のある、それぞれの実情に応じた反応がのぞましい。世の中に、最上のやり方がたった一つだけしかない、というようなものではないであろう。

二十年ほど前にアメリカで行われた、大がかりな、教育課程改造の仕事が、それにふさわしい大仕掛な機関や組織を具えないで、一つの学校のほとんど単独の力で、仕上げようという、意気ごみが方方に見られる。自分の力で、自校の実際の運営の決定と同時に、一般的な改造プランを示す、ということは、あたり前の人間の力ではたやすくできるものではない。この点において、本書のとっている態度の謙虚さはさすがに明があるものといえよう。

「たしかな教育」ということばが、「コーア・カリキュラム」という、英語を使っているつもりの新造語より、すっと地についた平明な語感をもっていることは、誰もうたがわないであろう。「お前がこの運動をひきおこしたもとなのだ。」と重松主事は、私をきめつけられて、この原稿を書くことを命ぜられた。このごろの、いろいろな動きは、重松主事とともに、私には、うれしいのやら、かなしいのやら、わけのわからない複雑な感じにとらわれている。

本書のすみずみに、何とかして、新らしがりなきざなきどりのにおいを少しも残さないように、と

いうことさらな努力がみちみちている。この氣持ちには心から共感する私が、実は、かえって、一種の氣どりのにおいがするように感じるのは、どうしたわけであろう。こけおどしのてらいはすっかりなくなっているかわりに、何かしらなまぬくい安住があるような氣がするのである。真剣な精神に対して、こういうようなことばを弄することは失礼であるが、どこかにそんな氣がするのである。

論者は、あるいは、きびしい現実との対決が稀薄であると指摘するかも知れぬ。現実社会の動きへの即應の仕方が足らぬ、というかも知れぬ。「奈良」かぐわしい「奈良」における教育が自然にそう傾き、さらに、教育実際家の立場に立つ時には、そうした点に足りなさがおこるのは自然である。われわれは、そのことをたえず意識して補正につとめる努力を怠ってはならない。逆に、そういうことをまともに意識する位置にある人が、子供の実際の動きから離れないように、絶えず努力すべきである、と丁度同じように。

私は、「奈良」がこどもの楽園であることをもって、弱点であるなどとの言説には決して同意したくない。それであって、その上に現実社会への生活をきたえていけばいいのであるから。そして、実際家にとっては、それが最上最短の点であるのだから。

私が、何か知ら物足りなさを感じるのは、率直にいえば、「しごと」にしても「けいこ」にしても、

能力指導に対する、ち密な経驗的な分析はあるけれども、まだまだほんとに東西の教育的経驗が十分には活用されていないことである。「しごと」は、一面から見れば、大きな作業単元の系列であり、他面から見れば、作業の時限（Work Period）であろう。「けいこ」は技能を特別に抜き出して修得する時限に近いであろう。「奈良」のこどもたちは、「奈良」のふん囲氣の中で、理くつを越えた飛躍と生長をすることを知っておる私ではあるが、お互にもっともっと、たとえばこの二つの方面に対する先進の経驗を利用し、自分たちで開拓していかねばならない。問題は、むしろ、ここにある。ほんとに、バランスのとれた教育課程を、すみずみにいたるまで進んだ方法で推進すること、——このことに本書とはちがった角度から「奈良」が切りこんでくれることを、心から祈るのである。いわゆる「カリキュラム構成」は決して教育課程の一般的な原理やわくを論ずることに盡きるものではなく、さらに人間として必要有効な各部面をとりおとしなくとりあげ、あらゆる面に新教育の血管が通うようにしなければならない。「作業単元」に関する部分だけを精密に近代的に論ずるのではなくて、これとならんで、他の重要かつ必要な部面の進展にも十分な努力をはらうことである。奈良は、本書で、この方面への片りんと、それが可能であることの希望を私たちにもたせた。一種の盆地的な日本の現状から、率直なおちついた教育課程研究の態度をたてるとともに、本書が、さらにこれからの

「奈良」がはたらくであろうことを期待してやまない。

（昭和二十四年一月二十一日夜）

奈良のみなさんへ

下程勇吉

新春初めて登校してみますと、意外にもいろいろの用事がまちうけており、予定より遅れて帰宅すると、今井さんが東大の古川さんと一しょにまっていて下さいました。そして皆さんのお志のほどを承りました。今朝ほど一應「要項」を拜見しました。どこにも皆さんの御骨折りが滲み出ています。が、ことに「学校のすがた」のルポルタージュは愉快によませて頂きました。あまり固くならずに平易なしかも隅々まで心の行き届いた書き方こそは、皆さんの教育方針のさながらのあらわれであると思われました。「しごとの時間」「けいこの時間」「なかよしの時間」「しごとのめあて」――こんな言葉をぴったり探しあてられるまでの皆さんの御丹精を思わずにはいられません。たやすくてぴったり急所をついた言葉は眞に心を深めた人々だけに與えられます。

一、よいと思うことは、どしどしとしよう。

二、わるいと思ったことは、すぐやめよう。

三、わからないことは、わかるまでしらべよう。

この「はげましのことば」など本当に児童の師であり友である人でなくてはいえぬものでありましょう。私はこんな言葉の裡のうちに皆さんの教育的努力の眞髄を見ることができるように思います。平易でも心は深くこもっています。「学校のすがた」の章などは、日本の新らしい学校の在り方をまざまざと示していると思います。元旦以来読みつゞけていた書物と似た行き方を皆さんの「要項」のうちに見出して、私は心強く思いました。むしろこんな行き方を全体に及ぼしたら如何かと私は考えています。今まではあまり他所行きの表情が強いものが多かったと思います。

「特別のしつけの時間」がないのも大変心を惹かれます。皆さんがお考えになっているとおり「一切の生活がしつけである」というべきであり、学習としつけとは終始一体であるべきであるからです。「しごとの時間」「けいこの時間」「なかよしの時間」の三者も一應の区別にすぎず、具体的には三者はつねに一体として生かされてこそ、眞の教育であると思います。私は「借りものでない教育計画をたてて」すゝむ皆さんの精神があらゆる学校に滲透することを心から祈っています。とかく実驗学校とかモデル・スクールというと、外からはやたらに模倣されたりアラさがしをされますし、また時として内に独善的傾向がないとはいえません。私は日本の先生方がつねに心の場を開き自分の足で立つて進むようにして頂きたいと思います。私はお互いに認め合い批判し合い励まし合つて進みたいと思います。一寸ほめると、「兜を脱いだ」というようなケチな人もあります。一寸進むと、大したもののように高ぶる人もないとはいえません。そんな行き方をみると、何ともいえず氣の毒に思います。皆さんがお考えのように、「自己に誠実な独立した人格」でありたいと思います。同様に他人に対しても誠実な人間として、自他を相互に尊敬する公人の育成こそのぞましいと思います。この点からいつて、本書を繙かれる人々が本書を熟読して「人間として強い人間」をつくる貴校の教育目標の内容をしつかりつかまれるよう心から希望します。「興味」「要求」「遊び」、こんな言葉がどれだけ安易に考えられ、如何に多く誤解せられているか、それを思う者はまた「強い人間」という標語もまた誤解の対象となり得るかを考えずにはいられぬでしよう。武断主義者達も「強い人間」の標語に賛成するでしよう。この点にも安易な標語主義は警戒せねばならぬと存じます。

また「関心の方向」を調べられるときに、「奈良市にあるものを思い出す順にかきなさい」という表現が心理学的に適当であるか、どうかについても、問題がのこりましよう。その他これに類することを考えていけば、いろいろありましようが、皆さんのお骨折りは本書全体に結晶しています。私は皆さんとともに一般の教育者が教育の場の根源流動のリズムを把握せられ、無用の宣傳をやめ、一切の因襲的権威や独善的思いよりをたたきすてたきおとし、一歩一歩日々心を新たにして進む教育者の悦びに生きられることを切に祈るものです。

武田先生によつて結ばれた皆さんとの機縁を思い起しながら、元氣一杯の重松さんと一しよに進まれる皆さんの御努力の結晶に心からの祝福をおくりたく思い、拙い筆をとりました。思い至らず書きつくさぬことばかりと思いますが、その点はお許し下さい。　草々

（昭和二十四年一月七日）

本書の刊行を知つて

武田一郎

「奈良の教育」の傳統は、初代眞田主事の堅実周密な企画によつて創設された人的物的基礎の上に、第二代木下主事の偉大な教育的創始力により、超加速度的に展開されたのである。在職二十余年にわたる同主事の業績は、いわゆる「学習法」の名のもとに、わが國教育方法史上に大きな足跡を残された。私は不肖の身をもつて、この光栄ある傳統に輝やく同校主事の三代目を継ぐことになつた。時あたかも國民学校制が施かれ、ついで起つた歴史的悲惨事は、あわや私をして、この傳統に一大危機を

招来させるかと思わせるような境遇に追いつめた。しかし、私の心底にささやく個性創造の教育信念は、この窮地にあつて、辛うじて傳統的生命のかすかな燈火を支え傳えたと自ら信じている。

終戰後、私の教育的イデアは、同校の傳統に強く刺激され、同僚諸君の力強い協力的活動によつて、学校経営の上に漸く芽を伸ばしかけて來た。しかし私は、その後二年足らずで同校を去る運命におかれていた。

現重松主事は、奈良の傳統に近代的な鋭い批判を試み、博く深い学的見識と、燃える教育的心情に基づいて、新しいよそおいのもとに「奈良の教育」を復興されつつあることは、單に私の個人的感情の上からばかりでなく、廣くこの道のために、心から感謝の念にたえない。

昨年秋、ある日私は、たまたま教育長指導主事講習の準備のためにＣＩＥに來られていたマーチン女史を訪れた。女史は私を見るなり、「この間ヤイヂィー女史（ＣＩＥの現初等教育主任顧問）と二人で奈良女高師の附属小学校に行つて來た。とてもすてきな学校だ。日本ではもちろん、世界でもあのようによい教育をしている学校は少ない。」といつて、さかんに絶賛されたのである。私はこれを聞いて、自分がほめられたような氣がして、嬉しいやら、重松主事及び現在の同校職員諸君のなみなみならぬお骨折りの程をしのんで、感謝の氣もちでいつぱいになつたのであつた。

このたび、同校職員各位の汗の結晶になる本書が世に出ることは、まことに喜ばしい。口に新教育を唱えても、それがから念佛になつていることが多いこの時代に、子供の学習によつて到達されるべき各領域の能力の基準が明らかにされたことは、今後わが國の教育実践の上に、どんなにか強い推進力となることであろう。この書によつて、わが初等教育の一大飛躍を期待してやまない。

この良書の刊行を知つて、思わず余計なことに筆が走つたようであるが、これが私のいつわらない心もちである。同校の発展と、職員各位の御健在を祈り、かつ、本書の使命の十全の発揮を期待してお喜びのことばを結びたい。

子供と一体の教育

長坂端午

私は昨年三月と十一月との二回奈良を訪れた。三月に行つた時にも、児童があかるくて、いきいきしているのに感心したが、十一月に行つてみると児童は一そう明るく、きびきびしてきたし、全児童が全職員親子のような親愛の情を示しているのに感嘆したのである。校舎の中も明るい色に塗りかえられ、庭も改造されて、花壇も大きく美しくなり、ふん水も新に作られている。聞けばこのような作業はおおむね職員の手によってなされたのだという。職員室での雑談にも、個々の児童の事が話題にのぼっている。いく人かの父母にも会ったが皆学校に感謝し、信頼し、心から協力している様子がうかがわれた。ペスタロッチがブルグドルフの学校を経営していた時、或る父親が来て「これは学校ではなくて家庭である」と評したのに対して、ペスタロッチは「自分が今まで受けた讃辞のうちこれにました讃辞はない」と答えたというが、私も同校に対して同じ讃辞をおくりたいのである。

職員はいかにも毎日が楽しそうに指導にいそしんでいる。しかしこのような打込み方の背後には何か悲壮のものがあるように見えた。現在はどうなっているか詳に知り得ないが、当時同校は学制改革の余波を受けて学校の存続がどうなるかわからないという危機に立っていた。長い奈良の伝統をうけついで来た同人諸氏の、最後を美しくしよう、学校はどうなる運命にあろうとも、現在あずかっている児童たちを、今後どのような運命の風波にあっても、強く正しく自己の道を切り開いていけるように教育してやろうという、期せずして一致した悲壮な願いが、諸氏の魂を一団の火として燃え上らせたものと思われる。同人諸氏の眼は一筋に児童に上にそそがれた。世の流行から眼をとじ、世のきよほうへんから耳をおおって、一筋に児童を思い、自分たちの精魂を盡して工夫したのである。その記録が本書である。

外に向かう眼をとじ、もっぱら内にひそめられた魂が、みずから表現されたものとしての本書は、まずその言葉に特色をもっている。同校の教育計画は、所謂コーア・カリキュラムの範ちゅうに属するものであろうが、これは工夫の結果がおのずからそこに行ったものであって、そのような原理や名前にみちびかれたものではない。従って本書の、何処にもコーア・カリキュラムの言葉は見出されない。作業単元という言葉さえも用いていない。子供と一体となった教育から、自ら「しごと」「けいこ」「なかよし」等、子供と共通の言葉が生みだされてくる。これらの言葉が強いて異をたてるために作られたのではなくて、自然に生れでたものであることは、読者が本書を一読すればわかるであろう。

調査その他、計画をたてるための手続きも慎重であり、調査の結果は実によく生かされて無駄はない。特に各種能力指導系統表の作成にはずい分苦心されたものと思われる。これは各校にとって何よりもよい参考になるであろう。

終りに老婆心ながらつけ加えておきたい。この案の形だけをそのまま真似ることはのぞましいことではない。この案の背後にある教育精神や、個々の研究調査の成果、実践上の工夫は学ぶべきものが多いが、各校には各校の実状に応じての工夫があるはずである。各校各教師が自ら工夫することこそ本書から学ぶ最大のものであろう。

重松君の仕事に寄せる

宗像誠也

重松君。「たしかな教育」の構想を君から聞き、又その骨子になる案を見て、先ず感じたのは争われない君の持味だった。勿論奈良はいわば「新教育の老舗」であり、先人の業績が累積され、傳統の地盤が固められており、君も言うようにすぐれた先生方がみんなでこれを守り育てようとしておられる。君の仕事はこういう條件の中で始められ、決して君一人の創造ではないのだが、しかもやはり「たしかな教育」にははっきりと君の持味がにじみ出ている。これは非常に面白いことだと思う。教育というものは、それがどんな理論又は立場により、どんな客観的事情の下で行われるにしても、最後はやはり一つの人格の力によって実践的に生かされるものなのだろう。

重松君。君の持味とは何か。それは例えば「たしかな教育」という言葉に先ずあらわれている。たしかさを特に標榜する以上は当代一般の新教育運動に不たしかさを感じていられるのだろう。これは私も大いに同感するところで、教育界における流行の不たしかさには実に幾度も慨歎せざるを得なかったのだ。君がこの点に深い注意を拂っていることは、流行のアメリカ語を少しも用いないようにしている点からもうかがわれる。

重松君。しごと、けいこ、なかよし、の三つの概念にも大体賛成できる、というより大いに教えられるところがあった。それは借りものでなく、日常の経驗から認識を深めて到達された概念で、ここにもたしかさの一つのあらわれを感じ取ることができた。幾度か招きを受けながら健康が許さないのでついにまだ一度も実際を見る機会を得ない僕にも、君の学校のやり方が大体感得され得るのも、やはりこの点から来るので、概念や理論の過剩がないからすらりと受け取れるのだろう。

重松君。しかし僕にはまだ解けない疑問の点もあることを言わずにはいられない。君の「たしかな」教育では、「ほんとうに自分たちになっとくのいく教育」に「身も心も打ち込む」ことを目標にし、そしてそれを高い程度に実現しておられるように思う。それには大いに敬意を表するし、そもそも教育という以上はそうでなくてはならぬとは思うのだ。しかし君の教育の目的が「人間として强い人間」と言われる時、僕は「あまりに人間的！」と言う気がしないでもない。つまり一面ではもっと客観的な考察が必要ではないかと言うことだ。「人間として强い人間」と言うだけでは、どうかすると一人吞み込みになり、今の日本ではそれが一体どのような歴史的社会的なあらわれ方をすべきなのか、という客観的な面を等閑視することにはならないか。もう一つ、例えば「しごと」を「けいこ」から分つ一つの特質として、「全身全靈を打ち込む」ことが数えられているが、これなどもあまりに主観主義的である危険はないか。それがもし「忘我」というようなことに取られるならば、子供たちは却って「げいこ」の或るものに、例えば体操に、音楽に、絵画において、それを経験することが多いと言われないだろうか。勿論そういう意味ではないと思うのだが、それならば別の表現が必要なので、その別の表現はもっと客観的な根拠から出て来なければならないと思う。

重松君。御承知のように僕は実際教育の問題には全く素人だ。その素人の常識にも君の狙いは大体において良く呑み込める。その意味でもたしかに君の教育はたしかさを持っていると言えると思う。しかし又その素人の疑問にも何等かの意味を認められるものならば、願わくばこれに一顧の労を拂って、ますます客観的にもたしかな教育を確立してくれ給え。

重松君。君の仕事の一端に触れただけでも、僕は非常に啓発された。又「本物」に接した時に感ずるさわやかさを感じた。誠にありがとう。

たしかな教育の方法

昭和二十四年五月五日印刷
昭和二十四年五月十五日発行
昭和二十四年十二月五日三版発行

定價二百円

著者 奈良女高師附属小学校 学習研究会 代表者 重松鷹泰

発行者 東京都中央区銀座七ノ四 有光次郎

印刷者 東京都新宿区市谷加賀町一ノ十二 小坂孟

発行所 東京都中央区銀座七ノ四 株式会社 秀英出版 電話銀座(57)六八二五